Collection Denis Baude
& Yves Jusserand

SVT

PROGRAMME 2019

Sciences
de la vie
et de la Terre

Sous la direction de

Denis Baude et **Yves Jusserand**

Ce manuel a été écrit par :

Adeline André
IA-IPR, académie de Versailles

Denis Baude
Lycée Pothier, Orléans

Virginie Caillault
Collège Paul Verlaine, Les Mureaux

Alban Caillette
Lycée Ronsard, Vendôme

Pascal Chauvel
Lycée Charles Lepierre, Lisbonne

Aude de Quillacq
Lycée Descartes, Tours

Fatima El Aziz Khalil
LFI Georges Pompidou, Dubaï

Isabelle Gasperini
Lycée François Villon, Beaugency

Véronique Joyeux
Lycée Jean Monnet, Joué-les-Tours

Yves Jusserand
Lycée Bernard Palissy, Gien

Frédéric Labaune
*Lycée Jean-Marc Boivin,
Chevigny-Saint-Sauveur*

Pascale de Marchi
Lycée François Villon, Beaugency

Aurélie Ménard-Parrod
Lycée Édouard Branly, Dreux

Benoit Merlant
Lycée Bernard Palissy, Gien

Paul Pillot
*Professeur,
développeur d'applications scientifiques, Montréal*

Stéphane Rabouin
Lycée Pothier, Orléans

Philippe Roger
Lycée Bernard Palissy, Gien

Rémi Tourret
*Lycée Marceau, Chartres,
ESPE Centre Val de Loire (Université d'Orléans)*

Avec la collaboration de

Philippe Cosentino
développeur d'applications scientifiques,
coordinateur du manuel numérique

Frédéric Labaune : photographies originales
Grégory Michnik : dessins originaux
Paul Pillot : modélisation moléculaire

bordas
éditeur

Les SVT en classe 1re générale

Au lycée, l'enseignement des Sciences de la vie et de la Terre vise trois objectifs majeurs :

- Acquérir une culture scientifique solide, en renforçant la maîtrise de connaissances validées scientifiquement et la pratique d'un raisonnement rigoureux ;
- Développer l'esprit critique et contribuer à l'éducation civique, en appréhendant sous un angle scientifique les enjeux du monde actuel ;
- Construire une orientation positive, préparer à la poursuite d'études et, au-delà, aux formations conduisant à l'exercice d'un métier.

L'enseignement de la spécialité SVT en classe de Première s'inscrit pleinement dans ces objectifs. Il est organisé autour de trois thèmes :

La Terre, la vie et l'évolution du vivant

Deux grandes parties s'inscrivent dans cette thématique :

Transmission, variation et expression du patrimoine génétique

En s'appuyant sur les connaissances acquises concernant l'ADN, cette partie du programme permet de comprendre comment le support de l'information génétique est transmis au cours des divisions cellulaires. Au-delà, c'est le rôle de l'ADN dans le fonctionnement d'une cellule vivante qui est exploré. Les connaissances approfondies ainsi acquises concernant l'ADN et sa variabilité permettent de comprendre quelles informations on peut tirer de l'analyse de l'ADN.

La dynamique interne de la Terre

Les méthodes mises en œuvre dans les géosciences permettent de construire un modèle cohérent de la structure et du fonctionnement de la Terre en tant que planète active. Au-delà de la compréhension du modèle de la tectonique des plaques, cette partie du programme est l'occasion d'explorer avec les outils appropriés les objets géologiques aux différentes échelles : cristal, roche, affleurement, couches internes, Terre dans sa globalité.

Enjeux planétaires contemporains

- En s'appuyant sur l'étude scientifique d'un écosystème, ce thème amène à la prise de conscience des services rendus par les écosystèmes : il permet de comprendre et d'appréhender les défis écologiques actuels et d'envisager des solutions pour les relever.

Corps humain et santé

- Les connaissances acquises concernant le génome conduisent à mieux comprendre la part du déterminisme génétique et celle des facteurs environnementaux dans les grands problèmes de santé actuels. Le rôle du système immunitaire est étudié dans ses diverses composantes. Ce thème permet de comprendre comment les connaissances scientifiques contribuent à fonder des choix individuels et collectifs responsables vis-à-vis de la santé.

Remerciements

Marc Fournier, Maître de conférences, Institut des Sciences de la Terre de Paris (ISTeP) ■ Pascal Lecroart, Professeur de géologie, laboratoire Environnements et Paléoenvironnements océaniques et continentaux, Université de Bordeaux ■ Christine Solonot, Aide de laboratoire, lycée Jean-Marc Boivin, Chevigny-Saint-Sauveur ■ Pierre Thomas, Professeur émérite à l'ENS Lyon ■ Valentin Laurent, Université d'Orléans - Imperial College, Londres ■ Aurélie Amary, Psychologue de l'Éducation Nationale ■ Yves Fouquet, Chercheur en géosciences marines, IFREMER ■ Hélène Ondréas, Chercheuse en géosciences marines, IFREMER ■ Fabrice Lecornu, IFREMER et AFAF ■ AFAF, Association Française de l'Ataxie de Friedreich ■ Yoan Paillet, Ingénieur de recherche, IRSTEA ■ Julie GAILLOT-de SAINTIGNON, Responsable du département Prévention, Institut National du Cancer ■ Renaud Jaunatre, IRSTEA ■ Marcel Lecomte, Association des Mycologues Francophones de Belgique ■ Daniel Vallauri, WWF ■ Claire Mallard, Chercheuse en géosciences, University of Sydney, Australie ■ Valentine Gagnepain, Étudiante en DUT Génie biologique Option Analyses biologiques et biochimiques ■ Damien Monet, Docteur en bioinformatique, Institut Pasteur et université Paris VI-Sorbonne ■ Logan Lavainne, Étudiant en BCPST ■ Pierre Martinache, Étudiant à l'École Nationale des Travaux Publics de l'État ■ Capucine Bridenne, Étudiante en médecine ■ Jean-Baptiste Derouet, Technicien agricole ■ Coline Lemaitre, Ingénieur agronome, Quality Supervisor, Delifrance UK ■ Émilie Cantrel, Technicienne de laboratoire, APEX BIOSOLUTIONS ■ Benjamin Prud'homme, IBDM/CNRS - Université Aix-Marseille ■ Hélène Ondreas, Ifremer ■ Dr Winfried Kasprik, Institute of Plant Science and Microbiology, Univ. Hamburg (Allemagne) ■ Pr. Teruyuki Niimi, National Institute of Basic Biology (Japon) ■ Thorsten W. Becker, Institute for Geophysics/Univ. of Texas at Austin (États-Unis) ■ Jean-Claude Mareschal, Univ. du Québec à Montréal ■ Tim Wright, Univ. of Leeds (Royaume-Uni) ■ Pierre Briole, ENS Paris, laboratoire de géologie ■ Pr. Marc Fournier, Sorbonne Université et coordonnateur du Master MEEF SVT de l'ESPE de Paris ■ Stéphane Schwartz, MCF Université Grenoble Alpes, Institut des Sciences de la Terre ■ Laurence et Alain Campo-Paysaa, anciens professeurs de SVT au Lycée de Saumur ■ Georges Grousset, IPR retraité, Inspecteur d'académie honoraire - Académie de Lyon, Éducation Nationale ■ Éric Le Roux, photographe à l'université Claude-Bernard Lyon 1 ■ Cédric Anamoutou, Parc national de La Réunion ■ Daniel Vallauri, WWF France ■ Société Sordalab ■ Société Abcam ■ Ifremer, BRGM et IGN, INCa, FNMR, Fédération Française de Cardiologie, Afa Crohn RCH France ■ IODP, USGS, Nasa, NOAA

Découvrez votre manuel

Ouverture du chapitre

Pour s'interroger et formuler les problématiques du chapitre.

Unités

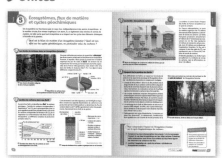

Pour construire les notions du programme à partir d'activités pratiques variées et de l'exploitation de données scientifiques.

Bilan des connaissances

- Des textes et des schémas pour faciliter la mémorisation.
- Les mots-clés à connaître.

Exercices

Des exercices nombreux et variés, pour s'autoévaluer, travailler les compétences à acquérir, pratiquer les raisonnements scientifiques en utilisant les connaissances acquises.

Objectif sciences

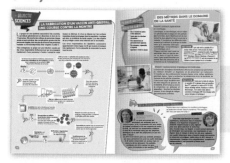

Pour découvrir l'actualité et l'histoire des sciences, connaître des formations et des métiers.

Guide pratique

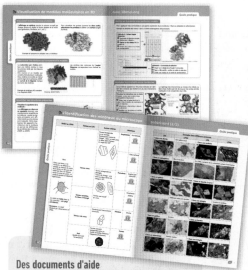

Des documents d'aide et d'apprentissage, à utiliser à tout moment en fonction des besoins.

Se préparer aux épreuves du Baccalauréat

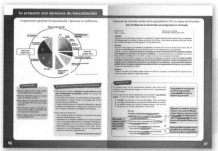

Pour mieux connaître les épreuves de SVT du baccalauréat et les compétences à mettre en œuvre.

Sommaire

PARTIE **3**

Enjeux planétaires contemporains Retrouver des acquis 242

> OBJECTIF
SCIENCES

Découvrez des formations et des métiers, l'histoire des sciences, ou des techniques de recherche surprenantes pages 134, 240, 294, 392 !

Les cours en podcast

Pour écouter et réviser le cours, à votre rythme, autant de fois que vous le souhaitez.

15 schémas bilans animés

Schémas bilans

par **Philippe Cosentino**

Cellules en méiose
(étamines d'ail aux ours).

PARTIE 1

Transmission, variation et expression du patrimoine génétique

Retrouver des acquis

Les cellules contiennent la même information génétique

■ Toutes les cellules d'un organisme pluricellulaire sont issues d'une cellule unique.

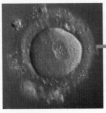 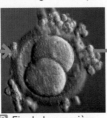 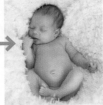

A Cellule-œuf humaine.

B Fin de la première division de la cellule-œuf.

C Nouveau-né.

● L'ADN est situé dans les chromosomes qui se répartissent équitablement lors de la division cellulaire ou mitose dans deux cellules filles identiques.

4 nucléotides différents...

■ Ces cellules possèdent initialement la même information génétique sous forme de gènes constitués d'ADN (acide désoxyribonucléique).

■ Les gènes sont des informations codées : c'est l'ordre dans lequel se succèdent les nucléotides qui constitue un message.

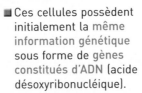

... s'associent pour former deux chaînes complémentaires enroulées en double hélice.

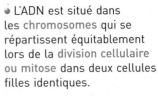

Une cellule à 46 chromosomes

RÉPLICATION DE L'ADN

MITOSE (division cellulaire)

Deux cellules à 46 chromosomes

Les cellules sont spécialisées

■ Les cellules de l'organisme ont des fonctions différentes.

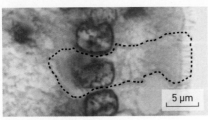

5 µm

A Cellule intestinale spécialisée dans l'absorption des nutriments (microscope optique).

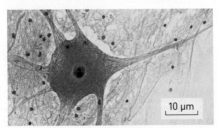

10 µm

B Neurone, cellule spécialisée dans la transmission du message nerveux (microscopie optique).

Les cellules se spécialisent...

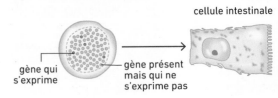

cellule intestinale

gène qui s'exprime — gène présent mais qui ne s'exprime pas

... en exprimant certains gènes seulement

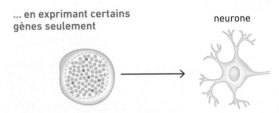

neurone

C'est l'expression d'une partie seulement de leur information génétique qui est à l'origine de la spécialisation des cellules.

Le métabolisme des cellules dépend des enzymes

■ Les transformations biochimiques qui se déroulent dans une cellule constituent son métabolisme.

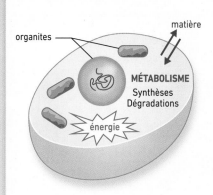

■ Les enzymes sont des molécules nécessaires à l'accomplissement des réactions du métabolisme.

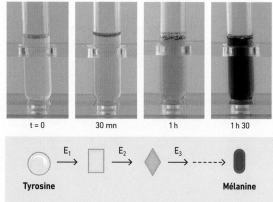

t = 0   30 mn   1 h   1 h 30

$$\text{Tyrosine} \xrightarrow{E_1} \square \xrightarrow{E_2} \diamond \xrightarrow{E_3} \dashrightarrow \text{Mélanine}$$

E_1, E_2, E_3 : enzymes nécessaires à la réalisation des réactions chimiques

Exemple : voie métabolique de la synthèse de la mélanine dans un mélanocyte (cellule responsable de la couleur de la peau).

Les mécanismes évolutifs contribuent à la diversification des êtres vivants

■ La dérive génétique, une modification aléatoire de la fréquence des allèles au sein d'une population.

génération 1

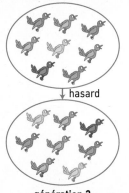

↓ hasard

génération 2

Lors de la reproduction sexuée, les allèles des parents sont transmis de façon aléatoire à leurs descendants. Dans une petite population, la diversité génétique change fortement d'une génération à l'autre.

Lorsqu'une petite sous-population s'isole d'un groupe plus important, la diversité de cette sous-population peut, par hasard, être différente de celle du groupe d'origine : c'est l'« effet fondateur ».

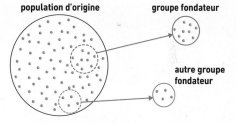

A L'effet fondateur : un cas de dérive génétique.

■ La sélection naturelle est l'augmentation dans une population de la fréquence d'un caractère qui confère un avantage reproducteur, sous l'effet de la pression de facteurs du milieu de vie.

Dans une région où les supports (arbres, rochers) sont souvent couverts de lichens clairs, les phalènes foncées sont plus facilement repérées que les phalènes claires par les oiseaux insectivores. Par conséquent, leur fréquence dans les populations est plus faible. Dans d'autres conditions, c'est l'inverse.

B L'exemple de la phalène du bouleau.

Les divisions cellulaires des eucaryotes

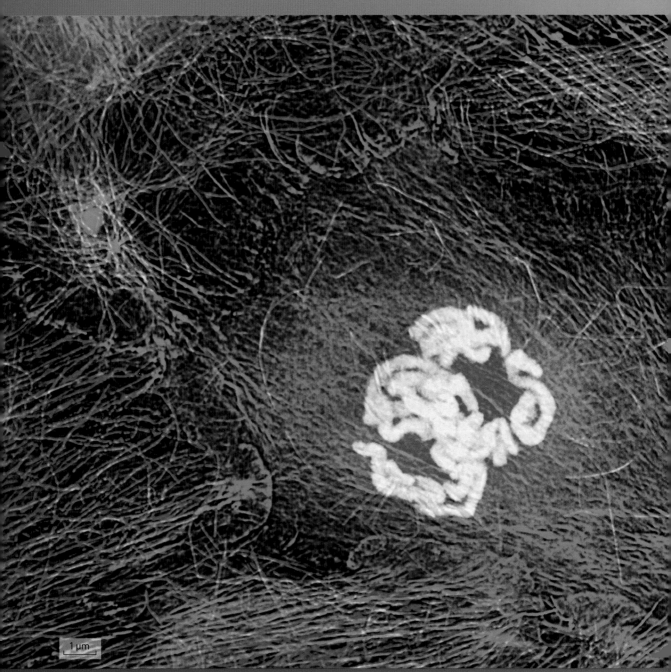

1 µm

Début de la division d'une cellule (prophase). Observation au microscope optique en immunofluorescence.

Le ballet des chromosomes

La technique d'immunofluorescence permet de visualiser par coloration spécifique diverses structures cellulaires. Ici, les chromosomes apparaissent en blanc, la couleur rouge met en évidence des protéines fibreuses (tubuline), les couleurs verte et bleue révèlent des protéines motrices et enzymatiques (susceptibles de fournir de l'énergie).

La cellule de gauche est à un stade de la division cellulaire qui précède de quelques minutes celle de droite.

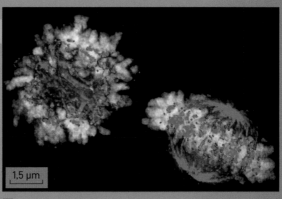

1,5 µm

Prométaphase et métaphase de mitose (Observation au microscope optique en immunofluorescence).

47,XXY
(KLINEFELTER'S SYNDROME)

Caryotype d'un homme atteint du syndrome de Klinefelter.

Des anomalies du caryotype

Toutes les cellules d'un organisme humain comportent normalement 46 chromosomes, sauf les gamètes qui n'en comptent que 23.

Il existe cependant parfois des anomalies du caryotype , comme par exemple des trisomies. Dans le cas de la trisomie XXY, la personne est un homme, mais il est stérile et peut présenter des anomalies du développement des caractères sexuels secondaires.

Le plus souvent, une trisomie concerne toutes les cellules de l'individu. Mais il existe aussi des trisomies « en mosaïque », où seules certaines cellules de l'organisme sont affectées.

Formuler les problèmes à résoudre

Faites le point sur ce que vous savez des divisions cellulaires. Envisagez par exemple le cas des divisions d'une cellule-œuf ou du renouvellement cellulaire d'un tissu, mais aussi de la formation des cellules sexuelles.

En vous appuyant sur les documents présentés, formulez des questions qui restent posées.

1 Des caryotypes diploïdes ou haploïdes

Le caryotype d'une cellule eucaryote est caractérisé par le nombre et la morphologie des chromosomes. La stabilité du caryotype des cellules d'un individu et de ses descendants implique l'existence de deux modalités de division des cellules.

Quelles sont les différences fondamentales entre les deux types de divisions cellulaires des eucaryotes ?

1 Le caryotype d'une cellule somatique

Pour obtenir le cliché ci-contre, on a utilisé des sondes moléculaires* capables de se fixer de façon spécifique sur certaines séquences de l'ADN des chromosomes.

Chaque sonde est équipée d'un colorant fluorescent qui « peint » spécifiquement la région du chromosome où elle s'est fixée, ce qui la rend facilement repérable.

Ce **caryotype*** a été obtenu à partir d'une cellule somatique* (c'est-à-dire non sexuelle) en division. Les chromosomes ont été ensuite rangés et ordonnés selon certains critères.

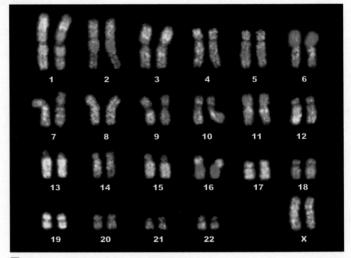

■ Caryotype d'une cellule somatique humaine.

2 L'équipement chromosomique des cellules sexuelles

Le document ci-dessous (B) a été obtenu au cours d'une division cellulaire qui est à l'origine des spermatozoïdes (A). Il présente le lot chromosomique qui équipera un spermatozoïde.

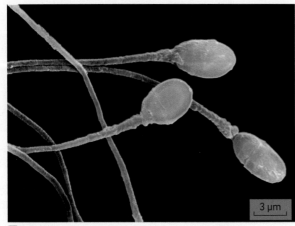

A Spermatozoïdes humains observés au microscope électronique à balayage (MEB).

3 µm

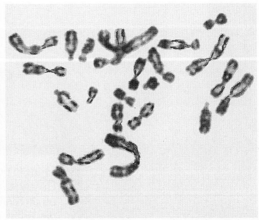

B Caryotype non rangé d'une cellule sexuelle humaine.

3 Divisions cellulaires et stabilité du caryotype

Chez la plupart des animaux, les sexes sont séparés. Les gamètes* sont produits par les testicules et les ovaires. Une cellule-œuf, à l'origine d'un nouvel individu, se forme par fécondation de deux gamètes fournis par chacun des deux parents.

Les plantes à fleurs ont aussi une reproduction sexuée. Les gamètes mâles et femelles sont respectivement produits par les étamines* et le pistil*.

Néanmoins, aussi bien chez les animaux que chez les plantes, le caryotype reste stable d'une génération à la suivante et toutes les cellules somatiques conservent le même nombre de chromosomes.

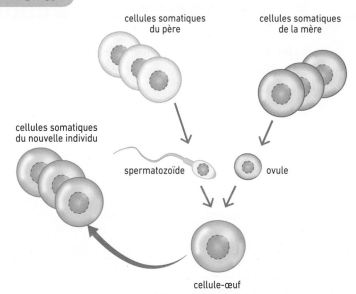

cellules somatiques du père

cellules somatiques de la mère

cellules somatiques du nouvelle individu

spermatozoïde

ovule

cellule-œuf

■ Cycle biologique commun à la plupart des animaux et des plantes.

4 Divisions cellulaires, diploïdie et haploïdie

Une cellule est dite **diploïde*** si les chromosomes qu'elle contient peuvent être associés par paires d'homologues. Le nombre total de chromosomes est alors noté *2n* (ce qui signifie « 2 lots de *n* chromosomes »).

Au contraire, une cellule dont les chromosomes sont tous différents les uns des autres est dite **haploïde***, son nombre de chromosomes étant alors noté *n* (ce qui signifie « 1 seul lot de *n* chromosomes »).

La **mitose*** est le processus de division cellulaire conforme : il conserve le nombre de chromosomes de la cellule initiale.

La **méiose*** est un processus de division cellulaire particulier, qui permet de former des gamètes haploïdes à partir de cellules initialement diploïdes.

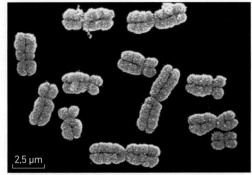

2,5 µm

■ Chromosomes que l'on peut regrouper par paires d'homologues (cellule diploïde humaine en division, microscopie électronique à balayage).

Activités envisageables

Pour comprendre la nécessité de deux divisons cellulaires différentes :

● Identifiez les critères utilisés pour la réalisation des caryotypes. Comparez ceux présentés ici.

● À l'aide de vos connaissances et des informations à trouver dans les documents, dites quand et dans quels organes se déroulent mitoses et méioses.

● Replacez ces divisions sur le cycle du document 3 et précisez l'état diploïde ou haploïde de chacune des cellules.

Des clés pour réussir

● Vous pouvez vous appuyer sur des exemples précis, en distinguant animaux et plantes.

● Mobilisez vos connaissances du collège et de la classe de seconde.

* Lexique ➥ p. 422

Unité **2**

Les chromosomes, éléments permanents des cellules

Les chromosomes sont des structures universelles et permanentes des cellules eucaryotes. Bien visibles au cours des divisions, ils ne disparaissent pas pour autant entre deux divisions.

Quels sont les différents aspects pris par les chromosomes au cours d'un cycle cellulaire ?

1 ADN condensé ou décondensé

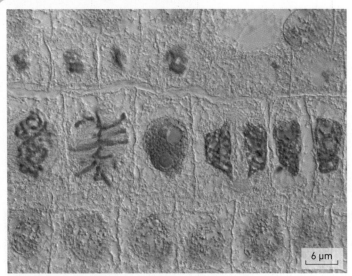

6 μm

■ Cellules de l'extrémité d'une racine, observées au microscope optique (coloration de Feulgen).

La coloration de Feulgen présente l'intérêt d'être strictement spécifique de l'ADN : en utilisant cette technique de coloration, seul l'ADN apparaît coloré en rose. Il est alors possible de déterminer avec certitude où se situe l'ADN dans une cellule, et quel aspect prennent les molécules d'ADN.

Dans un tissu, il est possible d'observer des cellules qui se divisent, tandis que d'autres se situent entre deux divisions, c'est-à-dire en **interphase***.

Au cours des divisions, l'ADN est **condensé***. Les chromosomes sont alors des éléments individualisés et intensément colorables. C'est là l'origine du mot « chromosome » (du grec *chrôma*, couleur et *sôma*, corps). En interphase au contraire, l'ADN est **décondensé***. Les chromosomes apparaissent beaucoup plus clairs, diffus, indiscernables les uns des autres.

2 Chromosomes simples ou chromosomes doubles

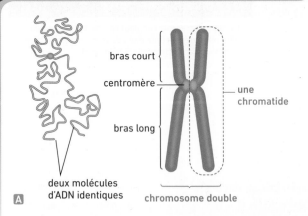

bras court
centromère
une chromatide
bras long
deux molécules d'ADN identiques
chromosome double

A

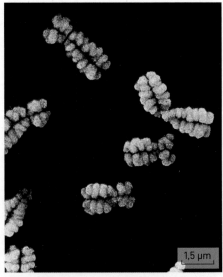

1,5 μm

B Chromosomes humains observés au microscope électronique à balayage (MEB).

Le plus souvent, les chromosomes apparaissent « doubles », c'est-à-dire constitués de deux **chromatides***. Déjà dupliqués, ils sont alors constitués de deux molécules d'ADN identiques, réunies au niveau du **centromère***. Les chromosomes sont particulièrement bien observables dans cette configuration au début de la mitose.

③ Les phases du cycle cellulaire

Ce graphique présente l'évolution de la quantité d'ADN d'une cellule au cours du temps (à l'issue d'une division, on ne prend en compte que la quantité d'ADN dans l'une des cellules). Il permet de caractériser les phases du cycle cellulaire illustrées par le schéma ci-dessous.

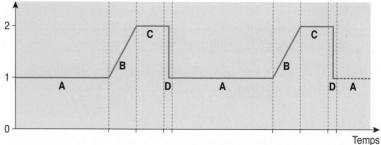

A Quantité d'ADN par cellule au cours du temps (deux cycles cellulaires successifs).

M = Mitose
Période pendant laquelle les chromosomes sont très condensés et pendant laquelle a lieu le partage du matériel génétique.
Durée : 1 à 2 heures.

G₂ = Intervalle entre S et M
Période pendant laquelle la cellule se prépare à la mitose.
Durée : 2 à 6 h.

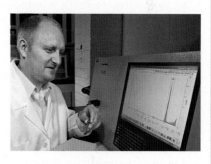

S = Synthèse d'ADN
Phase au cours de laquelle a lieu la réplication* de l'ADN.
Durée : 6 à 20 h.
(voir chapitre 2)

G₁ = Intervalle entre M et S
La cellule synthétise les protéines nécessaires à sa croissance et à ses fonctions.
Durée : de quelques heures à plusieurs années.

B Le cycle cellulaire : des phases caractéristiques, qui se succèdent et se répètent.

La cytométrie en flux* est une technique qui permet de compter précisément le nombre de cellules présentes dans un échantillon tout en mesurant différents paramètres pour chaque cellule. Ici, c'est la quantité d'ADN de chaque cellule qui est mesurée.

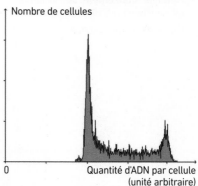

C Nombre de cellules en fonction de la quantité d'ADN.

Pour comprendre les différents aspects pris par les chromosomes :

- Faites des observations microscopiques et différenciez les cellules en mitose de celles qui ne se divisent pas.
- Rapprochez les différents aspects pris par les chromosomes et les étapes du cycle cellulaire.

Des clés pour réussir

- Différenciez l'aspect condensé ou non de l'ADN, ainsi que le nombre de chromatides.
- Mettez en relation les deux graphiques du document 3.

* Lexique ➡ p. 422 **PAGE** Flashable 19

L'observation microscopique de cellules en mitose

Le phénomène de division cellulaire, ou mitose, peut être observé dans certains tissus animaux et, plus facilement, chez les végétaux. Grâce à la mitose, toutes les caractéristiques du caryotype de la cellule parentale sont conservées dans les deux cellules-filles.

Comment la mitose permet-elle cette reproduction conforme du patrimoine génétique ?

1 L'observation de la division des cellules de l'extrémité d'une racine

Mitoses dans une racine

Activité pratique

Protocole expérimental

- Prélever sur un bulbe de jacinthe, d'ail ou d'oignon, 0,5 cm de l'apex* d'une racine et le déposer sur une lame microscopique.
- Recouvrir l'échantillon d'acide chlorhydrique à 1 mol·L⁻¹ (ceci facilitera la dissociation des cellules). Laisser agir 5 minutes, puis absorber l'acide avec un essuie-tout, en laissant en place l'échantillon végétal.
- Recouvrir l'échantillon d'une solution d'orcéine* acétique et laisser agir pendant 15 minutes. Absorber le colorant avec un essuie-tout en préservant le fragment de racine.
- Recouvrir d'une goutte d'acide acétique à 45 % et poser une lamelle.
- Appuyer doucement sur la lamelle avec un bouchon pour dissocier les cellules.
- Observer au microscope.

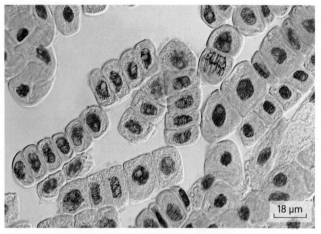

18 µm

■ Cellules dissociées de l'apex d'une racine d'oignon, observées au microscope optique (coloration à l'orcéine acétique).

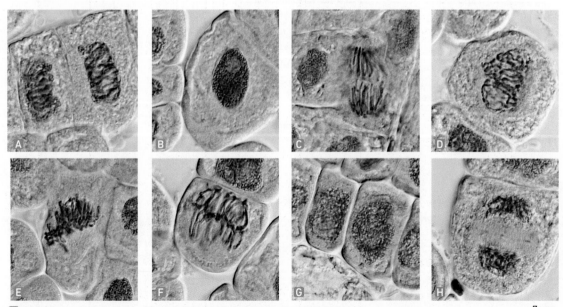

■ Une sélection de huit observations (cellules de l'apex d'une racine d'oignon).

7 µm

2 Le partage des chromosomes au cours de la mitose

Le mécanisme de la mitose est très stéréotypé : il suit, à peu de choses près, le même déroulement chez toutes les cellules eucaryotes, animales ou végétales.

La mitose est un phénomène continu, mais on distingue classiquement quatre phases :

La **prophase***, pendant laquelle l'ADN se condense : les chromosomes deviennent alors visibles.

La **métaphase*** puis l'**anaphase*** (photographies ci-contre) permettent le partage des chromosomes entre les deux futures cellules-filles.

Au cours de la **télophase***, l'ADN se décondense, le cytoplasme se sépare et les deux cellules s'individualisent.

Le nombre de chromosomes, leur taille, leur morphologie, définissent le caryotype d'une espèce et sont les mêmes (sauf anomalies) chez tous les individus de l'espèce.

Les deux photographies ci-contre ont été obtenues chez une espèce végétale dont le caryotype comporte 24 chromosomes. Les cellules sont observées au microscope optique avec une double coloration : le colorant bleu foncé met en évidence les chromosomes. Le colorant rose révèle la présence de fibres dans le cytoplasme des cellules : c'est ce qui constitue le **fuseau de division*** (voir page 30).

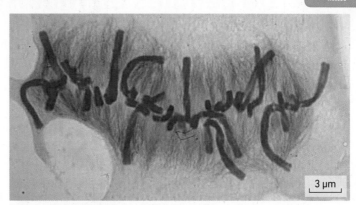

3 µm

A Métaphase de mitose d'une cellule d'agapanthe d'Afrique ($2n = 24$).

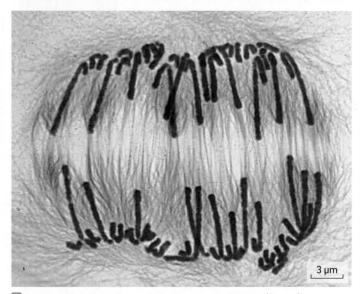

3 µm

B Anaphase de mitose d'une cellule d'agapanthe d'Afrique ($2n = 24$).

Activités envisageables

Pour comprendre comment la mitose assure la conservation de toutes les caractéristiques du caryotype :

● Faites des observations microscopiques de cellules en division. Sélectionnez des stades qui vous paraissent intéressants et présentez vos observations dans l'ordre chronologique de la mitose.

● Replacez les huit photographies A à H du document 1 dans l'ordre chronologique et, pour chacune d'entre elles, proposez une phrase décrivant ce que l'on observe.

● Faites une série de schémas illustrant les 4 étapes de la mitose, en prenant le cas d'une cellule où $2n = 6$ chromosomes.

Des clés pour réussir

● Utilisez les informations de ces documents pour présenter, titrer et légender vos observations.

● Reportez-vous si nécessaire aux pages précédentes pour bien représenter les chromosomes.

* Lexique ➡ p. 422

PAGE Flashable   21

L'observation microscopique de cellules en méiose

La méiose est le processus de division cellulaire qui permet de former des cellules haploïdes à partir d'une cellule diploïde. C'est la méiose qui permet de produire les gamètes.

Comment la méiose permet-elle de former des cellules haploïdes, et en quoi diffère-t-elle de la mitose ?

1 L'observation de cellules en méiose dans une étamine

Activité pratique

Chez les plantes, la formation du pollen (haploïde) dans les étamines nécessite la réalisation de la méiose. La dissection d'une fleur en cours de formation (bouton floral) permet d'observer des étapes de ce phénomène.

Protocole expérimental

- Ouvrir l'inflorescence* immature d'un ail des ours, prélever délicatement à la pince (sous la loupe) trois fleurs situées en bas, au milieu et en haut de l'inflorescence, les poser sur une lame de verre.
- Sous la loupe binoculaire, dégager les étamines en retirant les autres pièces florales. Les anthères* doivent être translucides (sinon, prélever d'autres fleurs plus jeunes).
- Sectionner transversalement les étamines.
- Déposer une goutte de colorant (orcéine acétique).
- Laisser agir 5 à 10 minutes puis écraser délicatement sous une lamelle à l'aide d'un bouchon.
- Mettre les gants puis éponger le surplus de colorant à l'aide de papier filtre.
- Observer au microscope à faible grossissement et repérer des cellules en division (chromosomes visibles).

Inflorescence
2 mm

Bouton floral
0,8 mm

Étamines
0,8 mm
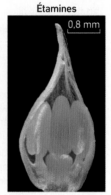

A Étapes de la dissection d'une fleur d'ail des ours (*Allium ursinum*).

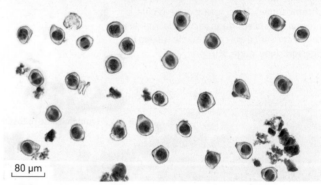
80 µm

B Observation à faible grossissement, permettant de repérer des cellules en division.

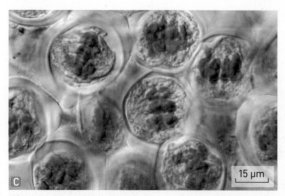
15 µm
C

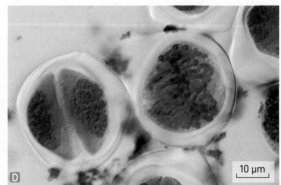
10 µm
D

Cellules en méiose dans une étamine d'ail des ours observées au microscope (coloration à l'orcéine acétique).

② Le déroulement de la méiose

Déroulement complet de la méiose reconstitué à partir d'observations dans une étamine de lis (*2n* = 24)

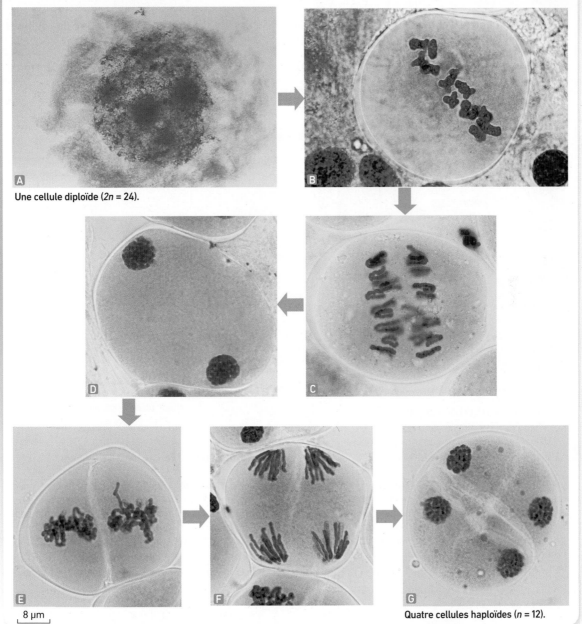

Une cellule diploïde (*2n* = 24).

8 µm

Quatre cellules haploïdes (*n* = 12).

Activités envisageables

Pour comprendre en quoi consiste la méiose :

● Faites des observations de cellules en méiose, et placez-les dans l'ordre chronologique en vous référant au document 2.

● Comparez la méiose au phénomène de mitose précédemment étudié.

● Proposez une hypothèse permettant d'expliquer comment les cellules formées peuvent être haploïdes.

Des clés pour réussir

● Commencez par identifier le nombre de divisions qui constitue une méiose.

● Pour caractériser les phases, vous pouvez utiliser le même vocabulaire que pour la mitose.

* Lexique ➡ p. 422

PAGE Flashable

5 La méiose : des différences fondamentales avec la mitose

La méiose comporte deux divisions cellulaires successives. Elle permet de produire des cellules haploïdes à partir d'une cellule diploïde.

> **Quels phénomènes se déroulant au cours de la méiose permettent précisément le passage à l'haploïdie ?**

1 Le rôle déterminant de la prophase lors de la première division de la méiose

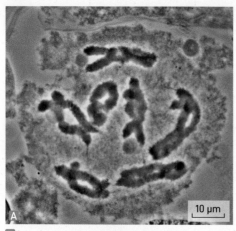

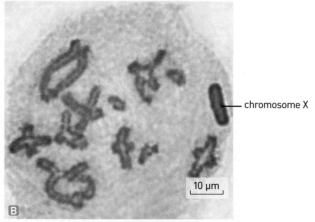

chromosome X

10 µm

10 µm

A

B

■ **Les chromosomes à la fin de la prophase de la première division de la méiose.**
A : étamine d'ail ($2n = 14$).
B : testicule de criquet ($2n = 22 + X$).

> Remarque : chez le criquet, le mâle possède un seul chromosome sexuel (X).

2 L'appariement des homologues

La prophase de la méiose est beaucoup plus longue que celle de la mitose. Au cours de la prophase de la première division de la méiose, chaque chromosome s'approche de son homologue et s'y accole. Un ensemble de protéines permet de lier les deux chromosomes homologues alignés dans le même sens, sur toute leur longueur.

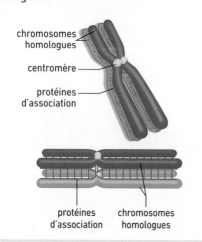

chromosomes homologues

centromère

protéines d'association

protéines d'association   chromosomes homologues

3 L'évolution de la quantité d'ADN

Comme toute division cellulaire, la méiose est précédée d'une **interphase***. Le graphique ci-dessous présente l'évolution de la quantité d'ADN en fonction du temps, avant, pendant et après la méiose.

Remarques : on a pris ici en compte uniquement la quantité d'ADN d'une seule cellule au cours de l'ensemble du phénomène. Les résultats sont donnés en unités arbitraires.

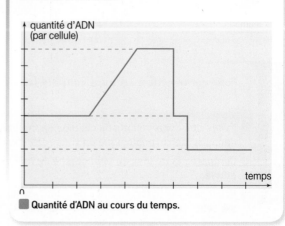

quantité d'ADN (par cellule)

temps

■ **Quantité d'ADN au cours du temps.**

④ La méiose assure le passage de la diploïdie à l'haploïdie

Présentation schématique de l'ensemble de la méiose à partir d'une cellule diploïde où $2n = 6$

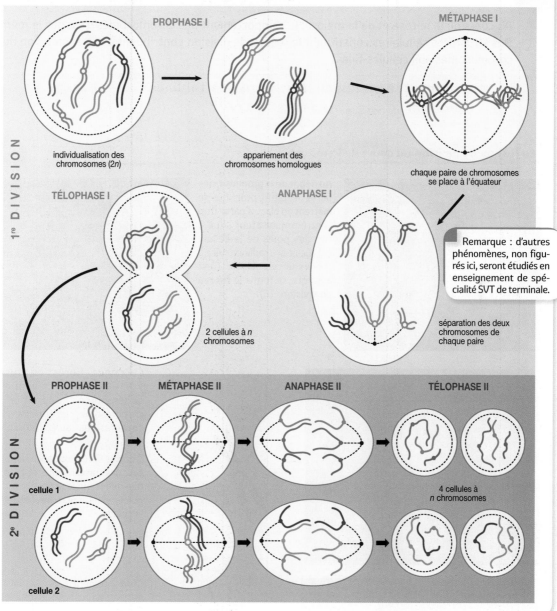

1ʳᵉ DIVISION

PROPHASE I
individualisation des chromosomes ($2n$)

appariement des chromosomes homologues

MÉTAPHASE I
chaque paire de chromosomes se place à l'équateur

TÉLOPHASE I
2 cellules à n chromosomes

ANAPHASE I
séparation des deux chromosomes de chaque paire

Remarque : d'autres phénomènes, non figurés ici, seront étudiés en enseignement de spécialité SVT de terminale.

2ᵉ DIVISION

PROPHASE II — cellule 1

MÉTAPHASE II

ANAPHASE II

TÉLOPHASE II
4 cellules à n chromosomes

cellule 2

Activités envisageables

Pour comprendre comment la méiose permet le passage à l'haploïdie :

- Faites un schéma légendé de l'une des deux photographies du document 1.
- Mettez en relation le graphique du document 3 avec les étapes de la méiose présentées par le document 4. Associez à chaque stade du graphique le nombre et l'état des chromatides.
- Rédigez un texte synthétique comparant mitose et méiose.

Des clés pour réussir

- Utilisez des couleurs et n'oubliez pas qu'à ce stade un chromosome possède deux chromatides.
- Indiquez bien le nombre de chromosomes et de chromatides par chromosome.

Le rôle déterminant du fuseau de division

Au cours de la mitose et de la méiose, le comportement des chromosomes n'est pas le même. Des structures cellulaires constituant le fuseau de division contribuent à la transmission des chromosomes aux cellules-filles.

Comment le fuseau de division assure-t-il le bon déroulement des divisions cellulaires ?

Animation

Mitose 2

1 Le fuseau de division au cours de la mitose

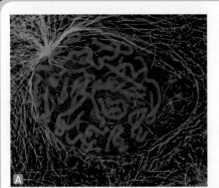

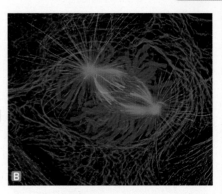

Au début de la prophase, des fibres de nature protéique se mettent en place à partir d'un centre organisateur situé à l'un des pôles de la cellule (**A**). Celui-ci irradie ensuite à travers le cytoplasme. C'est ainsi que se forme le **fuseau de division*** (**B**).

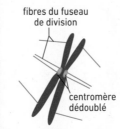

fibres du fuseau de division

centromère dédoublé

Certaines fibres du fuseau s'arriment au niveau du **centromère*** dédoublé du chromosome et connectent les chromatides aux deux pôles opposés.

D'autres fibres sont ancrées sur les bras des chromosomes et exercent des forces qui les conduisent à se placer dans le **plan équatorial*** de la cellule.

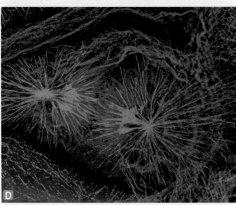

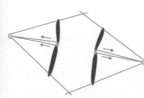

Contrairement à ce que laissent penser des photographies, les fibres du fuseau de division sont des structures très dynamiques.

Au cours de l'anaphase, les fibres se raccourcissent à partir de l'extrémité fixée au centromère.

Ainsi, les deux chromatides de chaque chromosome se séparent et migrent vers les pôles opposés, à la vitesse de 2 µm par minute.

■ Observation au microscope optique en fluorescence des étapes de la mitose (cellule d'amphibien). Fibres du fuseau en vert, chromosomes en bleu. └ 10 µm ┘

② Le fuseau de division au cours de la méiose

Comme pour la mitose, la prophase de la première division de la méiose débute par la mise en place d'un fuseau de division. Il y a cependant des différences essentielles.

À l'issue de cette prophase, les deux chromosomes homologues de chaque paire ne se séparent pas totalement, ils restent associés par des points de contacts appelés **chiasmas*** (2 à 3 par paire en moyenne).

Au cours de la métaphase, ce sont donc des paires de chromosomes homologues qui vont venir se placer dans le plan équatorial de la cellule. Chaque paire se dispose de telle sorte que les deux centromères soient orientés vers les pôles opposés. Ce sont les chiasmas qui se placent dans le plan équatorial de la cellule.

Au cours de l'anaphase, le raccourcissement des fibres du fuseau entraine la migration des deux chromosomes homologues aux pôles opposés de la cellule. Au sein d'un chromosome, les deux chromatides restent associées l'une à l'autre.

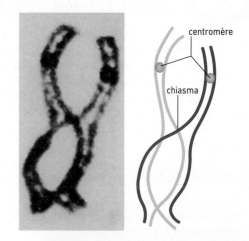
centromère
chiasma

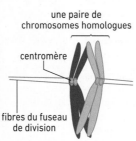
une paire de chromosomes homologues
centromère
fibres du fuseau de division

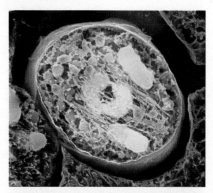

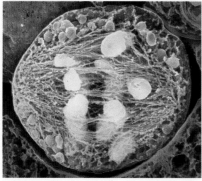

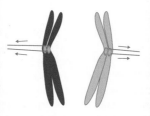

8 μm

Observation au microscope électronique des étapes de la première division de la méiose (pollen de *Tradescantia*). Fibres du fuseau en vert, chromosomes en jaune.

Pour comprendre l'origine des différences fondamentales entre mitose et méiose :

● Pour chacune des photographies présentées dans cette unité, proposez un titre et une phrase décrivant ce qui la caractérise.

● Faites des schémas représentant la métaphase et l'anaphase, dans le cas de la mitose d'une part, dans le cas de la première division de la méiose d'autre part. Prenez le cas très simple où *2n* = 4.

Des clés pour réussir

● Aidez-vous des textes et utilisez un vocabulaire précis.
● Utilisez des couleurs.
● Représentez les chromosomes mais aussi le fuseau de division.

* Lexique ➔ p. 422

7 Des anomalies au cours des divisions cellulaires

La plupart du temps, les processus de division cellulaire permettent la répartition équitable des chromosomes dans les cellules-filles. Mais, comme pour tout mécanisme, il peut exister des dysfonctionnements.

> *Quelles sont les causes et les conséquences des anomalies se déroulant au cours de la mitose ou de la méiose ?*

1 Des anomalies au cours de la mitose

Des anomalies du partage des chromosomes peuvent se produire au cours des millions de divisions cellulaires qui se produisent dans un organisme.

Des anomalies importantes, comme celle illustrée par la photographie ci-contre conduisent en général à la mort de la cellule. Dans d'autres cas, la cellule survit mais échappe aux processus de contrôle du cycle cellulaire, ce qui peut conduire au développement de tumeurs cancéreuses (voir partie 4, chapitre 1).

Il arrive parfois qu'un chromosome ne se sépare pas correctement. Ce type d'anomalie, qualifiée de non-disjonction* conduit à la formation de cellules ne comportant pas le nombre normal de chromosomes : c'est ce qu'on appelle une **aneuploïdie***. Dans 85 % des cancers, on observe des aneuploïdes : les cellules cancéreuses ont tendance à perdre ou à acquérir des chromosomes.

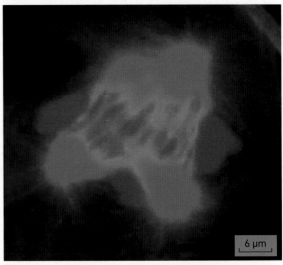

6 µm

A Mitose anormale : la formation de quatre pôles du fuseau de division provoque la mort de la cellule.

■ Les causes possibles d'une mauvaise répartition des chromosomes

Une aneuploïdie provient souvent d'un problème de fixation des fibres du fuseau de division au centromère.

Il peut arriver par exemple que les deux parties du centromère soient reliées à des fibres du fuseau issues d'un même pôle. Dans le cas où le centromère d'une chromatide est fixé à des fibres appartenant aux pôles opposés, on constate un retard de migration par rapport aux autres chromatides.

■ Certains facteurs environnementaux augmentent la probabilité des anomalies

Une étude expérimentale menée par l'Ifremer* a permis d'établir un lien entre polluants et taux d'aneuploïdie. Des lots contenant chacun 75 huîtres élevées en milieu contrôlé ont été exposés pendant 51 jours à de l'atrazine* (un herbicide utilisé en agriculture que l'on retrouve souvent dans les milieux aquatiques).

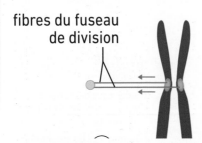

fibres du fuseau de division

B Des anomalies du fuseau de division qui peuvent conduire à une aneuploïdie.

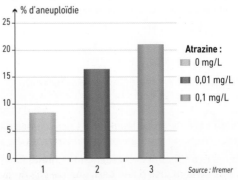

Atrazine :
- 0 mg/L
- 0,01 mg/L
- 0,1 mg/L

Source : Ifremer

C Taux d'aneuploïdie en fonction de la concentration en atrazine.

❷ Des anomalies de la méiose lourdes de conséquences

La **trisomie*** 21, également appelée syndrome de Down, concerne en moyenne 1 enfant sur 700 naissances. Les personnes atteintes ont des traits caractéristiques (yeux en amande, repli vertical de la paupière près du nez, visage plus large) et souvent des malformations internes. Les sujets présentent aussi un handicap mental plus ou moins important. Une éducation adaptée peut néanmoins permettre une intégration à la société. L'analyse du caryotype associé à ces symptômes révèle l'existence de trois chromosomes 21 dans toutes les cellules.

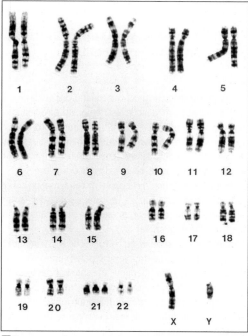

■ Caryotype d'une personne atteinte du syndrome de Down.

Le chromosome 21 est le plus petit des chromosomes humains. Il porte environ 200 à 300 gènes. Certaines protéines* résultant de l'expression des gènes du chromosome 21 se trouvent en quantité 1,5 fois plus importantes chez les personnes trisomiques. Des recherches récentes montrent que la trisomie 21 impacte également les protéines codées par les gènes localisés sur les autres chromosomes, protéines qui se trouvent alors également en surdose. Ceci expliquerait les conséquences importantes de cette anomalie chromosomique.

Le plus souvent, l'anomalie est présente dès la cellule-œuf : son origine est donc à rechercher lors de la méiose chez l'un des deux parents. Elle n'est pas héréditaire.

La plupart des anomalies chromosomiques sont éliminées car les embryons ne sont pas viables (c'est une cause importante d'avortement spontané* au tout début de la grossesse).

Seules certaines anomalies chromosomiques sont compatibles avec la vie, par exemple les trisomies 13 ou 18, XXY ou la **monosomie*** X (voir exercice 15 p. 36).

Activités envisageables

Pour comprendre les causes et conséquences d'anomalies chromosomiques :

● Montrez que les anomalies illustrées par les schémas B du document 1 peuvent conduire à des aneuploïdies.

● Discutez de l'effet de l'atrazine. Recherchez si d'autres facteurs environnementaux sont susceptibles de conduire à des anomalies chromosomiques et comment cette action s'exerce.

● Expliquez sous forme de schémas comment une anomalie au cours de la méiose peut conduire à une cellule-œuf portant une trisomie.

Des clés pour réussir

● N'oubliez pas que la mitose s'accompagne du partage du cytoplasme et de la séparation des deux cellules-filles.

● Envisagez la possibilité d'anomalie au cours de chacune des deux divisions de la méiose.

* Lexique ➡ p. 422

Les divisions cellulaires des eucaryotes

Podcast
Bilan

1 La stabilité du caryotype au cours des cycles de développement

L'observation du caryotype d'une **cellule somatique**, c'est-à-dire non sexuelle, montre que les chromosomes peuvent être regroupés par paires de chromosomes **homologues** (même taille, même position du centromère, même disposition des bandes de coloration).

> Une cellule somatique possède donc deux exemplaires de chaque type de chromosome. Elle est qualifiée de **diploïde**. Son caryotype est alors noté *2n* (*n* étant le nombre de types de chromosomes différents). Dans les **gamètes** (spermatozoïdes et ovules), on ne compte en revanche qu'un seul exemplaire de chaque type chromosomique : les gamètes sont des cellules **haploïdes**, comportant *n* chromosomes.

> La méiose est le processus de **division cellulaire** qui permet de produire de telles cellules haploïdes à partir d'une cellule diploïde. La **fécondation**, quant à elle, réunit deux cellules haploïdes pour former la cellule-œuf diploïde. Ces deux mécanismes, méiose et fécondation, se succèdent au cours de tout cycle de développement et garantissent, sauf accident, la **stabilité du caryotype** d'une génération à la suivante.

2 La stabilité du caryotype au cours des cycles cellulaires

Une alternance de cycles produit les cellules somatiques

Toutes les cellules d'un être vivant pluricellulaire proviennent de divisions successives à partir de la cellule-œuf originelle. On appelle **cycle cellulaire** la période qui s'étend depuis la formation d'une cellule, par division d'une cellule-mère, jusqu'au moment où cette cellule finit elle-même de se diviser en deux cellules-filles. À l'intérieur d'un cycle, on distingue l'**interphase**, période pendant laquelle la cellule n'est pas en train de se diviser et la **mitose**, qui correspond aux différentes étapes de la division.

Différents états de condensation de l'ADN au cours du cycle cellulaire

Au début de la mitose, les molécules d'ADN subissent une condensation (elles s'enroulent sur elles-mêmes) et prennent la forme de petits bâtonnets colorables, bien individualisés car **condensés** : les chromosomes (du grec *krôma* : couleur et *sôma* : corps). À la fin de la mitose, les chromosomes se décondensent et prennent un aspect diffus à l'intérieur du noyau cellulaire des cellules-filles. Durant l'interphase qui suit, les chromosomes restent dans cet état **décondensé**.

Des chromosomes alternativement simples ou doubles

L'interphase peut être découpée en trois phases successives.

La phase G1 (G, de l'anglais gap = intervalle) pendant laquelle la quantité d'ADN par cellule reste constante. Pendant cette étape **les chromosomes sont simples** : chacun d'eux est constitué d'une unique molécule d'ADN. La phase S (S comme synthèse) est marquée par un doublement progressif de la quantité d'ADN, à l'origine de la **duplication des chromosomes**. Pendant la phase G2, puis au début de la mitose, **les chromosomes sont doubles** (à deux chromatides réunies au niveau du centromère) et la quantité d'ADN dans la cellule est stable, égale au double de celle de la phase G1. Au cours de la mitose, les deux chromatides de chaque chromosome se séparent au niveau du centromère, et les chromosomes redeviennent simples.

3 La mitose, une reproduction conforme des cellules

Les étapes de la mitose

Bien que la mitose soit un processus continu, on peut la diviser en plusieurs phases permettant de bien comprendre le phénomène :

– **La prophase** (du grec *pro*, avant) : les chromosomes doubles commencent à se condenser, ils deviennent progressivement visibles et bien individualisés. L'enveloppe du noyau disparaît, les chromosomes se dispersent dans le cytoplasme.

– **La métaphase** (du grec *meta*, après) : la condensation des chromosomes est alors maximale. Les chromosomes se placent de telle sorte que tous les centromères sont situés dans un même plan, qualifié d'équatorial.

– **L'anaphase** (du grec *ana*, en haut) : les deux chromatides de chaque chromosome double se séparent après rupture du centromère. Deux lots identiques de chromatides migrent en sens opposé, chacun vers un pôle cellulaire.

– **La télophase** (du grec *telos*, fin) : chaque lot de chromatides arrive à un pôle de la cellule et se décondense. Une enveloppe nucléaire se forme autour de chaque lot et achève ainsi la formation des deux noyaux-fils. La séparation du cytoplasme se produit, ce qui marque la fin de la mitose.

La mitose conserve le caryotype

Les deux cellules-filles issues de la mitose ont exactement les mêmes chromosomes que la cellule-mère. La mitose est donc une reproduction dite conforme, car elle conserve le caryotype au cours des divisions successives.

4 La méiose, une production de cellules haploïdes

Les étapes de la méiose

La méiose est constituée de **deux divisions cellulaires** successives. Elle est précédée, comme toute autre division, d'une phase de **duplication** des chromosomes. Au début de la méiose, chaque chromosome est donc double.

> La première division (notée « I ») est composée des quatre phases de toute division cellulaire, mais présente des particularités importantes par rapport à la mitose :

– En **prophase I,** chaque chromosome dupliqué se rapproche de son homologue. Les deux chromosomes de chaque paire s'alignent dans le même sens et s'associent (formation de bivalents). Les deux chromosomes se dissocient ensuite partiellement mais leurs chromatides peuvent s'enchevêtrer, formant des chiasmas.

– En **métaphase I,** ce sont donc des paires de chromosomes doubles (bivalents) qui viennent se placer dans le plan équatorial, et non des chromosomes doubles indépendants les uns des autres comme en mitose. Pour chaque bivalent, les centromères se placent de part et d'autre du plan équatorial, seuls les chiasmas se positionnant dans ce plan.

– En **anaphase I,** ce sont les deux chromosomes doubles de chaque paire qui se séparent et migrent vers les pôles, et non les chromatides de chaque chromosome double comme au cours de l'anaphase de la mitose.

– En **télophase I,** se forment ainsi deux cellules-filles haploïdes, à *n* chromosomes doubles : elles ne contiennent chacune qu'un seul lot de chromosomes, les deux chromosomes de chaque paire ayant été séparés.

> La **seconde division** (notée « II ») se déroule immédiatement à la suite de la première : il n'y a pas de synthèse d'ADN, car chaque chromosome est resté dupliqué. Elle se déroule comme une mitose classique et produit ainsi, pour chaque cellule à *n* chromosomes doubles, deux cellules à *n* chromosomes simples.

◗ La méiose modifie le caryotype

Finalement, la méiose produit donc quatre **cellules-filles haploïdes** à partir d'une **cellule-mère diploïde,** le passage de l'état diploïde à l'état haploïde ayant lieu dès la première division.

5 Le rôle fondamental du fuseau de division

◗ Le ballet des chromosomes est orchestré par des protéines fibreuses

Au cours des divisions cellulaires, des fibres protéiques, constituant le fuseau de division, contribuent à la transmission des chromosomes aux cellules-filles.

> Au début de la prophase, ces fibres se mettent en place à partir d'un centre organisateur situé à l'un des pôles de la cellule. Certaines fibres s'ancrent sur les bras des chromosomes et exercent des forces qui les conduisent, lors de la métaphase, à se rapprocher du plan équatorial de la cellule. D'autres fibres s'arriment au niveau du centromère de chaque chromosome.

> En métaphase de **mitose,** chacune des deux chromatides d'un chromosome est connectée **à l'un des deux pôles** cellulaires. Au cours de l'anaphase, les fibres se raccourcissent, provoquant la **séparation des chromatides** et leur migration vers les pôles opposés.

> En métaphase I de la **méiose,** les deux chromatides d'un chromosome sont cette fois connectées **au même pôle** cellulaire, tandis que les chromatides du chromosome homologue sont connectées au pôle opposé. Au cours de l'anaphase I, le raccourcissement des fibres provoque alors la **séparation des deux chromosomes doubles** et leur migration vers les pôles opposés.

◗ Fuseau de division et anomalies du caryotype

Au cours de la **mitose,** il arrive parfois qu'un chromosome ne se sépare pas correctement des autres. Cette **non-disjonction** conduit à la formation de cellules ne comportant pas le nombre normal de chromosomes : c'est ce qu'on appelle une **aneuploïdie.** Dans certains cas, la cellule survit mais échappe aux processus de contrôle du cycle cellulaire, ce qui peut conduire au développement de tumeurs cancéreuses.

> Une aneuploïdie provient souvent d'un **problème de fixation des fibres** du fuseau de division au centromère. Il peut arriver par exemple que les deux parties du centromère soient reliées à des fibres du fuseau issues d'un même pôle. Certains **facteurs environnementaux** augmentent la probabilité de telles anomalies (polluants, rayons mutagènes).

> Lorsqu'une non-disjonction se produit lors d'une des deux divisions de **méiose,** cela conduit à la formation de gamètes anormaux, dans lesquels un des chromosomes reste en deux exemplaires, ou dans lesquels un des chromosomes est absent. Quand ces gamètes participent à une fécondation, cela conduit à la formation de cellules-œufs dans lesquelles un des chromosomes est en trois exemplaires (**trisomie**) ou en un seul exemplaire (**monosomie**). Seules certaines de ces anomalies chromosomiques sont compatibles avec la vie (trisomie 21, monosomie X par exemple).

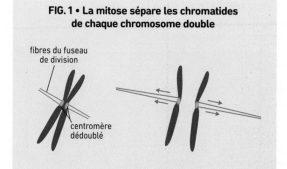

FIG. 1 • La mitose sépare les chromatides de chaque chromosome double

fibres du fuseau de division

centromère dédoublé

FIG. 2 • La méiose sépare les chromosomes de chaque paire d'homologues

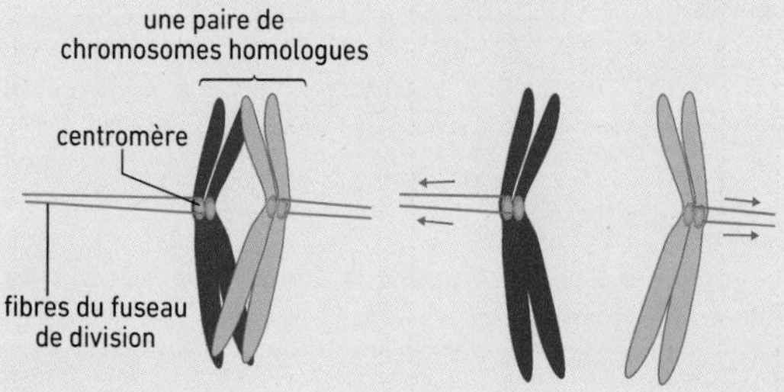

une paire de chromosomes homologues

centromère

fibres du fuseau de division

Les divisions cellulaires des eucaryotes

À retenir

▷ **La stabilité du caryotype au cours des cycles de développement**

Les cellules somatiques sont diploïdes : elles contiennent des paires de chromosomes homologues. Les gamètes sont des cellules haploïdes : elles contiennent un seul exemplaire de chaque type chromosomique. La méiose et la fécondation se succèdent au cours du cycle de développement et permettent la stabilité du caryotype d'une génération à la suivante.

▷ **La stabilité du caryotype du cours des cycles cellulaires**

Les cycles cellulaires font alterner l'interphase, période pendant laquelle la cellule n'est pas en train de se diviser et la mitose, qui correspond aux différentes étapes de la division. Les chromosomes passent d'un état décondensé (durant l'interphase) à un état condensé (durant la mitose). L'interphase peut être découpée en trois phases successives. G1, S et G2. Pendant G1 les chromosomes sont simples (une seule chromatide). La phase S permet la duplication des chromosomes. En G2, les chromosomes sont doubles.

▷ **La mitose, une reproduction conforme des cellules**

Quatre étapes se succèdent au cours de la mitose : prophase, métaphase, anaphase et télophase. Elles permettent la séparation des deux chromatides de chaque chromosome double et leur migration en sens opposé vers les pôles cellulaires. Deux cellules-filles contenant exactement les mêmes chromosomes que la cellule-mère se forment alors. La mitose est donc une reproduction conforme, qui conserve le caryotype.

▷ **La méiose, une production de cellules haploïdes**

La méiose est constituée de deux divisions cellulaires successives. La première division permet la séparation des deux chromosomes de chaque paire de chromosomes homologues, et la formation de deux cellules-filles haploïdes, à n chromosomes doubles. La seconde division se déroule immédiatement à la suite de la première, sans interphase. Elle permet la séparation des chromatides de chaque chromosome double.
Finalement, la méiose produit donc des cellules-filles haploïdes à partir d'une cellule-mère diploïde.

▷ **Le rôle fondamental du fuseau de division**

Au cours de la mitose comme de la méiose, un fuseau de division constitué de fibres protéiques organise les déplacements des chromosomes. Des anomalies dans le fonctionnement du fuseau de division peuvent provoquer la non-disjonction des chromosomes et la formation de cellules aneuploïdes, impliquées dans certains cancers. Lors de la méiose, une non-disjonction conduit à la formation de gamètes anormaux à l'origine d'anomalies du caryotype : trisomies ou monosomies.

Mots-clés

Caryotype ● Cycle cellulaire ● Diploïde ● Fuseau de division ● G1, S (synthèse d'ADN), G2 ● Haploïde ● Méiose ● Mitose.

Schéma bilan

Les chromosomes, éléments permanents des cellules

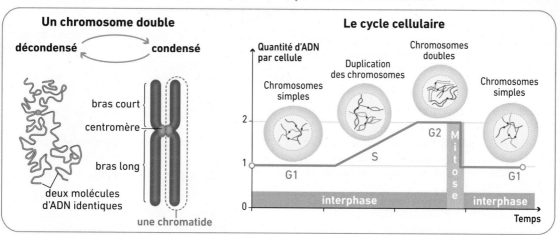

Un chromosome double

décondensé ⇄ condensé

- bras court
- centromère
- bras long
- deux molécules d'ADN identiques
- une chromatide

Le cycle cellulaire

Quantité d'ADN par cellule

Chromosomes simples — Duplication des chromosomes — Chromosomes doubles — Chromosomes simples

G1 — S — G2 — Mitose — G1

interphase — interphase

Temps

La mitose, une reproduction conforme des cellules

Prophase — $2n = 4$

Métaphase

Anaphase

Télophase

2 cellules diploïdes identiques
$2n = 4$
Chromosomes simples

La méiose, une production de cellules haploïdes

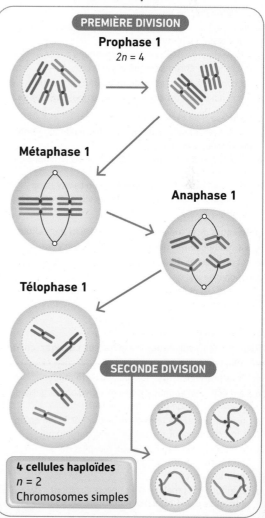

PREMIÈRE DIVISION

Prophase 1 — $2n = 4$

Métaphase 1

Anaphase 1

Télophase 1

SECONDE DIVISION

4 cellules haploïdes
$n = 2$
Chromosomes simples

1 Retour vers les problématiques

Relisez la page « S'interroger avant d'aborder le chapitre » (p. 19) ; à l'aide de ce que vous savez à présent, répondez aux questions que vous avez formulées.

2 QCM BAC

Pour chaque affirmation, choisissez l'unique bonne réponse :

1. La différence essentielle entre la mitose et la méiose est :

a. qu'en mitose, les chromosomes possèdent deux chromatides, alors qu'en méiose ils n'ont qu'une seule chromatide ;

b. que la mitose conserve le nombre de chromosomes alors que la méiose le divise par deux ;

c. que la mitose divise le nombre de chromosomes alors que la méiose le multiplie par deux ;

d. que la mitose nécessite au préalable une réplication de l'ADN, contrairement à la méiose.

2. Le caryotype des gamètes :

a. est caractérisé par la présence de paires de chromosomes homologues ;

b. diffère de celui des cellules somatiques par la présence de chromosomes sexuels ;

c. est constitué de n chromosomes à une chromatide ;

d. est constitué de $2n$ chromosomes à une chromatide.

3. La phase S du cycle cellulaire :

a. permet de constituer deux exemplaires de la même information génétique ;

b. correspond à la séparation des deux chromatides de chaque chromosome ;

c. est caractérisée par la séparation du cytoplasme ;

d. est la période pendant laquelle la cellule double de volume.

4. Au cours de la méiose, la quantité d'ADN par cellule :

a. est multipliée par deux ;

b. est divisée par deux ;

c. est divisée par quatre ;

d. est d'abord divisée par deux puis multipliée par deux.

3 Vrai ou faux ?

Repérez les affirmations exactes et corrigez celles qui sont inexactes.

a. L'interphase est l'une des phases de la mitose.

b. La méiose est constituée de deux divisons séparées par une phase de réplication de l'ADN.

c. La particularité de la méiose repose sur le fait qu'un chromosome peut s'associer à son homologue.

d. Une cellule-œuf contient deux fois plus de chromosomes que les gamètes, donc $4n$ chromosomes.

e. La mitose et la méiose sont nécessairement précédées d'une réplication de l'ADN.

4 Mettre dans l'ordre chronologique

Indiquez l'ordre chronologique de ces quatre photographies, justifiez votre réponse et nommez chacune des étapes illustrées.

A B C D

5 Apprendre en s'interrogeant

1. Cachez une des deux colonnes du tableau ci-dessous et retrouvez ce que contient l'autre colonne.

2. Vérifiez vos réponses, et revoyez si nécessaire les notions concernées.

Questions	Réponses
Quelles sont les étapes de l'interphase ?	Les phases G1, S et G2.
Quelles sont les quatre phases d'une division cellulaire ?	Prophase, métaphase, anaphase et télophase.
Comment les chromosomes migrent-ils aux pôles de la cellule au cours d'une division ?	Par le raccourcissement des fibres du fuseau de division.
Quelle est la cause d'une trisomie ou d'une monosomie ?	Une non-disjonction de deux chromosomes au cours de la méiose chez l'un des deux parents.
En quoi le caryotype des gamètes diffère-t-il de celui des cellules somatiques ?	Les gamètes sont haploïdes, tandis que les cellules somatiques sont diploïdes.

6 Expliquez les différences entre...

a. la prophase de la mitose et la prophase de la 1re division de la méiose ;

b. la métaphase et l'anaphase ;

c. la mitose et la méiose ;

d. une cellule diploïde et une cellule haploïde ;

e. la première et la seconde division de la méiose.

7 Maîtriser ses connaissances BAC

★
★ **En une phrase, formulez le problème biologique posé par le constat suivant :**

La mitose et la méiose sont deux types de division des cellules eucaryotes.

Présentez ce qui différencie essentiellement ces deux divisions. Votre exposé sera accompagné d'un schéma d'anaphase de la mitose et de la 1re division de la méiose, dans le cas où 2n = 6.

8 Exprimer mathématiquement

★
★★
★★ En observant un échantillon de 1 000 cellules d'un même tissu, on dénombre environ 900 cellules en interphase, 40 cellules en prophase de mitose, 30 en métaphase, 10 en anaphase et 20 en télophase. Une analyse de cytométrie en flux sur le même type de cellules (voir page 17) permet de déterminer que 45 % des cellules ont une quantité Q d'ADN, 25 % une quantité 2Q et 30 % une quantité intermédiaire entre ces deux valeurs. La durée d'un cycle cellulaire est estimée à 20 heures.
Calculez la durée de chacune des étapes de l'interphase et de la mitose pour ces cellules.

9 Formuler une hypothèse

★
★ La trisomie 8 est caractérisée par la présence de trois chromosomes 8 au lieu de deux. Lorsqu'elle est homogène (affectant toutes les cellules), la trisomie 8 conduit le plus souvent à une fausse-couche en début de grossesse. On connait cependant des trisomies 8 « en mosaïque », caractérisées par la présence d'un chromosome 8 surnuméraire dans une partie seulement des cellules de l'organisme, la proportion de cellules concernées différant d'un individu à l'autre. La trisomie 8 en mosaïque est viable, les symptômes associés sont très variables.
Quelle peut être la cause d'une trisomie en mosaïque ?

10 Raisonner à partir d'une observation

★ Cette photographie présente la fin de la prophase de la 1re division de la méiose observée au microscope dans une cellule d'étamine de lis dont le caryotype est *2n = 24*.
En utilisant des couleurs, faites un schéma légendé de la structure encadrée.

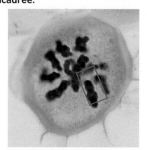

11 S'exprimer par un schéma

★
★★ Faites un schéma illustrant la fixation de deux chromosomes homologues sur le fuseau de division, dans le cas de la métaphase de mitose d'une part, de la métaphase de la 1re division de la méiose d'autre part.

12 S'exprimer à l'oral Oral

★
★ Faites une interprétation orale du document 3 p. 24 : dites ce que vous constatez et interprétez les résultats en utilisant vos connaissances.
Vous pouvez vous enregistrer, vous ré-écouter, vous corriger.

13 Mettre en relation des connaissances et des informations tirées d'un document

★
★★
★★ Dans le cadre de la recherche contre le cancer, on teste l'efficacité d'une molécule censée empêcher la prolifération des cellules. L'expérience consiste à mesurer par cytométrie en flux (voir p. 19) l'effet de la substance sur le cycle cellulaire.

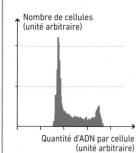

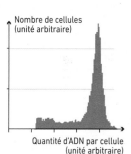

A Témoin   **B** Avec molécule testée

À l'aide de vos connaissances, expliquez en quoi la molécule testée modifie le cycle cellulaire et discutez alors de son efficacité dans le cadre de la lutte contre le cancer.

14 Observer et exploiter des informations

★

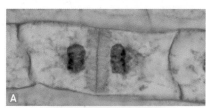

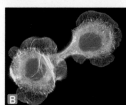

La mitose s'achève par la séparation de la cellule en deux : les modalités de cette individualisation ne sont cependant pas les mêmes dans le cas d'une cellule végétale (**A**) et dans le cas d'une cellule animale (**B**).

D'après ces observations, en quoi consiste les différences ?

15 Le syndrome de Turner

Découvert en 1938 par un médecin américain, Henri Turner, cette anomalie touche à la naissance 1 fille sur 2 500. Ce syndrome, plus ou moins prononcé suivant les sujets, se caractérise en général par une petite taille, une stérilité et l'absence de développement des caractères sexuels secondaires. Le développement intellectuel est parfaitement normal.

Un traitement hormonal approprié permet cependant un développement pubertaire, et le recours à la procréation médicalement assistée (avec don d'ovocyte) offre aujourd'hui la possibilité de mener une grossesse.

Le document ci-contre montre le caryotype à l'origine de ce syndrome. Il est le même pour toutes les cellules somatiques de l'individu. Les parents de cette personne ne possédaient aucune anomalie chromosomique.

■ Identifiez l'anomalie chromosomique causant le syndrome de Turner et expliquez-en l'origine. Votre réponse sera accompagnée d'un schéma explicatif.

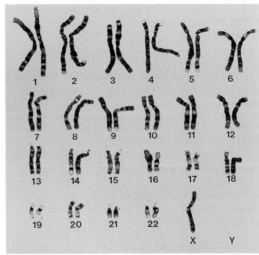

■ Caryotype d'une personne atteinte du syndrome de Turner.

16 Les cycles cellulaires au cours du développement embryonnaire

Le début du développement embryonnaire, appelé segmentation, conduit de la cellule-œuf à un petit embryon de forme globulaire constitué d'un massif de cellules indifférenciées, qualifié de morula (« petite mûre »). Le stade suivant, appelé blastula, est marqué par les premières différenciations visibles (formation d'une cavité, croissance).

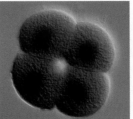

A Deux étapes de la segmentation de l'œuf d'oursin (même échelle). 50 µm

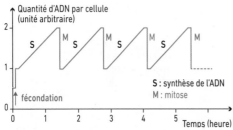

B Les cycles cellulaires au cours de la segmentation (10 à 12 cycles environ).

S : synthèse de l'ADN
M : mitose

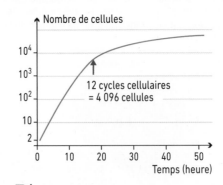

D Évolution du nombre de cellules au cours du temps.

12 cycles cellulaires
= 4 096 cellules

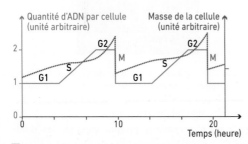

C Cycles cellulaires à partir du stade blastula.

■ En vous fondant sur les documents fournis, caractérisez les cycles cellulaires de ces deux périodes du développement embryonnaire.

★ facile   ★★ intermédiaire   ★★★ confirmé

17 Des substances anticancéreuses

★
★
★

Les cancers sont caractérisés par une multiplication anarchique et incontrôlée de certaines cellules, formant des tumeurs (voir partie 4). Plusieurs substances anticancéreuses doivent leur efficacité à leur action antimitotique. C'est le cas des substances étudiées ici, toutes trois issues du monde végétal : la colchicine provient du colchique, la vinblastine de la pervenche de Madagascar, tandis que le taxol est issu de l'if.

■ À partir de l'étude de ces documents et de vos connaissances, expliquez comment ces substances peuvent avoir un effet anticancéreux.

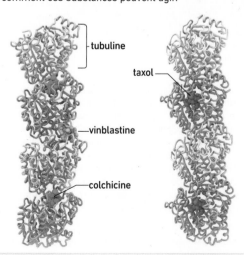

Pervenche de Madagascar

Colchique

If

DOC 1 La constitution des fibres du fuseau de division

Les fibres du fuseau de division sont constituées de microtubules. Un microtubule est un polymère*, formé par l'association de deux types de protéines globuleuses, l'α-tubuline et la β-tubuline.

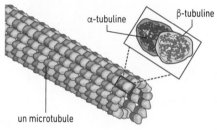

α-tubuline   β-tubuline

un microtubule

■ Un microtube.

DOC 2 La dynamique du fuseau de division

Le « ballet » des chromosomes au cours de la mitose repose sur l'extraordinaire dynamique des microtubules. Au cours de la mitose, les microtubules se renouvellent très rapidement (50 % des microtubules sont renouvelés en 30 à 90 secondes).

Cette instabilité repose sur le double processus de polymérisation et de dépolymérisation illustré ci-dessous. Un microtubule est polarisé : à l'extrémité « moins », la dépolymérisation l'emporte, tandis qu'à l'extrémité « plus », c'est la polymérisation qui est plus importante.

C'est ainsi que les fibres du fuseau peuvent croître ou se raccourcir, mais aussi se déplacer, entraînant avec elles les chromosomes.

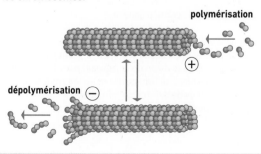

polymérisation

(+)

dépolymérisation (−)

DOC 3 Une étude expérimentale

Dans cette étude, on mesure la polymérisation ou la dépolymérisation des microtubules. Différents essais ont été effectués, en présence ou en absence des substances végétales anticancéreuses.

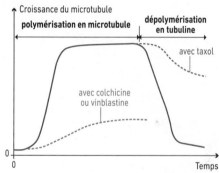

Croissance du microtubule

polymérisation en microtubule | dépolymérisation en tubuline

avec taxol

avec colchicine ou vinblastine

Temps

D'après Da Silva, Pierre & Meijer, Laurent. Search for naturel substances with therapeutic activity (2012).

DOC 4 Des interactions moléculaires

L'étude de modèles moléculaires permet de comprendre comment ces substances peuvent agir.

tubuline

taxol

vinblastine

colchicine

18 La méiose chez l'homme et la femme

Comme pour toutes les espèces, la méiose chez l'homme et la femme consiste à produire des cellules haploïdes à partir de cellules diploïdes. Cependant, la spermatogenèse (formation des spermatozoïdes) et l'ovogenèse (formation des ovules) comportent chacune un certain nombre de particularités.

■ À partir de cet ensemble de documents, faites une comparaison du déroulement de la méiose chez l'homme et la femme : vous définirez un certain nombre de critères et présenterez votre comparaison sous une forme synthétique, tableau ou schéma par exemple.

1 La production de spermatozoïdes

Chez l'homme, les spermatozoïdes sont produits en continu de la puberté à la fin de la vie, de façon décroissante avec l'âge : d'environ 250 millions de spermatozoïdes par jour à 20 ans à 150 millions par jour après 60 ans. Cette décroissance est attribuée à une dégénérescence des cellules au cours de la méiose.

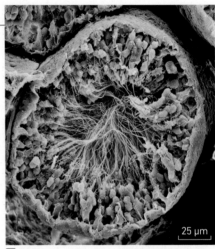

25 µm

A Spermatozoïdes s'accumulant dans la partie centrale d'un tube séminifère (MEB).

Animations
Spermatogenèse

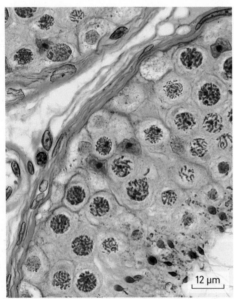

12 µm

B Des étapes de la spermatogenèse observées au microscope optique.

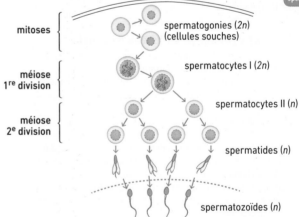

mitoses — spermatogonies (2n) (cellules souches)

méiose 1re division — spermatocytes I (2n)

méiose 2e division — spermatocytes II (n)

spermatides (n)

spermatozoïdes (n)

C Le déroulement de la spermatogenèse.

En périphérie de chaque tube séminifère, des cellules souches diploïdes non différenciées, appelées spermatogonies, se divisent en permanence. Régulièrement, au bout de 16 jours environ, certaines spermatogonies entament une méiose : ce sont les spermatocytes I. La prophase de première division méiotique étant particulièrement longue, c'est en général ce stade que l'on observe le plus souvent dans une coupe de tube séminifère. La méiose se poursuit alors que les spermatocytes migrent

progressivement vers le centre du tube. Les spermatocytes II, qui résultent de la première division de la méiose, sont plus petits et se divisent (deuxième division de la méiose) pour former les spermatides. Ces derniers se transforment en spermatozoïdes par différents processus de différenciation cellulaire. L'ensemble de cette spermatogenèse aura duré 74 jours environ.

*Cet exercice se présente sous la forme d'une **tâche complexe** : construisez votre propre démarche pour résoudre le problème posé.*

Exercices

2 La production des ovules

Chez la femme, un stock d'environ un million de follicules primordiaux se constitue avant la naissance. Chacun contient une grosse cellule, appelée ovocyte I, qui a déjà entamé la méiose (prophase I). Ces follicules ne seront pas renouvelés et 99,9 % d'entre eux dégénèreront régulièrement, de la naissance à la ménopause : une femme de 25 ans possède encore une réserve de 70 000 follicules ; il n'est plus que de 3 000 en moyenne à 47 ans.

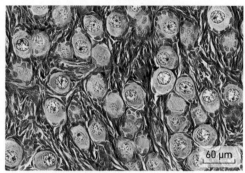

60 µm

A Follicules primordiaux dans l'ovaire fœtal.

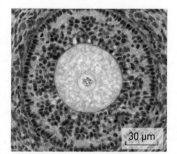

30 µm

B Ovocyte I dans un jeune follicule en croissance.

Les ovocytes restent ainsi bloqués en fin de prophase de première division de la méiose pendant des années ou dizaines d'années. À partir de la puberté, certains follicules évoluent : un seul follicule par cycle, en général, atteint la maturité.

Dans les heures qui suivent le pic de LH qui conduira à l'ovulation, la première division de la méiose reprend dans l'ovocyte du follicule à maturité : cette division se déroule en périphérie de la cellule, de telle sorte qu'elle conduit à la formation de deux cellules-filles très inégales : l'ovocyte II et une petite cellule appelée globule polaire.

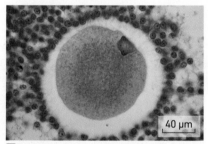

40 µm

C Anaphase de 1re division de méiose (ovocyte I).

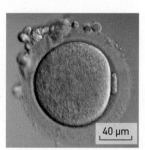

40 µm

D Ovocyte II et globule polaire.

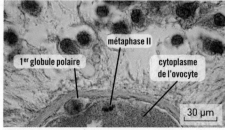

métaphase II

1er globule polaire

cytoplasme de l'ovocyte

30 µm

E Ovocyte II (partie périphérique) prêt à être fécondé.

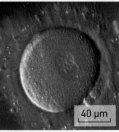

40 µm

F Ovule fécondé.

C'est en fait au stade d'ovocyte II que se produit l'ovulation, la méiose étant à nouveau bloquée alors en métaphase de deuxième division de la méiose. C'est la pénétration d'un spermatozoïde qui déclenchera l'achèvement de la méiose, avec formation de l'ovule et d'un deuxième globule polaire. Les globules polaires dégénèrent et ne sont pas fécondants.

CHAPITRE 2

Réplication de l'ADN et variabilité génétique

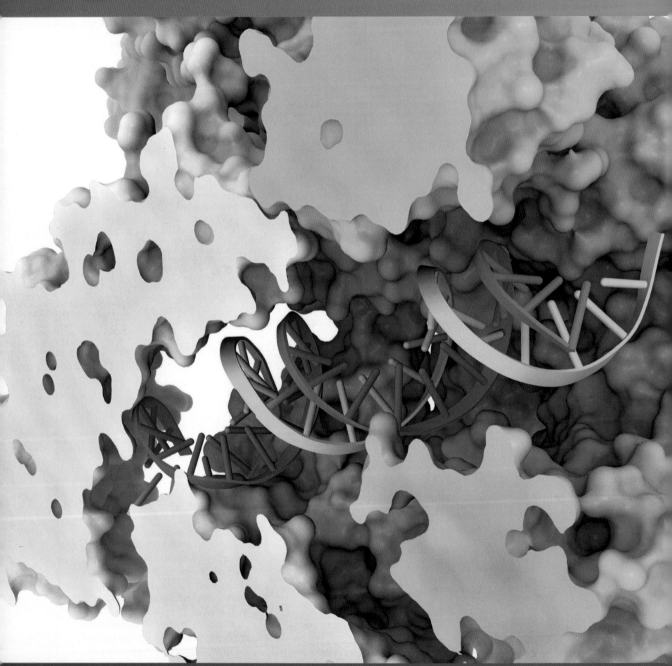

Complexe enzymatique réalisant la réplication de la molécule d'ADN.

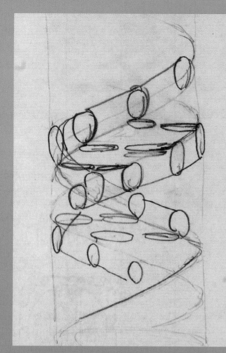

Une intuition à confirmer

Dans leur célèbre publication du magazine *Nature* (avril 1953), Watson et Crick, découvreurs de la structure de l'ADN, écrivaient notamment :
« *It has not escaped our notice that the specific pairing we have postulated immediately suggests a possible copying mechanism for the genetic material* ».

Des agents mutagènes

Certains produits chimiques, par exemple le benzène ou l'acridine (un colorant biologique), sont des molécules planes qui peuvent s'intercaler dans la molécule d'ADN. De telles substances sont classées comme mutagènes.

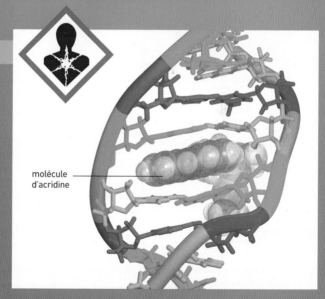

molécule d'acridine

Formuler les problèmes à résoudre

Une molécule d'ADN contient une information codée sous la forme d'une très longue séquence de nucléotides : faire des copies fiables de cette information n'est pas si simple.

Exposez les questions que l'on peut se poser avant d'explorer ce sujet, et celles évoquées par ces documents.

Cellule, chromosomes et ADN

Le noyau de chaque cellule d'un organisme eucaryote contient l'intégralité de son information génétique, c'est-à-dire plusieurs molécules d'ADN, correspondant à des milliards de nucléotides. L'aspect pris par l'ADN au cours de l'interphase est différent de celui présenté au cours d'une division (mitose ou méiose).

Comment expliquer les différents aspects pris par le matériel génétique au cours du cycle cellulaire ?

1 L'observation en microscopie électronique

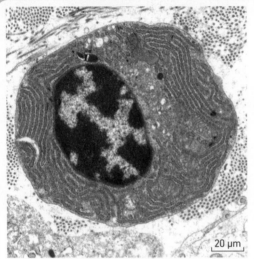

Dès 1885, Carl Rabl postule que les chromosomes sont toujours présents entre deux divisions dans le noyau cellulaire, même s'ils ne sont pas observables. Il émet l'hypothèse, sans jamais pouvoir la démontrer, que chaque chromosome occupe un territoire défini dans le noyau.

Dans les années 1960-1970, l'apport de la microscopie électronique s'avère décevant en ce qui concerne le noyau : l'ADN y apparaît sous forme d'amas denses indifférenciés, auxquels on donne le nom de **chromatine*** (A). Après dissociation de la chromatine et observation à haute résolution (grossissement × 500 000), on distingue toutefois le filament d'ADN sous forme d'un « collier de perles » (B).

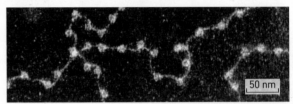

50 nm

20 μm

A Une cellule humaine (observation au MET).

B Observation de la chromatine après dissociation (observation au MET).

Molécule 3D

Nucléosomes

2 La modélisation moléculaire du matériel génétique

C'est la cristallographie aux rayons X* qui permettra, en 1997, d'établir la structure de la fibre chromatinienne : chaque molécule d'ADN s'enroule régulièrement autour de plusieurs **protéines structurantes***, les histones*, constituant une unité de base appelée nucléosome*.

Activité pratique

À l'aide d'un logiciel de visualisation moléculaire :
- afficher le modèle d'un fragment de fibre chromatinienne ;
- mettre en évidence l'ADN et les histones, de façon à caractériser un nucléosome.
- faire des mesures.

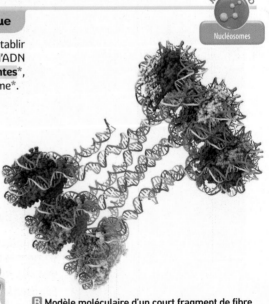

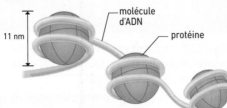

molécule d'ADN

protéine

11 nm

A Une chaîne de trois nucléosomes.

B Modèle moléculaire d'un court fragment de fibre chromatinienne.

3 Au cours du cycle cellulaire, différents états de condensation

Chaque chromatide* est constituée d'une longue molécule d'ADN structurée en chaîne nucléosomique par les histones (fibre de 11 nm). Celle-ci est susceptible de s'enrouler ou de se replier sur elle-même.

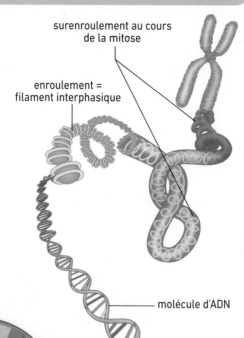

surenroulement au cours de la mitose

enroulement = filament interphasique

enveloppe nucléaire

pore nucléaire

molécule d'ADN

territoire chromatinien correspondant à un chromosome

A

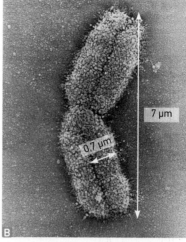

7 µm

0,7 µm

B

Au cours de la prophase d'une division cellulaire, le surenroulement en plusieurs niveaux successifs permet une condensation de la chaîne nucléosomique en une chromatide beaucoup plus courte et plus épaisse. Cet état de compaction facilite le processus de division.

En interphase, la chaîne nucléosomique est décondensée, ce qui facilite l'expression des gènes (voir chapitre 4). On pense que la chaîne nucléosomique est cependant en partie enroulée ou repliée en une fibre de 30 nm, mais cet état est aujourd'hui en discussion. Les techniques d'hybridation *in situ** avec sondes fluorescentes permettent de visualiser le matériel génétique spécifique de chaque chromosome, confirmant que chacun occupe dans le noyau interphasique un territoire bien défini.

	Nombre de paires de nucléotides
Chromosome 8 (une chromatide)	145×10^6
Nucléosome	147
Ensemble des chromosomes humains (génome haploïde)	3×10^9

■ Distance entre deux nucléotides successifs : 0,34 nm ($1 \text{ nm} = 10^{-9} \text{ m}$).

■ Nombre de cellules d'un être humain de 70 kg (estimation) : 3×10^{13} (30 000 milliards).

C Quelques données chiffrées.

Pour comprendre l'architecture du matériel génétique :

● Présentez une image obtenue par visualisation moléculaire et interprétez les différentes observations faites au microscope électronique.

● Montrez que les techniques récentes ont permis de confirmer les hypothèses de Carl Rabl.

● Calculez la longueur de l'ADN d'un chromosome, de l'ensemble de l'ADN d'une cellule, de la totalité de l'ADN des cellules d'un être humain, ainsi que le taux de compaction lorsqu'une molécule d'ADN est condensée.

Des clés pour réussir

● Utilisez des modes de représentation appropriés à ce que vous voulez montrer.

● Attention aux unités : le nm est le 1/1 000e du µm.

* Lexique ➡ p. 422

2 La réplication de l'ADN

Au début d'une mitose, un chromosome apparait dupliqué, constitué de deux chromatides : il contient deux molécules d'ADN identiques. En effet, l'ADN a été répliqué avant le début de la division cellulaire, au cours de la phase S de l'interphase.

Comment la réplication de l'ADN s'effectue-t-elle au cours de l'interphase ?

1 Une réplication selon un mode semi-conservatif

Animation

Réplication de l'ADN

Dès la découverte de la structure de la molécule d'ADN en 1953, Watson et Crick avaient imaginé un mécanisme possible de **réplication*** du matériel génétique (voir p. 41).

Dans cette hypothèse, les deux brins de la molécule d'ADN se séparent, et chaque brin sert de matrice pour la fabrication d'un nouveau brin. Les deux nouveaux brins se forment par ajout de nucléotides libres présents dans le noyau, selon la complémentarité des nucléotides A-T et C-G. Il se forme ainsi deux molécules d'ADN identiques entre elles et identiques à la molécule initiale. Chaque molécule fille comporte donc un brin hérité de la molécule mère et un brin nouvellement formé.

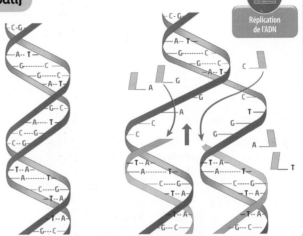

2 Observation et modélisation de la réplication de l'ADN

Molécule 3D

ADN-polymérase

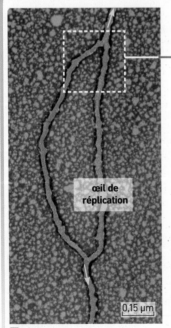

œil de réplication

0,15 µm

A Observation au microscope électronique.

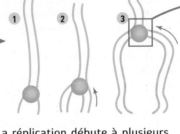

La réplication débute à plusieurs endroits de la molécule d'ADN et progresse dans les deux directions opposées, formant des « yeux de réplication* » (**A**). La réplication est terminée quand les « yeux » se rejoignent.

Un complexe enzymatique appelé **ADN-polymérase*** est responsable de la réplication : il assure à la fois l'ouverture de la molécule d'ADN initiale et la création de liaisons entre les nucléotides pour former les deux nouveaux brins (**B**).

B Modèle moléculaire de l'ADN-polymérase.

Activité pratique

À l'aide d'un logiciel de visualisation moléculaire :

■ étudier un modèle de l'ADN-polymérase en action ;

■ mettre en évidence l'enzyme d'une part, l'ADN et ses différents nucléotides d'autre part.

3 Une validation expérimentale du mécanisme de la réplication

● En 1957, quatre ans après la découverte de l'ADN, Taylor met en culture de jeunes plantules dans un milieu nutritif contenant un précurseur* « marqué » de l'ADN. Ce précurseur est le nucléotide T de l'ADN dans lequel certains atomes d'hydrogène ont été remplacés par l'isotope radioactif* de cet élément, le tritium (^3H).

Lorsque les cellules répliquent leurs molécules d'ADN, elles incorporent ce précurseur et l'ADN formé devient radioactif. Cette molécule devient alors détectable par la technique d'autoradiographie* : les cellules en culture sont écrasées et mises en contact avec un film photographique. Le rayonnement émis par les molécules radioactives impressionne le film, formant ainsi une tache noire qui révèle la position de ces molécules dans la cellule.

● Les plantules sont cultivées pendant la durée d'un cycle cellulaire* sur ce milieu radioactif (haut du schéma A). Taylor prélève alors des racines et réalise une première autoradiographie (B). Les plantules sont ensuite transférées dans un second milieu, non radioactif (bas du schéma A). Une seconde autoradiographie est réalisée après un second cycle cellulaire (C).

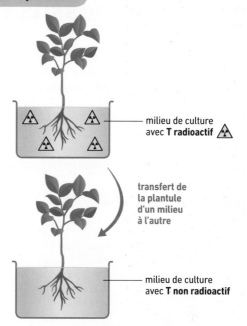

milieu de culture avec **T radioactif**

transfert de la plantule d'un milieu à l'autre

milieu de culture avec **T non radioactif**

A L'expérience historique de Taylor.

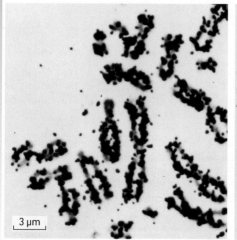

3 µm

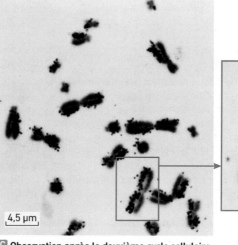

4,5 µm

2 µm

B Observation après le premier cycle cellulaire.   **C** Observation après le deuxième cycle cellulaire.

Activités envisageables

Pour établir le mécanisme de réplication de l'ADN :

● **Étudiez un modèle de l'ADN-polymérase, réalisez et présentez une image légendée rendant compte de votre interprétation.**

● **Réalisez une série de schémas expliquant l'expérience de Taylor. Justifiez le qualificatif de « semi-conservatif » donné au mécanisme de réplication de l'ADN.**

● **Établissez une relation entre le mécanisme de réplication de l'ADN et le graphique du document 3 p. 19.**

Des clés pour réussir

● Pour vos schémas, utilisez une couleur particulière pour un brin d'ADN contenant le nucléotide T marqué.
● On précise qu'il suffit qu'un seul des deux brins soit marqué pour que la molécule d'ADN apparaisse radioactive.

* Lexique ➡ p. 422

La PCR, une technique basée sur le processus de réplication de l'ADN

La PCR (de l'anglais *Polymerase Chain Reaction*) est une technique d'amplification de l'ADN qui rend désormais possible l'analyse d'ADN à partir de très faibles quantités prélevées. Les applications de cette invention sont considérables.

Sur quels principes la technique de PCR fonctionne-t-elle ?

1 La PCR, une technique révolutionnaire

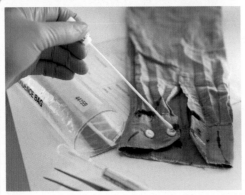

Prélèvement d'ADN pour amplification avant analyse.

L'amplification en chaîne par polymérase (*Polymerase Chain Reaction* ou PCR)* est une technique imaginée par Kary Mullis en 1985 (récompensé en 1993 par le prix Nobel de chimie) qui a bouleversé la biologie moléculaire et s'est imposée dans tous les laboratoires.

La PCR permet de multiplier rapidement et intensément une séquence d'ADN : on peut en effet obtenir par PCR un million de copies d'ADN en moins d'une heure ! Il devient alors possible d'analyser l'ADN à partir d'une quantité initiale infime. Par exemple, un cheveu, une trace de salive, une momie égyptienne ou encore un reste fossilisé d'humain ou de mammouth peuvent livrer les secrets de leur ADN.

La PCR est à la base de la réalisation des tests ADN* qui connaissent aujourd'hui une utilisation croissante (voir exercice 16 p. 58).

2 Le principe de la PCR

La PCR repose sur les connaissances des mécanismes de la réplication de l'ADN ainsi que sur les propriétés de séparation et d'association des deux brins de la molécule en fonction de la température : en chauffant à 95 °C, on provoque la séparation des deux brins de la molécule d'ADN. Puis, à 60 °C, on initie la réplicaton, qui se déroule ensuite à 72 °C.

La mise en œuvre de cette technique a été rendue possible par la découverte, chez des bactéries des sources chaudes, d'ADN-polymérases capables de fonctionner aux températures employées (la polymérase humaine est détruite au-delà de 60°C).

La technique de la PCR repose sur une astuce : les molécules d'ADN obtenues à chaque cycle servent de matrice à l'étape suivante : ainsi, à chaque cycle (d'une durée de l'ordre d'une minute), le nombre de molécules d'ADN double. L'amplification est donc exponentielle*.

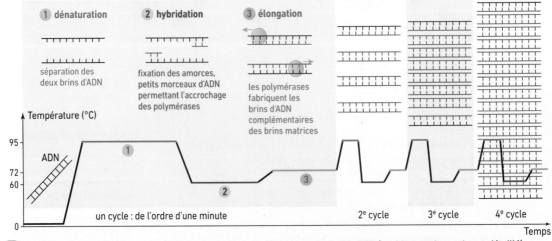

Représentation schématique simplifiée des opérations se déroulant pendant la PCR (seul le premier cycle est détaillé).

3 La réalisation d'une amplification en chaîne de l'ADN

Activité pratique

L'objectif est de réaliser une amplification suffisante d'un fragment d'ADN pour que celui-ci soit identifiable lors d'une électrophorèse* d'ADN.

Les amorces sont choisies pour cibler le fragment d'ADN recherché.

Si ce fragment est amplifié, sa quantité sera telle qu'il deviendra détectable. S'il n'est pas amplifié, il restera indétectable.

Il est impératif de bien respecter le protocole et de travailler dans des conditions très strictes (avec des gants notamment) : en effet, les quantités de départ étant infimes, il ne faut pas polluer ou détruire le peu d'ADN contenu dans le tube.

A Mise en place des tubes dans le thermocycleur.
Expérience réalisée et résultat obtenu avec le matériel *mini PCR (Sordalab)*

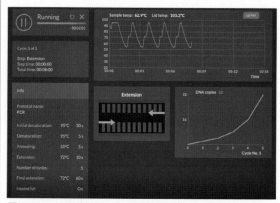

B Suivi de l'amplification se déroulant dans le thermocycleur.

La réaction a lieu dans un petit tube introduit dans un thermocycleur*. Cet appareil maintient les tubes à des températures très précises, pendant des durées programmées, et répète l'opération de façon cyclique, réalisant les opérations présentées par le schéma du document 2. Le logiciel permet de suivre en temps réel ce qui se passe dans les tubes.

La technique d'électrophorèse permet de visualiser des fragments d'ADN en les faisant migrer dans un gel d'agarose* soumis à un champ électrique. L'ADN, chargé négativement (du fait de groupements phosphate HPO_4^{3-}), migre de la cathode vers l'anode.

La présence de l'ADN est révélée grâce à un colorant fluorescent. Cependant, cette visualisation directe n'est possible que si la quantité de fragments d'ADN est suffisante.

① : tube témoin contenant tous les éléments, mais non placé dans le thermocycleur.
② : tube contenant tous les éléments, placé dans le thermocycleur et ayant subi 5 cycles d'amplification.

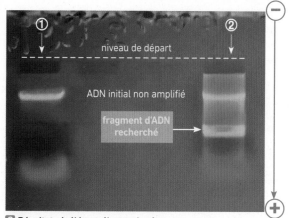

C Résultat révélé par électrophorèse.

Activités envisageables

Pour comprendre en quoi consiste la PCR et quel est son intérêt :

- **Réalisez une PCR et précisez le rôle de tous les produits utilisés. Interprétez les résultats obtenus.**
- **Exprimez mathématiquement le nombre de copies d'ADN obtenues en fonction du nombre de cycles réalisés.**
- **Recherchez des exemples précis d'utilisation de cette technique.**

Des clés pour réussir

- Pour mettre en évidence la nécessité de tel ou tel produit, vous pouvez faire différents tubes témoins.
- Vous pouvez faire varier le nombre de cycles.

*Lexique → p. 422

4 Une réplication pas si conforme

Le principe de la réplication de l'ADN parait infaillible : les deux molécules d'ADN obtenues sont forcément identiques entre elles et à la molécule mère. Cependant, l'information génétique est constituée de milliards de nucléotides, et plusieurs milliards de cellules se divisent tout au long de la vie d'un individu.

> Est-il possible que des erreurs se produisent au cours de la réplication de l'ADN et si oui, à quelle fréquence ?

1 La mise en évidence de modifications de l'information génétique au cours de la vie

La plupart des organes contiennent des cellules qui se divisent tout au long de la vie : ce sont des cellules souches* adultes, responsables du renouvellement des tissus.

Pour déterminer dans quelle mesure l'information génétique de cellules souches est stable ou se modifie au cours de la vie, une étude a été réalisée à partir de biopsies* de l'intestin grêle, prélevées chez 19 donneurs sains âgés de 3 à 87 ans.

L'ADN des cellules souches a été séquencé* et cette information a ensuite été comparée à celle provenant des cellules d'un prélèvement sanguin de chaque individu (les cellules de l'intestin et les cellules sanguines se forment à partir de cellules souches indépendantes) (A).

Le remplacement d'un nucléotide par un autre est ce qu'on appelle une **mutation ponctuelle***. Tous les cas sont possibles et ont pu être dénombrés (B).

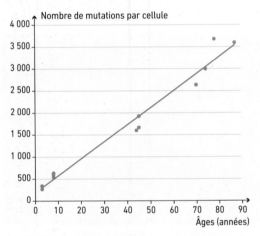

A Nombre de mutations ponctuelles constatées en fonction de l'âge du donneur.

Répartition des différentes mutations (en %) - Âge : 3 ans
(795 mutations au total)

Répartition des différentes mutations (en %) - Âge : 78 ans
(3 516 mutations au total)

L'étude a également été menée sur des cellules souches du côlon* et du foie (C). Elle a permis d'établir un **taux de mutation***.

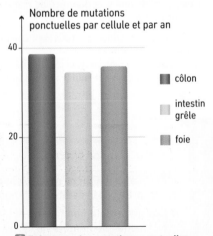

Nombre de mutations ponctuelles par cellule et par an

côlon

intestin grêle

foie

	1	2	3	4	5	6
Brin 1	C → A	C → G	C → T	T → A	T → C	T → G
Brin 2	G → T	G → C	G → A	A → T	A → G	A → C

B Types de mutations ponctuelles constatées dans les cellules souches de deux donneurs.

C Fréquence des mutations ponctuelles selon les organes étudiés.

2 Des erreurs lors de la réplication de l'ADN

Lors de la réplication, l'ADN-polymérase construit deux nouveaux brins d'ADN à partir des deux brins existants, qui servent de matrice. Puisque la copie se fait par complémentarité des nucléotides, elle est théoriquement parfaite. Cependant, l'ADN-polymérase n'est pas fiable à 100 %. On estime que pendant la réplication, elle « se trompe » en moyenne une fois pour 100 000 nucléotides répliqués. Toutefois, des systèmes moléculaires vérifient le bon appariement des nouveaux nucléotides ajoutés, et remplacent la plupart de ceux qui ne correspondent pas. La fiabilité finale est estimée à une erreur pour 1 milliard de nucléotides répliqués.

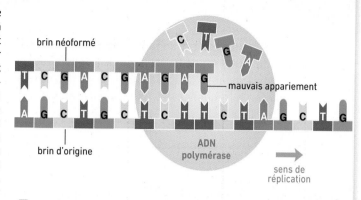

■ Erreur d'appariement des nucléotides au cours de la réplication de l'ADN.

3 Des systèmes de réparation de l'ADN

L'ADN-polymérase est associée à des « systèmes de réparation » capables de détecter des anomalies d'appariement de l'ADN et de les corriger. Ces systèmes sont constitués d'enzymes appelées endonucléases* qui coupent l'ADN et en éditent* les nucléotides. On connaît plus de 130 endonucléases impliquées dans la réparation de l'ADN chez l'être humain. Leur rôle est indispensable à la reproduction des cellules : en effet, des anomalies persistantes dans la structure de l'ADN empêchent sa réplication et peuvent dans certains cas entraîner la mort de la cellule.

Sur l'image ci-contre, des liaisons covalentes* se sont anormalement formées entre deux nucléotides T successifs. Ces dimères* T=T déforment l'ADN et perturbent sa réplication.

L'enzyme qui parcourt l'ADN repère ce type d'anomalie et répare l'ADN.

Molécule 3D
Endonucléase

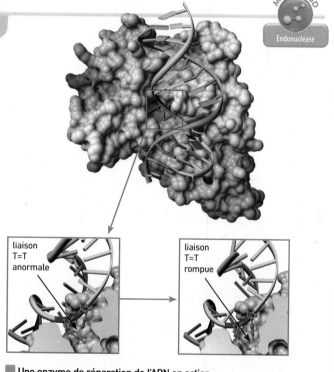

■ Une enzyme de réparation de l'ADN en action.

Activités envisageables

Afin de déterminer la fiabilité de la réplication de l'ADN :

● **Exploitez l'étude réalisée de façon à établir les informations qu'elle apporte concernant la transmission de l'information génétique au cours des cycles cellulaires. Formulez les nouveaux problèmes que cette étude pose.**

● **Expliquez comment le taux de mutation est déterminé.**

● **Expliquez à quelles conditions une erreur de l'ADN-polymérase devient une mutation.**

Des clés pour réussir

● Justifiez les informations établies en explicitant votre raisonnement.
● Constatez qu'une relation linéaire a pu être établie.

5 Les effets d'un agent mutagène

Un agent mutagène est un facteur (substance chimique, phénomène physique) qui augmente le taux de mutation de l'ADN. L'exposition aux rayons ultraviolets (UV), par exemple, est bien connue pour sa dangerosité vis-à-vis des cellules de la peau. En effet, les UV peuvent augmenter la fréquence des mutations et même rendre les cellules cancéreuses.

Comment l'exposition aux rayons ultraviolets peut-elle augmenter le risque de mutations ?

1 La mise en évidence de l'effet d'une exposition aux rayons ultraviolets

Activité pratique

L'objectif de cette étude expérimentale est de rechercher l'effet d'une irradiation par les UV sur une culture de levures. On utilise pour cela des levures formant des colonies de couleur rouge car elles sont porteuses d'un allèle particulier d'un gène (gène Ade2).

■ Mettre les levures d'une colonie Ade2 en suspension dans de l'eau stérile.

■ En utilisant le râteau stérile, étaler deux gouttes sur l'ensemble de la boîte de Petri contenant le milieu nutritif gélosé.

■ Exposer la boîte au rayonnement UV pendant une durée déterminée (**A**).

■ Mettre à l'étuve à 30 °C pendant 5 jours.

Après cinq jours de culture, chaque levure vivante après l'irradiation s'est multipliée et a formé une colonie visible à l'œil nu (**B**).

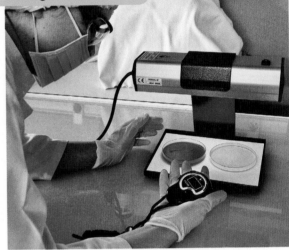

A Irradiation d'une culture de levures par les UV.

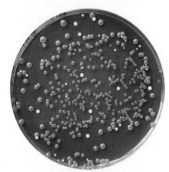

Exposition aux UV : 15 s

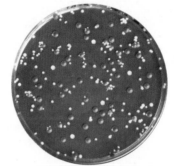

Exposition aux UV : 45 s

Exposition aux UV : 90 s

B Résultats : aspect des cultures.

Durée d'irradiation (en s)	Nombre total de colonies	Nombre de colonies blanches
0	490	3
15	284	22
30	152	29
45	66	19
90	30	14

C Exemple de dénombrement des colonies.

2 Les lésions de l'ADN provoquées par les UV

Les UV qui pénètrent dans les cellules peuvent être absorbés directement par les nucléotides de l'ADN ou bien par d'autres molécules et former des composés qui réagissent avec l'ADN. L'un des produits caractéristiques de l'exposition aux UV est la formation de liaisons covalentes entre deux nucléotides successifs (dimères T=T, T=C ou C=C).

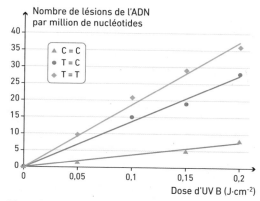

A Lésions de l'ADN de cellules de la peau en fonction de l'exposition aux UV (énergie reçue par cm^2).

D'après S. Mouret, 2006.

Activité pratique

À l'aide d'un logiciel de visualisation moléculaire, étudier un fragment de molécule d'ADN lésé par les UV.

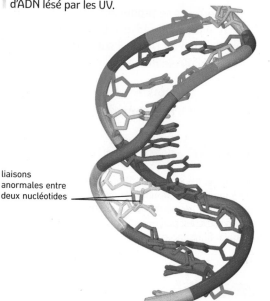

liaisons anormales entre deux nucléotides

B Fragment d'ADN lésé après exposition aux UV.

3 Des lésions de l'ADN aux mutations induites par les UV

Les lésions de l'ADN dues aux UV peuvent être réparées (voir p. 49) avant la réplication de l'ADN d'une cellule irradiée. Si elles ne le sont pas, des erreurs risquent de se produire.

Afin de déterminer la responsabilité des UV dans l'apparition de nouvelles mutations dans les cellules de la peau, des chercheurs ont comparé les génomes de cellules prélevées au niveau des hanches (non exposées à la lumière solaire) et des avant-bras (exposés à la lumière solaire) chez des individus en bonne santé, âgés de 60 ans. Les graphiques ci-contre montrent la répartition statistique des substitutions et le cas particulier des mutations de deux C consécutifs en deux T.

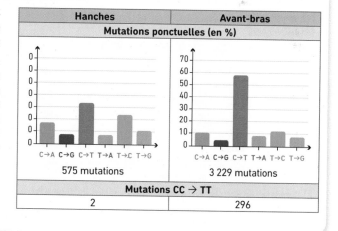

Pour expliquer comment l'exposition à un agent mutagène modifie les propriétés des cellules :

● Analysez et expliquez les résultats de l'expérience réalisée sur les levures.

● Montrez que l'exposition aux rayons ultraviolets est effectivement mutagène et que les mutations dues aux UV ont un « profil » particulier.

Des clés pour réussir

● Il faut identifier les effets propres aux UV.

● Étudiez les résultats bruts obtenus mais calculez aussi les proportions.

● Comparez avec le doc 1 p. 48.

Les conséquences de la variabilité de l'ADN

Des erreurs se produisent inévitablement lors de la réplication de l'ADN et celui-ci peut aussi être endommagé à d'autres moments de la vie cellulaire. Malgré l'efficacité des systèmes de réparation de l'ADN, il subsiste dans une cellule des mutations qui peuvent être transmises si la cellule se divise.

> *Quelles sont les conséquences de cette modification aléatoire de l'information génétique ?*

1 Mutations et origine des allèles

Pour un gène, il peut exister différents **allèles*** : à l'échelle d'une population, si le nombre de porteurs d'un même allèle est suffisamment important (supérieur à 1 %), on dit que ce gène est polymorphe*. C'est par exemple le cas du gène définissant le groupe sanguin (système A B O).

Activité pratique

Avec un logiciel de traitement de séquences (*Anagène* ou *GenieGen*), il est possible de comparer différents allèles d'un gène :

■ comparer plusieurs allèles de façon à déterminer les différences entre les allèles du gène impliqué dans le groupe sanguin ;

■ déterminer le ou les type(s) de mutation(s) qui peuvent être à l'origine des différences constatées.

Anagène												
	525	530	535	540	545	550	555	560	565	570	575	580
ABO allèle A 101	AGGTGCGCGCCTACAAGCGCTGGCAGGACGTGTCCATGCGCCGCATGGAGATGATCAGTGACT
ABO allèle A 103	AGGTGCGCGCCTACAAGCGCTGGCAGGACGTGTCCATGCGCCGTATGGAGATGATCAGTGACT
ABO allèle B 101	AGGTGGGCGCCTACAAGCGCTGGCAGGACGTGTCCATGCGCCGCATGGAGATGATCAGTGACT
ABO allèle B 102	AGGTGGGCGCCTACAAGCGCTGGCAGGACGTGTCCATGCGCCGCATGGAGATGATCAGTGACT
ABO allèle O 01	GGTGCGCGCCTACAAGCGCTGGCAGGACGTGTCCATGCGCCGCATGGAGATGATCAGTGACTT
ABO allèle O 04	GGTGCGCGCCTACAAGCGCTGGCAGGACGTGTCCATGCGCCGCATGGAGATGATCAGCGACTT

A Comparaison des séquences de différents allèles du gène A B O (un seul brin d'ADN est représenté).

On distingue plusieurs types de mutations ponctuelles affectant la molécule d'ADN.

L'ADN étant constitué de deux brins complémentaires, les mutations concernent les deux brins. Cependant, par souci de simplicité et de clarté, un seul brin est ici représenté.

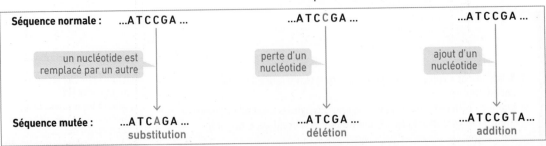

Séquence normale : ...ATCCGA...	...ATCCGA...	...ATCCGA...
un nucléotide est remplacé par un autre	perte d'un nucléotide	ajout d'un nucléotide
Séquence mutée : ...ATCAGA... substitution	...ATCGA... délétion	...ATCCGTA... addition

B Les différents types de mutations ponctuelles.

2 Polymorphisme des gènes et diversité génétique

La comparaison des génomes individuels (voir chapitre 3) montre que les différences entre individus sont très faibles. On appelle polymorphisme d'un seul nucléotide (SNP en anglais) un site de l'ADN qui présente une variabilité due au changement d'un seul nucléotide. Des banques de données telles que « dbSNP » répertorient les informations concernant les SNP connus, de façon à rechercher leurs relations avec des caractères phénotypiques.

La pigmentation de la peau est un caractère très variable dans l'espèce humaine. Les études génétiques ont identifié plus de 15 gènes impliqués dans ce caractère et plusieurs SNP correspondant à des mutations ponctuelles.

Gène	Exemples de SNP (mutations)	Gène	Exemples de SNP (mutations)
APBA2	rs4424881	OCA2	rs12913832, rs1800414
ASIP	rs6058017, rs4911442	SLC24A4	rs12896399
DCT	rs1325611, rs1407995, rs951641	SLC24A5	rs1426654, rs2470102
GRM5	rs10831469	SLC45A2	rs16891982, rs26722
IRF4	rs12203592	TPCN2	rs35264875, rs3829241
KITLG	rs1881227, rs642742	TYR	rs1042602, rs13312741, rs1126809
MC1R	rs885479, rs1805005, rs1805007	TYRP1	rs2733832, rs1408799

■ Gènes impliqués dans la pigmentation de la peau pour lesquels différentes mutations ponctuelles ont été identifiées.

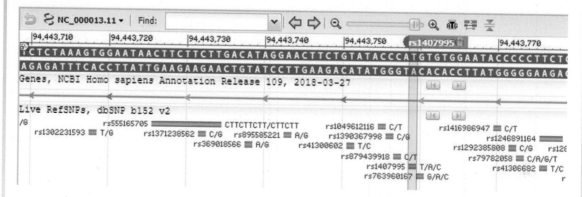

Il est possible d'interroger la banque de données *dbSNP* pour caractériser une mutation ponctuelle et la fréquence des allèles dans différentes populations.

■ Entrer l'identifiant d'un SNP.

■ Déterminer en quoi consiste la mutation et sa position.

■ Afficher les fréquences de l'allèle de référence (Ref Allele) et de l'allèle muté (Alt Allele) dans différentes populations.

Study	Population	Group	Sample Size	Ref Allele	Alt Allele
gnomAD - Genomes	Global	Study-wide	30926	T=0.2326	C=0.7674
gnomAD - Genomes	European	Sub	18472	T=0.1885	C=0.8115
gnomAD - Genomes	African	Sub	8718	T=0.208	C=0.792
gnomAD - Genomes	East Asian	Sub	1616	T=0.756	C=0.244
gnomAD - Genomes	Other	Sub	980	T=0.22	C=0.78
gnomAD - Genomes	American	Sub	838	T=0.45	C=0.55

Activités envisageables

Pour comprendre l'importance de la variabilité de l'ADN :

● Comparez les allèles du gène déterminant le groupe sanguin A B O et présentez les différences relevées sous la forme d'un tableau.

● À partir de l'exemple du SNP rs1407995, montrez que certains variants peuvent être sélectionnés dans une population.

● À l'aide de ces deux exemples, expliquez le lien entre mutations et polymorphisme d'un gène.

Des clés pour réussir

● Indiquez la position précise et le type de chacune des mutations.

● Comparez les fréquences des allèles dans différentes populations. Vous pouvez aussi rechercher des données concernant la fréquence des allèles A B O.

Réplication de l'ADN et variabilité génétique

Podcast
Bilan

1 Chromosomes et ADN

Deux mètres d'ADN par cellule

Chaque cellule somatique d'un organisme pluricellulaire contient l'intégralité de l'information génétique. Pour se représenter la quantité d'ADN à laquelle cela correspond, il faut savoir qu'un chromosome simple, ou **chromatide**, comporte **une** molécule d'ADN. Or, le génome humain (diploïde) est constitué de 46 chromosomes, soit 46 molécules d'ADN, totalisant environ 6 milliards de paires de nucléotides. La longueur moyenne de la molécule d'ADN d'un chromosome est ainsi d'environ 4,5 cm, ce qui fait plus de 2 m d'ADN par cellule ! Il faut cependant garder à l'esprit que l'ADN est une molécule très fine (2 nm de diamètre).

Une capacité à se compacter

L'ADN est une longue molécule filamenteuse qui a la capacité de s'enrouler autour de **protéines structurantes**, les histones. Il se forme ainsi une sorte de « collier de perles », la chaîne nucléosomique, qui peut s'enrouler ou se replier sur elle-même. C'est dans cet état que se trouvent les molécules d'ADN en **interphase**, formant dans le noyau des amas diffus auxquels on a donné le nom de chromatine.

Au début d'une **division cellulaire**, la chaîne nucléosomique s'enroule sur elle-même en plusieurs niveaux successifs : l'ADN est alors très condensé, ce qui se traduit par un raccourcissement et un épaississement de la structure : une molécule d'ADN de 8 cm de long ainsi **compactée** formera un chromosome de 7 μm de longueur seulement et de 0,7 μm d'épaisseur. Une conséquence de cette condensation est que chaque chromosome occupant un espace restreint, tous les chromosomes d'une cellule sont bien individualisés, séparés les uns des autres.

2 La réplication de l'ADN

Un préalable à la division cellulaire

Puisqu'au cours de la mitose une cellule transmet son information génétique à deux cellules filles, il est indispensable qu'au cours de l'interphase précédant la division, l'intégralité de l'information génétique ait été dupliquée. Cette étape, qui se déroule au cours de la phase S de l'interphase, est la **réplication de l'ADN**.

Un mécanisme semi-conservatif

À la suite de leur découverte concernant l'architecture de la molécule d'ADN (1953), Crick et Watson proposèrent un modèle de réplication. Dans cette hypothèse, chacun des deux brins sert de modèle à la fabrication d'un nouveau brin. Une molécule d'ADN donne ainsi naissance à deux molécules d'ADN filles constituées d'un brin « nouveau » et d'un brin « ancien ». Comme la moitié de la molécule initiale est conservée, le mécanisme de réplication de l'ADN est dit **semi-conservatif**. Différentes études expérimentales, utilisant des nucléotides « marqués » qui permettent de suivre l'ADN au cours des générations cellulaires successives, ont confirmé la réalité de ce mécanisme.

Le rôle de l'ADN-polymérase

L'écartement des deux brins de la molécule initiale d'ADN ainsi que l'insertion de nouveaux nucléotides sont assurés par un complexe enzymatique, l'**ADN-polymérase**. Tout en progressant le long de la molécule, l'ADN-polymérase insère un par un de nouveaux nucléotides en face de chacun des deux brins. Cette fabrication de nouveaux brins d'ADN s'effectue en respectant la **complémentarité** des nucléotides : un nucléotide A (Adénine) est associé à un nucléotide T (Thymine) et un nucléotide C (Cytosine) est associé à un nucléotide G (Guanine). Les molécules d'ADN en cours de réplication peuvent être observées au microscope électronique : il est alors possible de voir des zones appelées « **yeux de réplication** » où la molécule d'ADN est dédoublée. Chaque œil comporte en fait deux « fourches de réplication », figures en forme de Y, où une ADN-polymérase effectue la réplication. Ces fourches progressent en sens opposé, assurant la réplication de l'ensemble de la molécule d'ADN. Les deux « copies » restent néanmoins solidaires au niveau d'une zone qui forme le centromère du chromosome.

Ainsi, un chromosome à deux chromatides tel qu'il apparaît au début de la mitose est constitué de deux molécules d'ADN identiques, portant les mêmes informations génétiques.

La PCR, une technologie révolutionnaire : un milliard de copies d'ADN en moins d'une heure !

3 L'ADN, entre stabilité et variabilité

L'origine d'une variabilité de l'ADN

Dans une cellule humaine, à chaque réplication, ce sont plus de 6 milliards de paires de nucléotides qui sont répliqués. Aucun système de copie n'étant infaillible, on comprend aisément qu'il puisse se produire de temps en temps des **erreurs** : il peut y avoir par exemple incorporation d'un nucléotide non complémentaire ou bien un « oubli », ou au contraire l'ajout d'un nucléotide surnuméraire. Même si la **fiabilité** de l'ADN-polymérase peut être considérée comme excellente, on estime qu'elle « se trompe » environ une fois pour 100 000 nucléotides insérés. De plus, même en dehors des périodes de réplication, l'ADN peut être endommagé et sa séquence s'en trouver modifiée.

À la fin de l'interphase, on constate que le nombre d'erreurs présentes dans une molécule d'ADN est **beaucoup plus faible** (une pour un milliard de nucléotides environ) que le nombre d'erreurs effectuées au cours de la réplication. En effet, les cellules possèdent plusieurs **systèmes enzymatiques** capables de contrôler l'ADN et de **réparer** les erreurs. Ces enzymes exercent leur action au cours de la réplication ou après celle-ci.

Des mutations de l'ADN

On appelle **mutation** une modification de la molécule d'ADN qui a échappé aux processus de réparation. Notons que si la modification ne concerne bien au départ qu'un seul brin, il y aura néanmoins dès la réplication suivante formation d'une molécule d'ADN portant une paire de nucléotides modifiée. Comme cette molécule d'ADN peut elle-même servir de modèle pour les réplications ultérieures, la mutation peut **se transmettre** au cours des cycles cellulaires successifs, formant un **clone cellulaire** modifié.

La comparaison de molécules d'ADN révèle, comme on peut s'y attendre, l'existence de plusieurs types de **mutations ponctuelles**, portant sur une paire de nucléotides :

– mutation par **substitution**, lorsqu'une paire de nucléotides a été remplacée par une autre paire ;

– mutation par **délétion**, correspondant à la perte d'une paire de nucléotides ;

– mutation par **addition**, lorsqu'une paire de nucléotides supplémentaire a été insérée dans la séquence d'ADN.

Des agents mutagènes

Ces modifications de l'ADN sont **spontanées** et leur fréquence est faible. Cependant, certains facteurs ont la propriété d'augmenter cette fréquence. Ils sont qualifiés d'**agents mutagènes**.

Par exemple, des **substances chimiques** comme le benzène ou l'acridine (utilisée comme colorant) sont des molécules qui **s'intercalent** entre les nucléotides de l'ADN : au cours de la réplication de l'ADN, il y aura alors incorporation d'un nucléotide supplémentaire sur le brin opposé.

Certaines radiations électromagnétiques peuvent pénétrer plus ou moins profondément la matière vivante et endommager l'ADN (rayons gamma, rayons X). Les **rayons ultraviolets (UV)** émis par le Soleil sont les principaux agents mutagènes auxquels sont exposées les populations humaines. Des études expérimentales le confirment : les rayons UV peuvent détruire des cellules (**effet létal**) et ont également un **effet mutagène** important.

Les effets des UV sur l'ADN sont multiples et bien connus : ils entraînent souvent la formation de **liaisons covalentes** entre deux nucléotides consécutifs (par exemple deux nucléotides T, constituant ce qu'on appelle un dimère T). Cette liaison anormale crée localement une **modification de la structure de l'ADN** qui perturbe le fonctionnement normal de l'ADN-polymérase au moment de la réplication.

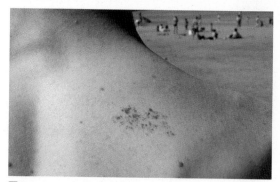

 Les rayons UV peuvent détruire des cellules, favoriser des mutations, et parfois rendre des cellules cancéreuses.

4 Mutations et polyallélisme

Nous savons que pour un gène, il existe le plus souvent plusieurs « versions » différentes, appelées **allèles**.

Par exemple, si tous les êtres humains ont nécessairement un groupe sanguin, tous n'ont pas les mêmes allèles déterminant ce groupe. Pour certains gènes, il peut exister une très grande **diversité** d'allèles.

La comparaison des allèles d'un gène montre que ceux-ci diffèrent en général par quelques nucléotides seulement. L'origine commune des divers allèles d'un gène ne fait pas de doute : c'est en effet par **mutation** que se forme un nouvel allèle. Lorsqu'un individu hérite d'un nouvel allèle, celui-ci devient transmissible de génération en génération : à long terme, il peut se répandre dans une population. Il est important de remarquer que ce mécanisme à l'origine des allèles est purement **aléatoire** : il ne fait appel à aucun mécanisme prédéterminé et ne répond à aucune nécessité ni à aucun objectif.

Cette diversité des allèles constitue l'essentiel de la **diversité génétique** d'une population et, par là même, de la diversité des individus au sein d'une espèce.

Ainsi, le phénomène de mutation, s'il peut se révéler parfois néfaste pour un individu, doit être compris comme étant le fondement même de la **biodiversité** génétique des populations et des espèces.

À retenir

Chromosomes et ADN

Une chromatide est constituée d'une longue molécule d'ADN qui s'enroule autour de protéines structurantes.

En interphase, cette chaîne se replie mais reste dans un état faiblement condensé.

Au début de la mitose, les protéines structurantes se rapprochent, ce qui assure une compaction très importante de la molécule d'ADN ; l'ensemble prenant l'aspect caractéristique d'un chromosome.

La réplication de l'ADN au cours de l'interphase

Au cours de la phase S de l'interphase, la quantité d'ADN double : chaque molécule d'ADN est répliquée en deux molécules filles, selon un mécanisme semi-conservatif. En effet, chacun des deux brins de l'ADN sert de matrice : l'ADN-polymérase forme deux nouveaux brins en incorporant des nucléotides par complémentarité avec les deux brins d'origine. En absence d'erreur, les deux molécules d'ADN sont identiques et possèdent la même séquence de nucléotides.

L'origine d'une variabilité de l'ADN

La molécule d'ADN n'est pas totalement stable : il peut se produire des erreurs de réplication ou des lésions de l'ADN, modifiant la séquence de nucléotides de la molécule.

La plupart des erreurs de réplication de l'ADN sont réparées par des systèmes enzymatiques. Cependant, certaines erreurs échappent à cette réparation : ces modifications de l'ADN sont qualifiées de mutations.

Certains facteurs (substances chimiques, phénomènes physiques) augmentent la fréquence des mutations : ce sont des agents mutagènes.

Les mutations de l'ADN

On distingue plusieurs types de mutations ponctuelles : substitution (un nucléotide est remplacé par un autre), délétion (un nucléotide est perdu), addition (un nucléotide est ajouté). Le phénomène de mutation est certes peu fréquent mais étant donné le nombre de nucléotides présents dans une cellule et le nombre de divisions cellulaires, la mutation est un phénomène banal auquel aucun être vivant n'échappe. La destinée d'une cellule mutée est variable : elle peut mourir ou bien être à l'origine, par divisions cellulaires successives, d'un clone mutant portant l'information génétique modifiée.

Les mutations à l'origine de la biodiversité

Les différents allèles d'un gène présentent un nombre limité de différences : en effet, c'est par mutation de la séquence de nucléotides d'un gène que se forme un nouvel allèle.

À l'échelle des populations et des espèces, les mutations sont la source aléatoire de la diversité des allèles (polyallélisme). C'est donc sur le phénomène de mutation que repose la biodiversité génétique.

Mots-clés

ADN-polymérase ● agent mutagène ● clone ● compaction ● enzyme réparatrice de l'ADN ● mutation ● polyallélisme ● protéine structurante ● réplication semi-conservative

Animation
Schéma bilan

Chromosomes et ADN

Une chromatide est constituée d'une longue molécule d'ADN associée à des protéines structurantes

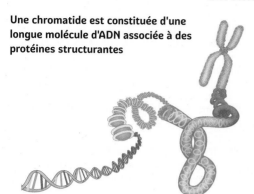

La quantité d'ADN double au cours de la phase S de l'interphase

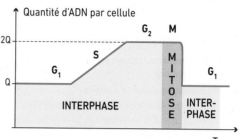

Quantité d'ADN par cellule

$2Q$

G_2 M

Q G_1 S MITOSE G_1

INTERPHASE INTER-PHASE

Temps

La réplication semi-conservative de l'ADN

Molécule d'ADN initiale

Incorporation de nucléotides par complémentarité

Deux molécules d'ADN identiques

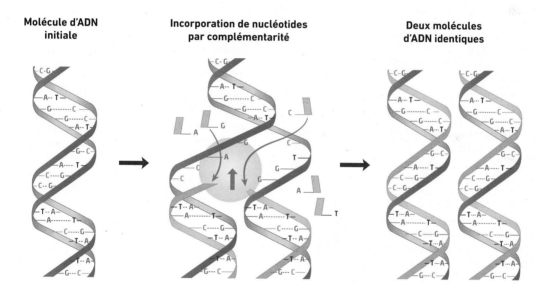

Mutations de l'ADN et variabilité génétique

L'ADN peut parfois être endommagé ou modifié

Les mutations sont à l'origine de la diversité des allèles

agents mutagènes
(benzène, rayons UV, X...)

erreur de réplication

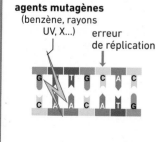

mutation

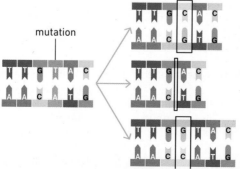

substitution d'une paire de nucléotides

délétion d'une paire de nucléotides

addition d'une paire de nucléotides

plusieurs allèles d'un même gène

1 Retour vers les problématiques

Relisez la page « S'interroger avant d'aborder le chapitre » (p. 41). À l'aide de ce que vous savez à présent, formulez en quelques phrases les réponses aux questions suscitées par l'étude des documents présentés sur cette page.

2 QCM BAC

Pour chaque affirmation, choisissez l'unique bonne réponse.

1. L'ADN-polymérase permet la synthèse :
   a. de deux molécules d'ADN entièrement nouvelles ;
   b. d'une molécule d'ADN entièrement formée par copie de la molécule d'origine ;
   c. de deux molécules d'ADN dont un des deux brins est nouveau ;
   d. de deux molécules d'ADN dont les deux brins comportent des parties nouvelles.

2. Dans le noyau d'une cellule humaine, il y a environ :
   a. 2 cm d'ADN ;
   b. 2 mm d'ADN ;
   c. 46 cm d'ADN ;
   d. 2 m d'ADN.

3. Une mutation :
   a. est un événement très peu fréquent donc négligeable ;
   b. est toujours néfaste ;
   c. peut se produire spontanément ;
   d. est toujours due à un agent mutagène.

4. Les systèmes de réparation de l'ADN :
   a. corrigent toutes les erreurs de réplication ;
   b. réduisent la fréquence réelle des mutations ;
   c. corrigent uniquement les effets des agents mutagènes ;
   d. ne corrigent qu'une faible proportion des erreurs de réplication.

5. La PCR :
   a. permet de répliquer certaines séquences d'ADN ;
   b. est une technique de séquençage de l'ADN ;
   c. nécessite de disposer d'une grande quantité d'ADN au départ ;
   d. est une technique de réparation de l'ADN.

3 Vrai ou faux ?

Repérez les affirmations exactes et corrigez celles qui sont inexactes.

a. Un agent mutagène est une enzyme qui peut couper l'ADN.
b. Le taux d'erreur de réplication de l'ADN est ≈ 1 %.
c. Chez les eucaryotes, la réplication d'une molécule d'ADN s'effectue simultanément en plusieurs endroits
d. Les mutations sont la conséquence du polymorphisme des gènes.

4 Savoir expliquer

En une ou deux phrases, expliquez pourquoi :
a. Le mécanisme de réplication de l'ADN est qualifié de semi-conservatif.
b. Les mutations sont des phénomènes à la fois peu fréquents mais très probables.
c. Les mutations sont nécessaires à l'évolution du vivant.
d. Un chromosome condensé est beaucoup plus court qu'une molécule d'ADN.

5 Apprendre en s'interrogeant

1. **Cachez une des deux colonnes du tableau ci-dessous et retrouvez ce que contient l'autre colonne (à faire seul ou à plusieurs).**
2. **Vérifiez vos réponses, et reprenez si besoin les notions concernées.**

Questions	Réponses
Quel est l'effet d'un agent mutagène ?	Augmenter la fréquence des mutations.
Quels sont les principaux types de mutations ponctuelles ?	Substitution, délétion et addition.
De quoi est constitué un chromosome ?	D'ADN et de protéines structurantes.
Quelles sont les causes des mutations ?	Des erreurs d'appariement au cours de la réplication ou des lésions de la molécule d'ADN.

6 Annoter un schéma

Indiquez les légendes à placer sur ce schéma et proposez un titre.

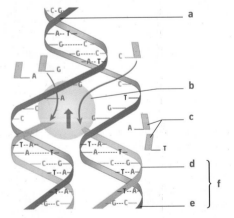

7 Expliquer les différences entre...

a. Une substitution et une délétion.
b. L'ADN-polymérase et une enzyme de réparation de l'ADN.
c. L'aspect de l'ADN en interphase et au cours de la mitose.
d. Une lésion de l'ADN et une erreur d'appariement.

8 Maîtriser ses connaissances BAC

★ Expliquez comment une cellule peut former deux molécules d'ADN identiques. Précisez à quel moment du cycle cellulaire se situe cette synthèse. Votre réponse sera accompagnée d'un schéma.

9 Maîtriser ses connaissances BAC

★★ Un gène existe sous plusieurs versions appelées allèles. Expliquez en quoi consistent les différences entre les allèles d'un gène et quelle est l'origine du polyallélisme.

10 Exploiter des données chiffrées et exprimer mathématiquement

★★ Les bactéries possèdent en général un seul chromosome circulaire. La réplication de l'ADN débute en un seul site et progresse dans les deux directions. L'incorporation des nucléotides est très rapide : environ 1 000 paires de nucléotides par seconde à chacune des deux fourches de réplication.

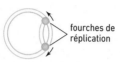

fourches de réplication

Chez les eucaryotes, il existe entre 20 000 et 100 000 origines de réplication mais la réplication est asynchrone* : on estime à 2 000 le nombre d'yeux de réplication actifs simultanément. La vitesse de réplication est plus lente, environ 50 paires de nucléotides par seconde à chacune des fourches de réplication.

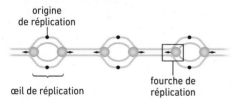

origine de réplication

œil de réplication

fourche de réplication

Calculez le temps nécessaire à la réplication de la totalité de l'ADN :
– pour une cellule bactérienne comme *Escherichia coli*, dont le chromosome comporte $4,6 \times 10^6$ paires de nucléotides ;
– pour une cellule eucaryote humaine, dont les 46 chromosomes comportent 6×10^9 paires de nucléotides.

11 Extraire et exploiter une information

★ Sous l'action des rayons ultraviolets, certaines levures formant initialement des colonies de couleur rouge deviennent des colonies de couleur blanche.

La séquence d'ADN qui gouverne cette coloration a été comparée pour ces deux souches.

Proposez une explication au phénomène constaté.

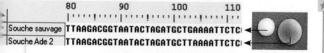

	80	90	100	110
Souche sauvage	TTAAGACGGTAATACTAGATGCTGAAAATTCTC			
Souche Ade 2	TTAAGACGGTAATACTAGATGCTTAAAATTCTC			

12 Établir des relations de cause à effet

★★ La bactérie *Deinococcus radiodurans* se caractérise par sa capacité exceptionnelle à réparer son ADN : elle peut ainsi supporter jusqu'à 3 000 fois la dose de rayonnement radioactif susceptible de tuer un humain.

Le graphique ci-dessous a été obtenu par culture expérimentale de bactéries exposées à des doses croissantes de rayonnement radioactif.

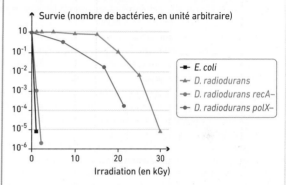

Survie (nombre de bactéries, en unité arbitraire)

— E. coli
— D. radiodurans
— D. radiodurans recA–
— D. radiodurans polX–

Irradiation (en kGy)

Les protéines recA et polX sont des protéines réparatrices de l'ADN. Les souches recA- et polX- sont des souches chez lesquelles ces protéines ont été inactivées.
Que peut-on déduire de ces résultats quant au rôle des protéines recA et polX de *Deinococcus radiodurans* ?

13 S'exprimer oralement Oral

★★ À l'oral, commentez ce que montre cette photographie et proposez une interprétation. Vous pouvez vous enregistrer, vous réécouter, vous corriger.

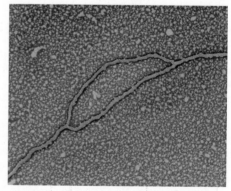

Fragment de molécule d'ADN en cours de réplication (observation au microscope électronique).

14 Formuler un problème scientifique

★★★ Les étapes de l'interphase (voir p. 19) se déroulent selon un ordre immuable : en phase G1, la cellule effectue sa croissance, puis la phase S débute avec l'entrée en activité des ADN-polymérases. Au cours de la phase G2, qui suit la phase S, la cellule se prépare pour la mitose.
Formulez le problème scientifique posé par ce constat.

15 L'expérience de Meselson et Stahl (1958)

Dès la découverte de la structure de l'ADN par Watson et Crick en 1953, les deux chercheurs ont imaginé que cette double spirale puisse s'ouvrir, permettant ainsi la synthèse de nouveaux brins à partir des brins originaux.

En 1958, Meselson et Stahl cherchent à comprendre comment s'effectue cette copie conforme de l'ADN. Leurs expériences sont réalisées sur la bactérie *Escherichia coli*, qui se multiplie activement quand elle est cultivée sur un milieu favorable et réplique alors intensément son ADN.

Les bactéries sont cultivées dans deux milieux différents : l'un contient des nucléotides « légers » intégrant de l'azote « léger » ^{14}N, l'autre des nucléotides « lourds » intégrant l'isotope « lourd » ^{15}N de l'azote.

Des bactéries, d'abord cultivées depuis de nombreuses générations sur un milieu contenant des nucléotides « lourds », sont prélevées et transférées sur un milieu normal, à nucléotides « légers ».

À chaque étape de la culture, l'ADN de quelques bactéries est extrait et centrifugé à grande vitesse dans un tube contenant une solution de densité appropriée. Après centrifugation, l'ADN se stabilise ainsi à un niveau correspondant à sa densité (schéma ci-contre).

1. **Montrez que les résultats de cette expérience confirment que la réplication de l'ADN se fait selon un mécanisme semi-conservatif. Vous pouvez, par exemple, représenter les brins d'ADN des différentes molécules centrifugées en utilisant un code de couleur.**

2. **Représentez le résultat qui serait obtenu dans le tube à la génération suivante.**

milieu de culture contenant de « l'azote lourd » ^{15}N

transfert sur milieu de culture contenant de « l'azote normal » ^{14}N

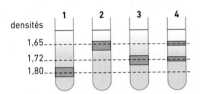
centrifugation des prélèvements

densités 1,65 1,72 1,80

Tube 1 : ADN de bactéries cultivées depuis de nombreuses générations sur un milieu ^{15}N

Tube 2 : ADN de bactéries cultivées depuis de nombreuses générations sur un milieu ^{14}N

Tube 3 : ADN de bactéries de la culture sur milieu ^{15}N, une génération après leur transfert sur milieu ^{14}N

Tube 4 : ADN de bactéries de la culture sur milieu ^{15}N, deux générations après leur transfert sur milieu ^{14}N

16 La détection d'une mutation par PCR

La mucoviscidose* est une maladie génétique grave due à une mutation d'un gène bien identifié : cette mutation correspond à une délétion de trois nucléotides successifs. Un test génétique a été mis au point permettant de détecter si l'ADN d'un individu est porteur ou non de cette mutation :

– on commence par amplifier par PCR le fragment d'ADN qui contient la séquence génétique concernée ;

– les fragments d'ADN amplifiés sont ensuite dénaturés, c'est-à-dire soumis à un traitement qui sépare les deux brins de chaque molécule. Il se reforme ensuite des molécules double brin par hybridation spontanée. Il peut alors se former des molécules d'ADN associant deux brins strictement complémentaires : c'est ce qu'on appelle des homoduplex. Mais il peut également se former des molécules d'ADN constituées d'un brin portant la mutation et d'un brin ne portant pas la mutation : ce sont des hétéroduplex (A).

Par électrophorèse, on peut facilement distinguer les homoduplex des hétéroduplex, car ces derniers migrent nettement moins vite (B).

Trois cas sont possibles :

1 : individu homozygote portant l'allèle normal ;

2 : individu homozygote portant l'allèle muté ;

3 : individu hétérozygote.

■ **Interprétez les résultats obtenus.**

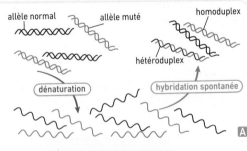
allèle normal   allèle muté   homoduplex   hétéroduplex   dénaturation   hybridation spontanée   A

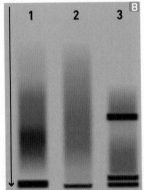
1   2   3   B

★ facile   ★★ intermédiaire   ★★★ confirmé

17 Une preuve de l'effet mutagène et cancérigène de la fumée de cigarette

★
★★
★

Le tabac et divers autres polluants sont répertoriés comme cancérigènes : on cherche ici à démontrer la responsabilité des produits issus de la consommation de tabac dans le développement des cancers du poumon chez le fumeur et à comprendre le mécanisme de cet effet.

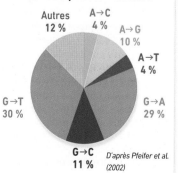

DOC 1 Une étude expérimentale

Les hydrocarbures aromatiques polycycliques (HAP) sont des molécules organiques produites par la combustion incomplète du bois, par les moteurs Diesel, ou encore la fumée du tabac. On a recherché l'effet sur l'ADN d'une exposition à des HAP en présence de doses croissantes de fumée de cigarette.

DOC 2 Visualisation moléculaire de l'ADN

Les molécules d'HAP inhalées sont susceptibles de s'intercaler au cœur des molécules d'ADN : une molécule d'HAP établit alors une liaison covalente avec le nucléotide G (Guanine).

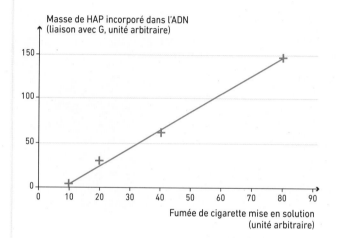

Masse d'HAP incorporé dans l'ADN en fonction de la concentration en fumée de cigarette.

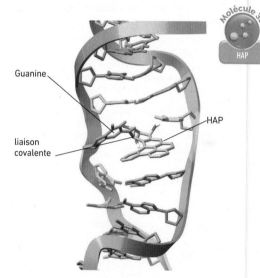

Modèle moléculaire d'ADN en présence d'une molécule d'HAP.

DOC 3 Une étude épidémiologique

Le gène p53 est connu pour son rôle protecteur vis-à-vis du cancer. De fait, ce gène est muté dans plus de la moitié des cellules cancéreuses. Les diagrammes ci-dessous montrent la répartition des différents types de mutations du gène p53 pour différents types de cancer.

Cancers du poumon - non fumeurs

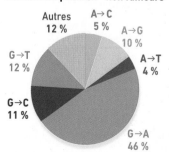

Cancers colorectal, du sein et du cerveau

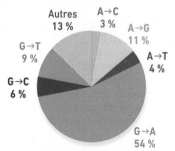

Cancers du poumon - fumeurs

D'après Pfeifer et al. (2002)

1. Déterminez un mode d'action possible de l'effet cancérigène de la fumée du tabac.
2. Expliquez pourquoi cette étude permet effectivement d'incriminer la fumée du tabac dans ce processus.

BAC

18 *Xeroderma pigmentosum* **ou les « enfants de la Lune »**

Chacun sait que les rayons ultraviolets représentent un danger potentiel et qu'il convient de s'en protéger (crème solaire, chapeau ou casquette, lunettes, limitation de la durée d'exposition de la peau au soleil lorsque le rayonnement UV est important). Certaines personnes souffrent cependant d'une hypersensibilité aux UV qui leur impose des mesures de protection beaucoup plus strictes.

À partir de l'ensemble des documents et de vos connaissances, expliquez l'origine du *Xeroderma pigmentosum* et les conséquences de l'anomalie qui cause cette maladie.

UV	durée maximale d'exposition	
UV 9+	extrême	15 min
UV 7 8	très fort	20 min
UV 5 6	élevé	25 min
UV 3 4	modéré	40 min
UV 1 2	faible	1 h 30

CS = crème solaire

---

1 | **Une hypersensibilité au rayonnement ultraviolet**

Xeroderma pigmentosum est une maladie rare (quelques milliers de cas dans le monde) caractérisée par une hypersensibilité aux rayons ultraviolets. Dès les premiers mois de la vie, des brûlures apparaissent après une exposition même minime au soleil.

La vie quotidienne impose des mesures de protection très strictes : l'enfant doit vivre dans un environnement protégé de tout rayonnement UV (contrôlé par un dosimètre). Les activités familiales ou sportives ont souvent lieu la nuit et la scolarisation nécessite que les locaux soient adaptés. Pour sortir, une protection est indispensable : gants et masques ont été spécialement conçus grâce aux technologies de l'ingénierie spatiale (A).

En absence de protection, des cancers de la peau peuvent survenir dès l'âge de deux ans chez les enfants atteints de *Xeroderma pigmentosum*. En effet, chez ces personnes hypersensibles aux UV, le risque de tumeurs cutanées est 4 000 fois plus élevé que dans la population générale.

A

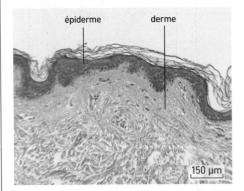
épiderme — derme
150 μm

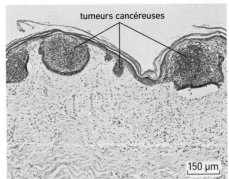
tumeurs cancéreuses
150 μm

B Coupes transversales de peau saine (à gauche) et avec carcinome basal (à droite).

Dans cette famille (arbre ci-contre), les deux premiers enfants sont des jumeaux et se sont révélés atteints de *Xeroderma pigmentosum*. Avant de concevoir un autre enfant, les parents ont consulté un médecin : devant le risque élevé d'avoir à nouveau un enfant atteint (25 %), celui-ci leur a conseillé un diagnostic prénatal. Les parents ont pu sans inquiétude donner naissance à leur troisième enfant.

C Le cas d'une famille à risque.

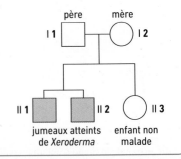
père — mère
I 1 — I 2
II 1 — II 2 — II 3
jumeaux atteints de *Xeroderma* — enfant non malade

*Cet exercice se présente sous la forme d'une **tâche complexe** :*
construisez votre propre démarche pour résoudre le problème posé.

Exercices

2 L'effet mutagène des rayons ultraviolets

Les rayons UV sont des agents mutagènes qui provoquent, dans l'ADN, l'établissement de liaisons entre deux nucléotides T successifs. Ces dimères T=T déforment l'ADN, perturbent sa réplication, ce qui augmente la survenue de mutations (voir p. 51).

On a mesuré, chez des malades et des individus sains, la fréquence des dimères T=T pour différentes expositions aux UV (A) et l'évolution du pourcentage de dimères T=T dans les cellules après une exposition aux UV (B).

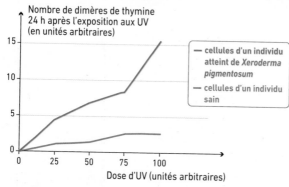

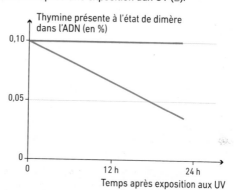

A Quantité de dimères T=T en fonction de l'intensité de l'exposition aux UV.

B Proportion de dimères T=T dans les heures qui suivent une exposition aux UV.

3 Des molécules impliquées dans le *Xeroderma pigmentosum*

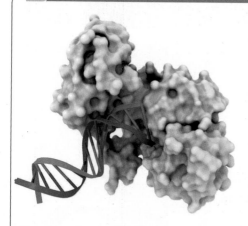

L'enzyme XPF est une enzyme qui intervient dans la réparation de l'ADN (A). C'est une macromolécule dont la production par les cellules nécessite l'information codée par un gène.

La séquence du gène permettant de produire cette enzyme XPF a été déterminée chez les parents et enfants de la famille dont la généalogie est présentée dans le document 1 (B).

Ces séquences ont été comparées grâce au logiciel *Anagène* et quelques portions sont présentées ci-dessous (C).

	Allèle XPF Normal	Allèle XPF 1	Allèle XPF 2
Père	X	X	
Mère	X		X
Enfants II 1 et II 2		X	X
Enfant II 3	X X		

A Modèle moléculaire de l'enzyme XPF, réparatrice de l'ADN lésé.

B Allèles possédés par les membres de la famille (chaque individu possède deux allèles).

	1460	1470	1480	1490		1550	1560		2350	2360
Allèle XPF Normal	TAGGAAAACCTGAAGAACTGGAAGAGGAAGGAGATG					AAATTAAGCATGAAGAATTT			TTCCCCAGACTACGGA	
Allèle XPF 1	TAGGAAAACCTGAAGAACTGGAAGAGGAAGGAGATG					AAATTAAGCATGAAGAATTT			TTCCCCAGACTATGGA	
Allèle XPF 2	TAGGAAAACCTAAAGAACTGGAAGAGGAAGGAGATG					AAACTAAGCATGAAGAATTT			TTCCCCAGACTACGGA	

C Extraits de séquences d'ADN de trois allèles du gène responsable de la synthèse de l'enzyme XPF (un seul brin d'ADN est représenté).

Variabilité génétique et histoire des génomes humains

Tous semblables, tous différents : chacun d'entre nous hérite d'un patrimoine génétique unique, mosaïque constituée d'allèles provenant de ses innombrables ancêtres.

Ötzi, la momie des Alpes italiennes

Ötzi est le surnom donné à ce corps momifié, vieux de 5 000 ans, retrouvé dans un état de conservation exceptionnel au pied d'un glacier de l'Ötztal (à la frontière entre l'Italie et l'Autriche). L'analyse de son ADN a montré qu'il est plus apparenté aux populations actuelles de Sardaigne qu'à celles qui peuplent aujourd'hui l'Europe continentale, et qu'il était intolérant au lactose, à la différence de la plupart des Européens actuels.

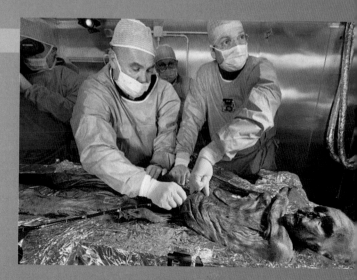

Seize millions de descendants

En 2003, des chercheurs ont montré qu'un chromosome Y particulier est présent chez 8 % des hommes de l'Asie centrale au Pacifique, soit un homme sur 200 dans le monde. Son origine remonterait à l'Empire Mongol fondé par Gengis Khan au XIIᵉ siècle. Pour expliquer une telle dissémination, les chercheurs estiment probable que ce chromosome ait été transmis par Gengis Kahn lui-même, et se soit propagé à la faveur d'une sélection sociale.

Formuler les problèmes à résoudre

● Les 7 milliards d'êtres humains vivant aujourd'hui appartiennent tous à la même espèce, *Homo sapiens*. L'analyse de l'ADN actuel ou ancien permet de retracer l'histoire de la transmission de certaines caractéristiques génétiques.

● Formulez des questions que vous vous posez sur ce sujet, aussi bien sur l'histoire humaine elle-même que sur les techniques et méthodes qui permettent de retracer cette histoire.

La transmission des mutations

Comparer des génomes afin de reconstituer des relations de parenté suppose de comprendre au préalable comment se transmettent les mutations. En effet, les cellules filles issues d'une cellule mutée n'ont pas toutes le même avenir.

Quel peut-être le devenir d'une mutation et comment est-elle transmise à la descendance ?

1 La reconstitution de l'histoire individuelle des mutations

Afin de comprendre comment les mutations se transmettent au cours de la vie, des chercheurs ont mené une étude sur un sujet de 59 ans : l'ADN de 140 cellules de sa moelle osseuse* a été séquencé*. Plus de 100 000 mutations ont été repérées et comparées. Les chercheurs ont ensuite reconstitué les relations de parenté entre ces cellules, en rapprochant celles qui présentent le plus de mutations identiques.

L'arbre ci-contre illustre la parenté entre quelques cellules sanguines : la longueur des branches est proportionnelle au nombre de mutations qui se sont accumulées au cours des divisions cellulaires.

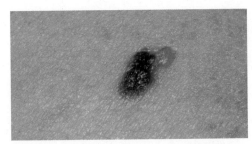

Principe de la reconstitution de l'histoire de cellules sanguines.

2 Mutations somatiques et mutations germinales

À la suite d'une exposition prolongée aux rayons ultraviolets, certaines cellules de la peau accumulent des mutations (voir page 50). La plupart d'entre elles meurent et sont éliminées. Il peut aussi arriver que certaines de ces cellules deviennent cancéreuses et prolifèrent : la photographie (A) présente un mélanome*, c'est-à-dire une prolifération de cellules de la peau devenues cancéreuses.

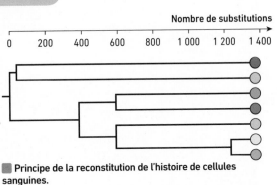

A Prolifération de cellules cancéreuses de la peau.

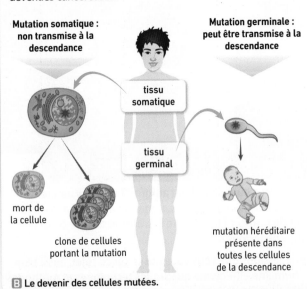

Mutation somatique : non transmise à la descendance

Mutation germinale : peut être transmise à la descendance

tissu somatique

tissu germinal

mort de la cellule

clone de cellules portant la mutation

mutation héréditaire présente dans toutes les cellules de la descendance

B Le devenir des cellules mutées.

Les mutations qui affectent des cellules non sexuelles sont qualifiées de **mutations somatiques***. Elles peuvent affecter la vie de l'individu, mais ne seront pas transmissibles à la descendance.

En revanche, une mutation qui se produit dans une cellule à l'origine des gamètes* est susceptible d'être transmise à la descendance. Si c'est le cas, elle sera présente dans toutes les cellules du nouvel individu et transmise aux générations suivantes.

De telles mutations sont qualifiées de **mutations germinales***.

3 Mutations germinales et gamétogenèse

Chez la femme, la formation de tous les ovocytes se déroule au cours du développement embryonnaire uniquement (voir pages 38 et 39). On estime que 24 divisions cellulaires sont nécessaires pour produire un ovule.

Chez l'homme, la production de spermatozoïdes est réalisée à partir de cellules souches* qui se divisent tout au long de la vie à partir de la puberté. Le nombre de divisions nécessaires pour produire un spermatozoïde augmente donc avec l'âge : il est estimé à $35 + 23\,n - 15$ (où n = âge en années et 15 l'âge moyen de la puberté).

Les conséquences de ces différences biologiques ont été recherchées en comptabilisant les mutations germinales héritées de chaque parent en fonction de l'âge des parents (au moment de la naissance de l'enfant).

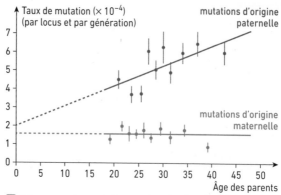

Fréquences des mutations en fonction de l'âge des parents.

4 Des informations apportées par les études familiales

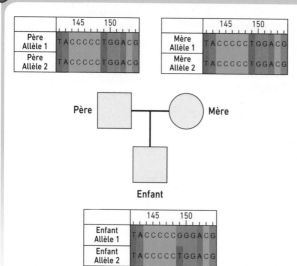

Principe de l'analyse de trios et identification d'une mutation *de novo* (gène impliqué dans des cas de myopie).

Les études de type « trios » consistent à comparer, sur un grand nombre de cas, l'ADN d'un sujet atteint d'une anomalie génétique et celui de ses deux parents biologiques.

On peut alors distinguer :
– les cas où l'allèle muté existe chez l'un des parents, ou chez les deux ;
– les cas où l'allèle est muté chez un enfant, alors qu'aucun de ses deux parents ne possède la mutation : il s'agit dune mutation nouvelle, dite « *de novo* »*.

Un traitement statistique des données permet ainsi d'estimer la fréquence de ces néomutations. Par exemple, dans le cas du gène de la dystrophine* (responsable de la myopathie de Duchenne*, maladie génétique qui affecte une personne sur 2 500, voir p. 305), on constate que pour 40 % des malades, on ne retrouve pas la mutation chez les parents. Cette proportion élevée n'est pas une surprise, dans le sens où ce gène est le plus long du génome humain.

Activités envisageables

Pour comprendre comment les mutations sont transmises :

● Envisagez l'avenir possible d'une mutation en distinguant différents cas de figure.

● Justifiez l'affirmation selon laquelle tout individu est porteur de mutations dans toutes ses cellules.

● Expliquez l'origine de la mutation dont est porteur l'enfant du trio présenté par le document 4.

Des clés pour réussir

● Vous pouvez envisager le cas d'une cellule souche, d'une cellule déjà différenciée, d'une cellule germinale, de la cellule-œuf, d'une cellule embryonnaire.

● Calculez par exemple le nombre de divisions nécessaires pour produire un spermatozoïde par un homme de 30 ans.

* Lexique → p. 422

Diversité des génomes et parenté entre les humains

La comparaison des génomes permet de différencier les individus, mais confirme aussi la grande proximité génétique entre tous les êtres humains actuels, ce qui témoigne de leur parenté.

Comment met-on en évidence les différences génétiques entre individus et quel est le degré de parenté entre tous les êtres humains vivant aujourd'hui ?

1 La séquence du génome contient l'identité génétique

Pour connaître l'ensemble des allèles que possède un individu, il faut l'information des deux fois 3 milliards de paires de nucléotides de son génome.

Le premier **séquençage*** complet du génome humain a été achevé en 2003 après 13 années de recherches impliquant une vingtaine de laboratoires dans le monde, pour un coût de 3 milliards de dollars. La séquence publiée en 2004 est en fait une mosaïque de 5 individus (anonymes, de différentes origines et des deux sexes).

Ce projet a été suivi par le projet « 1 000 génomes » dont l'objectif était de cartographier la diversité génétique humaine en séquençant des génomes provenant de tous les continents. Les résultats publiés en 2015 montrent que les génomes de tous les humains sont identiques à 99,9 % environ, soit en moyenne une mutation de différence tous les 1 000 nucléotides. Comparée aux autres espèces d'hominidés*, l'espèce humaine possède la plus faible diversité génétique, ce qui témoigne d'une évolution à partir d'ancêtres communs plus récents.

Espèce	Nombre de nucléotides variables par individu
Humain	$3 \cdot 10^6$
Chimpanzé	$5 \cdot 10^6$
Gorille	$6,5 \cdot 10^6$
Orang-outan	$9,3 \cdot 10^6$

A Variabilité individuelle pour différentes espèces d'hominidés.

Remarque : la taille du génome de ces 4 espèces est très proche, soit environ $3 \cdot 10^9$ paires de nucléotides par génome haploïde.

2 Des empreintes pour distinguer des individus sur la base de leur ADN

La technique d'**empreinte génétique*** consiste à comparer, après amplification par PCR, 13 séquences très variables suivant les individus, constituées de répétitions plus ou moins nombreuses de quelques nucléotides. Par exemple, la séquence D7 localisée sur le chromosome 7, contient entre 5 et 16 répétitions GATA, soit 12 allèles différents. En considérant la paire de chromosomes 7, il y a 78 combinaisons possibles.

En appliquant ce raisonnement aux 13 séquences choisies, le nombre de combinaisons dépasse plusieurs milliers de milliards, ce qui rend peu probable la possibilité que deux personnes aient une même empreinte. Mais une empreinte génétique, pas plus qu'une empreinte digitale, ne peut donner d'information sur les caractéristiques de l'individu.

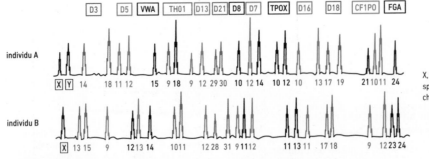

X, Y = marqueurs spécifiques des chromosomes X et Y

B Empreinte génétique de deux individus : chaque pic, correspondant à une séquence, est caractérisé par sa position, qui dépend du nombre de répétitions (indiqué en abscisse).

Remarque : chaque individu est diploïde et possède donc deux allèles (différents ou identiques) de chacune des 13 séquences.

③ L'ancêtre commun le plus récent de tous les êtres humains actuels

■ **Un paradoxe à résoudre :**

Chaque individu a 2 parents, 4 grands-parents, etc. Le nombre d'ascendants d'une personne double à chaque génération. Si on tient ce raisonnement pour chacun d'entre nous, on aboutit rapidement à un nombre invraisemblable. Pour résoudre ce paradoxe, il faut considérer que les arbres généalogiques individuels se réunissent, c'est-à-dire que nous sommes tous cousins, à un degré plus ou moins important (processus de coalescence*).

Des modélisations* mathématiques montrent que cette proximité entre les humains actuels est tout à fait probable sans remonter aux origines de l'humanité : on définit ainsi l'Ancêtre Commun le Plus Récent (ACPR) comme le premier individu que l'on retrouve dans l'arbre généalogique de tous les humains actuels en remontant dans le passé.

Pour déterminer à quelle génération on trouve l'ACPR, il faut trouver la puissance de 2 qui correspond approximativement à l'effectif de la population. Par exemple, pour une population de 1 000 individus, il faudrait 10 générations environ pour trouver l'ancêtre commun le plus récent : en effet $2^{10} = 1\,024 \approx 1\,000$.

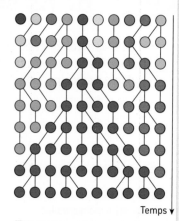

A Une illustration du processus de coalescence.

Activité pratique

Dans cette approche simplifiée, on considère une population d'effectif constant au cours du temps, dans laquelle les probabilités de reproduction sont équitablement réparties, et on ne distingue pas les sexes.
■ Tracer 2 rangées de 6 points (chaque point symbolise un individu).
■ Commencer par le point en bas à gauche : à l'aide d'un dé, tirer au sort pour lui associer aléatoirement deux individus de la génération précédente, représentant ses parents.
■ Répéter le processus pour tous les points de la même rangée.
■ Recommencer pour tous les points de la seconde rangée qui ont des descendants, et ainsi de suite.

Une fois les associations faites, on recherche s'il existe un ancêtre commun à tous les individus de la génération la plus récente.

1. Tirage au sort des parents   **2. Tirage au sort des grands-parents**   **3. Recherche de l'existence d'un ACPR**

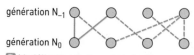

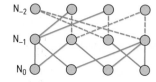

B Modélisation de la recherche de l'ancêtre commun le plus récent (concernant ici, pour simplifier, une « population » de 4 individus seulement). *D'après J. Chang 1999.*

Ces modélisations sont trop simples pour être directement applicables à l'humanité entière, mais peuvent néanmoins s'appliquer à des situations réelles.

Plusieurs recherches ont été réalisées pour améliorer ce modèle simplifié en prenant en compte l'isolement des populations humaines, les migrations, la consanguinité et la croissance de la population. Elles montrent que toute l'humanité partage une ascendance commune au cours des derniers milliers d'années.

Activités envisageables

Pour comprendre les informations apportées par l'étude de la diversité des génomes individuels :

● **Distinguez les approches présentées par les documents 1 et 2.**

● **Estimez le nombre théorique d'ascendants de chacun d'entre nous il y a mille ans, ainsi que l'âge de l'ACPR de l'humanité actuelle d'après le modèle mathématique proposé (on considérera une génération tous les 25 ans). Discutez ces résultats.**

Des clés pour réussir

● Identifiez les données utilisées et l'objectif recherché.

● En l'an 1000, la population sur Terre était d'environ 300 millions d'êtres humains.

● Ne pas confondre l'ACPR avec les premiers représentants de l'espèce humaine.

* Lexique → p. 422

3 L'histoire humaine lue dans son génome

La diversité génétique est liée aux mutations accumulées de génération en génération et tend donc à augmenter au cours du temps. En comparant les génomes actuels, on peut comparer la diversité des populations et reconstituer les principales étapes de l'histoire humaine récente.

> *Que nous apprend la comparaison des génomes actuels sur l'histoire récente de l'humanité ?*

1 Reconstituer les parentés entre les groupes humains

La reconstitution de parentés repose sur un principe simple : si les mêmes mutations ponctuelles sont retrouvées chez deux individus, on peut supposer qu'elles proviennent d'un ancêtre commun qui possédait ces mutations.
Chaque homme possède un chromosome Y, nécessairement hérité de son père et, au-delà, de sa lignée paternelle (succession des pères). L'étude des mutations portées par le chromosome Y a permis de définir des groupes de parenté entre hommes du monde entier, appelés **haplogroupes***.
Le tableau ci-dessous montre comment de tels groupes peuvent être constitués par le partage de variants* de huit marqueurs génétiques.

Mutation / Haplogroupe	M168 12702062 C → T	M145 19555322 C → T	M174 12842354 T → C	P143 12077161 G → A	M130 28668113 C → T	M89 19755427 C → T	F1329 8720990 C → T	M201 12915617 G → T
C	X			X	X			
D	X	X	X					
E	X	X						
F	X			X		X		
G	X			X		X	X	X
H	X			X		X	X	

A La constitution d'haplogroupes basés sur le partage de mutations.

L'étude des haplogroupes montre qu'ils sont apparentés entre eux. En supposant un taux de mutation constant, on estime leur origine commune entre 150 000 et 300 000 ans. C'est en Afrique que l'on retrouve la plus grande diversité d'haplogroupes.

L'haplogroupe majoritaire en Europe est le R (l'un des nombreux sous-groupes de F), mais les études sur les ADN anciens ont montré qu'il y est apparu il y a 5 000 ans seulement, en provenance de l'est (ce qui coïncide avec l'apport des langues indo-européennes).

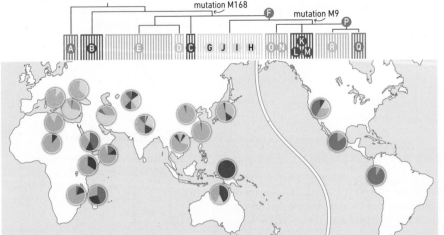

B Répartition mondiale des principaux haplogroupes dans 22 régions du monde (*d'après Underhill et al.*).

Remarque :
Les mitochondries possèdent de l'ADN. Or, nos mitochondries sont toutes d'origine maternelle (elles proviennent de l'ovule, et non du spermatozoïde). Il est ainsi possible de constituer des haplogroupes basés sur le partage de mutations de lignée maternelle. Les résultats sont concordants avec les haplogroupes Y.*

2 La longue migration d'*Homo sapiens*

La diversité génétique peut se mesurer précisément par la fréquence d'allèles présents en deux exemplaires différents (gènes à l'état hétérozygote*). Le graphique (A) représente la proportion de gènes hétérozygotes chez des individus du monde entier en fonction de la distance du lieu de vie des individus par rapport à l'Afrique de l'Est.

Plusieurs mécanismes peuvent diminuer la diversité génétique d'une population : difficultés rencontrées et sélection naturelle, mais aussi migrations. En effet, lorsqu'une petite population se sépare d'une population ancestrale, elle n'emporte et ne transmet qu'une fraction des allèles qui étaient présents initialement (effet fondateur, voir p. 13).

À partir de ces données et de la comparaison des haplogroupes, il est possible de reconstituer l'histoire probable des migrations de notre espèce *Homo sapiens* à partir de son berceau africain (B).

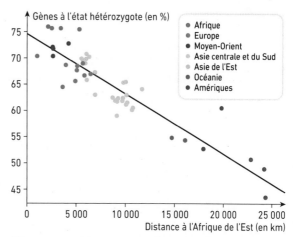

A Diversité génétique en fonction de la distance à l'est de l'Afrique.

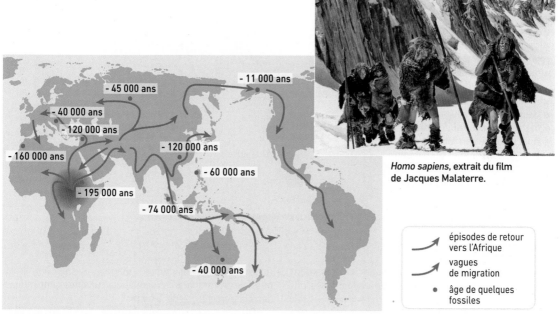

Homo sapiens, extrait du film de Jacques Malaterre.

B Un modèle de reconstitution des migrations de populations d'*Homo sapiens* à partir du continent africain.

Afin de comprendre comment on peut reconstituer l'histoire récente de l'humanité et expliquer la diversité génétique humaine :

● Montrez que les haplogroupes sont apparentés.

● Montrez que ces études valident l'hypothèse d'une origine unique et africaine d'*Homo sapiens*.

● Mettez en relation la répartition des haplogroupes avec la reconstitution probable des migrations d'*Homo sapiens* (cartes des documents 1 et 2).

Des clés pour réussir

● Recherchez d'abord à justifier la constitution des haplogroupes.
● Établissez bien la relation entre diversité génétique et ancienneté d'une population.
● Tenez compte de la relation entre migration et diversité génétique.

* Lexique ➔ p. 422

Les indices d'une sélection naturelle

La plupart des mutations n'ont pas d'effets sur le phénotype. Mais dans certains cas, une mutation peut conférer un avantage aux individus qui la possèdent. Selon le modèle de la sélection naturelle, si un allèle est bénéfique dans un environnement donné, sa fréquence augmente génération après génération dans la population.

Comment identifier les traces d'une sélection naturelle dans les populations humaines ?

1 Le phénotype « lactase persistante » dans le monde

Le lactose est un sucre contenu dans le lait, qui ne peut être absorbé par l'intestin grêle qu'après transformation par une enzyme* digestive, la lactase. Chez les mammifères, la lactase n'est produite qu'au début de la vie. Après le sevrage, la consommation de lait provoque des désordres digestifs en raison de l'utilisation du lactose par les bactéries du gros intestin. Cependant, 30 % des humains possèdent une mutation leur permettant de continuer à produire de la lactase tout au long de la vie, et donc de consommer du lait sans les effets secondaires de l'intolérance au lactose. Ce phénotype est appelé « Lactase Persistante » ou LP.

■ En Europe, la fréquence de ce phénotype dans la population augmente du sud au nord pour atteindre 90 % dans les pays nordiques. Il a été noté que dans ces zones, la faible exposition aux UV limite la synthèse de vitamine D et donc l'assimilation du calcium. La consommation de lait permet de contrebalancer ce déficit en vitamine D.

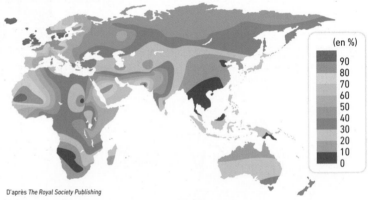

(en %)

90
80
70
60
50
40
30
20
10
0

D'après *The Royal Society Publishing*

A Fréquence du phénotype LP dans « l'ancien monde ».

Activité pratique

Pour expliquer que des populations distinctes présentent le phénotype lactase persistante, deux hypothèses ont été émises :

■ La mutation responsable du phénotype est apparue une seule fois, dans une population ancestrale commune aux populations qui présentent aujourd'hui cette mutation.

■ Plusieurs mutations sont apparues au cours de l'évolution et ont été sélectionnées indépendamment (convergence évolutive).

À l'aide d'un logiciel comme Anagène ou GeniGen, il est possible de comparer les séquences suivantes, impliquées dans la persistance de la lactase :

■ ADN de fossiles européens datés de – 8 000 ans (époque néolithique*) ;

■ ADN de populations européennes actuelles LP et LNP (Lactase Non Persistante) ;

■ ADN de populations africaines actuelles de phénotype LP et LNP.

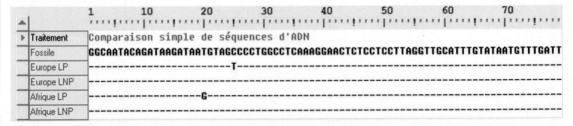

B Comparaison des séquences d'ADN responsables de la persistance de la production de lactase.

2 L'origine du phénotype « Lactase Persistante » en Europe

C'est au néolithique que la pratique de l'agriculture succède à un mode de vie nomade basé sur la chasse et la cueillette. Les traces archéologiques montrent que la culture néolithique est arrivée en Europe en provenance de la Mésopotamie vers – 7 000 ans av. J.-C.

Des résidus de lait fermenté ont été retrouvés en Croatie sur des poteries, datant de – 5 000 ans av. J.-C., qui pouvaient servir à la fabrication des fromages, en séparant le caillé (riche en protéines, lipides et calcium) et le petit lait (riche en lactose).

Le fragment de poterie, ci-contre, comporte des orifices permettant d'égoutter le lait caillé.

A Fragment de poterie datant du Néolithique.

Les dents et le rocher (os de l'oreille interne) sont les organes dans lesquels l'ADN ancien est le mieux conservé. En les broyant, il est parfois possible de récupérer suffisamment d'ADN pour réaliser un séquençage complet du génome.

Plusieurs études ont recherché la mutation LP, fréquente chez les Européens actuels, sur des squelettes datant du néolithique. Le document (B) indique le nombre de mutants LP retrouvés par rapport au nombre de génomes étudiés.

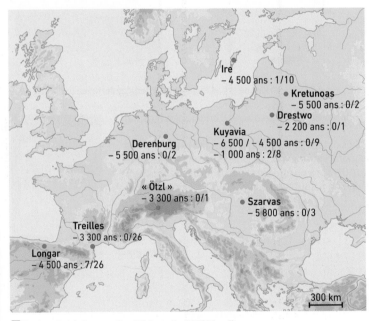

Ire
– 4 500 ans : 1/10

Kretunoas
– 5 500 ans : 0/2

Drestwo
– 2 200 ans : 0/1

Kuyavia
– 6 500 / – 4 500 ans : 0/9
– 1 000 ans : 2/8

Derenburg
– 5 500 ans : 0/2

« Ötzl »
– 3 300 ans : 0/1

Szarvas
– 5 800 ans : 0/3

Treilles
– 3 300 ans : 0/26

Longar
– 4 500 ans : 7/26

300 km

B Recherche de la mutation LP à partir d'ADN fossile.

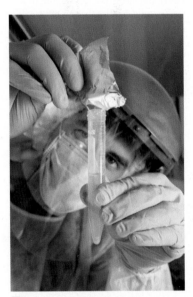

C Extraction d'ADN à partir d'un reste fossile.

Activités envisageables

Pour identifier les indices d'une sélection naturelle à partir de l'analyse des génomes :

● Montrez que le phénotype LP a bien une cause génétique et argumentez en faveur de l'une ou l'autre des deux hypothèses énoncées dans le document 1.

● Recherchez les arguments permettant de dire qu'une sélection naturelle peut s'exercer sur ce phénotype dans certains environnements.

● Montrez que la mutation responsable du phénotype LP en Europe est récente et proposez une reconstitution de son histoire.

Des clés pour réussir

● Pour démontrer l'existence d'une sélection, il faut :
– identifier un avantage apporté par un allèle dans un environnement donné.
– l'associer à une augmentation significative de la fréquence de cet allèle.

*Lexique ➙ p. 422

L'empreinte génétique des espèces humaines ancestrales

L'histoire de l'Homme actuel (*Homo sapiens*) s'inscrit dans celle plus large du genre *Homo*. Au cours de cette évolution, plusieurs espèces humaines ont coexisté. Ainsi, les humains à anatomie moderne, apparus il y a 200 000 ans environ, ont côtoyé d'autres humains, tels que les Néandertaliens, en Europe et en Asie.

> *Quelle empreinte génétique les espèces humaines ancestrales ont-elles pu laisser dans le patrimoine génétique actuel ?*

1 Le genre humain, une évolution buissonnante

Les premiers humains retrouvés en dehors de l'Afrique appartiennent à l'espèce *Homo erectus* (depuis 1,8 Ma* en Géorgie, puis ailleurs en Asie et en Europe).

Les Hommes de Néandertal sont plus récents. Ils sont connus par des fossiles retrouvés en Europe et en Asie (le plus ancien daté de – 430 000 ans, le plus récent de – 30 000 ans). Leur crâne est caractérisé par un volume très important, un front fuyant, des bourrelets sus-orbitaires* saillants et une absence de menton.

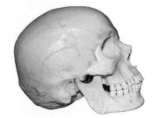

A Crâne d'Homme actuel (à gauche) et de Néandertalien (à droite).

On estime qu'ils ont cohabité pendant 10 000 ans avec les *Homo sapiens*, d'origine plus récente, et arrivés plus tardivement en Eurasie.

En 2008, une phalange* et des dents humaines datant de – 30 000 ans ont été trouvées dans la grotte de Denisova en Sibérie. Les dents montrent une morphologie différente de celle de Neandertal ou d'*Homo sapiens*. L'analyse de l'ADN qui a pu être extrait de la phalange a montré qu'il s'agit d'une espèce différente, jamais décrite jusqu'alors, à laquelle on a alors donné le nom de Dénisovien.

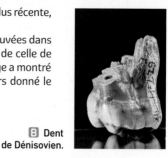

B Dent de Dénisovien.

Activité pratique

L'établissement de relations de parenté

En utilisant le logiciel Phylogène :

■ Afficher des séquences d'ADN mitochondrial* provenant d'humains actuels et de fossiles Néandertaliens ou Dénisoviens.

■ Établir la matrice des distances* qui présente le nombre de différences relevées.

■ Construire un arbre de parenté* (C) à partir de ces valeurs.

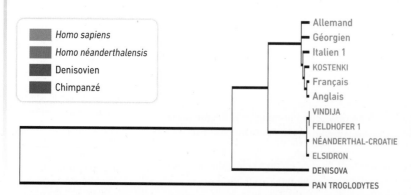

▮	*Homo sapiens*
▮	*Homo néanderthalensis*
▮	Denisovien
▮	Chimpanzé

Allemand
Géorgien
Italien 1
KOSTENKI
Français
Anglais
VINDIJA
FELDHOFER 1
NÉANDERTHAL-CROATIE
ELSIDRON
DENISOVA
PAN TROGLODYTES

Remarque :
Sur ce type d'arbre de parenté, la longueur de chaque branche est proportionnelle au nombre de différences entre les séquences d'ADN. Le Chimpanzé (Pan troglodytes) sert ici de référence ; la divergence entre le genre humain et les chimpanzés est estimée à – 6 Ma.
L'homme de Kostenki est un fossile trouvé en Russie, daté de – 37 000 ans.

C Arbre de parenté établi par comparaison d'ADN mitochondrial provenant d'humains actuels et fossiles.

② Des traces d'hybridation laissées dans les génomes

Les populations d'*Homo sapiens*, de Néandertaliens et de Dénisoviens, qui se sont côtoyées en Eurasie, ont-elles pu s'hybrider ? Les données récentes permettent d'apporter des réponses :

- Un fragment d'os (âge estimé de 90 000 ans), retrouvé dans la grotte de Denisova, a été attribué à une fille de 13 ans environ. Le séquençage de son génome a montré que ses chromosomes paternels étaient de type dénisovien tandis que ses chromosomes maternels étaient néandertaliens.

- Le séquençage des génomes de néandertaliens a révélé que les populations actuelles européennes et asiatiques portent de 1 à 4 % de séquences d'origine néandertalienne. On estime que cet apport génétique a eu lieu il y a 50 000 ans environ.

De même, au sein de plusieurs populations d'Asie et principalement d'Océanie, les séquences d'origine dénisovienne peuvent représenter de 1 à 6 % du génome.

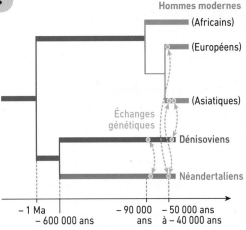

A Hypothèses d'hybridations entre Dénisoviens, Néandertaliens et *Homo sapiens*.

Activité pratique

■ Les populations ancestrales de Néandertaliens et de Dénisoviens vivaient en Europe et en Asie depuis plusieurs centaines de milliers d'années avant l'arrivée des humains modernes d'origine africaine. On suppose que les hybridations avec ces populations ancestrales ont pu apporter des allèles sélectionnés pour les avantages qu'ils apportent à la survie dans ces conditions environnementales.

Par exemple, les populations vivant sur le plateau tibétain à 4 000 m d'altitude sont connues pour leur résistance au mal des montagnes. Le gène EPAS1, qui est impliqué dans la réponse au manque de dioxygène, présente cinq mutations caractéristiques.

■ La comparaison des ADN actuels et fossiles permet d'éprouver une telle hypothèse.

🅧 Anagène	5 10 15	760 765 770	1095 1100 1105 1110	1850 1855 1860	2420 2425
☐ Dénisovien	AAGTGCAGTGGTGCA	CTTCCTGTTAGC	CTGGCCCCGGTGCTCAATA	ATCTTGAGGCCTC	TCCCCCGCCA
☐ Finlandais	GAGTGCAGTGGTGCA	CTTCCTATTAGC	CTGGCCCCAGTGCTCAATA	ATCTTGGGGCCTC	TCCCCCGCCG
☐ Néandertalien	GAGTGCAGTGGTGCA	CTTCCTGTTAGC	CTGGCCCCGGTGCTCAATA	ATCTTGAGGCCTC	TCCCCCGCCG
☐ Tibétain	AAGTGCAGTGGTGCA	CTTCCTGTTAGC	CTGGCCCCGGTGCTCAATA	ATCTTGAGGCCTC	TCCCCCGCCA
☐ Japonais	GAGTGCAGTGGTGCA	CTTCCTATTAGC	CTGGCCCCAGTGCTCAATA	ATCTTGGGGCCTC	TCCCCCGCCG
☐ Espagnol	GAGTGCAGTGGTGCA	CTTCCTATTAGC	CTGGCCCCAGTGCTCAATA	ATCTTGGGGCCTC	TCCCCCGCCG

B Comparaison de l'ADN du gène EPAS1 d'Hommes actuels, de Néandertalien et de Dénisovien (logiciel Anagène en ligne).

Activités envisageables

Pour savoir dans quelle mesure des espèces ancestrales humaines ont pu contribuer aux génomes d'Hommes actuels :

- Recherchez les arguments qui permettent d'établir une parenté entre ces différents groupes, mais aussi de les distinguer.
- Montrez que des hybridations ont pu avoir lieu entre les différents groupes du genre humain.
- Argumentez en faveur d'une hybridation probable entre Dénisoviens et Tibétains.

Des clés pour réussir

- Utilisez des critères anatomiques et moléculaires.
- Appuyez-vous aussi sur la répartition géographique des Néandertaliens, des Dénisoviens et sur les différentes vagues migratoires supposées d'*Homo sapiens* en Eurasie.

*Lexique ⟶ p. 422

Variabilité génétique et histoire des génomes humains

Podcast
Bilan

1 La transmission des mutations

Les mutations mesurent l'avancement de l'horloge moléculaire

La molécule d'ADN subit des **mutations aléatoires** qui s'accumulent au cours de la vie dans les cellules de l'organisme. Ainsi, le nombre de différences entre deux cellules augmente au cours du temps.

Les mutations ne sont transmises que d'une cellule mère à ses cellules filles. Les mutations touchant des cellules non sexuelles d'un être vivant (**mutations somatiques**) ne peuvent donc pas être transmises à ses descendants. Seules les mutations touchant les cellules reproductrices (**mutations de la lignée germinale**) peuvent être transmises d'une génération à la suivante. On estime que dans l'espèce humaine, entre chaque génération une cinquantaine de mutations sont transmises.

Le principe de l'**horloge moléculaire** est d'utiliser les différences entre deux séquences pour dater la séparation des lignées auxquelles elles se rattachent.

Le partage de mutations est utilisé pour reconstituer des parentés

Si deux individus possèdent une série de mutations en commun, l'explication la plus probable est que ces mutations sont héritées d'un **même ancêtre** qui en était porteur. Ainsi, on peut mesurer une **distance génétique** entre deux individus en établissant le nombre de mutations qui les séparent du génome ancestral commun le plus récent. En appliquant le principe de l'horloge moléculaire, ce nombre de mutations peut être converti en une estimation de durée.

2 Diversité des génomes et parenté entre les humains

Des différences individuelles

L'**empreinte génétique** est une technique simple et rapide utilisée notamment pour définir l'identité judiciaire d'un individu. En se basant sur 13 sites du génome humain très variables, elle suffit en théorie à distinguer tous les humains actuels. Cette empreinte ne donne par contre pas d'information sur l'identité génétique, c'est-à-dire sur les allèles que possède un individu et qui sont responsables de ses caractères.

Le séquençage du génome donne une cartographie précise des mutations

Le séquençage du génome consiste à établir la succession la plus complète possible des nucléotides de chaque molécule d'ADN d'un individu.

Le **premier séquençage complet d'un génome** a été réalisé au cours du projet « génome humain », de 1990 à 2003, en mutualisant les travaux de laboratoires du monde entier pour un coût de 3 milliards de dollars. Il a été suivi par d'autres projets de recherche visant à améliorer la connaissance de la variabilité humaine en séquençant des **génomes provenant d'individus du monde entier**. Les progrès techniques et informatiques permettent aujourd'hui de séquencer des génomes entiers pour un coût de quelques milliers de dollars. À l'avenir, il est possible que cette procédure devienne une pratique médicale courante, ce qui soulève des **questions éthiques** quant aux usages qui pourraient être faits de ces informations.

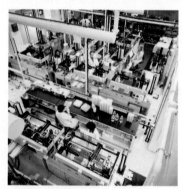

Laboratoire travaillant sur la cartographie des génomes.

La diversité génétique humaine est faible

La comparaison des génomes d'humains provenant du monde entier a montré que les différences entre deux individus sont de l'ordre de 3 millions de paires de nucléotides sur les 3 milliards que comptent le génome (génome haploïde), soit **une ressemblance à 99,9 %**. Au sein d'un même continent, les individus sont génétiquement un peu plus proches entre eux qu'avec les individus d'autres continents, mais cette différence est très faible (ressemblance à 99,905 %). Cette proximité génétique s'explique par une origine commune récente des populations humaines actuelles. Les espèces les plus proches des humains (Chimpanzés, Gorilles et Orangs-outans) présentent une diversité génétique beaucoup plus importante dans des populations beaucoup plus petites : il y a plus de diversité entre deux chimpanzés d'un même clan qu'entre deux humains dans le monde.

L'ancêtre commun le plus récent des humains actuels (ACPR) est défini comme étant la personne située dans l'arbre généalogique de tous les humains actuels, la plus proche dans le temps. Ce n'était pas le seul humain vivant à cette époque, et bien d'autres ancêtres de notre espèce l'ont précédé. Les modélisations mathématiques prenant en compte l'isolement géographique, les migrations, la consanguinité et la croissance des populations humaines situent cet ancêtre commun de l'humanité à une centaine de générations seulement.

3 L'histoire d'*Homo sapiens* lue dans son génome

Une origine unique et de multiples migrations

Le chromosome mitochondrial (ADN propre aux mitochondries, hérité des mitochondries présentes dans l'ovule au moment de la fécondation) est transmis par voie maternelle uniquement (de la mère à ses enfants), tandis que le chromosome Y est transmis par voie paternelle (du père à ses fils). Sur ces chromosomes, ont été identifiées des associations de mutations, appelées **haplotypes**. La diversité des haplotypes actuels s'explique par une succession de mutations dans chaque lignée depuis le chromosome ancestral commun.

L'origine géographique du chromosome mitochondrial ancestral (appelé « Ève mitochondriale ») et du chromosome Y ancestral (appelé « chromosome Y Adam ») est localisée en Afrique, vers – 200 000 ans.

Cette **origine africaine** des humains modernes (*Homo sapiens*) est confirmée par l'analyse de la diversité des allèles des populations humaines. En effet, lors d'une migration, les individus partant de la population d'origine sont peu nombreux et représentent une faible proportion de la diversité génétique initiale. Après quelques générations, cette sous-population présente un faible nombre d'allèles différents pour ses gènes. La diminution de la diversité génétique constatée dans les populations humaines lorsque l'on s'éloigne de l'Afrique de l'Est, confirme l'hypothèse de l'origine africaine de l'humanité. Les datations basées sur les haplotypes retrouvés en dehors d'Afrique font remonter ce **premier flux migratoire** des humains modernes entre – 100 000 et – 50 000 ans, en concordance avec les restes fossiles.

Des traces de sélection naturelle

Les mutations se produisent de façon aléatoire. Cependant, si une mutation apporte un avantage à ceux qui la détiennent, sa fréquence dans la population augmente de génération en génération : c'est le processus de **sélection naturelle**. La persistance de la capacité à produire de la lactase à l'âge adulte est un exemple de sélection d'un allèle porté par 30 % de l'humanité. Cette enzyme permet de digérer le lait, qui est une source alimentaire de vitamine D. Cette vitamine peut aussi être produite par exposition de la peau aux UV solaires, mais dans un contexte environnemental où la production naturelle de vitamine D est limitée (moins d'exposition au soleil), les individus qui continuent à produire de la lactase à l'âge adulte bénéficient d'une source supplémentaire de cette vitamine.

On connaît aujourd'hui **plusieurs mutations** différentes dans le monde qui causent la persistance de la production de lactase, ce qui montre que ce caractère est apparu plusieurs fois indépendamment au cours de l'évolution. En Europe, les premières traces de cette mutation remontent au **néolithique**, après l'introduction de l'agriculture, en lien avec la pratique de l'élevage.

D'autres exemples de sélection naturelle ont été identifiés en association avec la résistance à des microorganismes pathogènes (paludisme, peste) ou encore en lien avec l'adaptation à l'environnement (pigmentation de la peau, adaptation à l'altitude…).

Les traces de génomes archaïques

Lorsque les premiers humains modernes ont migré hors d'Afrique, en Europe et en Asie, ils ont cohabité avec d'autres humains qui occupaient ces territoires. En Europe et à l'ouest de l'Asie des populations de **Néandertaliens** ont vécu de – 300 000 à – 40 000 ans. Le séquençage complet de génomes néandertaliens a révélé que **1 à 3 % de leur génome** est présent dans les populations européennes et asiatiques actuelles. Des traces de génome d'humains modernes ont également été retrouvées dans le génome d'un néandertalien.

Les **Dénisoviens** sont une autre population archaïque que l'on a identifiée à partir du séquençage de restes humains retrouvés dans une grotte de Sibérie. Les traces génétiques des Dénisoviens sont présentes aujourd'hui dans les génomes de populations d'Asie (1 %) et d'Océanie (jusqu'à 6 % en Papouasie). Parmi les sept restes de Dénisoviens retrouvés, l'un correspond à un hybride de première génération entre une Néandertalienne et un Dénisovien. Il semble donc que les **hybridations entre les populations humaines** présentes en Europe et en Asie furent assez fréquentes.

L'analyse des **allèles d'origine archaïque** retrouvés dans les génomes d'humains actuels montre que les gènes concernés sont impliqués dans le système immunitaire, la pigmentation, le métabolisme… Par exemple, il a été démontré que les mutations responsables de l'adaptation à l'altitude dans la population tibétaine ont une origine dénisovienne.

D'un point de vue évolutif, il est probable que les hybridations avec les populations archaïques ont **enrichi les génomes** des humains modernes migrants hors d'Afrique en apportant des allèles favorables à leur survie dans ce nouvel environnement.

Variabilité génétique et histoire des génomes humains

Podcast
L'essentiel

À retenir

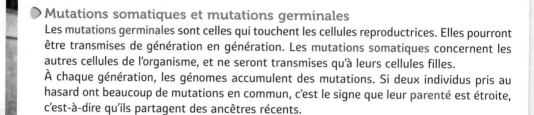

◗ Mutations somatiques et mutations germinales

Les mutations germinales sont celles qui touchent les cellules reproductrices. Elles pourront être transmises de génération en génération. Les mutations somatiques concernent les autres cellules de l'organisme, et ne seront transmises qu'à leurs cellules filles.

À chaque génération, les génomes accumulent des mutations. Si deux individus pris au hasard ont beaucoup de mutations en commun, c'est le signe que leur parenté est étroite, c'est-à-dire qu'ils partagent des ancêtres récents.

◗ La diversité génétique humaine

Le séquençage complet de génomes fournit l'identité génétique d'un individu en détectant l'ensemble des mutations qu'il possède. La comparaison entre les génomes humains a révélé que l'humanité a une diversité génétique relativement faible (0,1 % de différences). Certaines mutations du chromosome Y et du chromosome mitochondrial définissent des groupes de parenté appelés haplogroupes. Ils témoignent de l'origine récente de l'humanité, il y a 200 000 ans en Afrique.

◗ Une histoire des migrations

La comparaison des génomes humains permet de reconstituer les multiples migrations qui ont jalonné l'histoire des populations d'*Homo sapiens*. Le premier flux migratoire de l'Homme moderne hors d'Afrique date de – 100 000 à – 50 000 ans. *Homo sapiens* a ainsi colonisé d'autres territoires, en Europe et en Asie, plus tardivement en Amérique.

◗ Des traces de sélection naturelle

Certaines mutations ont pu apporter un avantage lorsqu'une population humaine a été confrontée à un environnement particulier. Les allèles ainsi sélectionnés au fil des générations sont toujours présents dans certaines populations, parfois chez 90 % des individus dans certaines régions. Ces mutations ont permis une adaptation à des conditions de vie différentes de celles d'origine.

◗ Des empreintes de génomes archaïques dans les génomes actuels

Les populations humaines modernes en Europe et en Asie ont été en contact avec d'autres populations humaines archaïques telles que les Néandertaliens et les Dénisoviens. Les génomes actuels contiennent des segments de ces génomes témoignant des hybridations qui se sont produites lors des rencontres entre ces populations.

Mots-clés

ADN fossile ● Dénisovien ● Diversité allélique ● Haplogroupe ● *Homo sapiens* ● Identité génétique ● Mutation somatique ● Mutation germinale ● Néandertalien ● Séquençage

Variabilité génétique et histoire des génomes humains

Animations
Schéma bilan

La transmission des mutations et l'établissement de parentés

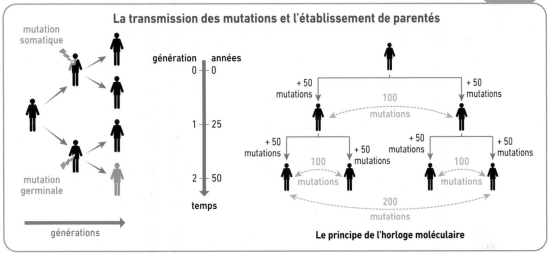

Le principe de l'horloge moléculaire

Le génome d'*Homo sapiens* révèle son origine et les étapes de son histoire

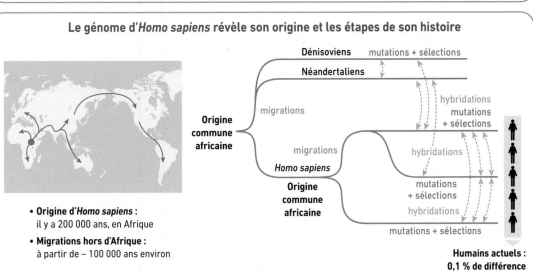

- **Origine d'*Homo sapiens* :**
  il y a 200 000 ans, en Afrique
- **Migrations hors d'Afrique :**
  à partir de – 100 000 ans environ

Humains actuels :
0,1 % de différence

Le génome de chaque individu est une mosaïque qui garde les traces de son histoire

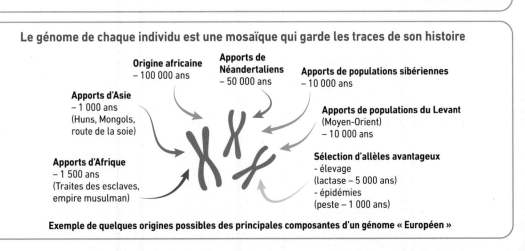

Origine africaine
– 100 000 ans

Apports de Néandertaliens
– 50 000 ans

Apports de populations sibériennes
– 10 000 ans

Apports d'Asie
– 1 000 ans
(Huns, Mongols, route de la soie)

Apports de populations du Levant
(Moyen-Orient)
– 10 000 ans

Apports d'Afrique
– 1 500 ans
(Traites des esclaves, empire musulman)

Sélection d'allèles avantageux
- élevage
(lactase – 5 000 ans)
- épidémies
(peste – 1 000 ans)

Exemple de quelques origines possibles des principales composantes d'un génome « Européen »

1 **Retour vers les problématiques**

Relisez la page « S'interroger avant d'aborder le chapitre » (p. 65). À l'aide de ce que vous savez à présent, formulez en quelques phrases les réponses aux questions suscitées par l'étude des documents présentés sur cette page.

2 **Questions à choix multiple** **BAC**

Pour chaque affirmation, choisissez l'unique bonne réponse.

1. **Si une cellule de la peau est mutée, cette mutation pourra être transmise :**
   a. à toutes les autres cellules de la peau ;
   b. à des cellules appartenant à d'autres tissus ;
   c. aux cellules filles de la cellule touchée ;
   d. aux cellules germinales.

2. **Lorsque deux individus possèdent de nombreux allèles en commun, on peut en déduire :**
   a. qu'ils ont un ancêtre commun proche ;
   b. que la population a une grande diversité génétique ;
   c. que ces allèles ont une origine ancienne ;
   d. que ces allèles ont une origine récente.

3. **Les populations d'humains vivant aujourd'hui en Europe proviennent :**
   a. de l'évolution continue des populations de Néandertaliens ;
   b. de la migration de populations de Dénisoviens d'origine asiatique ;
   c. de la migration de populations d'origine africaine ;
   d. de l'évolution de primates européens ;

4. **Les populations africaines ont généralement des ancêtres :**
   a. Néandertaliens ;
   b. Dénisoviens ;
   c. Dénisoviens et Néandertaliens ;
   d. aucun des deux.

5. **La persistance de la lactase à l'âge adulte est :**
   a. une mutation due à la consommation de lait ;
   b. un caractère ancestral qui a disparu dans les populations ne consommant pas de lait ;
   c. une mutation sélectionnée au cours du Néolithique ;
   d. une mutation transmise par hybridation avec les Néandertaliens.

3 **Expliquer les différences entre...**

a. une empreinte génétique et l'identité génétique d'un individu.
b. une mutation somatique et une mutation germinale.
c. une population à forte diversité génétique et une population à faible diversité génétique.

4 **Savoir expliquer**

En une ou deux phrases, expliquez pourquoi :
a. Les mutations somatiques ne se transmettent pas.
b. La diversité génétique diminue généralement au cours des migrations.
c. Le nombre de mutations peut être utilisé comme indicateur de temps écoulé.
d. L'origine de l'humanité a pu être localisée en Afrique.

5 **Apprendre en s'interrogeant**

1. Cachez une des deux colonnes du tableau ci-dessous et retrouvez ce que contient l'autre colonne (à faire seul ou à plusieurs).
2. Vérifiez vos réponses, et reprenez si besoin les notions concernées.

Questions	Réponses
Comment calculer le nombre théorique d'aïeux d'un individu en fonction des générations ?	Si n est le nombre de générations, le nombre d'aïeux théoriques est 2^n.
Quelle est l'origine (lieu et époque) des humains modernes (*Homo sapiens*)?	En Afrique, entre 300 000 et 100 000 ans.
Quelles peuvent être les causes d'une diminution de la diversité génétique au sein d'une population ?	La sélection naturelle, les migrations (effet fondateur).
Quels humains archaïques ont cohabité avec les humains modernes ?	Les Néandertaliens et les Dénisoviens.
Quelle est le taux d'identité génétique entre deux humains pris au hasard ?	Plus de 99,9 % d'identité génétique.

6 **Vrai ou faux ?**

Repérez les affirmations exactes et corrigez celles qui sont inexactes.
a. L'Homme de Neandertal et l'Homme moderne ne pouvaient pas se reproduire entre eux.
b. Dans une population, seuls quelques individus possèdent des mutations.
c. Les mutations touchant les cellules germinales sont les seules qui peuvent être transmises à la descendance.
d. Le phénotype « lactase persistante » présente un avantage dans le contexte de la pratique de l'élevage.
e. Les humains ont une plus grande diversité génétique que les gorilles.
f. La diversité génétique des populations amérindiennes est inférieure à celle des populations européennes ou africaines.

7 Maîtriser ses connaissances BAC

★ L'information génétique est une succession de nucléotides, transmissible et qui évolue au cours du temps.

Expliquez comment ces propriétés sont utilisées par les chercheurs pour reconstituer les parentés entre les populations humaines.

8 Maîtriser ses connaissances BAC

★ Les mutations ne sont pas toujours associées à un dys-
★ fonctionnement : parfois elles peuvent donner un avantage aux individus qui en sont porteurs.

En utilisant un exemple précis, expliquez quel est l'avantage que procure cette mutation et montrez qu'elle a été sélectionnée au cours de l'histoire humaine.

9 Trouver des informations dans un document

★ L'arbre suivant représente la parenté entre les différents haplogroupes Q.

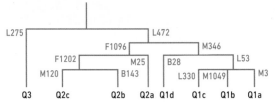

Q3 : nom de l'haplogroupe   L275 : nom de la mutation

1. **Quels sont les groupes caractérisés par la présence de la mutation L53 ?**
2. **Quelles sont les mutations communes aux groupes Q2c et Q2a ?**
3. **Quels sont les groupes les plus proches de Q1d ?**

10 Modéliser

★ Plusieurs mécanismes peuvent diminuer la diversité géné-
★ tique d'une population. De façon générale, lorsqu'une petite
★ population est issue d'une population ancestrale, elle ne transmet qu'une fraction des allèles qui étaient présents initialement. C'est un effet semblable à celui d'un goulot d'étranglement.

■ Modèle du goulot d'étranglement.

Utilisez le modèle simple présenté ici pour expliquer :

1. qu'une sélection naturelle peut conduire à une diminution de la diversité génétique ;
2. qu'une migration d'un petit groupe d'individus peut également souvent se traduire par une diminution de la diversité génétique.

11 Extraire et exploiter des informations

★ L'ADN contient des séquences formées de la répétition d'un même motif de quelques nucléotides, par exemple « CTTT ». La réplication de ces séquences répétées par l'ADN polymérase n'est pas toujours très fidèle. En effet, l'ADN polymérase peut « glisser » au niveau des répétitions, ce qui conduit à l'ajout ou à la suppression de motifs.

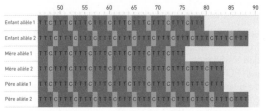

■ Un exemple de séquences répétées obtenues chez un trio.

Déterminez l'origine des allèles portés par l'enfant.

12 Raisonner et établir des relations
★ **de cause à effet**
★

Certains cancers sont d'origine génétique : on sait par exemple que le gène p53 exerce un rôle protecteur vis-à-vis du cancer.

Une recherche approfondie a permis d'élucider l'origine des cas de cancers touchant une famille dont l'arbre généalogique est présenté ci-dessous.

Le document présente les séquences d'une petite portion des allèles du gène p53 présents chez certains membres de cette famille. Deux séquences sont indiquées pour chaque individu : en effet, chaque individu possède deux exemplaires de chaque gène.

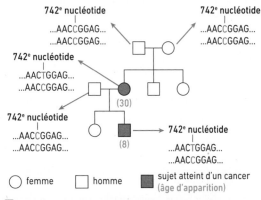

■ Arbre généalogique d'une famille dans laquelle deux membres ont développé un cancer.

En justifiant votre raisonnement, expliquez l'apparition et la transmission d'un allèle susceptible de développer des cancers dans cette famille.

Aides à la résolution

● Chaque individu ne transmet qu'un exemplaire de chaque gène à sa descendance.

13 Conséquences éthiques des tests génétiques

★★★

En promettant de révéler les informations généalogiques et médicales contenus dans l'ADN, plus de 25 millions de kits de généalogie génétique ont été vendus par les cinq entreprises spécialisées des États-Unis qui détiennent ce marché. Cependant, la loi française interdit leur commercialisation et leur usage.

■ **Présentez les problèmes scientifiques et éthiques soulevés par l'utilisation de ces kits de tests génétiques.**

DOC 1 Méthodologie des tests génétiques

Le client réalise un prélèvement buccal (échantillon de salive ou frottis buccal) qui est envoyé dans un laboratoire avec une étiquette d'identification. L'ADN extrait est traité, fragmenté, puis amplifié par PCR (réaction en chaîne par polymérase), puis mis au contact de puces à ADN. Ce sont des supports sur lesquels sont fixées de courtes séquences d'ADN. Lorsqu'elles rentrent en contact avec un ADN complémentaire, un signal optique est produit et détecté ce qui permet de retrouver certaines mutations. Cette technique peu coûteuse est limitée à la reconnaissance de 600 000 mutations différentes sans toutefois nécessiter de séquençage (on connaît 100 millions de mutations dans le génome humain).

Chaque compagnie possède son propre modèle statistique de traitement des mutations retrouvées chez un individu, à partir duquel elle propose des origines géographiques possibles pour son ADN.

■ Une lame « puce à ADN » utilisée pour la réalisation d'un test génétique.

DOC 2 Informations médicales apportées

Certains tests recherchent des mutations liées à des maladies ayant une composante génétique, telles que le cancer du sein. Toutefois, les tests ne recherchent que quelques mutations et ne fournissent qu'une information sur la présence ou l'absence de celles-ci. Par ailleurs, la possession d'une mutation favorisant une maladie n'implique pas forcément qu'elle se développera. Le mode de vie et l'influence d'autres gènes peuvent être protecteurs.

Un test positif pour une maladie ne signifie pas que le client la développera, et un test négatif ne signifie pas que le client n'a pas de prédisposition génétique non plus.

Risque de développer un cancer du sein	
Sans mutation du gène BRCA1	Avec mutation du gène BRCA1
8 à 12 %	50 à 75 %

– Polyallélisme du gène BRCA1 : 300 mutations différentes identifiées.
– Déterminisme du cancer du sein : le cancer du sein est une pathologie multifactorielle. 90 % des cancers du sein sont sporadiques (sans facteur de risque identifié), 10 % sont des formes héréditaires génétiquement déterminées.

■ Données sur le déterminisme du cancer du sein.

DOC 3 Confidentialité des informations génétiques

Les producteurs de tests génétiques possèdent des informations sur des millions de clients. Chaque client peut choisir ou non de partager son information avec d'autres personnes ou bien à des fins de recherche. Des accords commerciaux ont été passés entre des compagnies pharmaceutiques et des compagnies de tests génétiques pour l'accès à ces informations.

Certains clients peuvent aussi télécharger leurs informations génétiques sur d'autres sites pour réaliser des recherches généalogiques. Ainsi en 2018, une personne suspectée d'être le tueur en série du Golden State a pu être appréhendée grâce à l'un de ses neveux qui avait mis à disposition du public ses propres marqueurs génétiques. Les enquêteurs ont identifié une correspondance partielle entre l'ADN des scènes de crime et celui du neveu, ce qui les a conduits au suspect (photographie ci-contre). Cet exemple a démontré que même si l'information génétique a le statut d'un bien privé, le fait que d'autres personnes dans une même famille en détiennent également une partie rend l'exercice des droits individuels difficiles à préserver.

■ Procès du « Golden State Killer ».

★ facile   ★★ intermédiaire   ★★★ confirmé

14 L'inégale répartition des allèles du groupe sanguin
★

Le gène gouvernant les groupes sanguins du système A B O est présent dans toutes les populations humaines, mais la fréquence de chacun des allèles de ce gène est variable d'une population à l'autre.

1. **En utilisant vos connaissances,** proposez une explication à ce que vous pouvez constater sur ce document.

2. **Quelle hypothèse concernant l'origine** de l'espèce *Homo sapiens* se trouve ainsi confortée ?

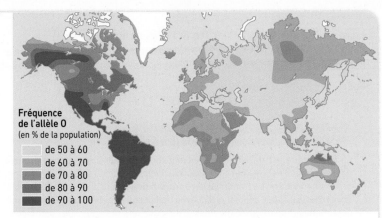

Fréquence de l'allèle O
(en % de la population)

- de 50 à 60
- de 60 à 70
- de 70 à 80
- de 80 à 90
- de 90 à 100

■ Fréquence de l'allèle O du groupe sanguin dans les différentes régions du monde (populations autochtones).

---

15 Diversité humaine, médecine et dangers posés par la notion d'origine ethnique
★
★

La pharmacogénétique est l'utilisation de l'information génétique pour administrer des traitements médicaux personnalisés. L'origine ethnique consiste quant à elle à attribuer des caractéristiques à un individu en se basant sur son appartenance à un groupe large, souvent défini à partir de critères physiques ou géographiques.

▄ À partir des documents fournis, montrez l'intérêt de la pharmacogénétique et les dangers qu'il y a à baser les prescriptions sur les origines ethniques supposées.

DOC 1 Un médicament aux effets secondaires dangereux

La carbamazépine est un médicament utilisé principalement dans le traitement de l'épilepsie. Dans 1 cas sur 10 000, le traitement déclenche une réaction allergique extrême, le syndrome de Steven Johnson, au cours de laquelle une inflammation généralisée provoque le détachement de la peau, des infections et potentiellement la mort.

DOC 3 Extrait de la notice d'utilisation d'un médicament contenant de la carbamazépine

« Une recherche de l'allèle HLA B1502 devrait être effectuée autant que possible avant instauration d'un traitement par carbamazépine chez les sujets d'origines thaïlandaise ou chinoise Han, car cet allèle prédit fortement le risque grave de syndromes de Steven Johnson associé à la carbamazépine (voir rubrique Mises en garde et précautions d'emploi). »

Source : Agence Nationale de Santé et du Médicament

DOC 2 Une cause génétique aux effets secondaires de la carbamazépine

En 2006, une étude réalisée en Chine a mis en évidence un lien entre la réaction allergique à la carbamazépine et la possession de l'allèle HLA-B1502 d'un gène impliqué dans les mécanismes immunitaires. Le tableau suivant présente la fréquence de cet allèle dans différentes populations où elle a pu être mesurée.

Pays, zone géographique	Fréquence de l'allèle HLA-B1502
Chine	10,2 %
Malaisie, Thaïlande	8,4 %
Indonésie (Java)	12-16 %
Inde	1-6 %
Japon	<1 %
Amérique du Sud	<1 %
Europe	<1 %
Afrique	non observé

DOC 4 Extrait du rapport du CPIC (Clinical Pharmacogenetics Implementation Consortium) sur l'utilisation des allèles HLA pour l'administration de carbamazépine

« [...] il est important de noter que dans une étude, parmi un groupe de patients que l'on pensait d'origine européenne, 4 individus sur les 12 atteints d'un syndrome de Steven Johnson étaient porteurs de l'allèle HLA-B1502. Il a ensuite été montré qu'ils avaient des parentés d'origine sud-asiatique. Cet exemple met en lumière l'importance de considérer le statut de porteur de l'allèle HLA-B1502 dans les décisions thérapeutiques quelle que soit l'origine ethnique rapportée par le patient. »

BAC

16 Le modelage du génome par les grandes épidémies

★
★
★

Les grandes épidémies, comme celle de la peste noire qui dévasta l'Europe au XIVe siècle ont-elles eu un impact sur l'évolution du génome humain ? C'est ce que confirme une étude menée par des chercheurs en 2014.

■ À partir de l'étude de ces documents, montrez qu'il est possible d'identifier dans les génomes actuels les traces de la sélection naturelle laissée par l'épidémie de peste au Moyen Âge.

1 L'épidémie de peste noire au XIVe siècle

La peste noire est une maladie souvent mortelle due à une bactérie, *Yersinia pestis*, dont le vecteur est une puce (*Xenopsylla cheopsis*) qui parasite principalement les rats et autres rongeurs. La transmission à l'être humain peut s'effectuer par piqûre de cette puce mais aussi par contact direct avec des tissus infectés ou par simple inhalation de gouttelettes respiratoires infectées. C'est donc une maladie très contagieuse.

On estime que l'épidémie qui s'est produite au XIVe siècle en Europe a fait 50 millions de victimes, entrainant la disparition de 30 à 50 % de la population européenne. À cette période, d'autres régions du monde comme l'Inde ont été complètement épargnées. On pense que la raison est l'incompatibilité entre le climat tropical humide de l'Inde et les exigences de *Xenopsylla cheopsis*.

Cette maladie sévit encore actuellement dans certaines régions du monde.

A *Xenopsylla cheopsis*, vecteur du bacille de la peste.

B Médecin et personnes atteintes par la peste noire, peinture médiévale (XIVe siècle). Fresque de la chapelle Saint-Sébastien, Lanslevillard, France.

2 Les populations étudiées

Les Roms représentent une entité distincte sur le plan culturel et linguistique au sein de la population roumaine (3,2 % de la population totale).

Les analyses génétiques et linguistiques ont montré qu'ils sont issus d'une population du nord de l'Inde ayant migré entre le Ve et le Xe siècle pour s'établir en Europe au XIe siècle. En Roumanie, ces deux populations (Roumains et Roms) vivent dans le même environnement depuis un millénaire, mais restent très indépendantes de telle sorte qu'on peut exclure tout échange important d'allèles entre les deux populations.

L'étude menée par les chercheurs porte sur des échantillons des deux populations roumaines et de la population indienne.

Les chercheurs ont analysé le génome de volontaires :
– 100 personnes de population roumaine d'origine européenne ;
– 100 personnes de population Rom ;
– 500 personnes d'une population du nord de l'Inde d'où sont originaires les Roms.

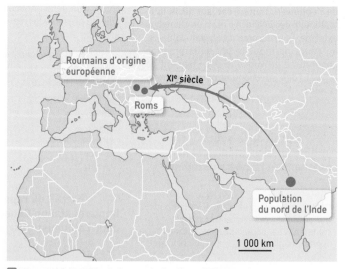

■ Migration à l'origine de la population Rom de Roumanie.

*Cet exercice se présente sous la forme d'une **tâche complexe** :*
construisez votre propre démarche pour résoudre le problème posé.

Exercices

3 Différences génétiques entre les populations

196 254 marqueurs génétiques ont été comparés et ont confirmé la grande proximité génétique entre la population Rom et la population du nord de l'Inde. Cependant, 20 gènes se sont révélés différents entre ces deux populations. Parmi ces vingt gènes, l'un est impliqué dans la pigmentation de la peau, mais plusieurs autres codent pour des protéines du système immunitaire (gènes TLR).

La fréquence de quelques mutations localisées au niveau des gènes TLR est reportée dans le tableau ci-contre.

	Allèle rs4833103	Allèle imm_4_38475934
Roumains de langue roumaine	30 %	4 %
Roumains de langue Rom	50 %	5 %
Indiens du nord de l'Inde	2 %	0,7 %

■ Fréquence des deux allèles de gènes TLR.

4 Rôle et efficacité des TLR

Les TLR (Toll Like Receptors) sont des protéines localisées à la surface de cellules immunitaires telles que les monocytes. Ces récepteurs sont susceptibles de reconnaître des éléments pathogènes et, en réponse, produisent des signaux chimiques déclenchant la réponse immunitaire (A).

Les chercheurs ont alors voulu tester l'efficacité des différents allèles codant pour les TLR.

Trois groupes de volontaires (B) ont été constitués :
– personnes homozygotes portant deux fois l'allèle majoritaire dans la population du nord de l'Inde (A/A) ;
– personnes homozygotes portant deux fois l'allèle sur-représenté dans les deux populations roumaines (B/B) ;
– personnes hétérozygotes portant un exemplaire de chaque allèle (A/B).

Des prélèvements de monocytes ont été réalisés chez ces individus. Les monocytes ont été exposés au bacille de la peste et la concentration en signaux chimiques (IL-6) a été mesurée dans le milieu de culture (C).

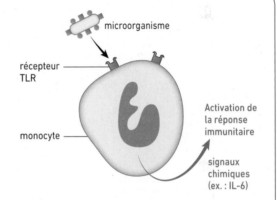

A Rôle des protéines TLR dans la réponse immunitaire.

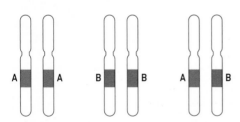

B Génotypes des trois groupes de personnes.

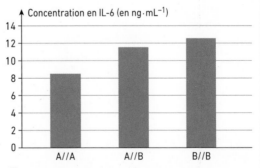

C Production de signaux chimiques par des monocytes après exposition au bacille de la peste en fonction du génotype.

L'expression du patrimoine génétique

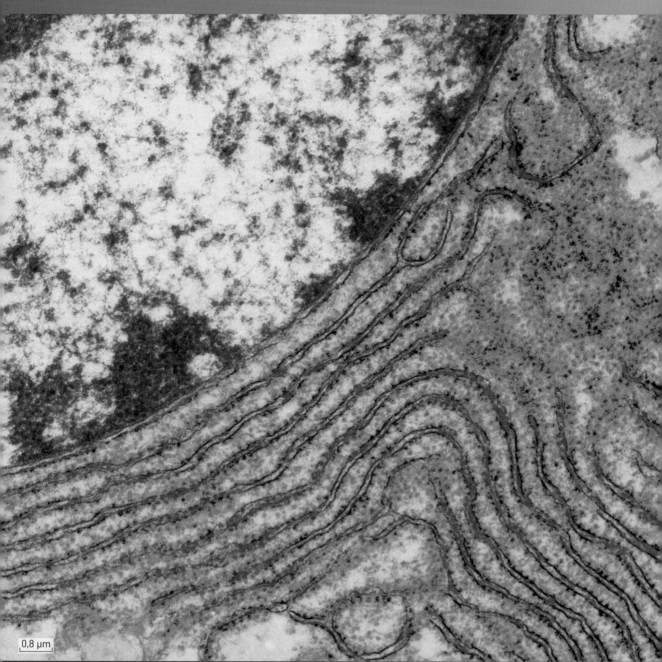

0,8 µm

Une cellule eucaryote est compartimentée. C'est dans son cytoplasme que les gènes s'expriment (microscopie électronique, fausses couleurs : noyau en bleu, cytoplasme en vert et rose).

L'ADN, un message codé

Un gène est une information codée. Le langage de l'ADN est relativement simple : il utilise seulement quatre signes, les nucléotides A, T, C et G. L'ordre dans lequel se succèdent les nucléotides d'une séquence d'ADN diffère d'un gène à un autre.

Une variation du phénotype

La coccinelle arlequin (*Harmonia axyridis*) est bien rouge avec des motifs noirs... et non l'inverse ! On distingue plus de 200 types de coloration chez cette coccinelle. Les chercheurs ont montré que la coloration noire est due à un seul gène, dont la séquence est identique chez tous les individus.

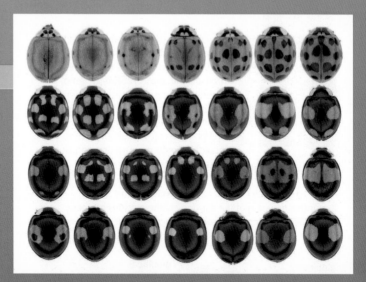

Formuler les problèmes à résoudre

Vous savez que l'ADN détient des informations, les gènes, qui peuvent être exploités par les cellules. À partir de vos connaissances et des documents présentés, formulez des questions qui restent à résoudre pour comprendre comment se réalise le phénotype.

Une relation entre ADN et protéines

L'ADN contient des gènes dont la séquence de nucléotides participe à l'expression de caractères héréditaires. Ces caractères sont directement associés à la présence de protéines qui jouent un rôle essentiel dans le fonctionnement des cellules.

Quelle relation existe-t-il entre ADN et protéines ?

1 L'importance des protéines

Au cours du XXᵉ siècle, les travaux des biochimistes révèlent l'importance des rôles et de la structure des protéines. Certaines sont des **enzymes***, indispensables à la réalisation de toutes les réactions du métabolisme cellulaire ; d'autres jouent un rôle structural (kératine du poil des mammifères, myosine des cellules musculaires) ; d'autres encore sont des transporteurs comme l'hémoglobine, ou bien des hormones*.

Une protéine est une macromolécule constituée d'**acides aminés***. Vingt acides aminés seulement entrent dans la composition de toutes les protéines du vivant. Lors de la synthèse d'une protéine, les acides aminés sont reliés les uns à la suite des autres dans un ordre précis pour constituer la **séquence*** d'une protéine.

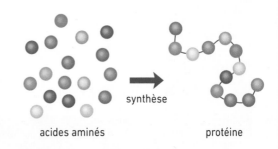

synthèse

acides aminés   protéine

A Représentation schématique de la séquence d'une protéine.

Activité pratique

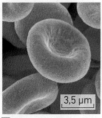

3,5 µm

B Une hématie (observation au MEB*).

Les hématies (ou globules rouges) (B) ont pour rôle de transporter le dioxygène dans le sang. Cette fonction est réalisée par une protéine, l'hémoglobine* (chaque hématie contient environ 280 millions de molécules d'hémoglobine).

L'hémoglobine (C) est une macromolécule* formée par l'association de quatre globines.

À l'aide d'un logiciel de visualisation moléculaire :
■ montrer qu'une globine est une chaîne d'acides aminés ;
■ indiquer comment la forme de la molécule est déterminée.

Molécule 3D
Hémoglobine

D Modèle d'une chaîne de globine β (squelette carboné* coloré par acides aminés).

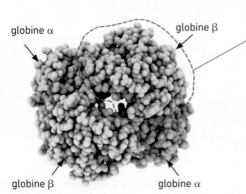

globine α   globine β

globine β   globine α

C Modèle d'une molécule d'hémoglobine (coloration par chaîne).

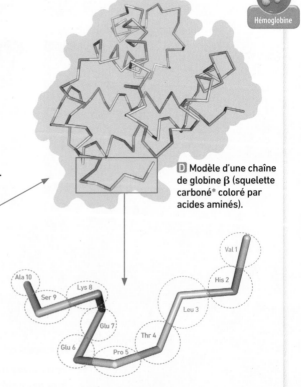

Val 1
His 2
Leu 3
Thr 4
Pro 5
Glu 6
Glu 7
Ala 10
Ser 9
Lys 8

E Les 10 premiers acides aminés de la chaîne de globine β.

2 La découverte de la relation « un gène, une protéine »

De nombreuses anomalies métaboliques héréditaires reposent sur des défauts dans l'enchaînement des acides aminés de certaines protéines.

Dès les années 1940, en travaillant sur des microorganismes, Beadle et Tatum démontrent que différentes **mutations*** se traduisent par des déficiences enzymatiques différentes et avancent pour la première fois l'hypothèse devenue célèbre : « un gène, une enzyme ». L'idée selon laquelle un gène est le « plan de fabrication » d'une protéine, c'est-à-dire qu'il détient l'information nécessaire à sa synthèse, était née.

De la même façon, Charles Yanofsky parvient à isoler des mutants bactériens différant pour le gène responsable de la formation de l'enzyme tryptophane-synthase. Deux analyses sont menées simultanément :

– la localisation des mutations sur l'ADN (carte génétique) ;

– le séquençage des acides aminés de l'enzyme pour chacun des mutants.

En 1963, la position de mutations sur l'ADN et la position des modifications correspondantes sur la séquence d'une protéine est établie pour la première fois.

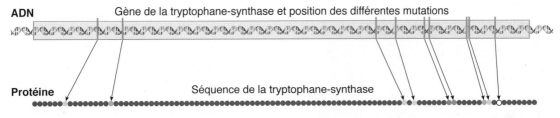

ADN — Gène de la tryptophane-synthase et position des différentes mutations

Protéine — Séquence de la tryptophane-synthase

■ Carte établie par Yanofsky (simplifiée) : localisation de quelques mutations sur l'ADN et position des acides aminés respectivement modifiés sur la protéine (enzyme tryptophane-synthase).

3 Des anomalies de l'hémoglobine

Il existe de nombreuses anomalies de l'hémoglobine, responsables de maladies, comme l'hémoglobinose C* ou la drépanocytose, qui se manifestent par de l'anémie* et des hématies anormales.

Activité pratique

À l'aide du logiciel Anagène ou GenieGen, comparer différents allèles du gène codant pour la globine β et les protéines correspondantes.

🔍 Comparaison simple

	1	10	20	30	40	50
	····!····!····!····!····!····!····!····!····!····!

▶ Traitement	◀	Comparaison simple de séquences d'ADN
Allèle normal	◀	ATGGTGCACCTGACTCCTGAGGAGAAGTCTGCCGTTACTGCCCTGTGGGGCAAGGTG
Allèle Drep.	◀	--------------------T------------------------------------
Allèle Hem. C	◀	--------------------A------------------------------------
Traitement	◀	Comparaison simple de séquences peptidiques
Globine normale	◀	MetValHisLeuThrProGluGluLysSerAlaValThrAlaLeuTrpGlyLysVal
Globine Drep.	◀	- - - - - - Val- - - - - - - - - - - - -
Globine Hem. C	◀	- - - - - - Lys- - - - - - - - - - - - -

■ Comparaison de la séquence des nucléotides de trois allèles codant pour la globine β et des séquences d'acides aminés correspondantes.

Activités envisageables

Pour comprendre la relation entre séquence d'ADN des gènes et protéines produites par les cellules :

● Montrez l'existence d'une relation précise entre ADN et protéine, en vous basant sur l'exemple de la globine β.

● En vous appuyant sur les documents présentés, proposez une définition plus précise du gène, c'est-à-dire une définition établissant le lien entre ADN et protéine.

Des clés pour réussir

● Faites bien la différence entre ADN et protéine, entre nucléotide et acide aminé.

● Tirez parti de l'exemple de mutations de l'ADN.

● N'oubliez pas que l'ADN n'est qu'une information.

* Lexique ➡ p. 422

L'ARN, un intermédiaire entre les gènes et les protéines

Les gènes détiennent les informations qui gouvernent l'assemblage des acides aminés des protéines : on dit que les gènes codent pour les protéines. Or, chez les eucaryotes, l'ADN est contenu dans le noyau des cellules et n'en sort pas.

Comment l'information génétique est-elle transférée vers le cytoplasme de la cellule ?

1 La nécessité d'un intermédiaire

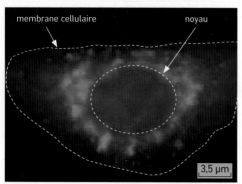

membrane cellulaire   noyau

3,5 µm

A Localisation de la synthèse des protéines.

Cette photographie montre une cellule réalisant une importante activité de **synthèse protéique*** : les chercheurs ont modifié un gène de telle sorte que lorsque celui-ci s'exprime, certains acides aminés assemblés en protéine réagissent avec une substance qui émet alors une fluorescence orange.

En 1951, Brachet démontre qu'il existe une relation entre l'activité de synthèse des protéines et la présence dans la cellule d'**ARN***, un acide nucléique* proche de l'ADN.

Les deux photographies ci-dessous montrent une cellule cultivée pendant 15 minutes sur un milieu contenant un précurseur radioactif* de l'ARN (**1**) et une autre, elle aussi cultivée pendant 15 minutes sur un milieu contenant un précurseur radioactif de l'ARN, puis placée une heure et demie sur un milieu non radioactif (**2**).

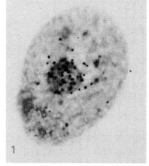
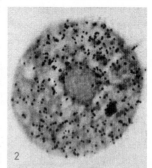

1   2

B La mise en évidence d'un intermédiaire.

Activité pratique

Le vert de méthyle-pyronine est un colorant qui colore de manière spécifique l'ADN en vert et l'ARN en rose.

■ Réaliser une préparation microscopique à partir d'un fragment d'épiderme d'oignon coloré au vert de méthyle-pyronine.

■ Rechercher la localisation de l'ADN et de l'ARN ainsi mise en évidence.

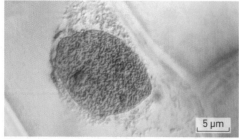

5 µm

C Cellule d'épiderme d'oignon, coloration au vert de méthyle-pyronine (microscopie optique).

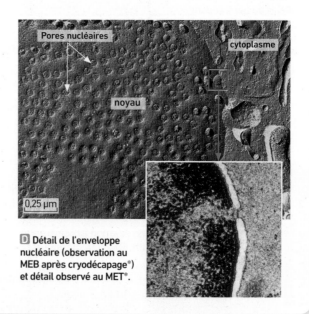

Pores nucléaires

cytoplasme

noyau

0,25 µm

D Détail de l'enveloppe nucléaire (observation au MEB après cryodécapage*) et détail observé au MET*.

Molécule 3D
ADN – ARN

2 ADN et ARN : différences et similitudes

Chimiquement très proche de l'ADN, l'ARN s'en distingue par le glucide qui entre dans sa composition (ribose* dans l'ARN, désoxyribose* dans l'ADN).

Par ailleurs, dans l'ARN, il n'y a pas de thymine (T) mais de l'uracile (U).

Il existe plusieurs catégories d'ARN : l'ARN assurant le transfert de l'information génétique est qualifié d'**ARN messager (ARNm)***. Cet ARNm est une molécule bien plus courte que l'ADN.

Activité pratique

À l'aide d'un logiciel de visualisation moléculaire, étudier la structure de l'ARN et la comparer à celle de l'ADN.

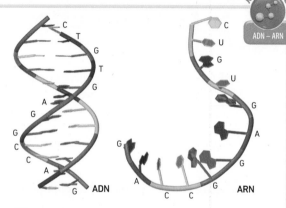

ADN

ARN

■ Modélisation 3D de l'ADN et de l'ARN, représentation mettant en évidence les nucléotides.

3 La transcription de l'ADN en ARN

Dans le noyau des cellules, une enzyme, l'**ARN-polymérase***, parcourt la portion d'ADN correspondant au gène à exprimer, sépare les deux brins de l'ADN et forme un brin d'ARN. Au fur et à mesure de son déplacement, l'ARN-polymérase assemble des nucléotides libres (A, U, C, G) par complémentarité avec le **brin transcrit*** de l'ADN.

La photographie **A** est une observation en microscopie électronique. À partir de la molécule d'ADN du gène se construisent progressivement les ARN messagers : tous ces filaments formeront autant de copies identiques du gène qui s'exprime.

Animation
Transcription

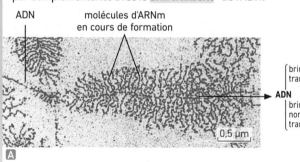

ADN
molécules d'ARNm en cours de formation

0,5 μm

A

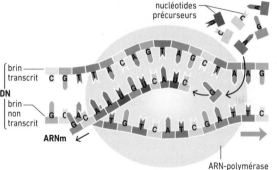

nucléotides précurseurs

brin transcrit
ADN
brin non transcrit

ARNm

ARN-polymérase

Activité pratique

À l'aide du logiciel Anagène ou GenieGen, comparer les séquences nucléotidiques d'un ADN et d'un ARN correspondant.

	10	20	30	40	50	60	70
ADN non transcrit	ATGGTGCACCTGACTCCTGAGGAGAAGTCTGCCGTTACTGCCCTGTGGGGCAAGGTGAACGTGGATGAAGTTG						
ADN transcrit	TACCACGTGGACTGAGGACTCCTCTTCAGACGGCAATGACGGGACACCCCGTTCCACTTGCACCTACTTCAAC						
ARN	AUGGUGCACCUGACUCCUGAGGAGAAGUCUGCCGUUACUGCCCUGUGGGGCAAGGUGAACGUGGAUGAAGUUG						

B Début de la séquence d'ADN d'un allèle codant pour la globine β et ARN correspondant.

* Lexique ➡ p. 422

Activités envisageables

Pour comprendre comment l'information de l'ADN est transmise au cytoplasme :

● Montrez qu'il y a bien un transfert d'ARN du noyau vers le cytoplasme et que l'ARNm possède la même information que l'ADN.

● Réalisez un schéma expliquant le transfert de l'information génétique du noyau au lieu de synthèse des protéines.

Des clés pour réussir

● Identifiez le lieu où se déroule la synthèse des protéines.

● Repérez les caractéristiques de l'ARNm (localisation, structure, taille, devenir).

● Comprenez bien le rôle joué par l'ARN-polymérase.

3 La traduction de l'ARN en protéines

L'information génétique exportée dans le cytoplasme sous la forme d'ARNm est utilisée par la cellule pour fabriquer des protéines.

> *Comment la séquence de nucléotides d'un ARNm est-elle convertie en séquences d'acides aminés constituant une protéine ?*

1 La nécessité d'un système de correspondance : le code génétique

① Dans les années 1960, on établit que c'est l'association de trois nucléotides qui permet de coder un acide aminé.

② Nirenberg parvient ensuite à préparer des ARNm artificiels formés d'un seul type de nucléotide. En assemblant tous les éléments indispensables à la synthèse de protéines, il obtient *in vitro* un polypeptide* formé d'un seul type d'acide aminé.

③ Peu après, Gobind Khorana réussit à produire des ARNm qui présentaient une répétition de 2 à 4 nucléotides.

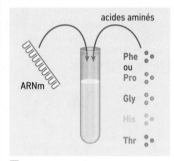

A Schéma du protocole de Nirenberg.

ARNm ajouté		Polypeptide produit
Poly-U (UUUU…)		Polymère de phénylalanine
Poly-C (CCCC…)		Polymère de proline
Poly-G (GGGG…)		Polymère de glycine
Poly-AC (ACACACAC…)		Polymère de thréonine et d'histidine

B Les résultats expérimentaux de Nirenberg et de Gobind Khorana.

Cette méthodologie permet d'aboutir en 1965 au décryptage complet du **code génétique***. Il existe 64 associations possibles de trois nucléotides : à chaque codon de l'ARNm correspond un acide aminé, toujours le même. Trois **codons*** n'ont pas d'acide aminé dédié, ce sont les codons non-sens encore appelés **codons stop***.

		2ᵉ nucléotide				
		U	C	A	G	
1ᵉʳ nucléotide	**U**	UUU UUC phénylalanine / UUA UUG leucine	UCU UCC UCA UCG sérine	UAU UAC tyrosine / UAA UAG codon(s) stop	UGU UGC cystéine / UGA codon(s) stop / UGG tryptophane	U C A G
	C	CUU CUC CUA CUG leucine	CCU CCC CCA CCG proline	CAU CAC histidine / CAA CAG glutamine	CGU CGC CGA CGG arginine	U C A G
	A	AUU AUC AUA isoleucine / AUG méthionine	ACU ACC ACA ACG thréonine	AAU AAC asparagine / AAA AAG lysine	AGU AGC sérine / AGA AGG arginine	U C A G
	G	GUU GUC GUA GUG valine	GCU GCC GCA GCG alanine	GAU GAC acide aspartique / GAA GAG acide glutamique	GGU GGC GGA GGG glycine	U C A G

(colonne à droite : **3ᵉ nucléotide**)

C Le code génétique.

② La traduction : acteurs et mécanismes

Dans le cytoplasme des cellules, les acides aminés s'assemblent pour former des protéines au niveau de minuscules structures, les **ribosomes***.

Chaque ribosome est constitué d'une petite sous-unité capable de se lier à l'ARNm et d'une grosse sous-unité qui peut abriter deux acides aminés.

Un ribosome parcourt l'ARNm et assemble au fur et à mesure les acides aminés en suivant les règles de correspondance du code génétique.

Plusieurs ribosomes se succèdent sur le même ARNm, effectuant chacun une traduction.

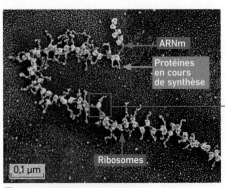

A La traduction d'un ARNm (microscopie électronique, fausses couleurs).

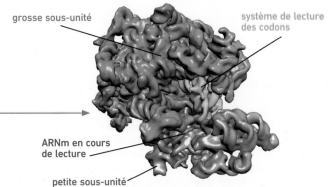

B Modèle 3D d'un ribosome traduisant un ARNm.

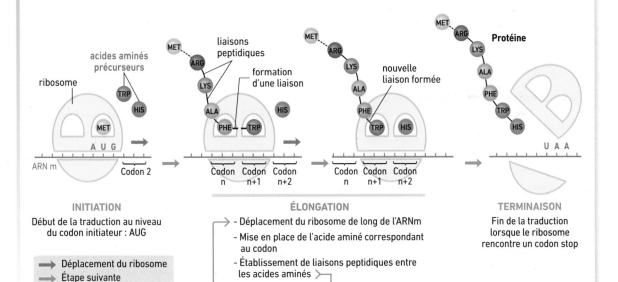

INITIATION
Début de la traduction au niveau du codon initiateur : AUG

ÉLONGATION
- Déplacement du ribosome de long de l'ARNm
- Mise en place de l'acide aminé correspondant au codon
- Établissement de liaisons peptidiques entre les acides aminés

TERMINAISON
Fin de la traduction lorsque le ribosome rencontre un codon stop

→ Déplacement du ribosome
→ Étape suivante

C Le mécanisme de la traduction.

Activités envisageables

Pour comprendre la traduction de l'ARNm en protéine :

- Expliquez comment chacune des trois étapes historiques a contribué à décrypter le code génétique.
- Justifiez cette affirmation : « le code génétique est redondant* et univoque* ».
- À l'aide du code génétique, expliquez avec précision comment ont pu être assemblés les acides aminés de la protéine présentée par le schéma du document 2.

Des clés pour réussir

- Comprenez bien comment utiliser le code génétique.
- Établissez une séquence d'ARNm pouvant coder pour les acides aminés en question et expliquez le rôle des ribosomes à chaque étape de la traduction.

* Lexique ➡ p. 422

Un ARN, plusieurs protéines

Le nombre de protéines différentes produites par un organisme humain, constituant ce qu'on appelle son protéome, est estimé à plusieurs centaines de milliers, voire plusieurs millions. Pourtant, le génome humain ne comporte que 20 000 à 25 000 gènes (selon les estimations).

> *Comment expliquer cette différence entre le nombre de gènes et le nombre de protéines produites ?*

1 Un gène peut produire plusieurs protéines différentes

Dans les cellules de la thyroïde*, le gène CGRP (Calcitonin Gene Related Product) gouverne la synthèse d'une hormone protéique, la calcitonine*, intervenant dans la régulation de la quantité de calcium dans le sang (calcémie). Dans de nombreux neurones du système nerveux, ce même gène commande la synthèse d'une protéine permettant la communication entre neurones, le neurotransmetteur* CGRP.

Les photographies ci-contre ont été obtenues en utilisant une technique de coloration qui met en évidence (couleur marron) les protéines résultant de l'expression du gène CGRP.

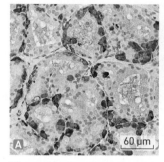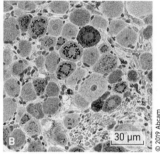

A 60 µm   B 30 µm

© 2019 Abcam

◼ Mise en évidence des protéines du gène CGRP dans les cellules de la thyroïde (A) et des neurones du ganglion rachidien* (B).

2 La maturation de l'ARN chez les eucaryotes

Chez les eucaryotes, il existe des différences entre l'ARN messager utilisé dans le cytoplasme pour la traduction et l'ARN initial, directement issu de la transcription de l'ADN. Pour cette raison, ce dernier est qualifié d'**ARN pré-messager***.

Le tableau ci-contre indique la longueur des séquences correspondantes, dans le cas du gène CGRP.

Gène CGRP (ADN)	5618 nucléotides
ARN pré-messager transcrit	5618 nucléotides
ARNm utilisé pour la traduction en calcitonine	799 nucléotides

🅰 Comparaison de la longueur du gène CGRP, de l'ARN pré-messager et d'un ARNm.

En effet, les gènes des eucaryotes sont morcelés. La totalité de la séquence du gène est d'abord transcrite et forme l'ARN pré-messager. Après la transcription, l'ARN pré-messager subit un **épissage***, qui consiste à éliminer des séquences non codantes appelées **introns***.

Les séquences codantes, appelées **exons***, sont conservées et liées les unes aux autres pour former l'ARN messager qui sera exporté vers le cytoplasme. En moyenne, les introns représentent 80 à 90 % de la séquence totale d'un gène.

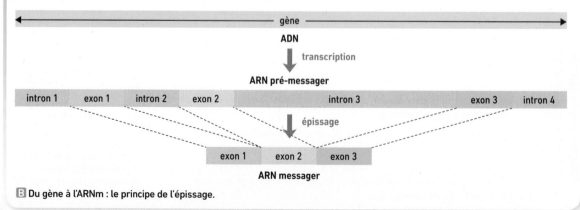

🅱 Du gène à l'ARNm : le principe de l'épissage.

3 L'épissage alternatif, mécanisme de diversification du protéome

Activité pratique

À l'aide du logiciel Anagène, il est possible de comparer l'ARN pré-messager transcrit du gène CGRP et chacun des ARNm utilisés pour produire la calcitonine et le neurotransmetteur CGRP.

On peut réaliser un graphique de ressemblance ou « dotplot ».

Dans un tel graphique, la séquence la plus longue (ARN pré-messager) est placée horizontalement, l'autre séquence (ARNm) verticalement. Le dotplot présente une vue globale des similitudes et des différences : les portions qui sont identiques dans les deux séquences apparaissent sous forme de lignes rouges.

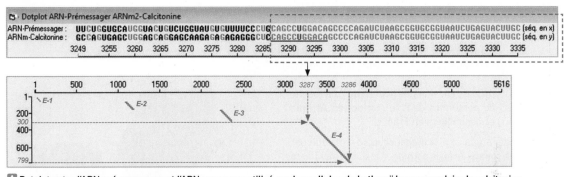

A Dotplot entre l'ARN pré-messager et l'ARN messager utilisé par les cellules de la thyroïde pour produire la calcitonine.

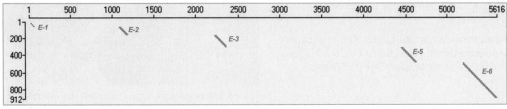

B Dotplot entre l'ARN pré-messager et l'ARN messager utilisé par les cellules nerveuses pour produire le neurotransmetteur CGRP.

À partir de cette étude, on comprend que le gène CGRP comporte 6 exons et 5 introns :

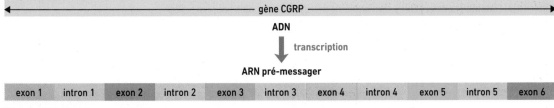

C Structure de l'ARN pré-messager du gène CGRP.

Activités envisageables

Pour comprendre les modifications subies par les ARN avant de migrer dans le cytoplasme :

- **Expliquez les différences de longueur entre les molécules d'ARN pré-messager et d'ARN messager correspondant à un même gène.**

- **Faites un ou des schémas expliquant comment le gène CGRP peut être à l'origine des deux protéines.**

- **Montrez que l'épissage alternatif est un mécanisme très puissant de diversification du protéome.**

Des clés pour réussir

- Établissez le lien entre le tableau et le schéma du doc. 2.

- Mettez en relation le principe du dotplot avec le schéma du doc. 2 et comparez les deux résultats obtenus.

* Lexique ➡ p. 422

5 Des gènes à la réalisation d'un phénotype

Le phénotype d'un individu est l'ensemble de ses caractères observables dans un environnement donné. Il se définit à différentes échelles : organisme, cellules, molécules. En dirigeant la synthèse d'ARN et de protéines, les gènes jouent un rôle fondamental dans l'établissement du phénotype.

> *Comment caractériser un phénotype aux différentes échelles ?*
> *Comment un phénotype se réalise-t-il ?*

1 Les manifestations du phénotype drépanocytaire

La drépanocytose est une **maladie génétique*** qui touche des millions de personnes dans le monde (en Afrique notamment) et des milliers en France.

À l'échelle de l'organisme, la drépanocytose se traduit par une anémie* modérée mais permanente qui se manifeste par de la fatigue et une tendance à l'essoufflement. Dans certaines conditions, des crises peuvent survenir, se traduisant par une anémie aiguë et des douleurs au niveau des articulations.

Des accidents vasculaires* ainsi que des infections limitent l'espérance de vie. Mais, grâce à un suivi médical, celle-ci dépasse actuellement l'âge de 50 ans.

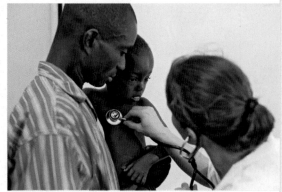

A La drépanocytose est la plus fréquente des maladies génétiques.

Activité pratique

Au microscope optique on peut observer et comparer une lame de frottis sanguin d'un individu en bonne santé et d'un individu atteint de drépanocytose.

Chez les sujets atteints de drépanocytose, le nombre d'hématies est anormalement faible (d'où l'anémie) et ces cellules sont souvent déformées et moins souples ; elles circulent donc moins bien dans les plus petits vaisseaux et peuvent être la cause de problèmes circulatoires. Les hématies qui se trouvent bloquées sont détruites par les globules blancs.

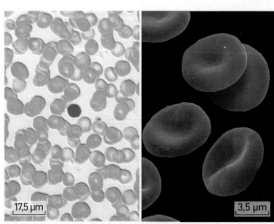
17,5 μm — 3,5 μm

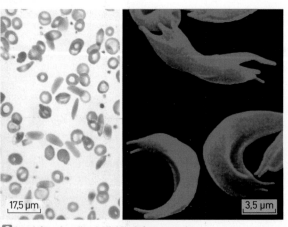
17,5 μm — 3,5 μm

B Les hématies d'un individu en bonne santé. Observation au microscope optique et au MEB.

C Les hématies d'un individu drépanocytaire. Observation au microscope optique et au MEB.

② L'origine moléculaire de la drépanocytose

Les hématies contiennent des protéines d'hémoglobine* qui fixent et transportent le dioxygène dans l'organisme (voir p. 88). Alors que les molécules d'hémoglobine A (HbA) sont solubles et dispersées dans le cytoplasme, les molécules d'hémoglobine S (HbS) des sujets atteints de drépanocytose s'associent et forment des fibres insolubles qui déforment les hématies, entraînant parfois leur destruction.

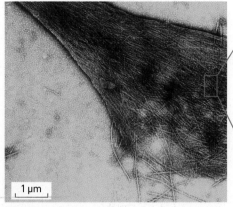

1 μm

Ⓐ Fibres d'hémoglobine (HbS) dans une hématie drépanocytaire.

Ⓑ Modèle de deux molécules d'hémoglobine S associées. Les chaînes d'acides aminés de chaque globine sont représentées en fils. Leur 6ᵉ acide aminé est affiché en sphères.

Activité pratique

■ À l'aide d'un logiciel de visualisation moléculaire, étudier la structure 3D de modèles moléculaires d'hémoglobine afin de comprendre la formation de fibres dans le cas de la drépanocytose.

■ Un logiciel comme Anagène ou GenieGen permet de traiter (comparaison, traduction) des séquences de nucléotides (ADN et ARN) ou d'acides aminés (protéines). Il est alors possible de comprendre l'origine génétique de cette maladie.

Remarque : pour comprendre, il faut savoir que la valine (Val) est, contrairement à l'acide glutamique (Glu), un acide aminé hydrophobe* : dans un milieu aqueux comme le cytoplasme cellulaire, la valine aura tendance à s'éloigner des molécules d'eau en établissant une liaison avec des molécules d'hémoglobine voisines.

Ⓒ Traitement des séquences des globines ß (hémoglobines A et S) et des séquences des allèles correspondants (début des séquences).

🔢 Comparaison simple					
	1	10	20	30	40
▶ Traitement ◀	Comparaison simple de séquences d'ADN				
Allèle Beta A ◀	ATGGTGCACCTGACTCCTGAGGAGAAGTCTGCCGTTACTGCCCTG				
Allèle Beta S ◀	--------------------T------------------------				
Traitement ◀	Comparaison simple de séquences peptidiques				
Globine Beta A ◀	MetValHisLeuThrProGluGluLysSerAlaValThrAlaLeu				
Globine Beta S ◀	- - - - - - Val- - - - - - - - -				

Activités envisageables

Pour caractériser les échelles d'un phénotype et comprendre sa réalisation :

● Présentez sous forme d'un tableau le phénotype d'un individu drépanocytaire et celui d'un individu non drépanocytaire aux trois échelles d'organisation du vivant et mettez en évidence le lien entre ces échelles.

● Expliquez l'origine du phénotype drépanocytaire. Vous pouvez présenter votre réponse sous forme d'un schéma « cause/conséquence ».

Des clés pour réussir

● Un tableau à double entrée est judicieux dans ce cas.

● Repérez bien les différences entre les cellules, les protéines et les allèles du gène des individus.

● Distinguez bien causes et conséquences.

* Lexique ➡ p. 422

PAGE Flashable

Expression génétique et acquisition du phénotype

Le phénotype résulte des produits issus de l'expression génétique, ARN et protéines. Cependant, dans une cellule, l'activité des gènes est régulée en interaction avec des facteurs internes et externes à l'organisme.

> *Comment certains facteurs internes peuvent-ils modifier l'expression des gènes au cours du développement ?*

1 Exemple d'une variation du plan d'organisation chez l'épinoche

Les poissons sont des vertébrés qui possèdent en principe deux paires de membres sous forme de nageoires : les nageoires antérieures (ou pectorales) et les nageoires postérieures (ou pelviennes). L'épinoche (*Gasterosteus aculeatus*) présente deux phénotypes sensiblement différents : la variété marine possède deux nageoires pelviennes épineuses développées, tandis que la variété lacustre* en est dépourvue.

Des croisements réalisés en laboratoire entre ces variétés ont démontré que ces différences sont génétiquement déterminées et ne dépendent pas du milieu de vie.

A Deux phénotypes différents (en haut : forme marine ; en bas : forme lacustre).

Les scientifiques ont identifié un gène, dénommé PITX1, dont le rôle est déterminant dans la mise en place des nageoires pelviennes. Grâce à un colorant spécifique, il est possible de repérer la présence d'ARNm correspondant à l'expression de ce gène, au stade embryonnaire durant lequel se forment les membres.

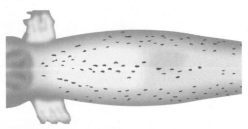

B Zone d'expression du gène PITX1 chez un embryon d'épinoche marine (à gauche) et lacustre (à droite).
Les flèches indiquent la zone d'expression du gène PITX1 observée sur la face ventrale des embryons.

Activité pratique

Avec le logiciel Anagène ou GenieGen, comparer les séquences codantes du gène PITX1 des épinoches marine et lacustre.

C Comparaison des séquences codantes du gène chez les deux formes d'épinoches.
Les deux portions du gène affichées sont représentatives des résultats obtenus sur l'ensemble du gène.

② Une expérience de transgénèse

En analysant et comparant le génome des deux variétés, les chercheurs ont identifié un segment d'ADN appelé séquence PEL présent à côté du gène PITX1 (en amont). La séquence PEL est longue de 2500 paires de nucléotides. Chez les épinoches lacustres, une portion de 488 paires de nucléotides de la région PEL a disparu par délétion*. Les chercheurs ont réalisé une expérience de transgénèse* en insérant à l'intérieur d'un œuf d'épinoche lacustre une construction génétique comportant la séquence PEL des épinoches marines.

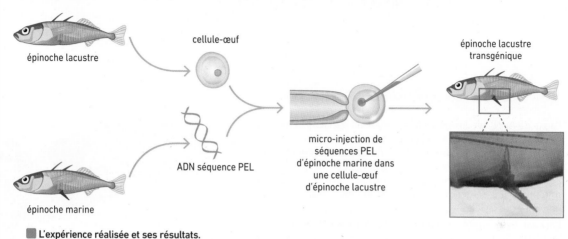

cellule-œuf

épinoche lacustre

épinoche lacustre transgénique

ADN séquence PEL

micro-injection de séquences PEL d'épinoche marine dans une cellule-œuf d'épinoche lacustre

épinoche marine

■ L'expérience réalisée et ses résultats.

③ Le rôle des facteurs de transcription

La séquence PEL est une séquence d'ADN sur laquelle peuvent normalement se fixer un ou des **facteurs de transcription***.

La formation du complexe [facteur de transcription-ADN] déclenche l'entrée en action de l'ARN-polymérase et active donc l'expression du gène situé en aval.

Pour cette raison, la séquence PEL est qualifiée de **séquence régulatrice*** du gène PITX1.

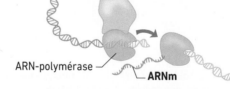

séquence régulatrice PEL   séquence codante PITX1

ADN

facteur de transcription

ADN

ARN-polymérase

ARNm

■ La régulation de l'expression du gène PITX1.

Pour comprendre comment certains facteurs internes peuvent modifier l'expression des gènes :

● Expliquez, sous la forme d'un schéma de type cause à effet, l'absence du développement d'une nageoire pelvienne chez l'épinoche lacustre.

● À partir de cet exemple, expliquez pourquoi on dit qu'un gène comporte des séquences codantes mais aussi des séquences régulatrices.

Des clés pour réussir

● Mettez en relation les phénotypes et le gène impliqué.
● Dites quelle information apporte la comparaison des séquences codantes du gène PITX1.
● Fondez votre explication sur une analyse des expériences.

De multiples facteurs influencent l'expression génétique

Le développement d'un organisme est sous la dépendance de facteurs internes qui régulent l'expression de ses gènes. Mais tout au long de la vie, d'autres facteurs, internes ou externes, sont susceptibles de modifier l'expression du génome.

L'expression génétique peut-elle être influencée par les conditions environnementales ?

1 L'analyse de l'expression génétique des cellules

La puce à ADN* est un outil d'identification du **transcriptome*** : elle permet d'étudier l'expression d'une cellule à un moment donné et placée dans des conditions particulières. On cherche donc à déterminer quels ARNm sont présents dans la cellule et en quelle quantité. De la taille d'un timbre-poste, une puce à ADN est une lame portant des dépôts d'ADN à un seul brin provenant de gènes connus, dont on veut savoir s'ils sont exprimés ou non dans des cellules.

L'échantillon à analyser contient les ARNm présents dans la cellule. Ceux-ci ont été préalablement traités et colorés : leurs appariements avec certaines séquences de l'ADN de la puce révèle quels gènes ont été exprimés.

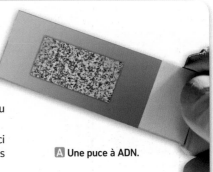

A Une puce à ADN.

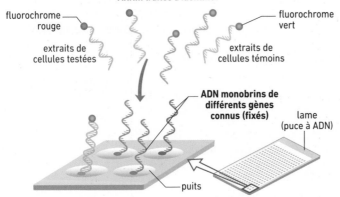

B Une hybridation compétitive.

Les gènes dont on veut mesurer l'expression sont déposés et fixés dans des puits de la lame.

Habituellement, un fluorochrome* rouge est fixé aux ARN des cellules dont on étudie l'expression et un fluorochrome vert aux ARN de cellules témoins.

Les ARN verts et rouges sont placés simultanément sur la puce. Ils sont donc en compétition pour s'hybrider* avec l'ADN des dépôts.

Lors de la lecture de la plaque, la couleur rouge correspond aux ARN fixés provenant des cellules étudiées, tandis que la couleur verte correspond à l'ARN des cellules témoins.

En superposition, une couleur proche du rouge indique que les ARN de la cellule étudiée se sont davantage fixés à l'ADN, préférentiellement aux ARN des cellules témoins. Ceci signifie que le gène correspondant est surexprimé dans la cellule.

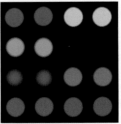

C Lecture de la puce à ADN par un scanner*.

② Une étude de l'influence de divers facteurs sur l'expression génétique

A *Arabidopsis thaliana* : un organisme modèle pour les chercheurs.

L'arabette des dames (*Arabidopsis thaliana*) est une plante très étudiée par les généticiens depuis plusieurs décennies. Le génome de l'arabette a été le premier génome de plante à être totalement séquencé*, en 2000. Il comporte 33 323 gènes répartis sur cinq paires de chromosomes.

Des chercheurs ont analysé l'expression de 5 gènes liés au fonctionnement des mitochondries* chez *Arabidopsis thaliana*.

Grâce à des puces à ADN, ils ont comparé l'expression de ces gènes et ont testé l'influence de facteurs hormonaux et de différents facteurs externes de stress (froid, carence, métaux lourds, teneur en CO_2 ...).

Le cadmium est un métal lourd parfois présent dans les sols pollués.
L'auxine est une hormone végétale.

Le tableau ci-contre présente le profil d'expression de ces gènes, c'est-à-dire le degré d'expression de chaque gène dans les différentes conditions expérimentales.

La couleur rouge signifie qu'un gène est surexprimé, la couleur verte qu'il ne s'exprime pas. Les couleurs ternes correspondent à un niveau d'expression plus ou moins important.

▣ Expression de 5 gènes en réponse aux conditions environnementales

	Gène At1g14140	Gène At5g17400	Gène At5g14040	Gène At3g08580	Gène At5g19760
Conditions normales					
Carence en fer					
Haute teneur en CO_2					
Froid					
+ cadmium*					
+ auxine*					
+ antibiotique					

Faible ◀ ─────────── ▶ Fort

Niveau d'expression du gène

Activités envisageables

Pour déterminer si certains facteurs peuvent modifier l'expression des gènes :

● Expliquez les différentes colorations que prennent les dépôts de la puce à ADN du document 1C.
● Comparez l'expression des gènes de l'arabette et répondez à la problématique. Quelle nouvelle question scientifique se pose alors ?

Des clés pour réussir

● Utilisez vos connaissances pour comprendre pourquoi l'ARN peut s'hybrider avec l'ADN.
● Pensez à argumenter vos réponses avec quelques exemples judicieusement choisis.

* Lexique ➡ p. 422

L'expression du patrimoine génétique

Podcast
Bilan

1 Une relation entre ADN et protéines

● Les protéines, des macromolécules essentielles

Les fonctions essentielles des cellules et leur structure elle-même sont assurées par des macromolécules, les **protéines**. Une protéine est constituée par un ou plusieurs **polypeptides**. Chaque polypeptide est une chaîne d'**acides aminés**, petites molécules liées entre elles par des liaisons peptidiques.

Il existe vingt acides aminés différents, possédant chacun des propriétés chimiques particulières (acide, basique, hydrophobe, hydrophile, etc.). Dans une protéine, les acides aminés réagissent avec leurs voisins selon leurs affinités chimiques, si bien que la chaîne polypeptidique ne conserve jamais une forme linéaire : elle se replie dans l'espace et adopte une **forme caractéristique**, qui lui confère ses propriétés.

● Les gènes contrôlent la synthèse des protéines

Différentes expériences historiques ont montré que des mutations touchant un gène affectent le fonctionnement de protéines. Elles ont abouti au concept « *un gène, une protéine* ». Cette idée a été ensuite affinée : par exemple, dans le cas de maladies génétiques touchant l'hémoglobine, on a constaté qu'une mutation de l'ADN modifiait un acide aminé dans la protéine. Par la suite, on a pu comparer la position des mutations sur un gène donné et la position des acides aminés sur la séquence de la protéine correspondante. On a alors constaté que l'enchaînement des acides aminés d'une protéine suit le même ordre que la succession des informations sur l'ADN : c'est la **colinéarité** gène/protéine. On comprend ainsi la signification de l'information codée par l'ADN : la succession des nucléotides d'un gène indique l'enchaînement des acides aminés qui constituent une protéine.

2 La transcription, première étape de l'expression d'un gène

● La nécessité d'un intermédiaire

Chez les eucaryotes, l'ADN est toujours localisé dans le noyau cellulaire, séparé du cytoplasme par l'enveloppe nucléaire. À aucun moment cet ADN ne quitte le noyau, et c'est pourtant dans le cytoplasme que s'effectue la synthèse des protéines. Cette synthèse ne peut être dirigée par l'information génétique que si des « copies » du gène à exprimer sont exportées du noyau vers le cytoplasme. Ces copies sont fabriquées dans le noyau, sous forme d'**ARN**, une molécule très proche de l'ADN : cette étape est la **transcription**.

L'ARN ou acide ribonucléique est, comme l'ADN, une molécule formée par une succession de nucléotides de quatre types différents. Cependant, les nucléotides de l'ARN diffèrent de ceux de l'ADN par le glucide qu'ils possèdent (du ribose à la place du désoxyribose). De plus, le nucléotide T est remplacé dans l'ARN par le **nucléotide U**. Enfin, l'ARN n'est constitué que d'**une seule chaîne** de nucléotides.

● La transcription de l'ADN en ARN

La transcription nécessite l'action d'une enzyme, l'**ARN-polymérase**. Au fur et à mesure de sa progression le long de l'ADN, l'ARN-polymérase incorpore des nucléotides libres, présents dans le noyau, par complémentarité avec l'un des brins de l'ADN : G se place en face de C, C en face de G, A en face de T et U en face de A. Le brin d'ARN ainsi produit est donc complémentaire du brin d'ADN qui a servi de matrice, appelé brin transcrit. Par conséquent, le message de l'ARN est **identique** à celui du **brin non transcrit** d'ADN (à la différence du nucléotide U qui, sur l'ARN, occupe la place du nucléotide T de l'ADN). Plusieurs ARN-polymérases se succèdent le long d'un même segment d'ADN et entament la fabrication « à la chaîne » d'ARN identiques entre eux, et qui constituent autant de copies des informations contenues dans le gène.

3 La maturation des ARN

● Les gènes des eucaryotes sont morcelés

Chez les eucaryotes pluricellulaires, la longueur totale d'un gène est cinq fois plus importante que celle de l'ARN exporté dans le cytoplasme. Dans le noyau, il y a donc **une maturation de l'ARN**. Par transcription, il se forme d'abord une molécule d'**ARN pré-messager** aussi longue que le gène, constituée d'une alternance de séquences qui ne serviront pas à la synthèse des protéines (les introns) et de séquences codant pour la protéine (les exons).

Dans un deuxième temps, les introns sont supprimés et les exons successifs sont raccordés entre eux : ce processus, qui aboutit à la formation de l'**ARN messager** (**ARNm**) est appelé l'**épissage**.

● Un processus de diversification des protéines

Un même ARN pré-messager peut subir des maturations différentes et donner des ARN messagers différents selon le type de cellule ou selon le moment où le gène s'exprime. En effet, certains exons peuvent ou non être retenus dans l'ARN messager définitif. Ce phénomène, appelé **épissage alternatif**, concerne 60 % de nos gènes. Il permet à un gène de coder selon les cas pour plusieurs protéines différentes, aux fonctions différentes. Cette découverte a amené les scientifiques à remettre en cause le concept historique « un gène, une protéine ».

4   La traduction de l'ARN messager en protéine

● Le code génétique, un système de correspondance

Le code génétique est le système qui établit la correspondance entre un triplet de nucléotides de l'ARN, ou **codon**, et un acide aminé. Comme il existe quatre nucléotides, on dénombre 64 triplets de nucléotides différents (4^3) ; or, ces codons permettent de « désigner » 20 acides aminés. De ce fait, la plupart des acides aminés sont codés par plus d'un triplet : le code génétique est **redondant**. En revanche, chaque triplet ne code que pour un seul acide aminé, toujours le même : le code génétique est **univoque**. Trois triplets ne codent pour aucun acide aminé et sont qualifiés de « codons-stop ».

Le code génétique est commun à l'ensemble des êtres vivants, hormis quelques exceptions pour lesquelles un ou deux codons sont différents. Cette **universalité** est un argument en faveur d'une origine commune de tous les êtres vivants.

● La traduction a lieu au niveau des ribosomes

L'assemblage des acides aminés en protéine, dicté par l'information génétique, constitue la **traduction**. Elle se déroule dans le cytoplasme au niveau de structures appelées **ribosomes**. Les ribosomes sont formés d'une petite sous-unité, capable de reconnaître et de se fixer sur une molécule d'ARNm, et d'une grosse sous-unité, associée à la petite sous-unité et qui réalise l'assemblage des acides aminés.

La traduction commence toujours par un codon particulier de l'ARNm, le **codon initiateur** AUG. Ensuite, le ribosome se « déplace » de triplet en triplet, en formant des **liaisons peptidiques** entre les acides aminés correspondant à chaque codon et l'acide aminé précédent dans la chaîne protéique. C'est l'**élongation**. Cette phase se poursuit jusqu'à la lecture d'un **codon-stop** par le ribosome ; celui-ci se dissocie alors et libère la protéine ainsi formée.

Plusieurs ribosomes effectuent la synthèse de protéines à partir d'un même ARNm. Ils se succèdent sur le brin d'ARN et forment un ensemble caractéristique appelé **polysome**. Chaque molécule d'ARNm gouverne ainsi la synthèse simultanée de 10 à 20 molécules protéiques identiques.

5   La régulation de l'expression des gènes

Une cellule n'exprime qu'une partie des gènes qu'elle possède : en exprimant des gènes différents, les cellules se **spécialisent**. L'activité des gènes d'une cellule est donc **régulée** sous l'influence de facteurs internes, notamment au cours du développement, ou externes, en réponse aux conditions environnementales. En effet, des molécules, appelées facteurs de transcription, peuvent se fixer sur une séquence d'ADN régulatrice, non codante, et ainsi activer ou réprimer l'expression d'un gène.

Le **phénotype**, ensemble des caractéristiques d'un être vivant, peut être défini à chacun des niveaux d'organisation du vivant, de la molécule à l'organisme. Il résulte en partie de l'expression de son **génotype**, c'est-à-dire de son patrimoine génétique, transmis de générations en générations. L'ensemble des ARN et des protéines résultant de la transcription et de la traduction de l'ADN constitue le **phénotype moléculaire**.

C'est l'activité de ces molécules produites à partir de l'ADN qui va, en interaction avec de multiples facteurs, déterminer le phénotype cellulaire, et en définitive l'ensemble du phénotype macroscopique observable à l'échelle de l'organisme.

Du génotype au phénotype

Allèle 1 — C A G G A C C T A G T A G

mutation allélique

Allèle 2 — C A G G T C C T A G T A G

Protéine 1

Protéine 2

facteurs de l'environnement

| GÉNOTYPE | PHÉNOTYPE MOLÉCULAIRE | PHÉNOTYPE CELLULAIRE | PHÉNOTYPE DE L'ORGANISME |

L'expression du patrimoine génétique

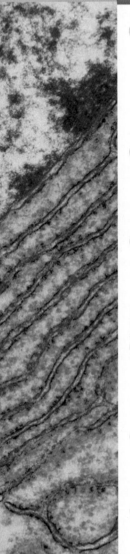

À retenir

● Les gènes commandent la synthèse des protéines

Les protéines sont des macromolécules essentielles au fonctionnement des cellules. Elles sont formées d'une succession de petites molécules, les acides aminés. Toutes les protéines sont le produit de l'expression d'un gène. La séquence de l'ADN, succession de nucléotides le long des brins de la molécule, est une information codée nécessaire à la synthèse des protéines. L'enchaînement des acides aminés d'une protéine suit en effet la séquence des nucléotides du gène correspondant.

● La transcription de l'ADN en ARN pré-messager

L'ARN messager est une copie éphémère d'un fragment d'ADN, formée dans le noyau et exportée dans le cytoplasme pour y être utilisée. La production de l'ARN messager débute par une opération de transcription au cours de laquelle est synthétisé un ARN pré-messager par complémentarité avec le brin transcrit de l'ADN, grâce à l'action de l'ARN-polymérase.

● La maturation de l'ARN pré-messager en ARN messager

L'ARN pré-messager transcrit à partir de l'ADN subit, avant d'être exporté, un épissage au cours duquel des séquences appelées introns sont supprimées et les séquences codantes appelées exons sont raccordées entre elles. L'épissage alternatif permet à un même gène de coder pour plusieurs protéines différentes selon les exons retenus pour la constitution de l'ARN messager.

● Le code génétique est un système de correspondance

Le code génétique permet la traduction de l'ARN messager en protéines : une suite de trois nucléotides, ou codon, code pour un acide aminé, toujours le même. Ce tableau de correspondance entre les 64 codons différents et les acides aminés qui leur sont associés est universel à l'ensemble du monde vivant.

● La traduction de l'ARN messager en protéine

Les ribosomes réalisent la synthèse des protéines à partir de l'information de l'ARN messager. La traduction commence toujours par le codon d'initiation. Elle se poursuit de codon en codon, ajoutant les acides aminés correspondants jusqu'à la rencontre d'un codon-stop.

● La régulation de l'expression des gènes

L'activité des gènes de la cellule est régulée, c'est-à-dire que l'expression d'un gène peut être activée ou réprimée, sous l'influence de facteurs internes ou externes. Le phénotype résulte de l'ensemble des produits de l'ADN (protéines et ARN) présents dans la cellule.

Mots-clés

ARN messager ● ARN-polymérase ● ARN pré-messager ● Code génétique ● Codon ● Génotype ● Phénotype ● Protéines ● Régulation ● Ribosome ● Traduction ● Transcription

L'expression du patrimoine génétique

Animation
Schéma bilan

Du gène à la protéine, plusieurs étapes

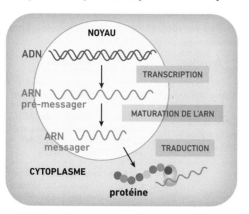

NOYAU

ADN

TRANSCRIPTION

ARN pré-messager

MATURATION DE L'ARN

ARN messager

TRADUCTION

CYTOPLASME

protéine

LA MATURATION DE L'ARN

Un gène, plusieurs protéines

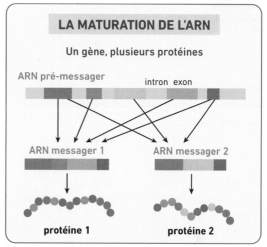

ARN pré-messager

intron   exon

ARN messager 1

ARN messager 2

protéine 1

protéine 2

LA TRANSCRIPTION

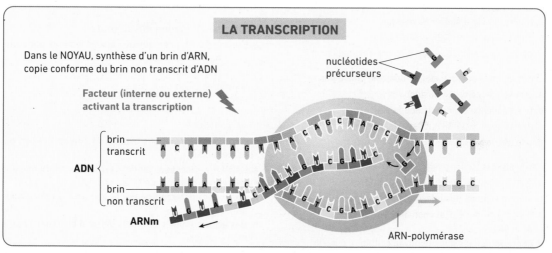

Dans le NOYAU, synthèse d'un brin d'ARN, copie conforme du brin non transcrit d'ADN

Facteur (interne ou externe) activant la transcription

nucléotides précurseurs

brin transcrit

ADN

brin non transcrit

ARNm

ARN-polymérase

LA TRADUCTION

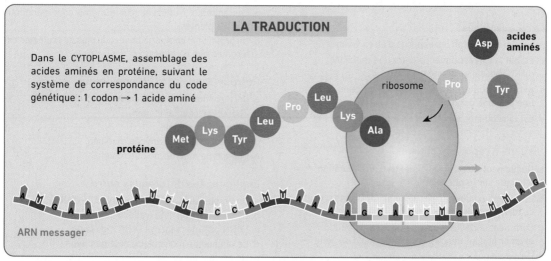

Dans le CYTOPLASME, assemblage des acides aminés en protéine, suivant le système de correspondance du code génétique : 1 codon → 1 acide aminé

acides aminés

Asp

Pro

Tyr

ribosome

Leu

Pro

Leu

Lys

Lys

Ala

Tyr

Met

protéine

ARN messager

1 Retour vers les problématiques

Relisez la page « S'interroger avant d'aborder le chapitre » (p. 87). À l'aide de ce que vous savez à présent, formulez en quelques phrases les réponses aux questions suscitées par l'étude des documents présentés sur cette page.

2 QCM BAC

Pour chaque affirmation, choisissez l'unique bonne réponse.

1. **L'ARN messager :**
   a. est une molécule formée de deux brins de nucléotides ;
   b. est fabriqué dans le noyau ;
   c. comporte les mêmes composants que l'ADN ;
   d. communique l'information génétique d'une cellule à une autre.

2. **Un gène est :**
   a. de la même taille que son ARN messager ;
   b. moins long que son ARN messager ;
   c. plus long que son ARN pré-messager ;
   d. de la même taille que son ARN pré-messager.

3. **Une séquence de 33 acides aminés est codée par :**
   a. une séquence de 66 nucléotides ;
   b. une séquence de 99 nucléotides ;
   c. une séquence de 33 nucléotides ;
   d. une séquence de 11 nucléotides.

4. **Les protéines :**
   a. sont formées d'une succession de nucléotides ;
   b. sont le support de l'information génétique ;
   c. sont constituées d'un enchaînement d'acides aminés ;
   d. sont synthétisés dans le noyau cellulaire à partir d'une molécule d'ARN messager.

5. **Le code génétique :**
   a. est différent selon les espèces d'êtres vivants ;
   b. établit la correspondance entre une molécule d'ARN messager et une protéine ;
   c. permet de déterminer la séquence du gène codant une protéine donnée ;
   d. est la séquence de l'ADN d'un individu.

3 Questions à réponses courtes

a. Quelle peut-être la conséquence d'une mutation allélique sur le phénotype ?
b. Comment expliquer l'existence de différents types cellulaires dans un même organisme ?
c. Comment un facteur interne ou externe peut-il exercer une influence sur l'expression d'un gène ?
d. Qu'est-ce qu'une maladie génétique ?

4 Apprendre en s'interrogeant

1. Cachez une des deux colonnes du tableau ci-dessous et retrouvez ce que contient l'autre colonne (à faire seul ou à plusieurs).
2. Vérifiez vos réponses et reprenez si besoin les notions concernées.

Questions	Réponses
Quel est le rôle de l'ARN-polymérase ?	Permettre la transcription d'un brin du gène en ARN pré-messager.
Quelle est la fonction d'un ribosome ?	Réaliser la traduction de l'ARN messager en protéine (assembler les acides aminés en chaîne polypeptidique).
Qu'est-ce l'épissage ?	Étape de l'expression des gènes au cours de laquelle les introns de l'ARN pré-messager sont éliminés, les exons conservés et liés les uns aux autres.

5 Expliquer pourquoi dit-on que :

a. L'ordre d'enchaînement des acides aminés dans une protéine est important.
b. Le code génétique est universel.
c. Un même gène peut coder pour des protéines différentes.

6 Vrai ou faux ?

Repérez les affirmations exactes et corrigez celles qui sont inexactes.

a. L'ARN pré-messager contient la même information que le brin non transcrit de l'ADN.
b. Des codons différents peuvent coder pour le même acide aminé.
c. Des acides aminés différents peuvent être codés par le même codon.
d. À chaque codon correspond un acide aminé.
e. Les animaux n'utilisent pas le même code génétique que les plantes.
f. Un organisme comporte beaucoup plus de protéines différentes que de gènes.

7 Retrouver un ordre chronologique

a. Perturbation de la fonction de la protéine codée.
b. Phénotype cellulaire altéré.
c. Mutation d'un allèle.
d. Séquence d'acides aminés modifiée.
e. Phénotype macroscopique modifié.

8 Expliquez les différences entre...

a. Une molécule d'ADN et une molécule d'ARN.
b. La transcription et la traduction.
c. L'ARN pré-messager et l'ARN messager.
d. Le phénotype moléculaire et le génotype.
e. Un exon et un intron.

9 Maîtriser ses connaissances BAC

Du gène à la protéine

Chez les eucaryotes, l'information génétique est contenue dans le noyau cellulaire. Cette information permet la synthèse des protéines, qui se déroule dans le cytoplasme.

À partir de vos connaissances, expliquez les mécanismes qui permettent la synthèse d'une protéine à partir de l'information génétique chez un eucaryote.
Un exposé structuré ainsi que des schémas légendés sont attendus.

10 Maîtriser ses connaissances BAC

La maturation de l'ARN

La dystrophine est une protéine membranaire présente dans différentes cellules, en particulier dans les cellules musculaires et les cellules nerveuses. Il existe au moins sept formes différentes de cette protéine, en fonction du type cellulaire dans lequel le gène s'exprime.

À l'aide de vos connaissances, expliquez comment la synthèse de plusieurs protéines différentes est possible à partir d'un seul gène. Votre exposé sera accompagné d'un schéma.

11 Communiquer par un schéma scientifique et utiliser des connaissances

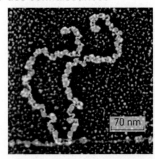

70 nm

La cellule bactérienne n'est pas compartimentée : il n'y a pas d'enveloppe nucléaire et tous les éléments intracellulaires baignent dans le cytoplasme.
La photographie ci-dessus est une observation au microscope électronique réalisée dans une cellule bactérienne. On y observe en même temps ADN (en rose), ARN messager (en vert) et ribosomes (en bleu).

1. Réalisez un schéma d'interprétation de cette photographie.
2. Retrouvez la différence avec l'expression génétique dans une cellule eucaryote.

12 Raisonner avec rigueur

À l'aide du code génétique (voir p. 92), identifiez les conséquences des mutations sur la synthèse de la protéine codée par les différents allèles (seul le brin d'ADN non transcrit est représenté).

ADN normal : CGC TCT GAC TCA AAG
ADN muté 1 : CGC TCT GAC TGA AAG
ADN muté 2 : CGC ACT GAC TCA AAG
ADN muté 3 : CGC TCA GAC TCA AAG

13 Interpréter un graphique

À partir de bactéries, on prépare un milieu contenant tous les éléments cytoplasmiques nécessaires à la synthèse des protéines, mais dépourvus d'ADN et d'ARN.
Aux temps t = 0 et t = 30 min, on ajoute à ces extraits une même quantité d'ARN et d'acides aminés. On mesure en fonction du temps :
– la quantité d'ARN dans le milieu.
– la quantité d'acides aminés incorporés dans les protéines synthétisées.

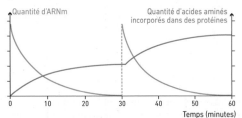

Proposez une explication des résultats obtenus, présentés par ce graphique.

Aides à la résolution

● Repérez ce qu'indique chacune des courbes.
● Décrivez les variations de chacune des deux courbes et mettez-les en relation.
● Proposez une explication.

14 S'exprimer à l'oral Oral

Faites une présentation orale du document 1B p. 90 : dites ce que vous observez et ce que vous en déduisez.
Vous pouvez vous enregistrer, réécouter et vous corriger.

15 Interpréter des résultats et en tirer des conclusions

Voici 4 coccinelles arlequin dans leur état naturel (A à D). Les photographies E à H présentent ces mêmes coccinelles, chez lesquelles un seul gène (« *pannier* ») a été inactivé. Aucune différence concernant la partie codante n'a été mise en évidence. En revanche, une séquence régulatrice spécifiant dès le stade embryonnaire quels territoires cellulaires exprimeront le gène *pannier* a été identifiée : cette séquence régulatrice n'est pas la même chez tous les individus.

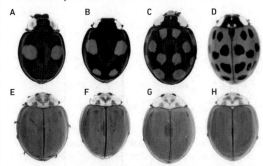

Indiquez le rôle du gène pannier et expliquez l'origine de la diversité du phénotype de coloration observé chez la coccinelle arlequin.

16 Une expérience d'hybridation entre ADN et ARNm

Des agents chimiques permettent de séparer les deux chaînes de l'ADN. Après cette dénaturation, les brins d'ADN peuvent s'hybrider, c'est-à-dire se réassocier avec d'autres molécules de séquence complémentaire. Une telle expérience d'hybridation a été réalisée entre l'ADN codant pour une protéine, l'ovalbumine, et l'ARNm correspondant. Le résultat est présenté sur la microphotographie ci-contre.

Le schéma d'interprétation permet de situer l'ADN et l'ARN présents sur cette image.

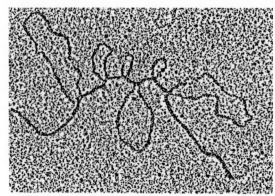

1 à 7 : exons
A à G : introns

1. Montrez que cette photographie met en évidence des ressemblances et des différences entre ADN et ARNm correspondant.

2. À l'aide de vos connaissances, expliquez l'aspect pris par cette hybridation entre la séquence d'ADN et la séquence d'ARNm dirigeant la production d'ovalbumine.

A, B, C, D, E, F, G : boucles d'ADN non hybridées
1, 2, 3, 4, 5, 6, 7 : brins hybrides d'ADN et d'ARN

17 Le fonctionnement d'un antibiotique

Les antibiotiques sont des molécules pharmaceutiques qui ont pour rôle de détruire des bactéries. La tétracycline est un antibiotique qui peut se fixer sur les ribosomes bactériens, mais pas sur les ribosomes d'eucaryotes. Les images ci-contre présentent des modèles moléculaires de la petite sous-unité d'un ribosome bactérien en absence (A) et en présence (B) de tétracycline.

– En vert : petite sous-unité du ribosome ;
– En rouge : ARNm ;
– En bleu : tétracycline.

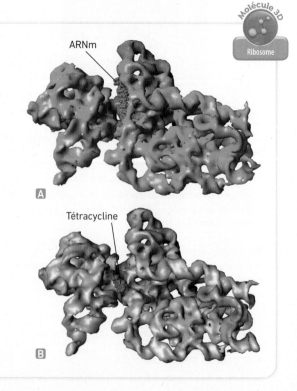

1. À partir d'une analyse des modèles proposés et à l'aide de vos connaissances, proposez une explication à l'effet antibiotique de la tétracycline.

2. Recherchez des informations sur le mode de reproduction des virus. Sachant que la tétracycline ne se fixe pas sur les ribosomes d'eucaryotes, expliquez pourquoi les antibiotiques comme la tétracycline sont inefficaces contre les virus.

★ facile ★★ intermédiaire ★★★ confirmé

18 Une expérience historique : « Un gène, une protéine »

★★★ L'hypothèse qu'un gène est l'information exploitée pour la synthèse d'une protéine a été proposée pour la première fois par G. Beadle et E. Tatum en 1941.

Beadle et Tatum utilisent une souche de champignon, *Neurospora crassa*, capable de se développer en laboratoire sur un milieu « minimum », c'est-à-dire comportant uniquement les éléments nutritifs strictement nécessaires :

eau, sels minéraux et glucose. À partir des éléments du milieu minimum, les souches sauvages de *Neurospora* sont capables d'effectuer la synthèse d'un acide aminé selon la voie métabolique suivante (on rappelle que la réalisation de chaque réaction du métabolisme nécessite l'intervention d'une enzyme et qu'une enzyme est une protéine).

En exposant aux UV des souches de *Neurospora*, Beadle et Tatum obtiennent trois souches mutantes A, B et C incapables de synthétiser l'arginine sur un milieu minimum. Ils montrent qu'elles sont mutées chacune sur un gène différent. Afin de déterminer l'enzyme déficiente dans chaque souche, ils étudient leur capacité à pousser sur des milieux nutritifs différents. La souche sauvage n'a pas été exposée aux UV.

	Milieu minimum	Milieu minimum + Ornithine	Milieu minimum + Citrulline	Milieu minimum + Arginine
Souche sauvage	+	+	+	+
Souche mutante A	–	–	–	+
Souche mutante B	–	–	+	+
Souche mutante C	–	+	+	+

+ croissance – pas de croissance

■ Montrez que les résultats de l'expérience de Beadle et Tatum mettent en évidence la relation gène-protéine. Dites pourquoi cette conception apparait aujourd'hui partiellement dépassée.

19 Les conséquences très variables des mutations ponctuelles

Capacités expérimentales

★★ On connait de nombreux allèles du gène codant pour la globine-β, l'une des chaînes constitutives de l'hémoglobine. Les conséquences de ces mutations sont très variables :
– la drépanocytose se traduit par une anémie sévère (voir p. 96) ;
– l'hémoglobinose C se caractérise par une anémie très légère, voire imperceptible ;

– les thalassémies se manifestent par un déficit partiel ou total de l'hémoglobine. Elles sont de gravité très variables suivant les cas (la maladie de Cooley, par exemple, nécessite des transfusions à vie).

Avec un logiciel de traitement de séquences (Anagène ou GenieGen), on peut comparer les allèles et les protéines correspondantes, pour chacun de ces cas.

● **Comparaison des séquences de nucléotides des allèles (brin non transcrit) et des protéines correspondantes.**

🔲 Edition des séquences

	1 10 20 30 40 50 60 70 80 90 100
Allèle normal	ATGGTGCACCTGACTCCTGAGGAGAAGTCTGCCGTTACTGCCCTGTGGGGCAAGGTGAACGTGGATGAGGTTGGTGGTGAGGCCCTGGGCAGGCTGCTGGTG
Allèle variant	ATGGTGCATCTGACTCCTGAGGAGAAGTCTGCCGTTACTGCCCTGTGGGGCAAGGTGAACGTGGATGAAGTTGGTGGTGAGGCCCTGGGCAGGCTGCTGGTG
Allèle Drep.	ATGGTGCACCTGACTCCTGTGGAGAAGTCTGCCGTTACTGCCCTGTGGGGCAAGGTGAACGTGGATGAAGTTGGTGGTGAGGCCCTGGGCAGGCTGCTGGTG
Allèle Hem. C	ATGGTGCACCTGACTCCTAAGGAGAAGTCTGCCGTTACTGCCCTGTGGGGCAAGGTGAACGTGGATGAAGTTGGTGGTGAGGCCCTGGGCAGGCTGCTGGTG
Allèle Tha.	ATGGTGCACCTGACTCCTGAGGAGAAGTCTGCCGTTACTGCCCTGTGGGGCAAGGTGAACGTGGATGAAGTTGGTGGTGAGGCCCTGGGCAGGCTGCTGGT

🔲 Comparaison simple

	1 5 10 15 20 25 30
Traitement	Comparaison simple de séquences peptidiques
Pro-Allèle normal	MetValHisLeuThrProGluGluLysSerAlaValThrAlaLeuTrpGlyLysValAsnValAspGluValGlyGlyGluAlaLeuGlyArgLeuLeuVal
Pro-Allèle variant	– –
Pro-Allèle Drep.	– – – – Val– –
Pro-Allèle Hem. C	– – – – Lys– –
Pro-Allèle Tha.	– – – – – – – LeuCysArgTyrCysProVal– GlnGlyGluArgGly

■ En comparant ces séquences, en utilisant vos connaissances et le code génétique (voir p. 92), expliquez l'origine des différences et la gravité plus ou moins importante des troubles constatés.

Les portions affichées sont représentatives des résultats obtenus sur l'ensemble des séquences.

• Le signe – indique une identité. L'absence de signe indique que la protéine est écourtée.

• **Allèle variant** : variante moins fréquente que l'allèle normal.

• **Allèle Drep** : allèle d'un individu atteint de drépanocytose.

• **Allèle Hem C** : allèle d'un individu atteint d'hémoglobinose C.

• **Allèle Tha** : allèle d'un individu atteint de thalassémie sévère (maladie de Cooley).

Remarque : tous les individus présentés ici sont homozygotes pour le gène en question.

BAC

20 La régulation de l'activité des gènes

Les gènes sont des informations qui ne s'expriment que dans certaines cellules, et sous la dépendance de facteurs internes ou externes.

■ Comparez les deux exemples présentés ici de façon à mettre en évidence les causes et mécanismes qui peuvent faire qu'un gène soit exprimé ou non.

---

1 La différenciation des hématies

Les globules rouges, ou hématies, sont des cellules hyperspécialisées. Comme toutes les cellules sanguines, elles sont produites à partir de cellules souches de la moelle osseuse dont la multiplication et la différenciation dépendent de signaux chimiques. À la fin de ce processus, une hématie est une petite cellule renfermant essentiellement de l'hémoglobine, servant à transporter le dioxygène (une hématie renferme environ 280 millions de molécules d'hémoglobine).

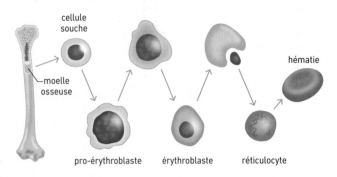

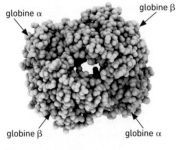

■ Molécule d'hémoglobine.

---

2 Des cellules intestinales tolérantes ou non au lactose

Le lactose, principal glucide du lait est un glucide formé par l'union d'une molécule de glucose et d'une molécule de galactose. Sa digestion et son absorption intestinale nécessitent une hydrolyse réalisée par la lactase, une enzyme produite par des cellules de l'épithélium intestinal.

Dans l'intestin grêle...

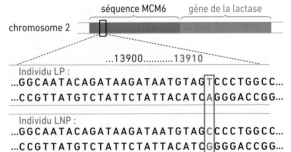

Dans les populations humaines, on trouve deux phénotypes héréditaires :

– les individus « lactase non persistants » (LNP, 65 % de la population mondiale) ne produisent plus de lactase à partir de l'âge de 3 à 5 ans et ne digèrent donc plus le lait.

– les individus « lactase persistants » (LP, très majoritaires en Europe) gardent leur capacité à produire de la lactase à l'âge adulte.

La comparaison des séquences du gène de la lactase des individus LP et LNP ne montre aucune différence. Cependant, des biopsies intestinales montrent l'existence d'une forte quantité d'ARN messagers du gène de la lactase chez des individus LP alors qu'ils sont très peu présents dans les cellules des individus LNP.

En explorant le génome autour du gène de la lactase, on a constaté une différence nucléotidique dans une séquence appelée MCM6, située en amont du gène de la lactase chez des individus LP et LNP.

séquence MCM6   gène de la lactase

chromosome 2

...13900..........13910

Individu LP :
...GGCAATACAGATAAGATAATGTAGTCCCTGGCC...
...CCGTTATGTCTATTCTATTACATCAGGGACCGG...

Individu LNP :
...GGCAATACAGATAAGATAATGTAGCCCCTGGCC...
...CCGTTATGTCTATTCTATTACATCGGGGACCGG...

Cet exercice se présente sous la forme d'une **tâche complexe** :
construisez votre propre démarche pour résoudre le problème posé.

Exercices

3 Le rôle d'une hormone

L'érythropoïétine (EPO) est une hormone produite naturellement par les reins et libérée dans le sang. Elle peut aussi être utilisée en médecine et l'EPO (ainsi que d'autres produits dérivés) ont été utilisés dans le domaine sportif comme produits dopants.

Des pro-érythroblastes et des érythroblastes ont été cultivés dans un milieu contenant de l'EPO. Chaque jour, les nouvelles cellules produites sont comptées, colorées et identifiées. Une culture de cellules non « précurseurs » cultivées dans le même milieu ne se sont pas différenciées. La particularité des pro-érythroblastes et des érythroblastes est de posséder des récepteurs enchâssés dans la membrane cellulaire et sur lesquels peut se fixer l'EPO.

Le schéma ci-contre illustre la succession des événements consécutifs à la fixation de l'EPO sur ces récepteurs.

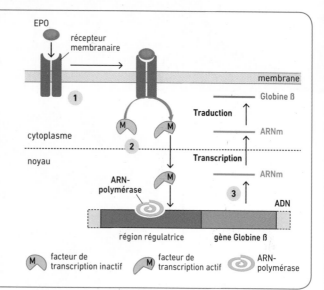

4 Des expériences de transgénèse sur des cellules intestinales

Dans le but de comprendre la relation entre la séquence MCM6 et la tolérance au lactose, trois types de constructions génétiques comprenant la même structure de base ont été créées puis insérées par transgénèse dans des cellules intestinales *in vitro*. Ces constructions sont décrites dans le tableau ci-dessous.

On utilise dans cette expérience la propriété d'une protéine appelée luciférase (naturellement présente chez les vers luisants) qui provoque une réaction s'accompagnant d'une émission de lumière.

Dans la structure de base, la séquence du gène codant pour la luciférase a été associée à la région promotrice du gène de la lactase (la région promotrice, sur laquelle se fixe l'ARN-polymérase, se trouve immédiatement en amont du gène).

Ces constructions reviennent à mettre la transcription du gène de la luciférase sous la dépendance de la région promotrice du gène de la lactase. L'intensité de la luminescence traduit l'importance de la transcription.

	Type de construction génétique	Résultat : intensité de la luminescence
C1	Structure de base seule : ARN-polymérase région promotrice — Gène de la luciférase	Faible
C2	Ajout d'une séquence du gène MCM6 incluant le variant T 13910 en amont de la structure de base : ARN-polymérase Séquence MCM6-T13910 — région promotrice — Gène de la luciférase	Très forte
C3	Ajout d'une séquence du gène incluant le variant C 19310 en amont de la structure de base : ARN-polymérase Séquence MCM6-C13910 — région promotrice — Gène de la luciférase	Moyenne

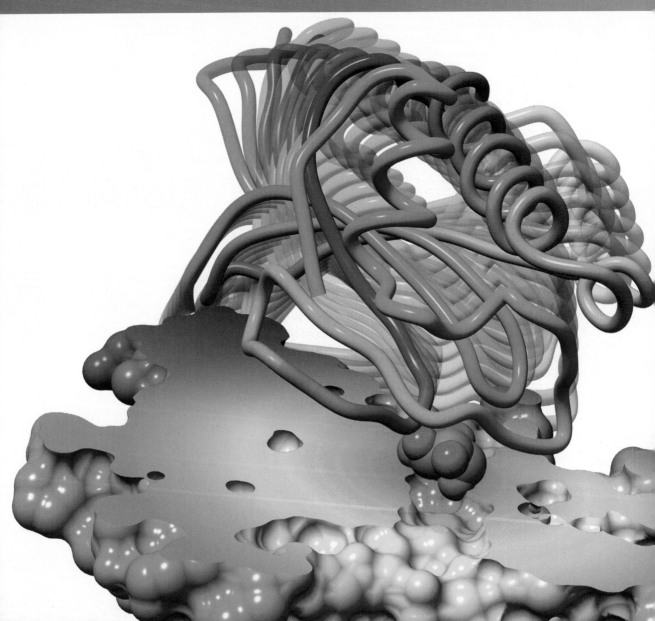

Modèle moléculaire d'une enzyme (hexokinase) dont la structure s'ajuste à son substrat.

Les enzymes, des biomolécules aux propriétés catalytiques

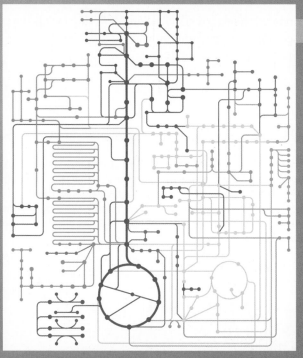

La nécessité de catalyseurs

Cette image présente un aperçu très simplifié des nombreuses voies du métabolisme se produisant dans une cellule (les points représentent des molécules, les traits des réactions et les couleurs différentes voies métaboliques). Or, pour pouvoir se dérouler suffisamment rapidement et dans des conditions compatibles avec la vie, chacune des réactions du métabolisme doit être catalysée par une enzyme.

Un déficit enzymatique

Ces deux enfants sont frère et sœur. Le jeune garçon est atteint d'albinisme, une anomalie génétique qui l'empêche de produire une tyrosinase fonctionnelle. Or, cette enzyme est nécessaire pour pouvoir fabriquer de la mélanine.

Formuler les problèmes à résoudre

● Un organisme produit des milliers d'enzymes différentes, nécessaires au bon fonctionnement de ses cellules. Ces macromolécules* sont des produits de l'expression de l'information génétique.

● Formulez quelques questions suggérées par les documents présentés au sujet des enzymes. Tenez compte de ce que vous savez déjà et de ce qui nécessite un approfondissement.

1

Les enzymes, des catalyseurs biologiques

De très nombreuses réactions biochimiques se déroulent dans une cellule. La plupart d'entre elles nécessitent la présence d'une enzyme pour pouvoir se dérouler.

Pourquoi les enzymes sont-elles nécessaires à la réalisation des réactions biochimiques ?

1 Un exemple de catalyse : l'hydrolyse de l'amidon grâce à l'amylase

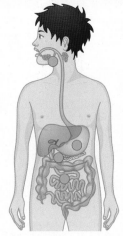

L'amidon est un polymère* de glucose. Pour être assimilé, l'amidon doit être transformé en molécules plus petites contenant de moins en moins d'unités (n) et finalement en glucose*, glucide simple absorbable par la muqueuse intestinale.

Cette simplification moléculaire est une hydrolyse*. Elle se déroule en plusieurs étapes, en présence d'**enzymes*** produites par les cellules des glandes salivaires, pancréatiques et intestinales.

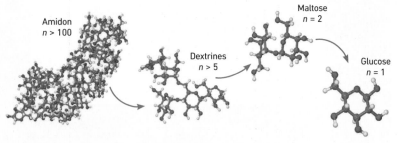

Amidon
$n > 100$

Dextrines
$n > 5$

Maltose
$n = 2$

Glucose
$n = 1$

A Sucs digestifs (⬤) contenant des enzymes.

B La digestion de l'amidon : une hydrolyse qui produit du glucose.

Activité pratique

On cherche à déterminer dans quelles conditions l'amidon peut être hydrolysé. Plus particulièrement, on veut mettre en évidence le rôle joué par l'**amylase***, l'une des enzymes contenues dans la salive et le suc pancréatique.

■ Préparer trois tubes et les placer dans différentes conditions :
   ① 10 mL d'empois d'amidon + 3 mL d'acide chlorhydrique, T = 95 °C.
   ② 10 mL d'empois d'amidon + 3 mL d'amylase, T = 35 °C.
   ③ 10 mL d'empois d'amidon + 3 mL d'eau, T = 35 °C.

■ Toutes les 3 minutes, prélever une goutte du contenu de chaque tube et faire un test en ajoutant une goutte d'eau iodée : la présence éventuelle d'amidon est en effet mise en évidence par l'eau iodée, qui le colore en bleu-nuit. En présence de dextrines, l'eau iodée prend une teinte brune.

C Dispositif expérimental.

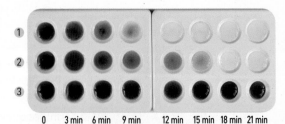

| | 0 | 3 min | 6 min | 9 min | 12 min | 15 min | 18 min | 21 min |

D Résultats des tests à l'eau iodée.

2 Le suivi en continu d'une réaction catalysée par une enzyme

Activité pratique

Les peroxydases* sont des enzymes présentes chez presque tous les êtres vivants. Elles permettent de lutter contre le stress oxydatif* en dégradant les peroxydes, substances très toxiques dérivées de l'oxygène, produites par le métabolisme respiratoire. La catalase, par exemple, catalyse la réaction de dégradation du peroxyde d'hydrogène qui est toxique pour l'organisme :

$$2\ H_2O_2 \rightarrow 2\ H_2O + O_2$$

Cette réaction peut très facilement être étudiée et suivie expérimentalement par un dispositif ExAO* utilisant une sonde à dioxygène (A), puisqu'une production de dioxygène résulte de cette réaction.

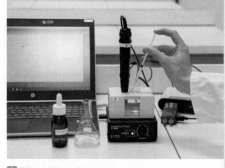

A Dispositif expérimental.

Protocole expérimental

- Préparer un extrait enzymatique contenant de la catalase (par exemple à partir d'un navet, de radis ou de raifort).
- Introduire le **substrat*** (peroxyde d'hydrogène) dans l'enceinte.
- Utiliser une sonde à dioxygène et démarrer la mesure.
- Introduire 0,5 mL d'extrait enzymatique.
- Penser à faire une mesure témoin.

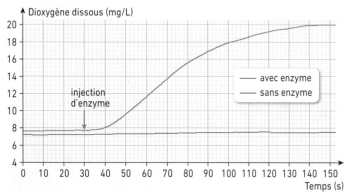

B Évolution de la quantité de dioxygène produit au cours du temps.

3 Les enzymes, des catalyseurs indispensables à la vie cellulaire

Un **catalyseur*** est une substance qui augmente la vitesse d'une réaction chimique, intervient dans son mécanisme, mais ne participe pas au bilan de la réaction.

S : substrat(s)
P : produit(s)
E : enzyme

Activité pratique

En utilisant le même dispositif expérimental que dans le document 2A, il est possible de vérifier que l'enzyme peroxydase n'est pas consommée, c'est-à-dire qu'elle n'a pas disparu et reste disponible.

Les enzymes sont en général désignées par le suffixe « **ase** » en complément du nom du substrat et/ou de la réaction catalysée. Exemples :
– amylase : enzyme dont le substrat est l'amidon ;
– hydrolase : enzyme qui catalyse une réaction d'hydrolyse ;
– ADN-polymérase : enzyme qui accélère la polymérisation de l'ADN.

Activités envisageables

> *Pour comprendre le rôle joué par les enzymes :*

- Exploitez les expériences réalisées : formulez ce que l'on cherche à démontrer, justifiez les protocoles mis en œuvre, présentez et utilisez les résultats obtenus.
- Justifiez l'appellation de catalyseur biologique donnée aux enzymes.

Des clés pour réussir

- Précisez comment on peut mesurer la vitesse d'une réaction.
- Confrontez vos expériences aux documents présentés ici.

* Lexique ➡ p. 422

Une enzyme en action

Les enzymes sont des macromolécules qui ont la propriété de catalyser une réaction chimique, c'est-à-dire d'accélérer la transformation d'un substrat, sans intervenir dans le bilan de la réaction chimique.

Comment une enzyme remplit-elle son rôle de catalyseur ?

Molécule 3D
Amylase

 L'amylase : une protéine qui peut s'associer au substrat

Activité pratique

À l'aide d'un logiciel de visualisation moléculaire, il est possible d'étudier le modèle de l'amylase pancréatique.

Exploration d'un modèle moléculaire
Appliquer différents traitements (coloration et mode de représentation des atomes, coupes, sélection partielle du modèle moléculaire, etc.) afin de :

- déterminer de quel type de molécule il s'agit et quelle est sa constitution ;
- visualiser sa forme tridimensionnelle et comprendre comment cette structure est obtenue et maintenue ;
- visualiser comment l'enzyme interagit avec son substrat.

A Affichage en sphères, coloration de l'amylase par acides aminés.

Liaison hydrogène (liaison faible, non covalente) entre acides aminés différents

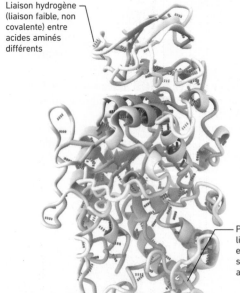

Pont disulfure : liaison covalente entre deux atomes de soufre de deux acides aminés différents

B Affichage en ruban, coloration par chaîne, affichage des liaisons hydrogène et ponts disulfures.

C Affichage en sphères, coloration de l'amylase par acides aminés, affichage du substrat.

② Le rôle essentiel du site actif

Pour jouer son rôle de catalyseur, chaque enzyme doit interagir de manière précise avec son substrat. La forme tridimensionnelle de la partie de l'enzyme qui se trouve à proximité du substrat (A) est essentielle à son **activité catalytique***.

Activité pratique

■ En mesurant la vitesse à laquelle une amylase mutée hydrolyse l'amidon, on peut déterminer l'importance d'un acide aminé pour l'activité catalytique.

Site de mutation	Vitesse enzymatique
Aucun (= témoin)	1
Asp 197	1/1 200 000
Thr 52	1
Asp 300	1/4 900

Remarque : la vitesse est exprimée en unité arbitraire par rapport à celle de l'enzyme non mutée.

■ Repérer la position de ces acides aminés sur le modèle moléculaire de l'amylase afin d'interpréter ces résultats.

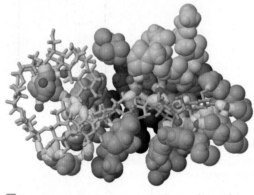

B Dans le site actif, des acides aminés aux rôles précis et essentiels.

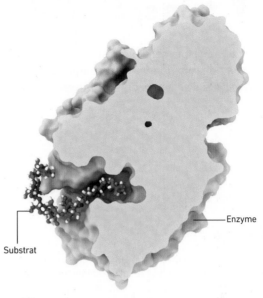

Enzyme

Substrat

A La relation enzyme-substrat mise en évidence par une vue en coupe de l'amylase.

Certains acides aminés de l'amylase ont un rôle essentiel : ils délimitent un **site actif*** au niveau duquel le substrat peut se fixer sur l'enzyme et où l'action catalytique peut s'effectuer.

L'image ci-contre (B) présente les contacts établis entre le substrat (en jaune et en orange), l'eau (en bleu foncé) et les acides aminés de l'amylase.

Les acides aminés du site actif ont différentes propriétés chimiques qui leurs permettent d'assurer plusieurs fonctions :
– la reconnaissance et le positionnement du substrat (acides aminés en marron) ;
– le guidage des molécules d'eau dans le site actif (en vert) ;
– la réaction chimique d'hydrolyse des liaisons entre les unités de glucose (en rouge) ;
– la libération des produits de la réaction (en bleu clair).

Activités envisageables

Pour déterminer la nature et la structure d'une enzyme, comprendre son interaction avec le substrat :

● Explorez des modèles moléculaires d'enzymes associées ou non à leur substrat.
● Identifiez la nature chimique des enzymes.
● Repérez leur site actif et décrivez la relation entre l'enzyme et son substrat.
● Faites une sélection d'images et présentez-les. Représentez la relation enzyme-substrat sous la forme d'un schéma.

Des clés pour réussir

● Utilisez judicieusement les différentes fonctionnalités du logiciel.
● Choisissez bien les vues que vous présenterez.
● Mettez des légendes et des titres : utilisez le vocabulaire adapté.

3 Les enzymes, des catalyseurs très spécialisés

Le métabolisme cellulaire est composé de multiples voies métaboliques interconnectées. Pour assurer ce fonctionnement, chaque cellule possède un véritable arsenal enzymatique, constitué de milliers d'enzymes différentes les unes des autres.

> *Comment expliquer la grande diversité de l'équipement enzymatique d'une cellule ?*

Molécule 3D — Pepsine

Vidéo — Hydrolyse enzymatique

1 La spécificité de substrat

Activité pratique

La pepsine est une enzyme produite par l'estomac. Comme l'amylase, elle intervient dans l'hydrolyse de macromolécules alimentaires en nutriments* solubles.

L'expérience suivante a pour objectif de déterminer si ces deux enzymes peuvent catalyser l'hydrolyse des mêmes substrats.

Protocole expérimental

On dispose des produits suivants : précipité d'ovalbumine (protéine de blanc d'œuf), empois d'amidon, amylase, pepsine, acide dilué.

■ Préparer six tubes en réalisant les mélanges indiqués dans le tableau ci-contre (4 mL de substrat + 20 gouttes de solution enzymatique ou d'eau, suivant les cas).

■ Placer les tubes au bain-marie à 35 °C pendant 20 minutes environ.

■ À la fin de l'expérience, ajouter une goutte d'eau iodée aux tubes 4, 5 et 6.

Remarque : la pepsine n'agissant qu'en milieu acide, ajouter quelques gouttes d'acide dilué aux tubes 1 et 4 pour abaisser le pH.

Tube	Contenu
1	Ovalbumine + pepsine
2	Ovalbumine + amylase
3	Ovalbumine + eau
4	Amidon + pepsine
5	Amidon + amylase
6	Amidon + eau

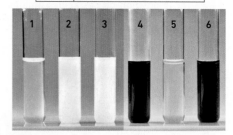

A Résultats obtenus.

Une intuition historique

En 1894, après avoir démontré que deux réactions impliquant deux glucides qui ne diffèrent que par la position de quelques atomes ne sont pas catalysées par la même enzyme, Emil Fischer (savant allemand, prix Nobel de chimie en 1902) écrivait :

« *L'action des enzymes limitée à quelques glucides pourrait s'expliquer en supposant que c'est uniquement dans le cas d'une structure géométrique similaire que les molécules [enzyme et substrat] peuvent s'approcher suffisamment près l'une de l'autre pour initier une réaction chimique. Pour emprunter une métaphore, je dirais qu'enzyme et glucoside doivent s'ajuster l'un à l'autre comme une clé à une serrure de façon à produire une transformation chimique entre eux.* »

Une coupe à travers l'assemblage formé par la molécule de pepsine (en bleu) et un analogue du substrat protéique (en vert) permet de visualiser le site actif de l'enzyme. Les acides aminés qui catalysent l'hydrolyse du substrat (en rouge) sont les mêmes que dans l'amylase.

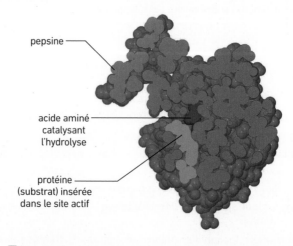

pepsine

acide aminé catalysant l'hydrolyse

protéine (substrat) insérée dans le site actif

B Visualisation moléculaire du mode d'action de la pepsine.

2 À chaque réaction son enzyme

Le glucose est une molécule essentielle au métabolisme de nos cellules. Cependant, une fois absorbé par celles-ci, le glucose est phosphorylé* et ainsi transformé en glucose-6-phosphate.

Cette molécule est un carrefour métabolique*, et peut avoir des destinées différentes (A) au sein de la cellule :
- servir de source d'énergie (voie 1),
- être mise en réserve (voie 2),
- participer à la synthèse d'autres molécules (voie 3),
- redonner du glucose qui sera exporté vers d'autres cellules (voie 4).

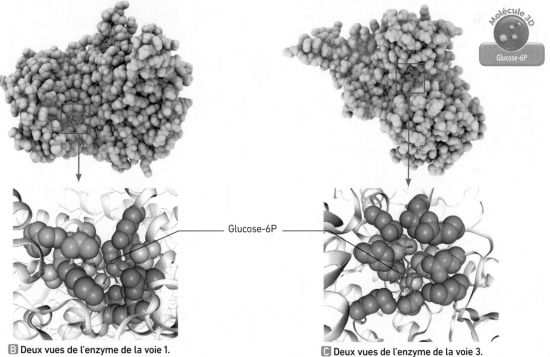

Activité pratique

Le favisme est une maladie causée par un déficit enzymatique qui perturbe uniquement la voie 3 de l'utilisation du glucose-6-phosphate. La comparaison de modèles moléculaires d'enzymes ayant pour substrat le glucose-6-phosphate permet de comprendre pourquoi les autres voies métaboliques* ne sont pas affectées par la maladie.

Protocole d'exploration
- Sélectionner le substrat et l'afficher en bâtonnets.
- Restreindre l'affichage aux acides aminés localisés autour du substrat.
- Colorer les acides aminés en fonction de leur nature, comparer les enzymes.

Glucose-6P

B Deux vues de l'enzyme de la voie 1.

C Deux vues de l'enzyme de la voie 3.

Activités envisageables

Pour comprendre pourquoi une grande diversité d'enzymes est nécessaire pour assurer le fonctionnement de l'organisme :

- Exploitez l'expérience réalisée pour identifier la propriété qu'elle met en évidence et son origine.
- Comparez les enzymes agissant sur le glucose-6-phosphate et proposez une explication au problème posé dans le document.

Des clés pour réussir

- Lisez attentivement la citation d'Emil Fisher et mettez-la en relation avec les modèles moléculaires étudiés (vous pouvez aussi vous référer au modèle de l'amylase vu précédemment).
- Constatez la double spécificité d'une enzyme.

* Lexique ➡ p. 422

4 La cinétique de la catalyse enzymatique

La formation de complexes enzyme-substrat confère à la catalyse enzymatique une cinétique très caractéristique : on comprend facilement par exemple qu'une déficience en enzyme puisse se traduire par un ralentissement de la réaction chimique catalysée.

> *Comment étudier la vitesse d'une réaction catalysée par une enzyme et déterminer les conditions optimales à sa réalisation ?*

1 L'influence de la concentration en enzyme ou en substrat

L'objectif est de déterminer si les concentrations relatives en enzyme et en substrat exercent une influence sur la **cinétique*** de la catalyse enzymatique.

Activité pratique

Il est possible de suivre l'hydrolyse de l'amidon en présence d'amylase (voir page 114) par colorimétrie*.

De l'empois d'amidon peu concentré auquel on ajoute une faible quantité d'eau iodée prend une coloration bleue transparente. La digestion de cet empois d'amidon s'accompagne alors d'un éclaircissement progressif du mélange.

Un colorimètre relié à un dispositif d'ExAO permet de mesurer l'intensité de la coloration du contenu d'un tube. Il est ainsi possible de suivre la réaction enzymatique en temps réel.

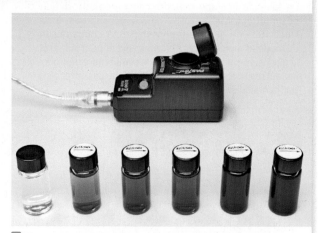

A Dispositif expérimental.

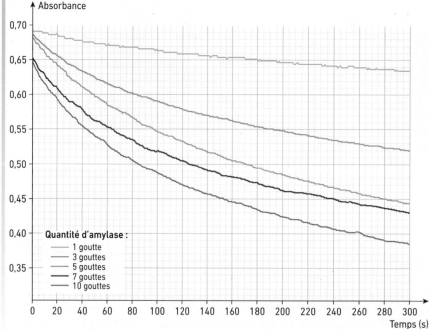

B Mesure de l'absorbance en fonction du temps, pour différentes concentrations en enzymes.

Remarque : le colorimètre mesure la quantité de lumière absorbée (absorbance*).
L'absorbance est d'autant plus élevée que la solution est foncée.

Protocole expérimental

- Préparer une solution d'amylase (1 comprimé broyé et dissous dans 50 mL d'eau).

- Préparer de l'empois d'amidon à 1 g.L⁻¹, coloré par de l'eau iodée (quelques gouttes pour 50 mL, de façon à obtenir une solution transparente, couleur bleu marine).

- Dans une cuve pour colorimètre, verser quelques gouttes de solution enzymatique.

- Remplir la cuve avec la solution d'empois d'amidon colorée.

- Démarrer immédiatement l'enregistrement.

- Faire plusieurs essais en faisant varier la quantité d'enzyme.

2 Un paramètre essentiel : la vitesse initiale

Au cours d'une réaction enzymatique, la quantité de substrat diminue au fur et à mesure de son déroulement, tandis que la quantité de produit augmente :

$$E + S \rightarrow ES \rightarrow E + P$$

E = enzyme ; S = substrat ; ES = complexe enzyme-substrat ; P = produit.

La vitesse de la réaction est la quantité de substrat transformé par unité de temps. On constate toujours que cette vitesse diminue au cours du temps : à chaque instant, elle correspond à la pente (coefficient directeur) de la tangente* à la courbe en ce point. Ce coefficient directeur sera négatif si l'on étudie la quantité de substrat restant au cours de la réaction, et positif si l'on étudie la quantité de produit formé.

La vitesse maximale* d'une réaction enzymatique est donc la vitesse initiale de la réaction : c'est ce paramètre qui est pris en compte pour effectuer des comparaisons.

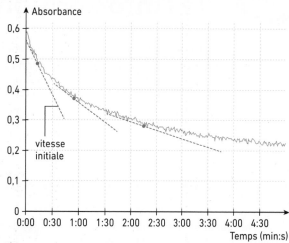

■ Détermination de la vitesse à trois moments différents de la réaction.

3 Une modélisation pour comprendre l'influence de certains facteurs sur la vitesse de réaction

Modélisation
Edu'modèles

Le logiciel en ligne Edu'Modèles permet d'utiliser ou de construire un modèle de réaction enzymatique (voir l'exercice 13 p. 133). Il est alors possible de faire varier de nombreux facteurs.

Activité pratique

À l'aide du logiciel et du modèle « Maltase », faire des modélisations correspondant à l'étude expérimentale réalisée.

🌱 Enzyme
●● Substrat
● Produit

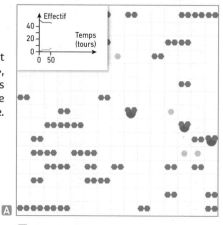
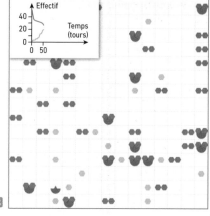

■ Exemple de deux modélisations : variation de la concentration en enzyme.

Pour déterminer et interpréter la cinétique d'une réaction enzymatique :

● Décrivez et expliquez l'évolution de la vitesse d'une réaction enzymatique au cours de son déroulement.

● Exploitez les résultats expérimentaux pour montrer comment varie la vitesse en fonction de la concentration en enzyme (ou en substrat).

● Utilisez la modélisation pour interpréter vos résultats.

Des clés pour réussir

● Pour déterminer la vitesse, choisissez bien la période initiale, là où la pente est la plus importante.

● Bien comprendre que la vitesse dépend en fait d'une probabilité de rencontre entre molécules.

5

Les enzymes, produits de l'information génétique

Les protéines enzymatiques sont, comme toutes les protéines, issues de l'expression génétique. Elles interviennent donc dans la réalisation du phénotype. Le système de groupes sanguins A B O est un exemple de caractère phénotypique dépendant de l'activité d'enzymes.

Comment la diversité des allèles du gène gouvernant le groupe sanguin se traduit-elle au niveau de l'activité enzymatique ?

1 Les marqueurs moléculaires des groupes sanguins

Le groupe sanguin est l'un des nombreux caractères qui définissent le phénotype d'un individu. Le système A B O est le principal système de groupage sanguin, mais il en existe d'autres (système Rhésus* par exemple).

Le groupe sanguin (système A B O) d'un individu correspond à la présence ou non sur la membrane de ses globules rouges de deux types de molécules, nommées marqueurs* A et marqueurs B. Quatre cas sont possibles, comme l'illustre le schéma ci-contre.

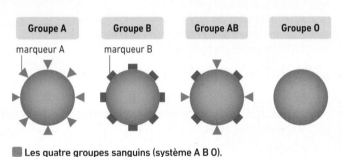

Les quatre groupes sanguins (système A B O).

2 La biosynthèse des marqueurs des groupes sanguins

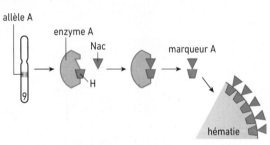

A Une voie métabolique qui implique l'intervention d'enzymes.

La synthèse de ces deux types de marqueurs se fait selon une voie métabolique à partir d'un même précurseur*.

La dernière étape consiste à transformer le précurseur H en marqueur A ou B. Cette réaction est sous la dépendance des enzymes résultant de l'expression du gène A B O, dont il existe plusieurs allèles (voir page 52).

L'allèle A code pour une enzyme A, qui catalyse la fixation de la N-acétyl-galactosamine (Nac) sur le précurseur H, ce qui forme le marqueur A (schéma ci-contre).

Le marqueur B résulte quant à lui de la fixation d'une autre molécule, le galactose, sur le précurseur H.

La visualisation moléculaire de l'enzyme impliquée permet de comprendre son rôle dans cette biosynthèse.

Activité pratique

Protocole d'exploration
- Afficher l'enzyme A.
- Utiliser des modes de représentation de manière à mettre en évidence l'enzyme et le substrat.
- Repérer les acides aminés impliqués dans le site actif.

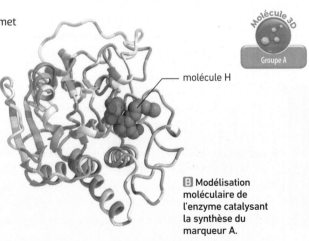

B Modélisation moléculaire de l'enzyme catalysant la synthèse du marqueur A.

3 **La comparaison des allèles et des enzymes résultant de leur expression**

Activité pratique

À l'aide d'un logiciel de traitement de séquences (Anagène ou GenieGen), il est possible de comparer les séquences des trois allèles du gène A B O et les protéines qu'ils codent.

Protocole d'exploration

■ Comparer les séquences des 3 allèles A, B et O, et relever les différences.

■ Traduire les séquences pour obtenir les compositions en acides aminés des enzymes correspondantes.

■ Comparer les séquences protéiques obtenues du point de vue de leur longueur et de la nature des acides aminés qui les composent.

	105	110	115	120		260	265	270	275
Allèle A	AACATCGACATCCTCAACGAGCAGTTCAGGCTCCAGAACACCACCATTGGGTTAACTGTGTTT					GAGGGCGATTTCTACTACCTGGGGGGGTTCTTCGGGGGGTCGGTGCAAGAG			
Allèle B	AACATCGACATCCTCAACGAGCAGTTCAGGCTCCAGAACACCACCATTGGGTTAACTGTGTTT					GAGGGCGATTTCTACTACATGGGGGCGTTCTTCGGGGGGTCGGTGCAAGAG			
Allèle O	ACATCGACATCCTCAACGAGCAGTTCAGGCTCCAGAACACCACCATTGGGTTAACTGTGTTTG					AGGGCGATTTCTACTACCTGGGGGGGTTCTTCGGGGGGTCGGTGCAAGAGG			
Proteine A	AsnIleAspIleLeuAsnGluGlnPheArgLeuGlnAsnThrThrIleGlyLeuThrValPhe					GluGlyAspPheTyrTyrLeuGlyGlyPhePheGlyGlySerValGlnGlu			
Proteine B	AsnIleAspIleLeuAsnGluGlnPheArgLeuGlnAsnThrThrIleGlyLeuThrValPhe					GluGlyAspPheTyrTyrMetGlyAlaPhePheGlyGlySerValGlnGlu			
Proteine O	ThrSerThrSerSerThrSerSerSerGlySerArgThrProProLeuGly								

A Une comparaison des allèles du gène A B O et des protéines qui résultent de leur expression.
(Seules deux portions de ces séquences sont ici présentées).

La visualisation des modèles moléculaires des enzymes résultant de l'expression des trois allèles du gène A B O permet de localiser les différences repérées et d'en estimer l'importance.

Protocole d'exploration

■ Afficher les molécules résultant de l'expression des allèles B et O.

■ Mettre en évidence les différences avec l'enzyme A.

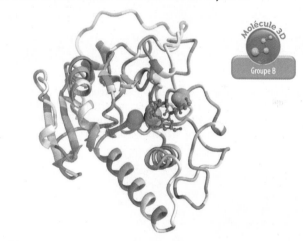

Molécule 3D
Groupe B

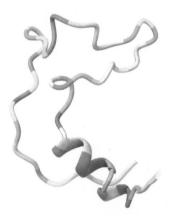

B Modélisation de la protéine O.

C Enzyme B (avec représentation en sphères des acides aminés n° 235, 266, 268 et de la molécule H en batonnets).

Activités envisageables

Pour comprendre l'effet de la diversité des allèles du gène gouvernant le groupe sanguin sur l'activité enzymatique :

● Comparez les allèles, repérez les différences et expliquez les conséquences sur les protéines produites.

● Comparez les structures des protéines et établissez la relation avec leur différence d'activité.

● Faites une synthèse de cette étude sous la forme d'un texte s'appuyant sur des illustrations.

Des clés pour réussir

● Aidez-vous du code génétique (page 92).

● Établissez des relations de cause à effet.

● Bien légender les images des modèles moléculaires.

* Lexique ➥ p. 422

6 Équipement enzymatique et spécialisation cellulaire

Toutes les cellules d'un individu possèdent l'intégralité de son information génétique. Cependant, les cellules se spécialisent, assurant ainsi les fonctions particulières des tissus et organes qu'elles constituent.

> **En quoi l'équipement enzymatique d'une cellule participe-t-il à sa spécialisation ?**

1 Un même substrat, des destinées différentes

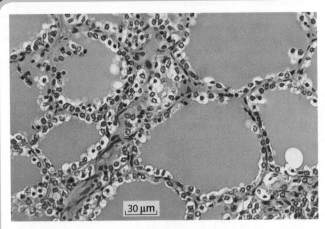

■ La tyrosine est un acide aminé utilisé par de nombreuses cellules. Cette molécule intervient dans différentes voies métaboliques.
Dans la glande thyroïde*, des cellules sécrétrices (en violet sur la photographie A) produisent les hormones thyroïdiennes, stockées au sein de follicules* (en rose).
La première étape de cette voie métabolique consiste à fixer de l'iode sur la tyrosine. Les cellules thyroïdiennes produisent une enzyme, la thyroperoxydase, qui catalyse cette réaction.

30 µm

A Cellules spécialisées dans la production des hormones thyroïdiennes (microscopie optique).

■ Les neurones produisent des neurotransmetteurs*, nécessaires à leur fonctionnement. Dans certains neurones, la tyrosine-hydroxylase permet ainsi de produire de la noradrénaline* à partir de la tyrosine.

■ Les mélanocytes, cellules situées à la base de l'épiderme, sont spécialisés dans la production de mélanine*. Ces cellules produisent plusieurs enzymes, dont la tyrosinase (enzyme E_1), qui catalyse la transformation de la tyrosine dans la voie métabolique conduisant à la synthèse de mélanine.

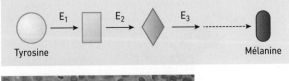

Tyrosine $\xrightarrow{E_1}$ $\xrightarrow{E_2}$ $\xrightarrow{E_3}$ Mélanine

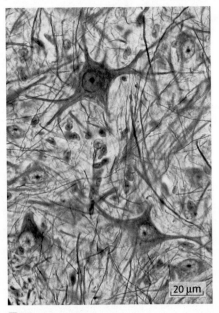

20 µm

B Neurones du tissu cérébral (microscopie optique).

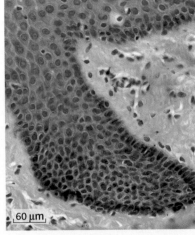

60 µm

C Couche profonde de l'épiderme avec mélanocytes et kératinocytes* (microscopie optique).

❷ Les enzymes, marqueurs de la spécialisation des cellules et des organes

Le génome humain contient 20 000 à 25 000 gènes, permettant la production de plus d'un million de protéines différentes, parmi lesquelles de très nombreuses enzymes. Cette diversité de l'équipement enzymatique peut être explorée en utilisant des banques de données en ligne, comme par exemple l'Atlas des Protéines Humaines (proteinatlas.org).

Il est ainsi possible de visualiser pour chaque enzyme dans quels organes et cellules elle est exprimée, et de dresser son **profil d'expression***, c'est-à-dire l'intensité de l'expression du gène qui gouverne sa synthèse dans les diverses cellules, tissus et organes.

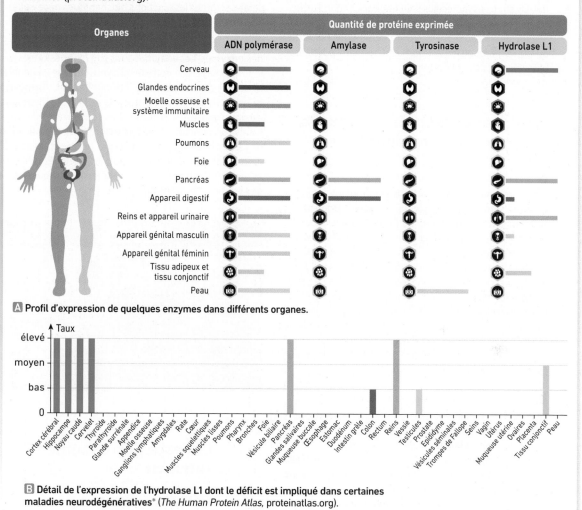

A Profil d'expression de quelques enzymes dans différents organes.

B Détail de l'expression de l'hydrolase L1 dont le déficit est impliqué dans certaines maladies neurodégénératives* (*The Human Protein Atlas,* proteinatlas.org).

Activités envisageables

Pour comprendre la relation entre équipement enzymatique et spécialisation cellulaire :

● Montrez que la destinée de la tyrosine dépend de l'équipement enzymatique cellulaire.

● Recherchez, pour les exemples présentés ou d'autres, la relation entre l'équipement enzymatique d'un type cellulaire et sa spécialisation.

● Expliquez qu'il est possible d'établir un profil enzymatique caractéristique d'une cellule.

Des clés pour réussir

● Pensez aux exemples étudiés précédemment et utilisez une banque de données pour enrichir votre argumentation.

● Le profil enzymatique d'une cellule correspond à la diversité des enzymes qu'elle produit.

* Lexique ➡ p. 422

Les enzymes, des biomolécules aux propriétés catalytiques

Parmi les protéines intervenant dans la réalisation du phénotype, les enzymes constituent un groupe essentiel. En effet, ces molécules sont impliquées dans toutes les réactions biochimiques se produisant dans une cellule vivante. L'équipement enzymatique dont bénéficie ou non un organisme est donc déterminant pour l'établissement de son phénotype.

1 Les caractéristiques de la catalyse enzymatique

● La nécessité d'une catalyse

L'immense majorité des réactions se déroulant dans l'organisme sont catalysées par des **enzymes**. Une simple réaction comme l'hydrolyse de l'amidon peut certes se produire assez rapidement in vitro, mais elle nécessite un milieu acide (pH = 1) et une température élevée (100 °C). De telles conditions sont incompatibles avec la vie. Pour se dérouler rapidement à une température de 37 °C, l'hydrolyse de l'amidon doit être catalysée par l'amylase, une enzyme produite par des cellules spécialisées des glandes salivaires et de la muqueuse intestinale. Cet exemple peut être généralisé : les innombrables réactions biochimiques se déroulant dans chacune des cellules nécessitent une **catalyse enzymatique**.

● Les propriétés d'un catalyseur

Les enzymes possèdent les deux propriétés fondamentales de tout **catalyseur** :
– elles **accélèrent la vitesse de la réaction** ;
– elles participent à la réaction, mais n'apparaissent pas dans le bilan de la réaction. En effet, elles se **retrouvent dans leur état initial** à la fin de la catalyse.
La durée d'une réaction enzymatique est de l'ordre de 10^{-3} seconde. Après leur intervention au cours de la réaction, les enzymes conservent leurs propriétés et sont disponibles pour catalyser de nouvelles réactions. En une seconde, une molécule d'enzyme peut ainsi catalyser mille réactions chimiques ! C'est la raison pour laquelle une faible concentration en enzyme est en général suffisante.

● La spécificité de la catalyse enzymatique

On appelle **substrat** la molécule dont l'enzyme catalyse la transformation. Le plus souvent, une enzyme ne peut agir que sur **un substrat** bien déterminé et pour **un seul type de réaction** : les enzymes ont donc une **double spécificité**. Par exemple, l'amylase, qui catalyse l'hydrolyse de l'amidon, ne peut pas agir sur une protéine. Elle ne peut pas non

plus catalyser une autre réaction qu'une hydrolyse. On imagine ainsi la diversité des enzymes indispensables pour catalyser toutes les réactions biochimiques nécessaires à la vie d'un être vivant.

Cette double spécificité est utilisée pour la dénomination des enzymes. Les enzymes sont souvent désignées par le suffixe « ase ». Le nom de l'enzyme indique en général la nature du substrat sur lequel elle agit : l'amylase catalyse l'hydrolyse de l'amidon, la saccharase l'hydrolyse du saccharose… La nature des réactions chimiques catalysées constitue le critère essentiel de classification des enzymes. Ainsi on distingue les hydrolases (qui dissocient par action de l'eau), les polymérases (qui associent en chaînes), les synthétases (qui effectuent des liaisons), les transférases, etc.

2 L'interaction enzyme-substrat

● Les enzymes sont des biomolécules

Les enzymes sont des molécules biologiques, fabriquées par les êtres vivants eux-mêmes. La plupart des enzymes sont des **protéines**. Une enzyme est donc formée d'un enchaînement d'acides aminés liés les uns aux autres. Les acides aminés qui constituent cette chaîne ont des propriétés différentes qui les font interagir : des acides aminés plus ou moins lointains peuvent établir entre eux des liaisons de différents types (liaisons hydrogène, interactions ioniques entre acides aminés de charges différentes, ponts disulfures, c'est-à-dire liaisons covalentes entre atomes de soufre appartenant à des acides aminés différents). Ces liaisons entraînent un repliement de la chaîne donnant ainsi sa **forme tridimensionnnelle** à la protéine.

La formation d'un complexe enzyme-substrat

L'activité catalytique d'une enzyme nécessite sa fixation sur le substrat formant ainsi le **complexe enzyme-substrat**. Ce complexe est transitoire : il se dissocie une fois la réaction réalisée en libérant l'enzyme et les produits de la réaction.

Enzyme + Substrat → Complexe Enzyme-Substrat
→ Enzyme + Produit

La **structure tridimensionnelle** de l'enzyme comporte un domaine spécialisé dans la liaison au substrat : c'est le **site actif**, dans lequel peut se loger transitoirement le substrat. Dans ce site actif, le substrat est positionné de façon à ce que les acides aminés responsables de la catalyse de la réaction chimique soient dans un agencement optimal pour réagir avec le substrat.

La composition des acides aminés constituant le site actif détermine les propriétés chimiques de l'enzyme. La réaction catalysée par une enzyme est en effet une conséquence de la présence des acides aminés situés à proximité du substrat.

La structure de l'enzyme détermine ses spécificités

La comparaison des sites actifs de différentes enzymes montre que les enzymes qui n'agissent pas sur les mêmes substrats ont des sites actifs de forme différente, ce qui explique la spécificité de substrat. Le modèle utilisé classiquement pour la décrire est celui de la complémentarité entre la forme d'une **clé** et celle de la **serrure** correspondante. Ainsi, une enzyme ne peut former un complexe enzyme-substrat qu'avec une molécule qui possède une forme **complémentaire** de celle de son site actif.

D'autre part, des enzymes qui agissent sur le même substrat, mais qui catalysent des réactions différentes n'ont pas les mêmes acides aminés en contact avec le substrat, ce qui explique la spécificité d'action.

■ Molécule de substrat se fixant sur le site actif d'une enzyme.

La cinétique enzymatique

L'activité enzymatique s'évalue expérimentalement en mesurant la **vitesse initiale** de la réaction catalysée. Cette vitesse exprime la quantité de substrat transformé (ou la quantité de produit formé) par unité de temps au début de la réaction. Plus la probabilité de rencontre entre les molécules d'enzyme et de substrat est élevée, plus la vitesse de réaction est importante. C'est la raison pour laquelle la vitesse de la catalyse enzymatique est maximale au début de la réaction (un nombre maximum d'enzymes est « occupé »). Cette vitesse diminue ensuite progressivement, en fonction de la quantité de substrat restant à transformer. La vitesse de la réaction enzymatique est donc le coefficient directeur de la tangente à la courbe de cinétique au tout début de la réaction.

La vitesse de la catalyse enzymatique dépend de nombreux facteurs : elle augmente en fonction de la **concentration en enzyme** et de la **concentration en substrat** et dépend de **facteurs** tels que la température et le pH du milieu. Une augmentation de la température entraîne un accroissement de l'agitation des molécules en solution et donc des probabilités de rencontre entre l'enzyme et son substrat. Cependant, au-delà d'une valeur optimale, une température élevée détériore l'enzyme de façon irréversible.

3 L'équipement enzymatique des cellules

Les enzymes, produits de l'expression génétique

Les enzymes sont des biomolécules qui résultent de l'expression génétique, c'est-à-dire de la transcription en ARN et de la traduction en protéines. La modification d'un ou de quelques acides aminés suffit pour changer la structure de l'enzyme et par conséquent son activité catalytique. Ainsi, suite à une ou des **mutations**, la chaîne d'acides aminés constituant une enzyme peut être modifiée. Dans certains cas, l'enzyme présente un **site actif différent** et exerce son action sur un autre substrat. Une simple mutation ponctuelle peut aussi avoir pour conséquence la perte totale de la capacité de catalyse. Des mutations peuvent avoir pour effet d'enrichir le potentiel de catalyse d'un organisme. Elles peuvent aussi être pénalisantes et constituer la cause de certaines maladies génétiques.

Les enzymes, marqueurs de la spécialisation cellulaire

Les cellules spécialisées d'un organisme pluricellulaire se distinguent par leur structure et par leur fonction. Elles se différencient en n'exprimant pas toutes les mêmes gènes. On peut constater que les cellules spécialisées ne possèdent pas toutes le même équipement enzymatique. Alors que certaines enzymes (ADN-polymérase par exemple) sont présentes dans la plupart des cellules, d'autres (comme l'amylase) ne sont présentes que dans les cellules dont la fonction nécessite cette enzyme. Pour chaque type cellulaire, on peut ainsi établir un **profil enzymatique** qui est l'ensemble des enzymes dont la cellule est équipée. Ce profil enzymatique, déterminant pour la fonction d'une cellule, est donc un marqueur de sa spécialisation.

À retenir

◗ Les enzymes sont des catalyseurs biologiques

Les enzymes sont des **protéines** : ce sont des molécules biologiques dont la production résulte d'une expression de l'information génétique.

Dans des conditions compatibles avec la vie, les enzymes sont indispensables pour **accélérer** les réactions biochimiques. Comme tout **catalyseur**, une enzyme retrouve son état initial en fin de réaction.

◗ La formation d'un complexe enzyme-substrat

La catalyse enzymatique nécessite la formation d'un **complexe** transitoire entre l'enzyme et son substrat. À la fin de la réaction, l'enzyme libère le produit ou les produits de la réaction et retrouve son état initial.

Les enzymes sont des protéines dont la forme tridimensionnelle ménage un **site actif** permettant, par complémentarité spatiale, la fixation temporaire du substrat et la réalisation de la réaction catalysée.

◗ Le rôle du site actif

Une enzyme est **doublement spécifique** : elle ne peut catalyser qu'un seul type de réaction sur un seul type de substrat. La composition en acides aminés du site actif détermine à la fois quel substrat peut s'associer à l'enzyme et la nature de la réaction chimique catalysée.

Les nombreuses réactions biochimiques du métabolisme d'une cellule exigent donc une grande diversité d'enzymes très spécialisées.

◗ La cinétique enzymatique

La **vitesse** de la réaction enzymatique est la quantité de substrat transformé (ou de produit formé) par unité de temps. Cette vitesse est maximale au **début de la réaction**. Elle dépend de la probabilité de rencontre et d'association entre enzyme et substrat, et donc de leurs concentrations.

La vitesse de catalyse dépend aussi de facteurs externes, comme la température par exemple.

◗ Enzymes et spécialisation cellulaire

Les cellules d'un organisme pluricellulaire sont spécialisées : elles accomplissent des fonctions différentes. Ces fonctions sont conditionnées par la diversité et la quantité d'enzymes dont est équipée une cellule. L'**équipement enzymatique** d'une cellule est un marqueur de sa spécialisation.

Mots-clés

Catalyse ● Complexe enzyme-substrat ● Double spécificité ● Enzyme ● Équipement enzymatique ● Produit ● Site actif ● Spécialisation cellulaire ● Substrat ● Vitesse

Les enzymes, des biomolécules aux propriétés catalytiques

Les enzymes sont les catalyseurs des réactions biochimiques

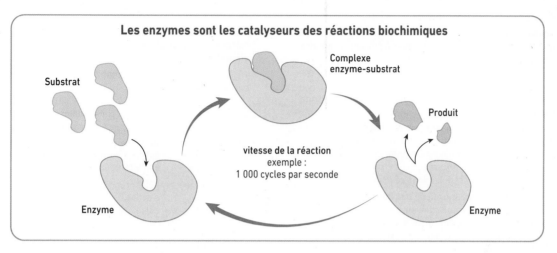

Substrat

Complexe enzyme-substrat

Produit

vitesse de la réaction
exemple :
1 000 cycles par seconde

Enzyme

Enzyme

La structure tridimensionnelle de l'enzyme délimite un site actif

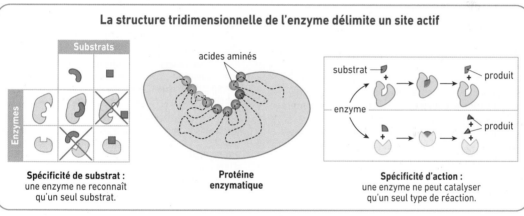

Substrats

Enzymes

acides aminés

substrat

enzyme

produit

produit

Spécificité de substrat :
une enzyme ne reconnaît
qu'un seul substrat.

**Protéine
enzymatique**

Spécificité d'action :
une enzyme ne peut catalyser
qu'un seul type de réaction.

La cinétique enzymatique

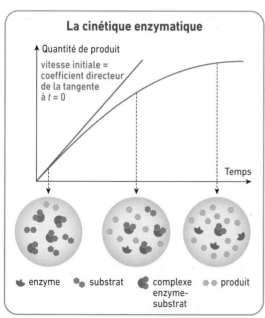

Quantité de produit

vitesse initiale =
coefficient directeur
de la tangente
à $t = 0$

Temps

enzyme   substrat   complexe enzyme-substrat   produit

Enzyme et spécialisation cellulaire

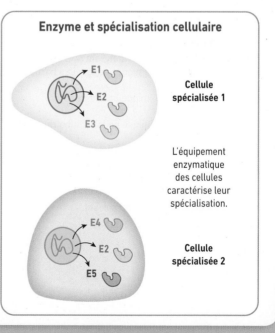

E1
E2
E3

**Cellule
spécialisée 1**

L'équipement
enzymatique
des cellules
caractérise leur
spécialisation.

E4
E2
E5

**Cellule
spécialisée 2**

1 Retour vers les problématiques

Relisez la page « S'interroger avant d'aborder le chapitre » (p. 113). À l'aide de ce que vous savez à présent, répondez aux questions que vous avez formulées.

2 QCM BAC

Pour chaque affirmation, choisissez l'unique bonne réponse.

1. **Dans une réaction chimique, le catalyseur :**
   a. est indispensable au déroulement de la réaction ;
   b. n'est pas consommé au cours de la réaction ;
   c. est toujours une enzyme ;
   d. fait partie des produits de la réaction.

2. **Pour une enzyme, spécificité d'action signifie :**
   a. qu'elle peut agir sur différents substrats ;
   b. qu'elle n'agit que sur un seul substrat ;
   c. que son action varie suivant le substrat auquel elle se fixe ;
   d. qu'elle ne peut transformer le substrat que d'une seule façon.

3. **Le site actif d'une enzyme :**
   a. a une forme 3D complémentaire de celle du substrat ;
   b. contient le complexe enzyme-substrat ;
   c. est identique pour toutes les enzymes ;
   d. est la partie du substrat sur laquelle agit l'enzyme.

4. **L'amylase est :**
   a. un substrat ;
   b. une enzyme ;
   c. un complexe enzyme-substrat ;
   d. un glucide complexe.

5. **Au cours d'une réaction enzymatique, la vitesse de réaction est :**
   a. constante ;
   b. croissante ;
   c. décroissante ;
   d. croissante puis décroissante.

6. **Une enzyme donnée agit en catalysant :**
   a. toutes les réactions chimiques auxquelles participe un même substrat ;
   b. une seule réaction chimique pour différents substrats ;
   c. une seule réaction chimique pour un substrat bien déterminé ;
   d. une réaction différente en fonction des tissus de l'organisme où l'enzyme est exprimée.

3 Légender un schéma

Indiquez les légendes du schéma suivant.

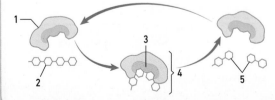

4 Apprendre en s'interrogeant

1. Cachez une des deux colonnes du tableau suivant et retrouvez ce que contient l'autre (à faire seul ou à plusieurs).
2. Vérifiez vos réponses, et reprenez si besoin les notions concernées.

Question	Réponse
Qu'est-ce qu'un complexe enzyme-substrat ?	C'est l'ensemble transitoirement formé par l'enzyme et son substrat à l'instant où celui-ci est en place dans son site actif.
Quelle propriété d'une enzyme fait qu'elle ne peut catalyser qu'une réaction enzymatique précise ?	Cette propriété est la spécificité d'action.
Qu'est-ce que la spécificité de substrat ?	C'est le fait qu'une enzyme ne peut transformer qu'un seul substrat.
Pour quelle raison une enzyme est-elle spécifique d'un substrat ?	L'enzyme est spécifique d'un substrat, car le site actif de l'enzyme a une forme 3D complémentaire de celle du substrat.
Qu'appelle-t-on « profil enzymatique » d'une cellule ?	C'est la diversité des enzymes que contient une cellule, qui diffère selon l'organe auquel elle appartient.
Quel est le moment d'une réaction enzymatique où sa vitesse est maximale ?	Au tout début de la réaction enzymatique, dans ses premières secondes, quand la probabilité de formation du complexe enzyme-substrat est maximale.

5 Vrai ou faux ?

Repérez les affirmations exactes et corrigez celles qui sont inexactes.

a. Toutes les cellules d'un individu disposent du même équipement enzymatique.
b. La durée d'existence du complexe enzyme-substrat n'est que d'un millième de seconde.
c. La vitesse d'une réaction enzymatique diminue quand la quantité de substrat augmente.
d. Si deux enzymes agissent sur un même substrat, leurs sites actifs sont identiques.

6 Expliquer pourquoi :

a. Bien que toutes les cellules d'un individu contiennent le même programme génétique, elles n'ont pas toutes le même profil enzymatique.
b. La vitesse d'une réaction enzymatique varie selon les quantités de substrat ou d'enzyme mises en jeu.
c. Certaines parties d'une molécule d'enzyme ont une plus grande importance que d'autres.
d. Une mutation peut profondément modifier l'efficacité d'une enzyme.

7 Maîtriser ses connaissances **BAC**

★★ Expliquez ce qu'est le site actif d'une enzyme et pourquoi sa composition en acides aminés est déterminante.

8 Raisonner avec rigueur

★ Le graphique ci-dessous présente la variation de la vitesse maximale de l'hydrolyse de l'amidon par l'amylase salivaire humaine en fonction de la température du milieu.

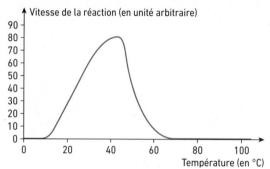

Hydrolyse de l'amidon par l'amylase salivaire.

Choisissez la bonne réponse parmi les quatre affirmations. La température optimale d'activité de l'amylase est :
a. 37 °C, car c'est une enzyme humaine ;
b. 65 °C, car il n'y a plus d'activité au-delà ;
c. 20 °C, car l'augmentation est alors maximale ;
d. 43 °C, car la vitesse est alors maximale.

9 Faire un graphique avec un tableur

★ En réalisant une expérience analogue à celle de la page 120, on a fait varier la concentration en substrat et on a déterminé la vitesse initiale pour chacune des réactions.

À l'aide d'un tableur, faites un graphique présentant le résultat de cette expérience.

Concentration en substrat $(g \cdot L^{-1})$	Vitesse initiale (unité arbitraire)
0	0
2,5	8,6
5	20
12,5	43,5
25	59,6
50	71,1
75	73,3
100	73,1

10 Interpréter un graphique

★★ En réalisant une expérience analogue à celle de la page 120, on a fait varier la concentration en substrat et on a déterminé la vitesse initiale pour chacune des réactions. Les résultats ont permis d'établir le graphique ci-dessous.

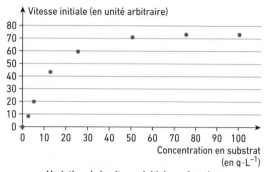

Variation de la vitesse initiale en fonction de la concentration du substrat

À l'aide de vos connaissances, interprétez le résultat de cette expérience.

11 Extraire et mettre en relation des informations

★★★ L'élastase est une protéase produite par certains globules blancs lors d'une infection. Elle catalyse l'hydrolyse de certaines protéines des parois bactériennes, mais aussi de l'élastine, une protéine fibreuse aux propriétés élastiques, que l'on retrouve notamment dans les parois des alvéoles pulmonaires.

L'alpha-1 antitrypsine (α1AT) est une protéine produite par le foie et agissant au niveau des poumons. Elle possède une structure 3D particulière : une boucle flexible entrant dans le site actif de l'élastase et servant « d'appât ». Quand la boucle est coupée par l'action enzymatique, l'une de ses extrémités reste fixée à l'enzyme, qui est alors entraînée contre l'α1AT et y reste fixée irréversiblement (voir schéma). Certaines mutations du gène codant pour l'α1AT rendent cette protéine inefficace, ce qui provoque alors la destruction des alvéoles pulmonaires par rupture de leurs parois, et donc des difficultés respiratoires.

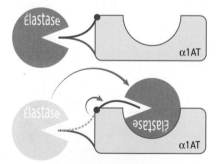

À partir des informations ci-dessus, indiquez si les propositions suivantes sont exactes ou non, en justifiant votre réponse.
a. L' α1AT est une enzyme dont le substrat est l'élastase.
b. L' α1AT renforce l'action de l'élastase.
c. Le rôle de l' α1AT est de protéger les poumons de l'action de l'élastase.
d. Le rôle de l'élastase est de protéger les poumons de l'élastine.
e. L'élastase est une enzyme dont le substrat est l' α1AT.

12 Le mode d'action d'un médicament   BAC

L'acarbose est un médicament utilisé dans le traitement du diabète pour réduire l'apport en glucose dans le sang du patient à la suite d'un repas. Les documents ci-dessous présentent quelques caractéristiques de cette molécule et son influence sur l'action de l'amylase.

Molécule 3D
Acarbose

■ À partir des informations tirées de l'étude de ces documents et de vos connaissances, expliquez le mode d'action de l'acarbose.

DOC 1 Modèles moléculaires de l'amidon et de l'acarbose.

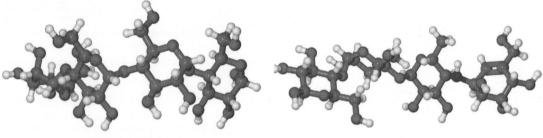

amidon (fragment)   acarbose

DOC 2 Mesure de l'activité d'hydrolyse de l'amidon par l'amylase en fonction de la concentration en acarbose.

Le graphique ci-contre montre l'activité de l'amylase en présence d'acarbose dans le milieu.

Le pourcentage d'activité est déterminé en mesurant la quantité de produits formés au bout de 30 minutes à 37 °C. La mesure obtenue en l'absence d'acarbose est utilisée comme référence (100 % d'activité).

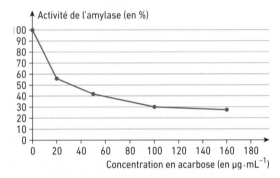

DOC 3 Modèles moléculaires de l'amylase en présence d'amidon ou en présence d'acarbose.

Amylase (blanc) et amidon (rouge)

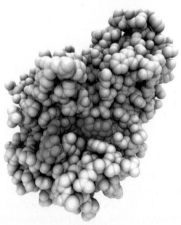

Amylase (blanc) et acarbose (orange)

★ facile   ★★ intermédiaire   ★★★ confirmé

13 La création d'un modèle de réaction enzymatique

★
★ Des élèves ont pour mission de créer eux-mêmes le modèle d'une réaction enzymatique en utilisant le logiciel Edu'modèles.

La première phase consiste à définir les agents qui vont interagir. Les élèves décident de définir quatre agents avec les paramètres suivants :

Modélisation

Edu'modèles

Nom	Enzyme	Substrat	Complexe Enzyme-substrat	Produit
Apparence	Croix rouge	Carré vide bleu	Carré plein violet	Rond vert
Mobilité de l'agent	Oui	Oui	Oui	Oui
Probabilité de déplacement	100 %	100 %	100 %	100 %
Nombre au démarrage	10	50	0	0

La deuxième phase consiste à définir des règles. Les élèves définissent alors deux règles :

Nom	Règle 1	Règle 2
Type	Réaction (rencontre)	Réaction (rencontre)
Probabilité de réaction	100 %	1 %
Réactifs	Enzyme, Substrat	Complexe Enzyme-substrat
Produits	Complexe Enzyme-substrat	Produit, Enzyme

1. Justifiez les paramètres de la modélisation choisis par ces élèves.

2. Comment devront-ils modifier les paramètres s'ils veulent modéliser :
– le cas d'une enzyme moins active ou inactive (à la suite d'une mutation par exemple) ?
– le cas d'une baisse de la température ?

14 La fabrication d'un jus de fruits

★ Les enzymes sont très utilisées dans l'industrie agroalimentaire. Elles permettent en effet de transformer des produits naturels pour en modifier les qualités nutritives, la saveur ou bien encore l'aspect. Dans le cas présent, on cherche à obtenir un jus de fruits destiné à certains sportifs, conservant une saveur sucrée et contribuant à une élévation progressive de la glycémie (c'est-à-dire le taux de sucre dans le sang). Or, le jus de fruits dont on dispose au départ n'a pas ces qualités.

Ⓐ Jus de pomme.

Glucide	Glucose	Saccharose	Maltose	Fructose
Teneur dans le jus initial	4 %	3 %	0,5 %	5 %
Pouvoir sucrant	75	100	45	130
Index glycémique	100	68	105	19

Ⓑ Caractéristiques des composants du jus de fruit initial.

Le pouvoir sucrant (référence 100 pour le saccharose) indique l'intensité de la saveur sucrée perçue par la consommation du glucide.
L'index glycémique (référence 100 pour le glucose) mesure la vitesse à laquelle s'élève la glycémie.

Enzyme disponible	Maltose-synthase	Glucose isomérase	Invertase	Maltase
Substrat	Glucose	Glucose	Saccharose	Maltose
Réaction catalysée	Synthèse de maltose à partir de glucose	Transformation du glucose en fructose	Hydrolyse du saccharose en glucose et en fructose	Hydrolyse du maltose en glucose

■ En utilisant des informations issues des documents et vos connaissances sur les enzymes, indiquez comment procéder pour obtenir le jus de fruit désiré. Justifiez votre réponse.

Ⓒ Propriétés des enzymes utilisables.

CRISPR-CAS9, L'OUTIL RÉVOLUTIONNAIRE DE MODIFICATION DES GÉNOMES ?

Emmanuelle Charpentier et Jennifer Doudna

✖ Une découverte retentissante

En août 2012, les chercheuses Emmanuelle Charpentier et Jennifer Doudna annoncent la mise au point d'un « kit moléculaire » universel capable de modifier un génome à l'endroit voulu, ce qu'aucune autre technique utilisée jusqu'alors n'est capable de faire (A). Quelques mois après, plusieurs laboratoires confirmaient l'efficacité remarquable de cet outil d' « édition » du génome. Depuis, de nombreux génomes ont été modifiés en utilisant l'outil révolutionnaire baptisé CRISPR-Cas9.

Remarque : le verbe « éditer » couramment utilisé pour qualifier l'action de CRISPR-Cas 9 est une très mauvaise traduction du verbe anglais « to edit » qui signifie en réalité « corriger ».

✖ CRISPR-Cas9, « le système immunitaire » des bactéries

Ce complexe moléculaire existe naturellement chez les bactéries : il leur permet d'éliminer les fragments d'ADN viral inséré dans le génome bactérien. Il comporte :
- la protéine Cas9, qui est une enzyme capable de couper l'ADN (endonucléase).
- une molécule d'ARN particulière pouvant guider la protéine jusqu'à l'ADN à éliminer. Cette molécule d'ARN comporte une partie pouvant se lier à une protéine Cas9 inactive et une partie complémentaire de l'ADN viral à éliminer (B).

A

CRISPR-Cas9 en action (modélisation moléculaire).

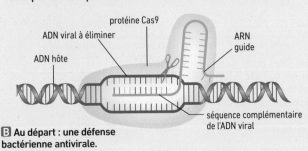

B Au départ : une défense bactérienne antivirale.

✖ De multiples champs d'application

L'astuce consiste à construire un ARN guide capable d'une part de se lier à la protéine Cas9, d'autre part de reconnaitre une séquence particulière de l'ADN, celle que l'on veut « cibler » (C). Il est alors envisageable :
- de couper cet ADN pour l'éliminer ou l'inactiver ;
- de permettre, après coupure, l'insertion à l'endroit voulu d'une séquence d'ADN à intégrer, donc de réparer l'ADN, ou bien d'y ajouter des séquences ;
- d'inactiver la protéine Cas9, mais de lui associer un colorant fluorescent, ce qui permet de repérer très précisément une séquence d'ADN.

Aujourd'hui, les applications de CRISPR-Cas9 pour modifier les génomes semblent immenses : une nouvelle ère de la génomique s'ouvre-t-elle ?

✖ Des obstacles et des questions éthiques

Si CRISPR-Cas9 suscite l'enthousiasme, il reste néanmoins des obstacles à surmonter. Son utilisation chez les eucaryotes, dont le génome est structuré différemment de celui des bactéries, pourrait se traduire par des effets non escomptés.

Mais ce sont surtout des questions éthiques qui se posent : jusqu'où peut-on moralement aller dans la modification des génomes et comment garantir le bon usage d'un outil s'il devient facile de l'utiliser ?

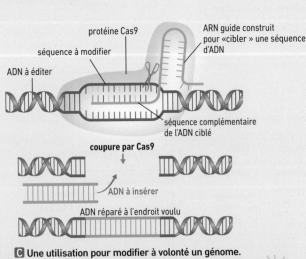

C Une utilisation pour modifier à volonté un génome.

DES MÉTIERS DANS LE DOMAINE DE LA BIOLOGIE MOLÉCULAIRE

✖ Devenir chercheur(se)

C'est un métier pour passionné de sciences, désirant faire évoluer le savoir scientifique pour améliorer notre vie quotidienne. En biologie, la compréhension du rôle des gènes, de la fonction des protéines ou la création et l'amélioration de techniques d'investigation sont autant de domaines d'exploration aux potentialités infinies.

À la tête d'une équipe, le chercheur oriente et organise le travail réalisé au sein de son laboratoire.

Il est responsable de la communication scientifique de ses résultats. Il peut assurer également des fonctions d'enseignement (à l'université par exemple).

POUR Y PARVENIR Après l'obtention d'un bac avec spécialité SVT, le cursus le plus classique passe par l'obtention d'une licence (bac + 3) puis d'un master de spécialisation (bac + 5) et, enfin, d'un doctorat (bac + 8). Les écoles d'ingénieurs et grandes écoles (après deux années de classe préparatoire) permettent aussi d'accéder aux métiers de la recherche.

✖ Devenir technicien(ne) en recherche et développement

Le technicien de recherche et développement est chargé de la mise en œuvre des protocoles expérimentaux au sein du laboratoire de recherche, mais participe aussi à leur mise au point. Il communique en permanence avec les chercheurs.

Pour assurer ses fonctions avec efficacité, il doit maintenir ses connaissances à jour tant théoriques que pratiques en se formant à l'utilisation des nouvelles technologies mises à sa disposition.

POUR Y PARVENIR Après l'obtention d'un bac avec spécialité SVT, deux années permettent d'obtenir un diplôme universitaire technologique (DUT), par exemple en Génie biologique option analyses biologiques et biochimiques. Une poursuite d'études d'un an pour obtenir une licence professionnelle est fortement conseillée.

ils témoignent pour vous...

Pouvez-vous nous expliquer les qualités à développer au lycée pour réussir dans le supérieur ? En quoi les SVT vous ont-elles été utiles ?

Valentine
étudiante en DUT Génie Biologique Option Analyses biologiques et biochimiques

La principale différence entre le supérieur et le lycée est la quantité de travail. Il faut prendre le réflexe de relire son cours le soir même. En effet, une grande partie de ce que l'on a vu dans la journée n'est pas assimilé si ce n'est pas fait. Il est aussi important d'apprendre à travailler, vraiment ! Il faut dès le lycée acquérir une méthode d'apprentissage (fiches, enregistrement audio des cours, cartes mentales...) pour ne pas perdre de temps une fois dans le supérieur.
Les SVT m'ont permis d'acquérir des bases solides dans le domaine des sciences, qui ne sont pas systématiquement revues dans le supérieur.

Damien
docteur en bioinformatique

Selon moi, l'ouverture d'esprit est l'une des principales qualités nécessaires à une bonne intégration dans le supérieur. Le monde est en constante évolution. Être capable de s'adapter rapidement à de nouveaux domaines est un atout majeur. Grâce à son contenu multidisciplinaire, le lycée m'a appris à assimiler des concepts très différents. Je suis entré à l'université pour étudier l'Informatique. Plusieurs années plus tard, les connaissances que j'avais acquises au lycée lors des cours de SVT m'ont aidé à élargir mon domaine d'expertise, et à réaliser une thèse en bioinformatique.

Vue sur les Alpes suisses et italiennes depuis l'Aiguille du Midi.

PARTIE 2

La dynamique interne de la Terre

Retrouver des acquis

Les reliefs de la Terre

Alors que certaines chaînes de montagnes (Alpes, Himalaya) sont situées à l'intérieur des continents, d'autres sont en bordure océanique (Cordillère des Andes, Japon...).

Si la majeure partie des fonds océaniques est très plate (plaines abyssales), il existe aussi d'importants reliefs sous les océans (dorsales et fosses).

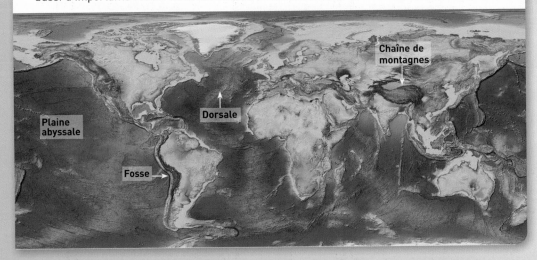

Les manifestations d'une activité interne

La Terre connaît régulièrement des séismes dévastateurs comme celui d'Amatrice en Italie en 2016 (A).

Certaines régions, comme l'Islande (B), sont connues pour leurs éruptions effusives aux coulées rougeoyantes. D'autres sont redoutées pour les éruptions explosives de leurs volcans : c'est, par exemple, le cas du Japon (C).

La tectonique des plaques

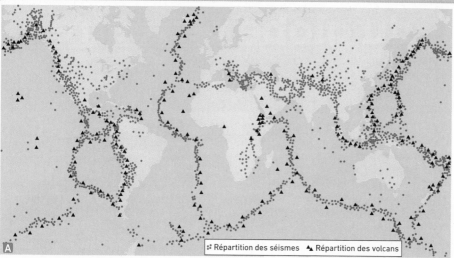

Répartition des séismes ∷ Répartition des volcans ▲

A

La répartition des séismes et des volcans actifs (A) confirme que la surface de la Terre est découpée en plaques lithosphériques. Ces plaques se déplacent et sont donc en divergence ou en convergence.

Les reliefs de la Terre, les séismes, le volcanisme des dorsales et des bordures océaniques, sont la conséquence du mouvement de ces plaques (B).

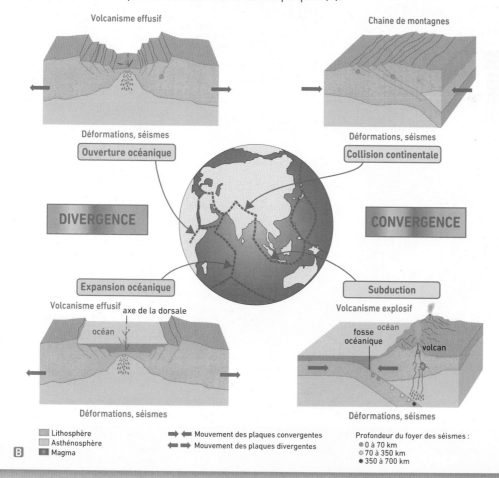

Volcanisme effusif

Chaine de montagnes

Déformations, séismes

Ouverture océanique

Collision continentale

DIVERGENCE

CONVERGENCE

Expansion océanique

Subduction

Volcanisme effusif — axe de la dorsale

océan

Volcanisme explosif

fosse océanique — océan

volcan

Déformations, séismes

Déformations, séismes

Lithosphère
Asthénosphère
B Magma

⇒ ⇐ Mouvement des plaques convergentes
⇐ ⇒ Mouvement des plaques divergentes

Profondeur du foyer des séismes :
● 0 à 70 km
● 70 à 350 km
● 350 à 700 km

La structure du globe terrestre

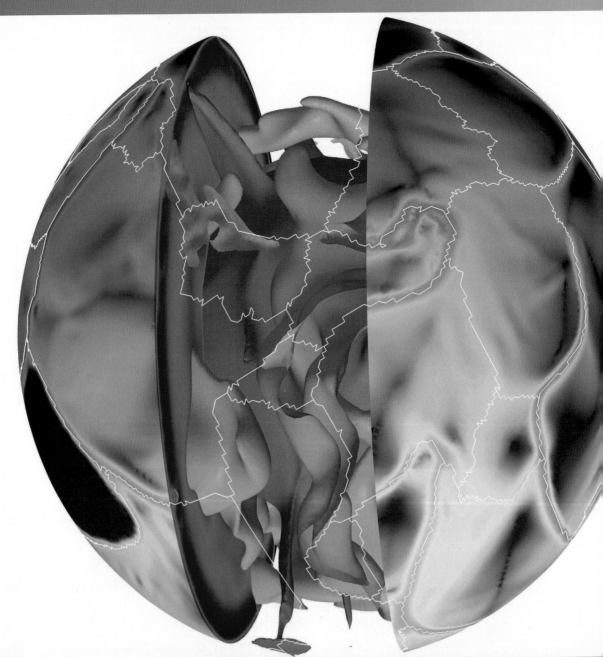

Cette modélisation numérique de l'intérieur de la Terre, réalisée par une jeune chercheuse de l'université de Lyon en 2016, suggère une structure thermique très complexe. Pour en savoir plus, lire l'objectif sciences p. 240

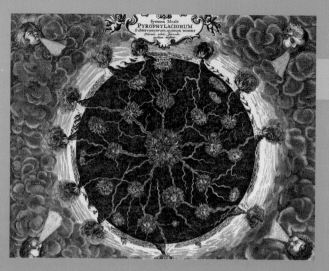

L'intérieur du globe vu par un savant du XVIIᵉ siècle

Grand savant et érudit, Athanasius Kircher écrit en 1665 un traité de géologie dans lequel il propose sa représentation de l'intérieur de la Terre. Il explique les éruptions volcaniques par l'existence en profondeur d'un foyer en fusion relié aux volcans par un système de conduits.

Le forage le plus profond du monde

À la fin du XXᵉ siècle, les Soviétiques ont creusé un puits de forage de 12 262 m de profondeur dans la péninsule de Kola, au nord de la Russie (photographie).

En 2012, un consortium international dirigé par la société Exxon a effectué un forage pétrolier de 12 376 m dans le gisement pétrolifère de Chayvo (Russie).

Pour rappel, le rayon de la Terre est d'environ 6 400 km.

Formuler les problèmes à résoudre

● Confrontez vos connaissances concernant l'intérieur du globe terrestre aux idées d'A. Kircher.

● En vous appuyant sur ces documents, formulez les questions que vous vous posez sur la structure interne de la Terre.

Domaine océanique et domaine continental

La surface de la Terre est marquée par le contraste entre continents et océans. Tout semble opposer ces deux domaines.

> *Quelles sont les principales caractéristiques du relief et de la géologie des océans et des continents ?*

Animation
Profil crustal

1 Réaliser des observations sur le terrain

L'étude du relief des continents et des fonds océaniques a permis de dresser un graphique de la distribution des altitudes à la surface du globe (A).

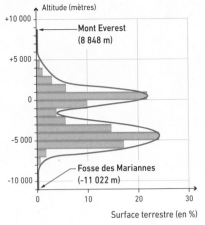

A Distribution des altitudes à l'échelle mondiale.

Activité pratique

- À l'aide de l'application « Profil crustal », réaliser différentes coupes couvrant à la fois le domaine océanique et le domaine continental.
- Visualiser la distribution statistique des altitudes le long de la coupe.

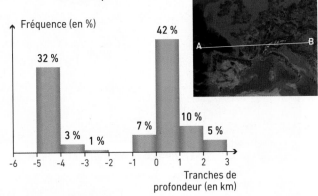

B Distribution des altitudes le long de la coupe AB.

2 Les roches de la croûte océanique

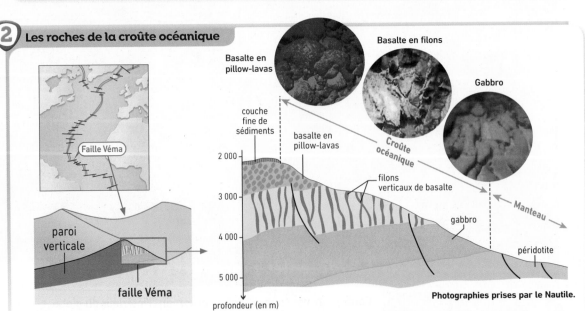

Photographies prises par le Nautile.

En 1988, le submersible Nautile explore une fracture dans la croûte océanique, la faille Véma, à plus de 2 000 m de profondeur. Cela a permis une observation des différentes roches constituant l'intégralité de la croûte océanique (jusqu'au manteau).

3 Les roches situées à la surface des continents

Les cartes géologiques indiquent les roches se trouvant à l'affleurement*, ou sous la couche du sol lorsqu'il y en a un.

Activité pratique

- Sur le site InfoTerre (BRGM) ou Geoportail (IGN), afficher la carte géologique de la France afin de localiser les trois grands types de roches présentes en surface.
- Schématiser cette répartition sous la forme d'une carte simplifiée.
- Émettre des hypothèses sur la répartition en profondeur de ces roches.

Roches sédimentaires*

Roches métamorphiques*

Roches magmatiques*
volcaniques*
plutoniques*

Échelle 1 : 4 366 083

0 _____ 100 km

4 Les roches continentales situées en profondeur

GeORG est un système d'information géographique dédié à l'étude géologique de la plaine d'Alsace.

Activité pratique

- À l'aide du logiciel GeORG, effectuer plusieurs forages virtuels dans la plaine d'Alsace.
- Étudier la nature et les proportions des différentes roches traversées.

Remarque : à cet endroit, la croûte a une épaisseur d'environ 25 km.

Forage en A   Forage en B

Couches de roches sédimentaires

Socle de la croûte constitué principalement de granite

Profondeur (en m)

Deux exemples de forages en plaine d'Alsace.

Activités envisageables

Pour comparer les reliefs et la géologie des domaines continentaux et océaniques :

- Réalisez les investigations suggérées et analysez les documents proposés.
- Présentez les résultats de votre travail (écrit ou oral) en vous appuyant sur des illustrations.

Des clés pour réussir

- Sur le doc. 1, vous pouvez décrire l'allure générale du graphique et comparer la tranche d'altitude la plus représentée dans chaque domaine.
- Sur les docs. 2, 3 et 4, vous pouvez relever pour chaque domaine les roches présentes en surface et en profondeur.

* Lexique ➡ p. 422

2 Les principales roches de la croûte terrestre

En dehors de la couverture de roches sédimentaires, le socle de la croûte terrestre est principalement constitué de trois roches magmatiques : gabbro et basalte dans la croûte océanique, granite dans la croûte continentale.

Quelles sont les caractéristiques de ces roches ?

1 Comparer la densité des roches de la croûte terrestre

Activité pratique

- Peser l'échantillon de la roche (masse m, en g).
- Placer un bécher contenant de l'eau sur la balance et faire la tare.
- Plonger l'échantillon dans le bécher sans qu'il ne touche ni les bords, ni le fond. Relever l'augmentation de la masse (en g). Celle-ci est équivalente au volume d'eau déplacé (Archimède), et donc au volume de l'échantillon de roche (V, en mL).
- Déterminer la masse volumique de l'échantillon (m/V).
- En déduire la densité* de la roche, sachant que la masse volumique de l'eau est de $1 \ g \cdot mL^{-1}$.

Échantillon	Masse (g)	Volume (mL)
Granite	155,2	58,7
Basalte	160,5	53,3
Gabbro	140,1	47,5

 Exemple de résultats.

 Dispositif de mesure du volume d'un échantillon de roche.

2 Observer une roche à l'œil nu et au microscope polarisant

Les roches magmatiques* sont formées par refroidissement d'un magma*, c'est-à-dire un liquide à haute température constitué de roches fondues. Ce refroidissement peut être plus ou moins rapide, ce qui se traduit par une texture différente (voir chapitres 3 et 4). Une roche peut être observée à plusieurs échelles. Après une première observation à l'œil nu, l'utilisation d'un microscope polarisant* permet de préciser sa texture et sa composition minéralogique.

Activité pratique

- Observer des échantillons de gabbro, basalte et granite, à l'œil nu, puis des lames minces de ces roches au microscope polarisant en lumière polarisée non analysée (LPNA*) ou en lumière polarisée analysée (LPA*). Utiliser pour cela le guide pratique p. 404.

- Pour chaque roche, décrire sa texture et les minéraux qui la constituent. Utiliser pour cela le tableau ci-contre et la clé de détermination des minéraux p. 406 à 409.

Texture grenue	Texture microlitique
À l'œil nu : on discerne de gros cristaux, assemblés les uns aux autres.	**À l'œil nu :** des cristaux, plus ou moins nombreux, peuvent être visibles mais la roche apparait en grande partie constituée d'une "pâte" qui semble homogène.
Au microscope polarisant : Les cristaux sont jointifs (ils apparaissent comme les pièces d'un puzzle) ; il n'y a pas de zones non cristallisées séparant les cristaux.	**Au microscope polarisant :** Quelques grands cristaux (phénocristaux*) sont visibles. Ils sont séparés par des zones non cristallisées, dans lesquelles on distingue de nombreux cristaux de très petite taille appelés microlites*.

3 Basalte et gabbro, principales roches de la croûte océanique

BASALTE

■ Échantillon.

	%
O	43,5
Si	23,7
Al	7,4
Fe	8,3
Mg	3,8
Ca	7,4
Na	1,6
K	0,6

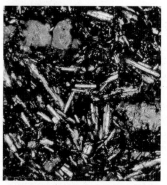

■ Composition chimique.

■ Lame mince observée en lumière polarisée analysée.

GABBRO

■ Échantillon.

	%
O	43,5
Si	23,7
Al	7,4
Fe	8,3
Mg	3,8
Ca	7,4
Na	1,6
K	0,6

■ Composition chimique.

■ Lame mince observée en lumière polarisée analysée.

4 Le granite, principale roche de la croûte continentale

GRANITE

	%
O	47,4
Si	32,6
Al	7,6
Fe	2,2
Mg	0,5
Ca	1,4
Na	2,4
K	4,1

A Composition chimique.

B Échantillon.

C Lame mince observée en lumière polarisée analysée.

Activités envisageables

Pour mettre en évidence les caractéristiques des principales roches des croûtes océanique et continentale :

- Faites des observations de ces roches et présentez-les sous forme de photographies ou de schémas légendés.
- Construisez un tableau comparatif des trois principales roches de la croûte terrestre.
- Montrez que les deux types de croûte diffèrent d'un point de vue chimique et minéralogique.

Des clés pour réussir

- Commencez par identifier les critères de comparaison.
- Respectez les règles de construction d'un tableau.
- Tableaux, photographies ou schémas doivent être accompagnés d'un titre.

* Lexique ➡ p. 422

Séismes et structure interne du globe terrestre

Les séismes importants sont bien connus comme étant parmi les catastrophes naturelles les plus meurtrières. Cependant, l'analyse de la propagation des ondes sismiques est un outil utilisé par les scientifiques pour connaitre la structure interne du globe terrestre.

Comment l'étude des séismes apporte-t-elle des connaissances sur l'intérieur du globe terrestre ?

1 Une série de séismes meurtriers au Népal

Au Népal, entre le 25 avril et le 12 mai 2015, une série de séismes* de forte magnitude* a causé de nombreux dégâts et un lourd bilan humain.

Le Népal est situé dans la chaîne himalayenne, le long de grandes failles qui résultent de la convergence* des plaques tectoniques* indienne et asiatique.

Si, en profondeur, le glissement des deux plaques est assez progressif et régulier (roches chaudes, déformables), dans la partie supérieure de la croûte terrestre, plus froide et rigide, le glissement est bloqué par les forces de friction. Les contraintes dues à la convergence des deux plaques s'accumulent dans les roches au fil des ans. Lorsque leur point de rupture est dépassé, l'énergie accumulée est brutalement libérée lors d'un glissement rapide et de grande ampleur commençant au point de rupture, ou foyer* du séisme.

2 Des ondes sismiques se propagent à partir du foyer

Animation

Types d'ondes sismiques

L'énergie libérée au niveau du foyer sismique est dissipée sous forme d'**ondes sismiques*** se propageant à travers les roches. L'épicentre* est le point de surface à la verticale du foyer, le plus rapidement atteint par les ondes.

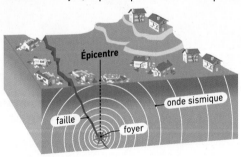

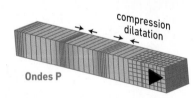

compression dilatation

Ondes P

Les **ondes de volume** se propagent à l'intérieur du globe dans toutes les directions. Elles sont de deux types :

- Les **ondes P** sont les plus rapides, elles se propagent aussi bien dans les solides que les liquides, par compression-dilatation des matériaux traversés.

- Les **ondes S** de cisaillement se propagent uniquement dans les milieux solides, par oscillation.

Les **ondes de surface** se propagent uniquement dans les couches superficielles du globe. Elles sont moins rapides mais de grande amplitude, responsables des dégâts occasionnés par le séisme.

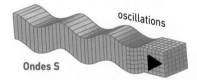

oscillations

Ondes S

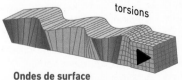

torsions

Ondes de surface

Animation
Vitesse des ondes

3 Un séisme népalais enregistré au lycée d'Aurillac

Un sismogramme est l'enregistrement graphique du mouvement du sol suite à l'arrivée de trains d'ondes sismiques s'étant propagées depuis le foyer du séisme.

À plus de 7 000 km du Népal, les lycéens d'Aurillac ont pu, grâce à une station du réseau « Sismos à l'école », enregistrer de très faibles mouvements du sol (non perceptibles par l'être humain), dus aux ondes propagées par ce séisme.

Activité pratique

À l'aide d'un logiciel d'analyse de sismogrammes :

■ Afficher les enregistrements de divers séismes enregistrés par le réseau « Sismos à l'école ».

■ Déterminer le temps d'arrivée des ondes P et S.

Caractéristiques du séisme
– Heure du séisme : 6 h 11 min 26 s
– Magnitude : 7,8
– Profondeur : 10 km

Vitesses moyennes des ondes dans la croûte
– Ondes P : 6 km·s⁻¹
– Ondes S : 3,5 km·s⁻¹

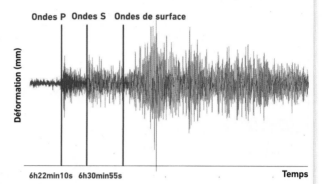

■ Sismogramme du séisme du Népal du 25 avril 2015, enregistré au lycée d'Aurillac, à 7 170 km de l'épicentre.

Animation
Ondes sismiques

4 Propagation des ondes à l'intérieur du globe

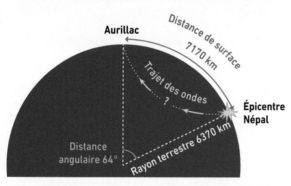

Les ondes enregistrées à Aurillac ont traversé les couches internes de la Terre. Leur étude va apporter des informations sur la structure du globe, en analysant leur cheminement et les variations de leur vitesse de propagation.

● Propagation des ondes sismiques

La vitesse des ondes sismiques à travers un milieu dépend de la densité et de la rigidité des matériaux constituant ce milieu.

À la limite entre deux milieux aux propriétés différentes, les ondes sismiques se comportent comme des rayons lumineux, elles peuvent être réfléchies sur cette discontinuité ou réfractées dans le nouveau milieu.

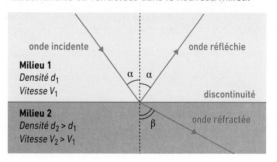

Activités envisageables

Pour comprendre comment l'étude des séismes nous renseigne sur la structure du globe :

● Expliquez comment un séisme au Népal peut être perçu à Aurillac.

● À partir de l'analyse du sismogramme du document 3, calculez la vitesse moyenne des ondes P et S entre l'épicentre et le lycée d'Aurillac.

● Comparez ces valeurs aux vitesses moyennes dans la croûte terrestre et proposez une hypothèse expliquant les différences relevées, en utilisant le document 4.

Des clés pour réussir

● Pour calculer une vitesse, il faut connaître la distance parcourue (d) et le temps de parcours (t). $V = d/t$.

*Lexique → p. 422

PAGE Flashable

Le Moho, entre croûte et manteau

L'étude de la propagation des ondes sismiques a permis de montrer que l'intérieur de la Terre n'est pas homogène mais constitué de couches globalement concentriques, séparées par des discontinuités majeures.

Comment les données sismiques permettent-elles de mettre en évidence la limite entre croûte et manteau ?

1 Des vitesses de propagation des ondes sismiques en lien avec les roches traversées

Activité pratique

- Il est possible d'estimer la vitesse de propagation des ondes sismiques à travers des barres de différentes roches.
- Disposer près des extrémités d'une barre de roche deux capteurs piézométriques reliés à un ordinateur (entrée microphone).
- Préparer un logiciel de traitement du son pour enregistrer les données provenant des deux capteurs.
- Frapper avec un marteau l'une des extrémités de la barre.
- Mesurer le délai entre l'arrivée des ondes au niveau des deux capteurs et calculer la vitesse de propagation des ondes dans la barre rocheuse.

A Le dispositif expérimental.

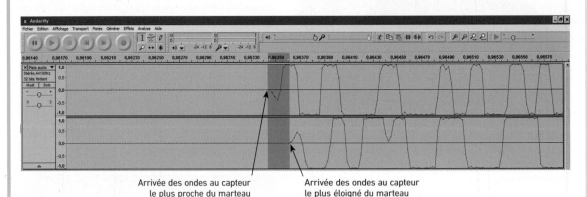

Arrivée des ondes au capteur le plus proche du marteau

Arrivée des ondes au capteur le plus éloigné du marteau

B Un enregistrement obtenu en classe.

Roche	Granite	Basalte	Gabbro
Densité	2,7	2,9	3
Vitesse des ondes P (km·s⁻¹)	6,25	6,65	7,25

C Exemple de résultats obtenus par les géophysiciens.

2 Mise en évidence de la discontinuité entre croûte et manteau

● Lorsque l'on étudie les sismogrammes d'un même séisme enregistrés dans différentes stations, on s'aperçoit que pour des stations situées à une certaine distance du foyer, les ondes Pg (ondes P directes) sont précédées par un train d'ondes, appelées Pn, légèrement plus rapides.

● Ces ondes Pn correspondent à des ondes P ayant été réfractées au franchissement d'une **discontinuité*** située à la base de la croûte, appelée Moho*, découverte en 1909 par le scientifique croate Andrija Mohorovičić. Elles se sont propagées à une plus grande vitesse dans le milieu situé sous cette discontinuité.

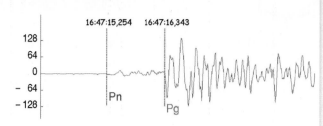

Distance foyer-station : 107 km

A Sismogramme avec enregistrement des ondes réfractées Pn.

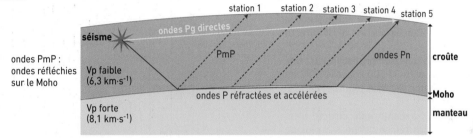

B L'étude des sismogrammes permet de calculer la profondeur du Moho (voir l'exercice 15 p. 164). Elle varie beaucoup d'un endroit à l'autre, mais en moyenne elle est d'environ 30 km pour les continents, et 7 à 10 km pour les océans.

3 Une roche d'origine très profonde

Lame mince

Péridotite

Il est assez fréquent de trouver dans les roches volcaniques issues de magma d'origine profonde des morceaux d'une roche grenue, principalement constituée de cristaux de d'olivine* et de pyroxène*.
Cette roche, appelée péridotite, a une densité de 3,3, ce qui permet une vitesse de propagation des ondes P comprise entre 7,8 et 8,4 km·s^{-1}.

A

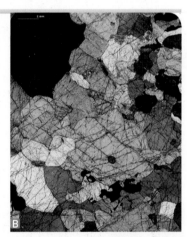

B

■ Échantillon de péridotite observé à l'œil nu et au microscope polarisant, en LPA.

Pour comprendre à quoi correspond la discontinuité entre croûte et manteau :

● **Réalisez et présentez une étude expérimentale de façon à établir une relation entre la vitesse des ondes sismiques et les caractéristiques des roches dans lesquelles elles se propagent.**

● **Expliquez l'accélération brutale des ondes P observées au franchissement du Moho.**

Des clés pour réussir

● Associez les données sismiques aux roches qui composent les croûtes continentale et océanique (précédemment étudiées) et le manteau terrestre.

* Lexique ➡ p. 422

PAGE Flashable 149

5 Les discontinuités profondes du globe terrestre

Le Moho n'est pas la seule discontinuité interne du globe. La structure profonde du globe n'est pas homogène.

> *Sur quelles données sismiques repose la connaissance de ces discontinuités profondes ?*

1 La zone d'ombre sismique

Lors d'un séisme, on enregistre l'arrivée des ondes sismiques P et S sur l'ensemble de la surface du globe, à l'exception d'une « zone d'ombre sismique » dans laquelle aucune onde directe n'est enregistrée.

Pour les ondes P, la zone d'ombre est située à une distance comprise entre 11 500 km et 14 500 km de l'épicentre, soit une distance angulaire de 105° à 143°.

Pour les ondes S, aucune onde directe n'est enregistrée dans les régions situées à plus de 11 500 km de l'épicentre (distance angulaire supérieure à 105°).

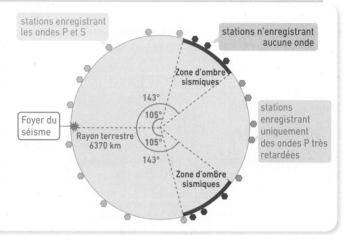

2 Un modèle simple pour comprendre la zone d'ombre sismique

Activité pratique

On dispose d'un grand cristallisoir contenant de l'air enfumé (milieu 1), et d'un cristallisoir plus petit contenant une solution saturée de saccharose, teintée à la fluorescéine (milieu 2). Un pointeur laser est fixé sur un dispositif rotatif permettant de modifier l'angle d'incidence du rayon lorsqu'il entre dans le grand cristallisoir.

Faire la pénombre, puis :

- Faire varier l'angle d'incidence du rayon et visualiser son point de sortie pour les différents angles.
- Repérer quelles zones du grand cristallisoir sont balayées par les points de sortie du faisceau lumineux.
- Placer le petit cristallisoir au centre du grand, et recommencer la manipulation.
- Recouvrir les parois du petit cristallisoir avec une bande de papier épais, et recommencer la manipulation.

A Le modèle en cours de manipulation.

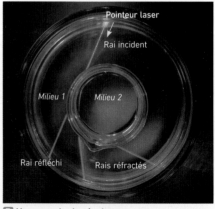

B Un exemple de résultat.

3 Modélisation des discontinuités profondes du globe à l'aide d'un logiciel

À l'aide du logiciel Sismolog, il est possible de réaliser des modélisations numériques plus précises, prenant en compte les différences de densité des matériaux constitutifs du globe.

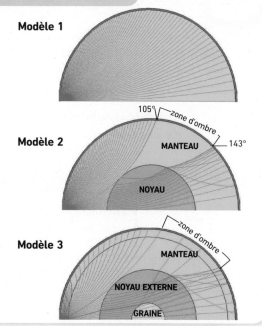

Modèle 1

Modèle 2

Modèle 3

Activité pratique

Plusieurs simulations peuvent être réalisées :
- **Modèle 1** : on simule la trajectoire des ondes P à l'intérieur d'une Terre formée d'une seule couche dans laquelle la vitesse des ondes augmente avec la profondeur.
- **Modèle 2** : on simule la trajectoire des ondes P avec un modèle à 2 couches ; un manteau solide et un noyau plus dense, séparés par une discontinuité située à 2 900 km de profondeur.
- **Modèle 3** : On ajoute au modèle une troisième couche : la graine ou noyau interne très dense.

Rappel : Contrairement aux ondes P, les ondes S ne se propagent pas dans les milieux liquides.

Remarque : les ondes arrivant dans la zone d'ombre sur le modèle 3 existent bien dans la réalité mais sont de très faible amplitude.

4 Un modèle du globe en couches concentriques séparées par des discontinuités

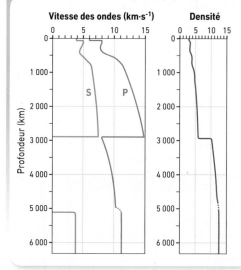

Vitesse des ondes (km·s⁻¹)

Densité

Profondeur (km)

Matériaux	Densité
Gabbro	3,0
Granite	2,7
Péridotite	3,2
Fer	7,9

A Densité des principaux matériaux constituant le globe. Ces densités sont mesurées à la surface, elles augmentent en profondeur avec la pression.

B L'étude des variations de la vitesse des ondes sismiques avec la profondeur permet de construire un modèle du globe en couches concentriques.

Activités envisageables

Pour comprendre le modèle en couches concentriques de la structure du globe :

- À partir de vos études expérimentales et de l'analyse des documents, montrez que les discontinuités profondes permettent d'expliquer la zone d'ombre sismique.
- Réalisez un modèle en coupe de la structure du globe en indiquant le nom des couches, leur composition et leur état (solide ou liquide).

Des clés pour réussir

- Pour construire le schéma vous pouvez utiliser les connaissances vues dans les unités précédentes.
- Relevez les profondeurs des principales discontinuités et tracez des cercles concentriques en respectant une échelle de profondeur.

* Lexique ➡ p. 422

6 Lithosphère et asthénosphère

La distinction croûte/manteau ne suffit pas à expliquer toutes les observations sismiques dans la partie supérieure du globe terrestre. Les géologues ont proposé un autre modèle en deux couches.

Sur quelles données repose ce modèle et quelles sont les caractéristiques de ces deux couches ?

1 La zone de faible vitesse des ondes sismiques

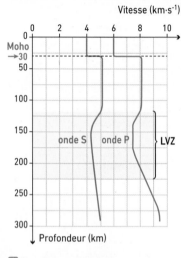

A Sous les continents.

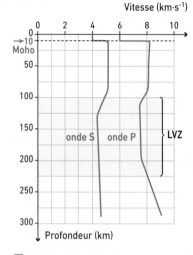

B Sous les océans.

L'analyse des variations de vitesse des ondes sismiques montre un net ralentissement des ondes P et S dans le manteau supérieur, au niveau d'une couche appelée pour cette raison LVZ (Low Velocity Zone ou zone de faible vitesse).

2 Une modélisation de la propagation des ondes sismiques à différentes températures

Activité pratique

On utilise des barres de pâte à modeler placées à différentes températures sur lesquelles sont placés deux capteurs piézométriques.

Suite à un choc sur une extrémité de la barre, on enregistre les temps de passage des ondes au niveau de chaque capteur, afin d'en déduire la vitesse de leur propagation.

Il est possible d'établir ainsi une relation entre température, comportement physique de la pâte à modeler et vitesse de propagation des ondes.

■ **Exemple de résultats**

Température de la pâte (°C)	– 5	0	10	20
Vitesse des ondes (m·s⁻¹)	9,8	7,2	5,3	3,5

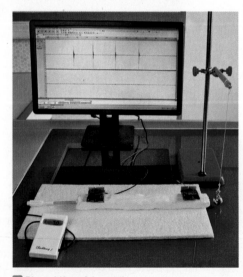

■ Dispositif expérimental.

③ Étude des séismes au voisinage des fosses océaniques

Coupe du Golfe du Mexique

Tous les pays situés à proximité d'une fosse océanique présentent une importante activité sismique. C'est le cas par exemple des pays situés sur le pourtour de l'océan Pacifique. L'étude de la répartition des foyers sismiques dans ces régions nous renseigne sur la structure du globe terrestre.

Activité pratique

À l'aide d'un logiciel comme Tectoglob ou Sismolog :

■ Réaliser une coupe entre l'océan Pacifique et sa bordure (Asie, Océanie, Amérique centrale ou Amérique du Sud). On veillera à ce que la coupe soit perpendiculaire au trait de côte (A).

■ Visualiser les reliefs (en particulier la fosse océanique) et la position des foyers sismiques en fonction de la profondeur (B).

■ Évaluer l'épaisseur de la couche dans laquelle se situent les foyers sismiques (couche constituée de roches rigides, cassantes).

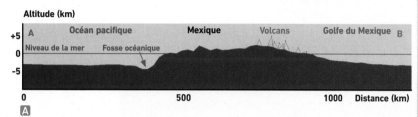

A

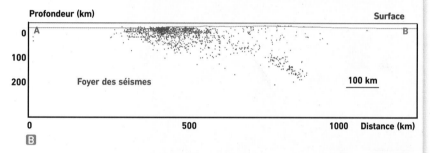

B

Les géophysiciens expliquent le fort risque sismique au voisinage des fosses océaniques par le contexte géodynamique particulier de ce type de zone, qualifié de **subduction*** : la plaque océanique, constituée d'un ensemble de roches au comportement rigide, appelée **lithosphère***, s'enfonce, sous la plaque continentale, à l'intérieur d'une couche au comportement ductile*, l'**asthénosphère***. Les séismes résultent principalement des contraintes accumulées à l'intérieur de la lithosphère cassante de la plaque océanique plongeante.

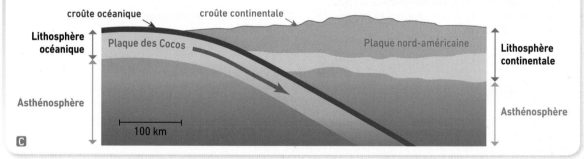

C

Pour comprendre la distinction lithosphère-asthénosphère :

● À partir de l'expérience du document 2, formulez une hypothèse sur l'origine de la LVZ mise en évidence sur le document 1.

● Représentez par deux schémas à la même échelle les différentes couches internes du globe, sous les continents et sous les océans.

● Montrez que la lithosphère est à la fois homogène au niveau de son comportement physique, et hétérogène au niveau des roches qui la constituent.

Des clés pour réussir

● Afin de mettre en relation les docs. 1 et 2, identifiez les paramètres communs aux faits mesurés (doc. 1) et au modèle (doc. 2).

● Vous pouvez vous appuyer sur les connaissances acquises dans l'unité 4.

Activités envisageables

* Lexique ➡ p. 422

PAGE Flashable   153

Le profil thermique de la Terre

La Terre possède une énergie thermique interne qui se dissipe progressivement ou par à-coups, comme en témoignent de nombreuses manifestations de surface (volcanisme, sources chaudes, geysers...).

En quoi l'étude de la température interne du globe et de la dissipation de cette énergie thermique complète-t-elle le modèle de la structure du globe ?

1 La température du sous-sol

Sur le graphe (A), chaque point représente la température mesurée au fond d'un forage. La droite de régression* (modélisation) du nuage de points constitue le **géotherme***.

L'augmentation de température avec la profondeur peut être estimée par le **gradient géothermique***, rapport entre l'augmentation de température et l'augmentation de profondeur (en °C·km⁻¹).

Depuis longtemps, les mineurs savent que la température au fond de la mine est plus élevée qu'en surface.

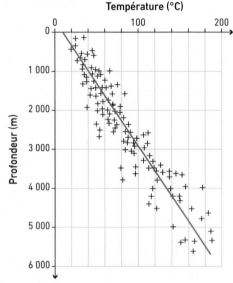

Données issues de forages miniers dans le bassin de Provence.

2 Le géotherme de la planète Terre

En utilisant les données sismiques, combinées aux résultats des études de laboratoire sur les caractéristiques physiques des minéraux terrestres soumis à haute pression et haute température, on peut modéliser l'évolution de la température avec la profondeur sur l'ensemble du rayon terrestre.

On remarque des variations importantes du gradient géothermique dans les différentes couches internes, que l'on peut mettre en relation avec les différents modes de transfert thermique.

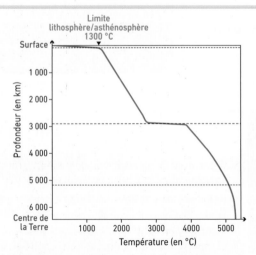

Géotherme de la surface au centre de la Terre.

3 Le transfert thermique à travers les couches internes du globe

L'énergie thermique interne de la Terre se dissipe à travers les matériaux du globe selon deux mécanismes possibles :

● La **conduction thermique*** est un transfert d'énergie qui résulte de la différence de température entre deux régions d'un même milieu ou entre deux milieux en contact. L'énergie s'évacue de proche en proche, sans déplacement de matière, par agitation des atomes. L'efficacité de la conduction dépend du pouvoir conducteur du matériau traversé. Les roches ont des pouvoirs conducteurs généralement très faibles.

● La **convection thermique*** est un mode de transfert thermique qui s'accompagne d'un déplacement de matière dans le milieu. Le matériau situé en profondeur est chauffé. Il voit sa masse volumique diminuer et se déplace vers le haut (poussée d'Archimède). Il se refroidit alors près de la surface. Sa masse volumique augmente, provoquant alors un mouvement descendant. Le cycle forme une cellule de convection thermique.

La convection est un mode de transfert efficace de l'énergie thermique, d'autant plus que les mouvements sont rapides. Mais il ne peut se produire que si le milieu permet le déplacement de la matière.

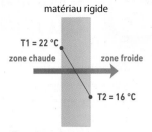

A Conduction thermique.

B Convection thermique.

Activité pratique

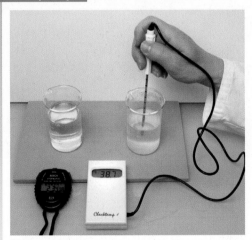

C Dispositif expérimental.

On cherche à simuler les transferts d'énergie thermique à l'intérieur du manteau et de la croûte en testant un modèle à 2 couches : évacuation de l'énergie par conduction à travers la lithosphère, et par convection dans le manteau situé sous la lithosphère.

On utilise de la pâte slime* à 5 % dont le comportement change selon la température. Au-dessus de 40 °C, elle se comporte comme un fluide rendant la convection thermique possible. En dessous de 40 °C, elle adopte un comportement plus rigide rendant la convection thermique impossible. Seule la conduction permet alors le transfert d'énergie thermique.

■ Placer la pâte slime dans un bécher gradué et la réchauffer lentement, jusqu'à environ 50 °C.

■ Après transfert sur une plaque isolante, mesurer la température à la surface de la pâte, puis de plus en plus profondément dans la pâte. Attendre 5 secondes pour relever chaque mesure, puis passer à la graduation suivante.

■ Représenter vos résultats sous la forme d'un graphique.

Profondeur (cm)	0	1	2	3	4	5	6
Température (°C)	20	28	38	42	43	44	44

D Exemple de résultats.

Activités envisageables

> **Pour mettre en relation le profil thermique et le modèle de la structure du globe terrestre :**

● À l'aide des données du document 1, mesurez le gradient géothermique moyen dans le bassin provençal.

● Sur le géotherme, identifiez les différentes couches internes du globe et estimez le gradient géothermique dans chacune d'elles (prendre 120 km comme épaisseur moyenne de la lithosphère).

● Expliquez en quoi cette simulation est en accord avec le modèle proposé de transfert de l'énergie thermique à travers les différentes couches internes du globe terrestre.

Des clés pour réussir

● Afin d'exploiter une simulation, il vous faut mettre en relation les paramètres de la simulation avec ceux du phénomène simulé.

● Vous pouvez comparer les résultats du doc. 3 au géotherme terrestre du doc. 2.

* Lexique ➡ p. 422

8 L'hétérogénéité thermique du manteau

Si la température moyenne des roches du manteau augmente avec la profondeur, le manteau terrestre n'apparaît pas homogène du point de vue thermique : des variations importantes existent entre les diverses régions du globe.

Comment mettre en évidence l'hétérogénéité thermique du manteau ?

1 La tomographie sismique et la modélisation de la température du manteau

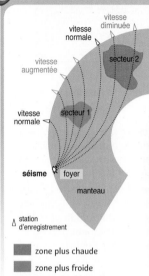

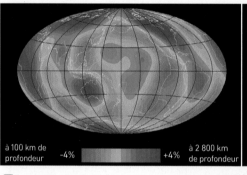

La **tomographie sismique*** est une technique basée sur l'étude des ondes sismiques. Elle a pour but de visualiser les régions internes du globe présentant des températures anormalement élevées ou faibles. En effet, dans les zones plus chaudes que le prévoient les modèles, les roches sont plus ductiles et ralentissent la propagation des ondes. À l'inverse, dans les zones plus froides que prévu, les roches plus rigides accélèrent la propagation des ondes.

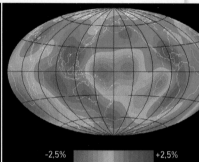

à 100 km de profondeur −4% +4%   à 2 800 km de profondeur −2,5% +2,5%

A Principe de la tomographie sismique.

B Anomalies de vitesse des ondes sismiques en profondeur dans le globe.

2 Les Antilles, une zone riche en hétérogénéités thermiques

Les Antilles forment un archipel* d'îles volcaniques. Elles sont situées à une limite de plaques tectoniques : la plaque sud-américaine (à l'est) passe sous la plaque caraïbe (à l'ouest).

Activité pratique

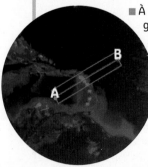

- À l'aide du logiciel « Tomographie sismique », réaliser une coupe au niveau des Antilles (A). Réaliser une coupe « témoin ».
  - Comparer la répartition des anomalies de vitesse sismique.
- En déduire les particularités thermiques des Antilles.

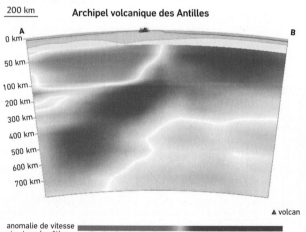

anomalie de vitesse sismique (en %) : -7 -6 -5 -4 -3 -2 -1 0 +1 +2 +3 +4 +5 +6 +7

▲ volcan

A Tomographie sismique à la verticale des Antilles.

3 Des points du globe vraiment chauds !

La Polynésie française est un ensemble d'îles volcaniques situé à l'intérieur de la plaque.

Activité pratique

- À l'aide du logiciel « Tomographie sismique », réaliser une coupe au niveau de la Polynésie française (A).
- Réaliser une coupe « témoin ».
- Comparer la répartition des anomalies de vitesse sismique.
- En déduire les particularités thermiques de la Polynésie française.

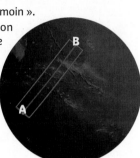

500 km

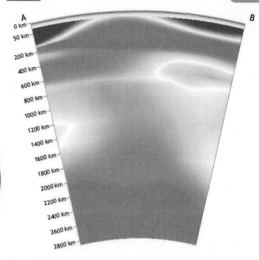

Anomalie de vitesse sismique (en %) : -7 -6 -5 -4 -3 -2 -1 0 +1 +2 +3 +4 +5 +6 +7

A Tomographie sismique à la verticale de la Polynésie française.

Les **points chauds*** sont des zones du globe en dessous desquelles s'effectue une remontée de matériaux chauds (mais à l'état solide) provenant de la base du manteau. La remontée de ce panache mantellique chaud provoque la formation de magma* sous la lithosphère, souvent à l'origine d'un volcanisme intraplaque, dit « de point chaud ».

Activité pratique

- ● Modéliser un point chaud
- Placer une résistance électronique au fond d'un bécher (comme sur la photographie ci-contre), ou prévoir de chauffer sous le bécher à l'aide d'une bougie chauffe plat.
- Verser doucement dans le bécher 2 couches d'huile :
  - Une couche d'1 cm d'huile alimentaire colorée par de la poudre de craie.
  - Une couche de 9 cm d'huile alimentaire ordinaire.
- Réchauffer la couche d'huile colorée.
- Observer les mouvements de fluides à l'intérieur du bécher.

■ Modèle de point chaud en fonctionnement.

Activités envisageables

Pour montrer l'existence d'hétérogénéités thermiques dans le manteau :

- ● Comparez les deux images du document 1 et proposez une interprétation.
- ● Présentez les études que vous avez réalisées de façon à décrire les anomalies thermiques du manteau au niveau des Antilles et de la Polynésie.
- ● Formulez des hypothèses permettant d'expliquer ces anomalies.

Des clés pour réussir

- ● Assurez-vous d'avoir bien compris la relation entre vitesse sismique et température du manteau (par exemple en décrivant cette relation par écrit ou à l'oral).
- ● Repérez les anomalies thermiques positives et négatives.

La structure du globe terrestre

Podcast
Bilan

1 Des contrastes importants entre continents et océans

● Des reliefs contrastés

L'étude de la fréquence des différentes altitudes à la surface de notre planète révèle tout d'abord une grande diversité : l'Everest culmine à + 8 848 m, tandis que la fosse des Mariannes, la zone plus profonde des océans, s'enfonce à – 11 034 m.

Au-delà de cette diversité, on distingue clairement des classes d'altitude typiquement océaniques, et des classes d'altitudes typiquement continentales. L'altitude moyenne des continents est de + 300 m, tandis que celle des océans est de – 4500 m.

● Des roches très différentes

La distribution bimodale des altitudes est une conséquence d'un contraste géologique très net entre les domaines océanique et continental.

Le fond des océans est recouvert d'une couche de sédiments relativement fine (de 0 à 2 000 m d'épaisseur). En dessous, se trouve la **croûte océanique**, constituée en général de deux roches, le **basalte** et le **gabbro**. Il s'agit de deux **roches magmatiques**, c'est-à-dire issues du refroidissement et de la solidification d'un magma.

Basalte et gabbro partagent une même composition chimique et minéralogique (on y trouve surtout des cristaux de pyroxène et de feldspath). Cependant, ces deux roches présentent des textures différentes : alors que le gabbro est entièrement constitué de cristaux de grande taille au contact les uns avec les autres (texture grenue), le basalte présente peu ou pas de grands cristaux, mais une grande quantité de très petits cristaux (les microlites) dispersés dans un matériau minéral non cristallisé (amorphe). La texture du basalte est qualifiée de **microlitique**.

La surface des continents présente une grande diversité de roches : des roches sédimentaires, des roches magmatiques, mais aussi des roches métamorphiques, c'est-à-dire résultant de transformations à l'état solide des autres catégories de roches. Cependant, les forages révèlent que la roche la plus représentative de la **croûte continentale** est une roche magmatique, le **granite**.

De texture **grenue**, Le granite est constitué d'une association caractéristique de minéraux (quartz, feldspaths et micas). Sa composition chimique est différente de celle du basalte et du gabbro : plus riche en silice et en potassium, le granite contient en revanche moins de fer. Sa **densité** est un peu plus faible que celle du gabbro et du basalte : 2,7 contre 3.

2 L'apport des études sismologiques

● Séismes et ondes sismiques

Un séisme résulte de la libération brutale d'énergie lors de la rupture de roches soumises à de fortes contraintes. L'énergie libérée au foyer du séisme se dissipe sous forme d'ondes sismiques, se propageant à l'intérieur des roches et à leur surface. Ces ondes, émises dans toutes les directions, peuvent être enregistrées à une très grande distance du foyer du séisme, sous forme de graphiques appelés sismogrammes.

Ceux-ci révèlent plusieurs types d'ondes : les ondes « de volume » se propagent à l'intérieur du globe. Parmi elles, on distingue les ondes P (Premières), les plus rapides, qui se propagent à travers les solides et les fluides et les ondes S (Secondes), qui ne se propagent que dans les milieux solides. Les ondes « de surface » ne se propagent que dans les couches superficielles du globe ; ce sont les moins rapides, mais elles sont responsables de la plupart des dégâts.

● Les discontinuités sismiques

Lorsqu'une onde sismique atteint une **discontinuité**, c'est-à-dire la limite entre deux milieux aux propriétés physico-chimiques différentes, elle est en partie réfractée (en changeant de milieu, sa trajectoire est déviée et sa vitesse modifiée), en partie réfléchie (renvoyée dans le même milieu par la surface de discontinuité). L'étude de la propagation des ondes P et S à l'intérieur du globe permet de mettre en évidence plusieurs discontinuités majeures, et apporte ainsi de précieuses informations sur la structure du globe terrestre.

La discontinuité de Mohorovičić, ou **Moho**, sépare la croûte du **manteau**. Elle est caractérisée par une augmentation brutale de la vitesse des ondes P et S lorsque ces ondes passent de la croûte au manteau. En effet, celui-ci est constitué d'une roche de plus forte densité (3,3), la **péridotite**. La profondeur du Moho (donc l'épaisseur de la croûte) est très variable : en moyenne, elle est voisine de 7 km sous les océans, de 30 km sous les continents.

Pour chaque séisme, il existe une large zone du globe où les stations d'enregistrement ne reçoivent aucune onde directe : cette « zone d'ombre », s'étendant pour les ondes P entre 11 500 et 14 500 km du foyer sismique révèle l'existence de la discontinuité de Gutenberg, située à 2 900 km de profondeur. Elle sépare le manteau d'un milieu plus dense, le **noyau** (les ondes P s'y propagent plus rapidement), constitué principalement de fer. Les ondes S se comportent comme les ondes P jusqu'à une distance de

11 500 km. Elles se propagent donc dans tout le manteau, montrant qu'il est partout à l'état solide. En revanche, ces ondes S ne réapparaissent pas au-delà de 14 500 km. Cela montre que le noyau est à l'état liquide au moins dans ses régions les moins profondes (noyau externe).

La discontinuité de Lehmann, située à 5 150 km de profondeur, sépare ce noyau externe, liquide, du noyau interne ou graine, solide.

Ce modèle concentrique de la structure interne du globe, basée sur les études sismologiques constitue le modèle PREM (*Preliminary Reference Earth Model*).

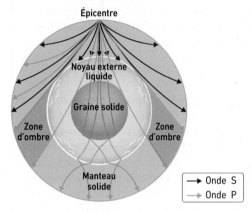

● Lithosphère et asthénosphère

L'étude des séismes au voisinage des fosses océaniques montre une répartition particulière des foyers sismiques le long d'un plan passant par la fosse, et descendant obliquement jusqu'à une profondeur de plusieurs centaines de kilomètres. Cette répartition résulte de l'enfoncement du fond océanique, constitué de roches rigides, dans des roches au comportement plus souple, ductile. Elle révèle l'épaisseur de la couche de roches rigides sous les océans : environ 100 km.

L'étude de la vitesse des ondes sismiques en fonction de la profondeur montre *en général* sous les continents comme sous les océans une diminution des vitesses pour des profondeurs supérieures à 100 km, et sur une épaisseur d'environ 200 km : c'est la **LVZ** (Low Velocity Zone) ou zone de faible vitesse. On appelle **lithosphère** l'ensemble des roches rigides situées au dessus de cette limite, et **asthénosphère** les roches ductiles situées en dessous. La lithosphère comprend ainsi la croûte (océanique ou continentale) et la partie rigide du manteau (manteau lithosphérique).

3 L'apport des études thermiques

● L'augmentation de température à l'intérieur du globe terrestre

L'étude des températures au fond de forages réalisés dans la croûte montre une augmentation de la température des roches avec la profondeur. En moyenne, cette augmentation est de 30 °C par kilomètre. Ce **gradient géothermique** est presque toujours positif, et révèle l'existence d'une énergie thermique à l'intérieur du globe terrestre.

● Un modèle thermique du globe terrestre

Le **géotherme** terrestre, courbe décrivant les variations de température en fonction de la profondeur au sein de la Terre, montre des variations importantes du gradient géothermique suivant les couches traversées. Cela s'explique par l'existence de deux modes de transfert de l'énergie thermique, aux efficacités bien différentes : dans la lithosphère rigide, l'énergie thermique ne peut s'évacuer des zones les plus chaudes vers les zones les plus froides que par **conduction thermique**, c'est-à-dire de proche en proche, sans déplacement de matière. Ce mode de transfert de l'énergie thermique est peu efficace : le gradient géothermique est donc fort entre la surface et la base de la lithosphère.

Lorsque la température du manteau dépasse 1 300 °C, c'est-à-dire en moyenne à partir de 100 km de profondeur, la rigidité des péridotites du manteau diminue fortement : elles deviennent ductiles. Cette température limite est à l'origine du contraste entre lithosphère et asthénosphère.

Sous la lithosphère, le gradient géothermique est nettement plus faible. Cela s'explique par un transfert d'énergie thermique plus efficace, par **convection thermique** : soumises à une forte augmentation de la température, les roches deviennent moins denses et ont alors tendance à remonter. Ce faisant, elles refroidissent, leur densité augmente et elles ont donc tendance à s'enfoncer. Des boucles de circulation de matière, appelées « cellules de convection » se mettent en place à grande échelle au sein du manteau et dans le noyau externe, et assurent un transfert de d'énergie thermique efficace.

● Des hétérogénéités thermiques au sein du manteau terrestre

La **tomographie sismique** permet d'identifier des variations localisées de température à l'intérieur du globe (anomalies thermiques), à partir des variations de vitesse des ondes sismiques par rapport au modèle PREM.

En traversant les zones froides, plus rigides, les ondes sismiques sont accélérées alors qu'au niveau des zones plus chaudes, moins rigides, les ondes sont ralenties.

Dans les zones de subduction, une anomalie thermique négative correspond à l'enfoncement de la lithosphère, plus froide, dans l'asthénosphère.

Au niveau des zones volcaniques de **point chaud**, il est possible de déceler une anomalie thermique positive à l'intérieur du manteau. Il s'agit d'un panache de matériel chaud provenant du manteau profond et remontant localement par convection thermique.

**La structure
du globe terrestre**

À retenir

◗ Océans et continents

La répartition bimodale des altitudes à la surface du globe met en évidence un contraste de relief entre les domaines océaniques et continentaux. Cela reflète une différence géologique marquée par la nature des roches, **basalte** et **gabbro** pour les océans et **granite** pour les continents, et par leur **densité** (environ 3 pour les océans contre 2,7 pour les continents).

◗ Une structure du globe en couches concentriques révélée par la sismologie

Un séisme résulte de la libération brutale d'énergie lors de la rupture de roches soumises à d'importantes contraintes. L'étude de la propagation des **ondes sismiques** révèle d'importantes discontinuités sur lesquelles les ondes se réfléchissent ou se réfractent en changeant de vitesse. Elle permet de construire un modèle du globe en plusieurs couches, le modèle PREM. La **croûte**, océanique ou continentale, est limitée à sa base par la discontinuité de Mohorovičić, ou **Moho**. Le **manteau**, solide, est situé entre le Moho et la discontinuité de Gutenberg, à 2 900 km de profondeur. Il est constitué de roches denses à l'état solide, les **péridotites**, dans lesquelles les ondes se propagent à une plus grande vitesse que dans la croûte. À plus de 2 900 km se trouve le **noyau**, liquide dans sa partie externe et solide dans sa partie interne.

◗ Un modèle basé sur le comportement des roches

Les études sismologiques permettent également de distinguer deux couches qui diffèrent par leur comportement : en surface se trouve la **lithosphère**, enveloppe constituée des roches rigides de la croûte et du manteau. Son épaisseur est d'une centaine de kilomètres en moyenne. En dessous, se trouve une zone du manteau où les roches sont ductiles : cette zone moins rigide du manteau est l'**asthénosphère**. La limite entre ces deux enveloppes correspond à une température de 1 300 °C, qui modifie le comportement des péridotites du manteau.

◗ Un modèle thermique du globe

La température augmente avec la profondeur suivant une courbe nommée **géotherme**. Ce profil d'évolution de la température interne présente des différences suivant les enveloppes internes de la Terre, qui s'expliquent par les modes de transfert de l'énergie thermique. Dans la lithosphère rigide, la chaleur est évacuée par **conduction**, alors que dans le manteau situé sous lithosphère, elle est évacuée par **convection**, mécanisme plus efficace de transfert thermique. Cette différence de dissipation de l'énergie thermique interne explique le contraste entre le **gradient géothermique** élevé dans la lithosphère et faible dans le manteau situé en dessous.

La **tomographie sismique** permet de révéler des hétérogénéités thermiques au sein du manteau dans certaines régions du globe (fosses océaniques, volcans de point chaud).

Mots-clés

Asthénosphère ● Basalte ● Conduction ● Convection ● Croûte ● Gabbro ● Géotherme ● Granite ● Lithosphère ● Manteau ● Moho ● Noyau

Un contraste continents océans

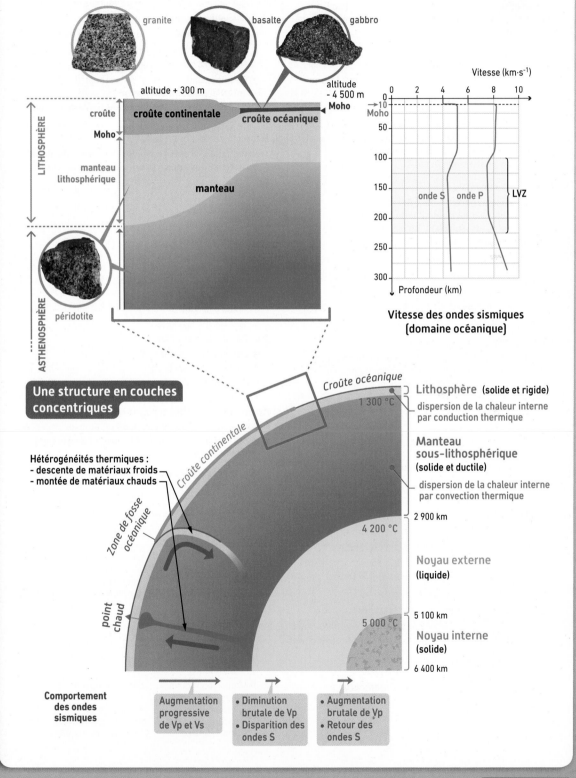

granite

basalte

gabbro

altitude + 300 m

altitude – 4 500 m

Moho

croûte continentale

croûte océanique

croûte

Moho

manteau lithosphérique

manteau

LITHOSPHÈRE

ASTHENOSPHÈRE

péridotite

Vitesse (km·s⁻¹)

$\rightarrow$10 Moho

onde S | onde P

LVZ

Profondeur (km)

Vitesse des ondes sismiques (domaine océanique)

Une structure en couches concentriques

Croûte océanique

Croûte continentale

Lithosphère (solide et rigide)

dispersion de la chaleur interne par conduction thermique

1 300 °C

Manteau sous-lithosphérique (solide et ductile)

dispersion de la chaleur interne par convection thermique

Hétérogénéités thermiques :
- descente de matériaux froids
- montée de matériaux chauds

Zone de fosse océanique

point chaud

2 900 km

4 200 °C

Noyau externe (liquide)

5 100 km

5 000 °C

Noyau interne (solide)

6 400 km

Comportement des ondes sismiques

Augmentation progressive de Vp et Vs

• Diminution brutale de Vp
• Disparition des ondes S

• Augmentation brutale de Vp
• Retour des ondes S

1 Retour vers les problématiques

Relisez la page « S'interroger avant d'aborder le chapitre » (p. 141). À l'aide de ce que vous savez à présent, répondez aux questions que vous avez formulées.

2 Questions à choix multiple BAC

Pour chaque affirmation, choisissez l'unique bonne réponse.

1. **La croûte océanique :**
   a. a une altitude moyenne de - 300 m ;
   b. est constituée principalement de granite ;
   c. est située au-dessus de la lithosphère ;
   d. est moins épaisse que la croûte continentale.

2. **La croûte continentale :**
   a. a une altitude moyenne de - 300 m ;
   b. est constituée principalement de granite ;
   c. est située au-dessus de la lithosphère ;
   d. est moins épaisse que la croûte océanique.

3. **La lithosphère :**
   a. est constituée de matériaux rigides et cassants ;
   b. est constituée uniquement de péridotites ;
   c. est située en dessous de la croûte ;
   d. est une région du manteau.

4. **La dissipation de l'énergie interne du globe :**
   a. s'effectue par conduction à travers la lithosphère ;
   b. s'effectue par conduction à travers l'asthénosphère ;
   c. s'effectue par convection à travers le manteau lithosphérique ;
   a. est plus efficace dans la lithosphère que dans l'asthénosphère.

3 Annoter un schéma

Proposez des légendes pour les couches A à F.

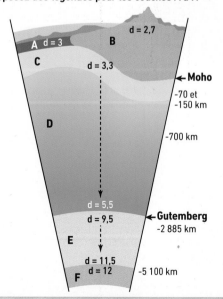

4 À vous de corriger

Corrigez ces affirmations fausses pour les rendre exactes :
   a. Les ondes S précèdent les ondes P.
   b. Les ondes S traversent tous types de matériaux.
   c. La zone d'ombre sismique résulte de la réfraction sur la discontinuité croûte-manteau.
   d. En tomographie sismique, les zones de vitesse anormalement faible des ondes sismiques correspondent à des zones anormalement froides.

5 Mise en relation

1. **Reliez les différentes enveloppes internes du globe aux caractéristiques des matériaux qui les constituent :**

   1. Croûte ●   ● a. Solide
   2. Lithosphère ●   ● b. Liquide
   3. Asthénosphère ●   ● c. Rigide
   4. Noyau externe ●   ● d. Ductile

2. **Parmi ces caractéristiques de roches terrestres, identifiez celles qui correspondent au basalte et celles qui correspondent au granite :**
   a. Texture grenue ;
   b. Texture microlitique ;
   c. Densité moyenne de 3 ;
   d. Densité moyenne de 2.7 ;
   e. Contient du quartz ;
   f. Contient des pyroxènes.

6 Apprendre en s'interrogeant

1. **Cachez une des deux colonnes du tableau ci-dessous et retrouvez ce que contient l'autre colonne (à faire seul ou à plusieurs).**

2. **Vérifiez vos réponses et reprenez si besoin les notions concernées.**

Questions	Réponses
Qu'est-ce que le Moho ?	La discontinuité séparant la croûte du manteau.
Qu'est-ce qui différencie la lithosphère de l'asthénosphère ?	La lithosphère est constituée de roches rigides et cassantes alors que l'asthénosphère, plus chaude, est constituée de roches ductiles.
Pourquoi les ondes sismiques sont-elles plus rapides dans le manteau que dans la croûte ?	Car le manteau est constitué de roches plus denses, les péridotites.
Pourquoi le gradient géothermique est-il plus élevé dans la lithosphère que dans l'asthénosphère ?	Car la dissipation de chaleur par conduction dans la lithosphère est moins efficace que celle par convection dans l'asthénosphère.

7 **Mobiliser ses connaissances** **BAC**

La Terre est constituée de plusieurs enveloppes dont la lithosphère.

Comparez la lithosphère au niveau des continents et des océans.

8 **Interpréter des résultats et en tirer des conclusions**

On mesure sur une tablette de chocolat le temps de parcours d'une onde de choc entre deux capteurs piézo-métriques espacés de 20 cm.

Chocolat	Température	Temps de parcours
Sortant du réfrigérateur	5,2 °C	0,13 ms
A température ambiante	22,2 °C	0,18 ms
Passé au micro-ondes	26,3 °C	1,34 ms

Calculez la vitesse des ondes dans les 3 tablettes de chocolat (en m·s⁻¹).

Proposez une explication aux différences constatées. Reliez les résultats de cette simulation aux variations de vitesse des ondes sismiques dans la LVZ.

9 **Identifier des outils et des techniques**

Cette photographie représente les cristaux d'une péridotite du manteau.

0,5 mm

Identifiez la technique d'observation utilisée pour obtenir cette image en justifiant votre réponse par au moins deux arguments.

10 **Distinguer ce qui révèle d'une croyance ou d'une opinion et ce qui constitue un savoir scientifique**

Beaucoup de personnes croient que la croûte terrestre repose sur une enveloppe constituée de magma liquide en fusion.

À partir de vos connaissances, présentez des arguments scientifiques permettant de réfuter cette idée fausse.

11 **Communiquer par un graphique et s'exprimer dans un langage mathématique**

Soultz-sous-Forêts est une commune d'Alsace dans laquelle est installée une usine exploitant la chaleur interne du globe pour produire de l'électricité.

Le tableau ci-dessous présente des mesures de température à l'intérieur du puits de forage.

Profondeur (m)	0	250	500	750
Température (°C)	25	50	70	100

Représentez graphiquement l'augmentation de température en fonction de la profondeur.

Calculez le gradient géothermique et comparez-le au gradient moyen dans la croûte continentale (30 °C/km).

12 **Comprendre qu'un effet peut avoir plusieurs causes**

Le potentiel géothermique de l'Islande est utilisé comme source d'énergie principale grâce à de nombreuses centrales géothermiques qui, en prélevant l'eau chaude du sous-sol, produisent de l'électricité. Ce potentiel est lié au contexte géodynamique de l'île située au niveau de la dorsale médio-atlantique donc dans une zone ou la lithosphère est très amincie. De plus, on a pu montrer par tomographie sismique la présence d'une remontée de matériaux chauds dans le manteau correspondant à un point chaud.

À partir du texte ci-dessus, relevez les causes géologiques du fort potentiel géothermique de l'Islande.

13 **Recenser, extraire, organiser et exploiter des informations**

Parmi les météorites, une catégorie intéresse particulièrement les chercheurs, les chondrites. En effet, lorsque l'on retire d'une chondrite les particules de fer qu'elle contient, le résidu est chimiquement très proche des péridotites. La proportion de fer dans ces météorites est également proche de la proportion de masse entre noyau et manteau terrestre.

À partir des informations du document, proposez une hypothèse sur la formation du manteau et du noyau terrestre.

14 Les ophiolites du Chenaillet

Dans les Alpes, le massif du Chenaillet (2 634 m d'altitude) s'étend sur une surface d'environ 40 km². Plusieurs roches se superposent dans le paysage (voir schéma), formant une série géologique dénommée « ophiolite » à cause de leur couleur verdâtre et de leur aspect en peau de serpent (du grec *ophis*, serpent). Elles ont pu être datées d'environ - 160 Ma.

Schéma des ophiolites du massif du Chenaillet et photographie des basaltes en coussins.

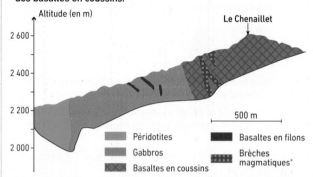

Légende :
- Péridotites
- Gabbros
- Basaltes en coussins
- Basaltes en filons
- Brèches magmatiques*

*Brèches magmatiques = roches constituées de fragments de roches magmatiques préexistantes.

■ **Expliquez en quoi la présence de ces roches au niveau du massif du Chenaillet peut paraître étonnante.**

---

15 La profondeur du Moho dans le sud-est de la France

Un léger séisme s'étant produit à Nice le 1er novembre 1999 à 17h 22min 33s a été enregistré à 68 km de distance par le sismographe du collège de St-Étienne-de-Tinée (réseau Sismos à l'école).

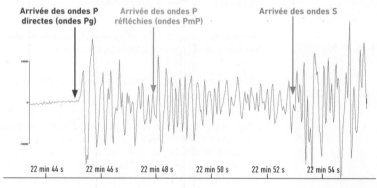

Sismogramme du séisme du 01.11.1999 enregistré à St-Étienne-de-Tinée.

D'après le théorème de Pythagore :

– Le trajet parcouru par les ondes Pg est $d_{Pg} = \sqrt{(h^2 + \Delta^2)}$

– Le trajet parcouru par les ondes PmP : $d_{PmP} = \sqrt{[(2H-h)^2 + \Delta^2]}$

– Le décalage entre les deux trains d'ondes est donc :

$$\delta t = \frac{\sqrt{(2H-h)^2 + \Delta^2}}{V} - \frac{\sqrt{h^2 + \Delta^2}}{V}$$

Vitesse moyenne des ondes P dans la croûte continentale : $V = 6{,}25 \text{ km·s}^{-1}$.

On peut déduire de cette formule la profondeur H du Moho au niveau du point de réflexion :

$$H = \frac{1}{2}\left[h + \sqrt{(V \times \delta t + \sqrt{h^2 + \Delta^2})^2 - \Delta^2}\right]$$

■ **Sachant que la profondeur du foyer sismique était de 9 km, calculez la profondeur du Moho dans cette région, en utilisant la méthode décrite ci-dessus.**

★ facile   ★★ intermédiaire   ★★★ confirmé

16 LA LVZ sous les océans
★★

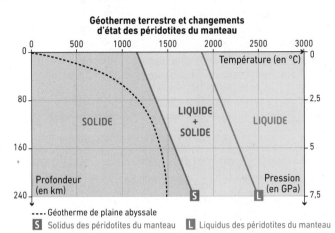

Géotherme terrestre et changements d'état des péridotites du manteau

SOLIDE

LIQUIDE + SOLIDE

LIQUIDE

Température (en °C)

Profondeur (en km)

Pression (en GPa)

S

L

- - - - Géotherme de plaine abyssale
S Solidus des péridotites du manteau   L Liquidus des péridotites du manteau

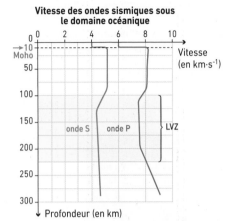

Vitesse des ondes sismiques sous le domaine océanique

Moho

Vitesse (en km·s⁻¹)

onde S   onde P   LVZ

Profondeur (en km)

■ À l'aide de l'exploitation des documents ci-dessus, cochez l'unique bonne réponse pour chacune des affirmations suivantes :

1. À une pression de 5 GPa, les péridotites commencent à fondre :

❏ à 1 000 °C ;   ❏ à 1 600 °C ;

❏ à 2 000 °C ;   ❏ à 2 300 °C ;

2. Sous les plaines abyssales, les péridotites :
❏ sont partiellement liquides en dessous de 80 km de profondeur ;
❏ sont partiellement liquides entre 80 et 160 km de profondeur ;
❏ sont partiellement liquides en dessous de 160 km de profondeur ;
❏ sont totalement solides entre 0 et 240 km de profondeur.

3. À la limite lithosphère / asthénosphère, les péridotites sont à une température de :

❏ 800 °C ;   ❏ 1 000 °C ;

❏ 1 300 °C ;   ❏ 1 500 °C ;

4. Dans la LVZ, les ondes ralentissent car :
❏ le géotherme franchit le liquidus des péridotites ;
❏ le géotherme franchit le solidus des péridotites ;
❏ le géotherme est très proche du solidus des péridotites ;
❏ le géotherme est très éloigné du solidus des péridotites.

17 Une curieuse bombe volcanique
★
★   Cette bombe volcanique* a été découverte dans le massif du Devès (Massif central). La photographie en présente une coupe.

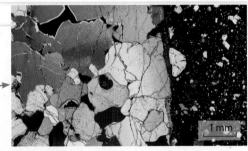

B Observation au microscope polarisant (LPA).

Roche A

Roche B

A L'intérieur de la bombe volcanique.

	Roche A	Roche B
Minéraux	Olivine Pyroxènes	Olivine Pyroxènes Feldspaths plagioclases
Verre	Absent	Présent

C Comparaison de la minéralogie de A et B.

■ Identifiez les roches A et B. Proposez une hypothèse sur la formation de cette bombe volcanique insolite.

BAC

18 L'Himalaya, le « toit du monde »

★
★
★
La chaîne de montagnes himalayenne se situe à l'intérieur du continent asiatique, au nord de l'Inde. Elle comporte les sommets les plus hauts du monde dont l'Everest à 8 848 m d'altitude. Les méthodes de géophysique permettent de mieux comprendre sa structure profonde.

■ À partir des données tirées des documents et en vous appuyant sur vos connaissances, identifiez les particularités des enveloppes terrestres superficielles au niveau de l'Himalaya, puis réalisez un schéma de la lithosphère entre les points A et B.

1 Topographie et activité sismique

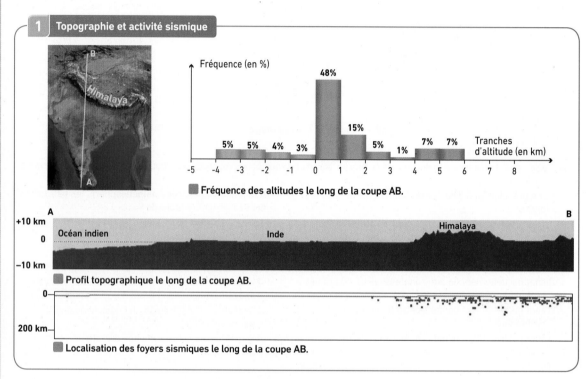

Fréquence des altitudes le long de la coupe AB.

Profil topographique le long de la coupe AB.

Localisation des foyers sismiques le long de la coupe AB.

2 Variations de la vitesse des ondes sismiques sous l'Himalaya

L'étude de la propagation des ondes sismiques a permis de tracer le profil de vitesse des ondes P à la verticale de l'Himalaya.

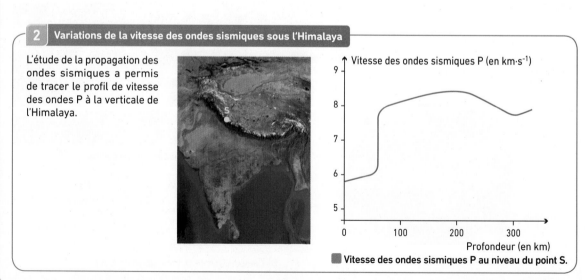

Vitesse des ondes sismiques P au niveau du point S.

*Cet exercice se présente sous la forme d'une **tâche complexe** :*
construisez votre propre démarche pour résoudre le problème posé.

Exercices

3 | Cartographie du Moho sous l'Himalaya

L'étude sismique de la chaîne himalayenne a abouti à une carte de profondeur du Moho sous l'Himalaya.

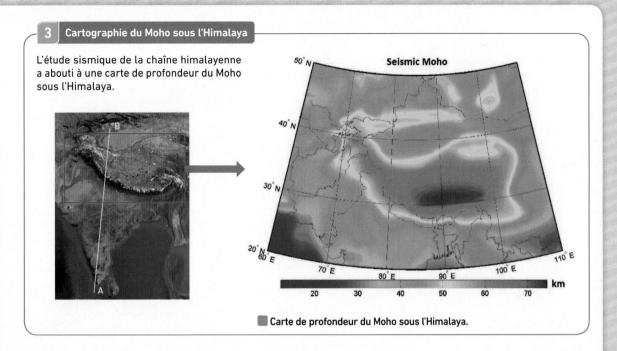

Carte de profondeur du Moho sous l'Himalaya.

4 | Données de tomographie sismique

L'étude des anomalies de la vitesse des ondes sismiques par tomographie sismique permet de réaliser une coupe à travers la chaîne de montagnes. Les couleurs représentent les anomalies de vitesse des ondes par rapport à la vitesse attendue à une profondeur donnée. Les points blancs permettent de localiser les foyers sismiques.

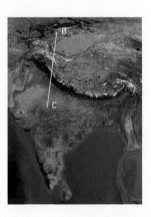

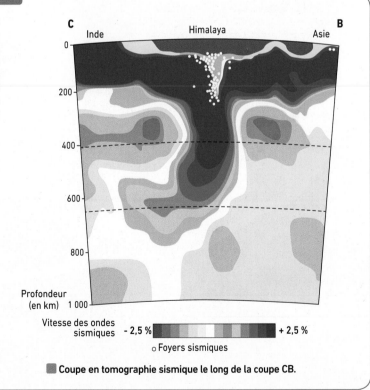

Coupe en tomographie sismique le long de la coupe CB.

La mobilité horizontale des plaques lithosphériques

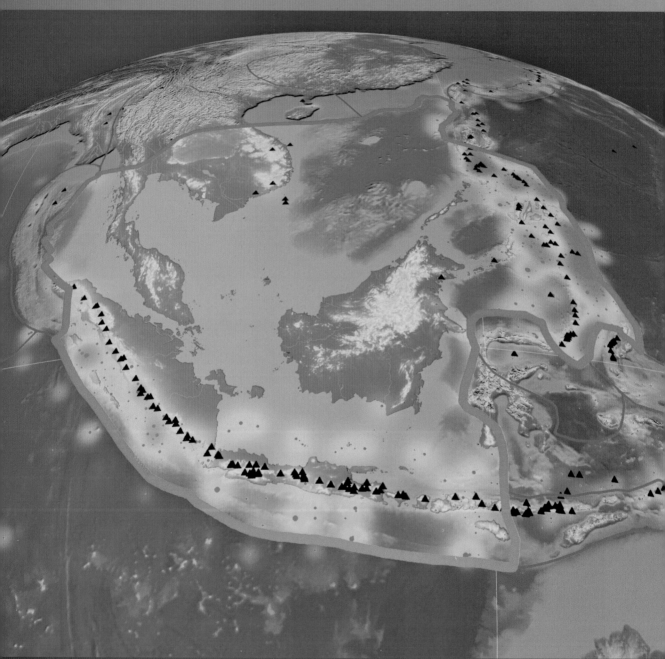

La lithosphère est découpée en une mosaïque de plaques mobiles les unes par rapport aux autres. Ici, les limites de la plaque de la Sonde sont mises en évidence sur le globe terrestre. Les points rouges représentent les foyers sismiques ; les triangles noirs les volcans présents dans cette région du monde, située en Asie du Sud-Est.

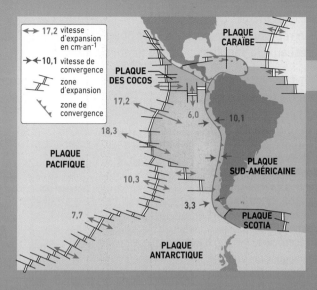

Des frontières actives

Les flèches tracées sur la carte ci-contre indiquent les directions, sens et vitesses des déplacements actuels au niveau de quelques-unes des frontières de plaques qui découpent la lithosphère terrestre.

Aux frontières de plaques, des reliefs positifs et négatifs

Les limites de plaques portent de nombreuses signatures géologiques. Il s'agit entre autres de reliefs typiques. Par exemple, ce plongeur progresse dans une profonde faille ouverte entre la plaque nord-américaine et la plaque eurasiatique, près de l'Islande, dans l'océan Atlantique (A). La chaîne himalayenne (B) est située quant à elle sur la frontière entre la plaque eurasiatique et la plaque indo-australienne.

Formuler les problèmes à résoudre

⬤ Faites le point sur ce que vous savez des mouvements des plaques lithosphériques.

⬤ À partir des documents présentés, formulez des questions qui se posent concernant les mouvements des plaques lithosphériques.

1

La géodésie spatiale, une mesure directe du mouvement des plaques

Depuis la fin du xxᵉ siècle, un repérage très précis de tout point situé au sol est possible grâce à des signaux provenant de réseaux de satellites : c'est la géodésie spatiale.

> *Que nous apprend la géodésie spatiale concernant les mouvements de la lithosphère ?*

① La mesure des déplacements absolus

L'une des principales techniques de géodésie spatiale, le GPS (Global Positioning System), utilise trente satellites situés à 20 000 km d'altitude (A). Les signaux qu'ils émettent sont captés au sol par des récepteurs fixes ou mobiles, ce qui permet de calculer en temps réel les coordonnées géographiques (latitude, longitude et altitude) de ces récepteurs.

Les stations GPS fixes utilisées par les géologues ont une précision inférieure au millimètre. Leurs changements de position au cours du temps servent notamment à mesurer les déplacements des plaques lithosphériques (B).

A

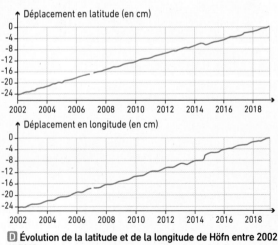
B Un récepteur GPS fixe, de haute précision.

② Les données géodésiques fournissent des vitesses de déplacement

A

S1 : station Reykjavik S2 : station Höfn

Les graphiques (C et D) représentent les longitudes et latitudes de deux stations GPS situées en Islande, Reykjavik et Höfn, mesurées depuis 2002. Par convention, la pente est positive pour des déplacements vers le nord ou vers l'est, négative pour des déplacements vers le sud ou vers l'ouest. La valeur de la pente indique la vitesse de déplacement de la station. La somme des vecteurs « vitesse latitudinale » et « vitesse longitudinale » (vecteurs en traits pointillés) permet donc de connaître le déplacement réel de la station (vecteur en trait plein) (B).

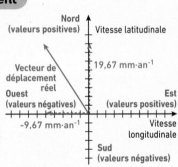

Nord (valeurs positives) | Vitesse latitudinale
Vecteur de déplacement réel
Ouest (valeurs négatives) | Est (valeurs positives)
19,67 mm·an⁻¹
−9,67 mm·an⁻¹ | Vitesse longitudinale
Sud (valeurs négatives)

B Vitesse de déplacement de la station S1.

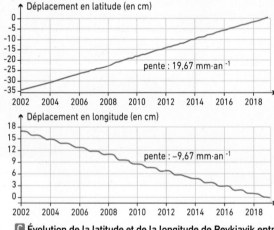

Déplacement en latitude (en cm)
pente : 19,67 mm·an⁻¹

Déplacement en longitude (en cm)
pente : −9,67 mm·an⁻¹

C Évolution de la latitude et de la longitude de Reykjavik entre 2002 et 2018.

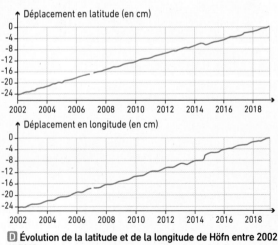

Déplacement en latitude (en cm)

Déplacement en longitude (en cm)

D Évolution de la latitude et de la longitude de Höfn entre 2002 et 2018.

3 Les données géodésiques enregistrent les mouvements des plaques

Il existe plus de 2 500 stations GPS fixes, disséminées sur l'ensemble des plaques lithosphériques. La connaissance de leurs positions au cours du temps indique dans quelles directions, sens et vitesses elles se déplacent (A).

On peut ainsi en déduire les mouvements des plaques les unes par rapport aux autres, et repérer les frontières en **divergence*** ou en **convergence***.

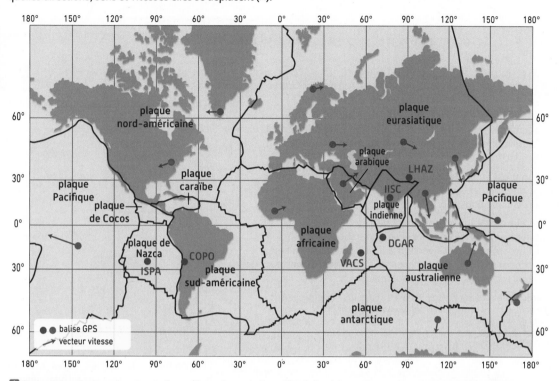

A Carte de localisation et vecteurs vitesse de quelques balises GPS fixées à la surface des plaques lithosphériques.

Activité pratique

À l'aide d'un logiciel ou d'une base de données GPS en ligne :
- Repérer sur quelle plaque lithosphérique se situe chacune des stations indiquées en bleu sur la carte du document A.
- Relever pour chacune de ces stations les vitesses moyennes en latitude et en longitude.
- Tracer dans un même repère orthonormé les vecteurs « vitesse » des stations ISPA et COPO (B). Faire de même pour les stations VACS et DGAR, ainsi que pour IISC et LHAZ.
- Identifier dans chacun des trois cas si les plaques convergent ou divergent, et à quelle vitesse relative (l'une des deux étant considérée comme fixe).

Station GPS	Vitesse en latitude (mm·an⁻¹)	Vitesse en longitude (mm·an⁻¹)
ISPA	− 6,1	+ 66,4
COPO	+ 19,7	+ 22,5

B Vitesses moyennes en latitude et en longitude des stations ISPA et COPO entre 2006 et 2016.

Activités envisageables

Pour comprendre les apports de la géodésie à la connaissance des mouvements des plaques lithosphériques :

- Montrez que les stations GPS de Höfn et de Reykjavik, bien que situées sur la même île, s'éloignent l'une de l'autre. Proposez une explication à ce phénomène.
- Retrouvez à partir de la carte des exemples de plaques divergentes et des exemples de plaques convergentes.

Des clés pour réussir

- Vous pouvez tracer sur un même repère orthonormé les vecteurs vitesse de différentes stations pour les comparer facilement.
- Vous pouvez vous référer aux acquis p. 138.

* Lexique ➡ p. 422

2

Champ magnétique terrestre et divergence des plaques

Les magnétomètres embarqués lors de campagnes océanographiques ont permis d'accumuler de nombreuses mesures du champ magnétique terrestre au niveau des océans.

Comment ces données magnétiques permettent-elles de mesurer la divergence des plaques au niveau des dorsales ?

Animation

Champ magnétique terrestre

1 Le magnétisme terrestre actuel et le magnétisme terrestre fossile

Le **champ magnétique terrestre*** est la conséquence d'écoulements de matière ionisée dans le noyau terrestre. Il est assimilable au champ magnétique qui serait créé par un aimant placé au centre de la Terre.

Ce champ est représenté en tout point par un vecteur qui a pour direction et sens ceux de l'axe sud-nord de l'aiguille aimantée d'une boussole.

Ce vecteur est défini par trois paramètres :
– l'intensité, exprimée en tesla (T) ou en nanotesla ;
– l'inclinaison, angle de ce vecteur avec l'horizontale du lieu ;
– la déclinaison, angle de la composante horizontale du vecteur avec la direction du Nord géographique.

Remarque : *Le pôle Nord magnétique terrestre (N_M), nommé ainsi parce qu'il est proche du pôle Nord géographique (N_G), est en réalité un pôle de magnétisme « sud » qui attire le pôle Nord de l'aimant.*

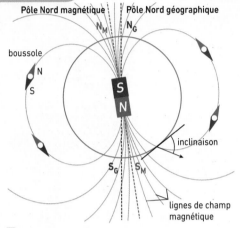

Pôle Nord magnétique | Pôle Nord géographique

boussole

inclinaison

lignes de champ magnétique

A Le champ magnétique terrestre.

B Position de l'aiguille d'une boussole selon sa distance à un basalte.

Les roches volcaniques telles que les basaltes, sont formées par refroidissement d'un magma. Avant la solidification due au refroidissement, certains de leurs minéraux comme la magnétite (Fe_3O_4) s'aimantent selon les caractéristiques du champ terrestre du moment. Cette aimantation est conservée définitivement après solidification de la roche. Ainsi, les basaltes gardent « en mémoire » les caractères du magnétisme terrestre du lieu et de l'époque de leur formation.

Au début du XXe siècle, en mesurant le champ magnétique « fossilisé » dans des coulées de laves superposées, Bernard Brunhes a montré que le champ magnétique terrestre avait subi des inversions au cours des temps géologiques : aujourd'hui le pôle Nord magnétique est proche du pôle Nord géographique (polarité dite « normale ») ; à d'autres périodes en revanche, il était proche du pôle Sud géographique (polarité dite « inverse »). Chaque inversion du champ magnétique a pu être datée avec précision par radiochronologie*.

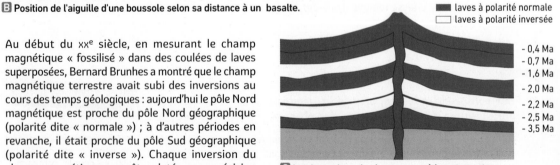

laves à polarité normale
laves à polarité inversée

- 0,4 Ma
- 0,7 Ma
- 1,6 Ma
- 2,0 Ma
- 2,2 Ma
- 2,5 Ma
- 3,5 Ma

C Les inversions du champ magnétique terrestre (Ma : millions d'années).

② Les anomalies magnétiques des fonds océaniques

À la fin des années 1950, des mesures du champ magnétique sont réalisées en mer à l'aide de magnétomètres embarqués sur les navires océanographiques. Les intensités mesurées de ce champ sont soit légèrement plus fortes (anomalies positives) soit légèrement plus faibles (anomalies négatives) que la valeur théorique moyenne attendue. Ces **anomalies magnétiques*** sont à mettre en relation avec les inversions du champ magnétique terrestre.

Les anomalies magnétiques forment des bandes parallèles entre elles et symétriques par rapport à l'axe de la dorsale. Leur cartographie dessine une « peau de zèbre ». Cette répartition des anomalies magnétiques est due à l'expansion océanique : les basaltes se forment dans l'axe de la dorsale, puis s'en éloignent peu à peu, comme sur un double tapis roulant. En se référant aux travaux de Bernard Brunhes, on peut repérer et dater chacune des bandes de la « peau de zèbre », puis calculer la vitesse de **l'expansion océanique*** et donc la vitesse de divergence des plaques.

Islande

« peau de zèbre »

61° N —

— 60° N

59° N —

axe de la dorsale   25° O   24° O

A Anomalies magnétiques dans l'Atlantique Nord.

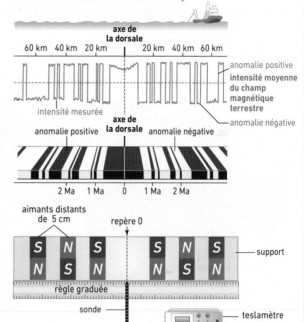

Trajet du bateau remorquant le magnétomètre

axe de la dorsale

60 km   40 km   20 km   20 km   40 km   60 km

anomalie positive

intensité moyenne du champ magnétique terrestre

intensité mesurée

axe de la dorsale

anomalie positive   anomalie négative

anomalie négative

2 Ma   1 Ma   0   1 Ma   2 Ma

aimants distants de 5 cm

repère 0

S N S   S N S
N S N   N S N

support

règle graduée

sonde

teslamètre

B Une modélisation des anomalies magnétiques.

Afin de modéliser la répartition des anomalies magnétiques des fonds océaniques de part et d'autre de la dorsale, on utilise un lot d'aimants et une sonde reliée à un teslamètre* :

■ Disposer et fixer des aimants symétriquement de part et d'autre d'une ligne médiane (repère 0) avec une alternance des pôles magnétiques.

■ Mettre en place la sonde de Hall au repère 0.

■ Faire glisser la sonde le long de la règle afin de mesurer le champ magnétique des aimants de part et d'autre du repère 0.

■ Représenter les résultats sous forme d'un graphique.

Distance (en cm)	– 15	– 10	– 5	0	5	10	15
Valeur mesurée (en mT)	7,80	1,80	8,42	3,50	7,64	1,42	8,10

C Exemples de résultats (mT = millitesla).

Pour comprendre comment les anomalies magnétiques permettent de mesurer la divergence des plaques au niveau des dorsales :

● Expliquez l'existence des anomalies magnétiques enregistrées en mer.

● Expliquez la symétrie de ces anomalies magnétiques de part et d'autre de l'axe de la dorsale.

● Calculez la vitesse moyenne de divergence des deux plaques étudiées, au cours des deux derniers millions d'années.

Des clés pour réussir

● Vous pouvez faire le lien entre la modélisation et les résultats issus du terrain.

● Aidez-vous de la carte des plaques de l'unité 1 pour identifier les deux plaques divergentes.

● Attention aux conversions des unités pour le calcul de la vitesse ; à exprimer en cm·an^{-1}

* Lexique ➡ p. 422

3

Les sédiments océaniques témoins de la divergence

Dans les années 1970, des campagnes de forage dans tous les océans du globe ont permis d'étudier et de dater les sédiments des fonds océaniques.

> *Comment l'étude des sédiments océaniques permet-elle de confirmer l'expansion océanique et la divergence des plaques au niveau des dorsales ?*

1 L'âge et l'épaisseur des sédiments au contact du basalte

De nombreux forages des fonds océaniques ont été réalisés en mer par des navires océanographiques, sous une tranche d'eau parfois supérieure à 3 km (A). Ces forages ont permis de remonter des carottes de sédiments* déposés sur le fond océanique sur une épaisseur qui peut dépasser 1 700 mètres.

Remontées à bord du navire, les carottes sont étudiées (B). On peut, par exemple, déterminer l'épaisseur et l'âge des sédiments (C). La sédimentation étant un phénomène continu, on peut considérer que les basaltes de la croûte océanique sont du même âge que les sédiments situés à leur contact direct.

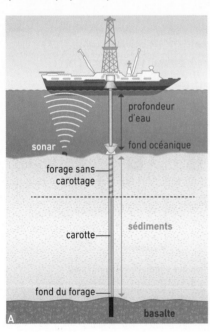

Axe de la dorsale

Site	21	20	19	14	15	16	18	17
Distance à la dorsale (en km)	1 700	1 400	1 250	750	400	200	500	750
Épaisseur des sédiments (en m)	3 200	3 000	2 500	2 200	1 100	750	1 200	1 700
Âge des sédiments les plus anciens (en Ma)	75	65	48	40	23	11	23	35
Profondeur du toit du basalte par rapport au niveau de la mer (en m)	– 7 200	– 6 800	– 6 000	– 5 700	– 4 600	– 3 650	– 4 400	– 5 100

C Exemple de résultats. Les sites des forages sont localisés page suivante. (Ma = million d'années).

② L'estimation de la vitesse de l'expansion océanique

En exploitant les données de centaines de forages, il est possible de construire la carte de l'âge des plus anciens sédiments en contact avec le basalte des fonds océaniques (voir la carte géologique du monde p. 414). Cet âge est aussi celui de la croûte océanique elle-même.

Sur la carte ci-dessous, ces âges sont repérés par des couleurs correspondant aux différentes périodes géologiques.

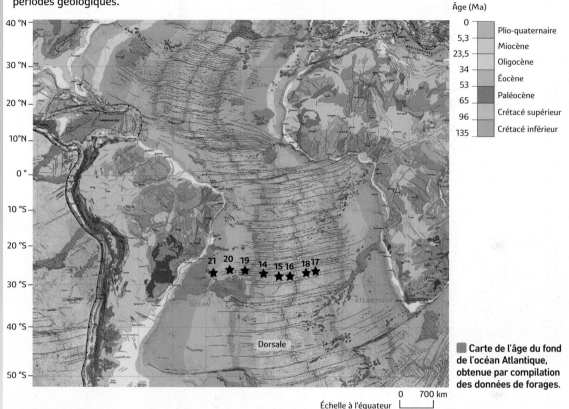

Carte de l'âge du fond de l'océan Atlantique, obtenue par compilation des données de forages.

Âge (Ma)	
0	Plio-quaternaire
5,3	Miocène
23,5	Oligocène
34	Éocène
53	Paléocène
65	Crétacé supérieur
96	
135	Crétacé inférieur

Activité pratique

Les résultats présentés par le tableau du document 1 C ont été obtenus à partir de données accessibles en ligne et affichables dans des SIG (Système d'Information Géographique). Exploitez une base de données sur les forages océaniques pour :

■ Localiser des forages situés à proximité d'une dorsale, dans l'océan Pacifique ou dans l'océan Indien.

■ Relever pour chaque forage la distance à l'axe de la dorsale et l'âge des sédiments au contact du basalte.

■ Avec un tableur, construire le graphique représentant la distance à l'axe de la dorsale en fonction de l'âge du fond océanique.

■ En déduire la vitesse de l'expansion océanique dans le secteur étudié.

Activités envisageables

Pour comprendre comment les sédiments océaniques permettent d'étudier la divergence des plaques au niveau des dorsales :

● Construisez un schéma représentant en coupe verticale le fond océanique entre les forages 21 et 17.

● Calculez et comparez la vitesse moyenne d'expansion océanique au niveau de la dorsale de l'océan Atlantique à 30 °S et 30 °N sur les 96 derniers millions d'années.

Des clés pour réussir

● Les sédiments se déposent en permanence, les uns par-dessus les autres.

● Pour votre schéma, aidez-vous des données du tableau (document 1) et de la carte (document 2) pour représenter la disposition des sédiments.

✱ Lexique ➡ p. 422

Volcanisme de point chaud et déplacement des plaques

Alors que la plupart des volcans sont situés aux limites des plaques lithosphériques (volcanismes typiques des dorsales et des zones de subduction), le volcanisme de point chaud s'observe le plus souvent au sein même des plaques.

En quoi le volcanisme de point chaud nous renseigne-t-il sur le déplacement des plaques ?

Animation

Volcanisme de point chaud

1 Des îles volcaniques créées par un point chaud

Le **volcanisme intraplaque***, ou volcanisme de point chaud est particulièrement remarquable dans l'océan Pacifique où il dessine des alignements plus ou moins réguliers d'îles volcaniques. L'archipel* de l'Empereur est composé d'une chaîne de volcans sous-marins inactifs, qui se prolonge vers le sud-est par l'archipel d'Hawaï. Ce dernier comprend des volcans émergés, comme le Kilauea, un des volcans les plus connus et actifs du monde.

A Éruption du Kilauea (juin 2018).

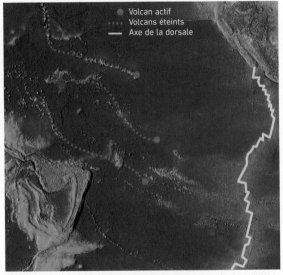

Volcan actif
Volcans éteints
Axe de la dorsale

B Archipels volcaniques de l'océan Pacifique.

Ce volcanisme intraplaque est la manifestation de l'activité d'un point chaud. Un point chaud est une anomalie thermique positive ponctuelle, enracinée dans le manteau profond (C) (voir p. 157). La colonne de manteau chaud qui remonte vers la surface par convection alimente un volcanisme effusif* (A). Les points chauds sont pratiquement immobiles pendant des dizaines de millions d'années, même si la plaque lithosphérique située en surface se déplace (D).

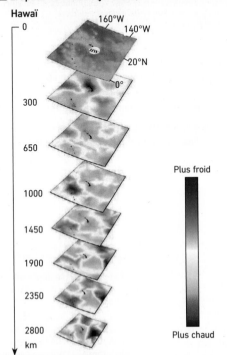

Hawaï
160°W
140°W
20°N
0°

Plus froid

Plus chaud

C Tomographie sismique sous l'île d'Hawaï.

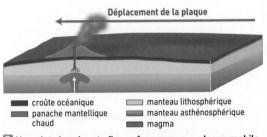

Déplacement de la plaque

croûte océanique
panache mantellique chaud

manteau lithosphérique
manteau asthénosphérique
magma

D Un point chaud reste fixe, même sous une plaque mobile.

❷ Un point chaud révèle les déplacements de la plaque lithosphérique

Si la plaque lithosphérique située au-dessus du point chaud est mobile, le volcan actif finira par ne plus être à la verticale du point chaud : il s'éteindra, tandis qu'un autre se formera un peu plus loin, juste à la verticale de la colonne du manteau chaud. Ainsi, les points chauds construisent peu à peu des alignements d'îles volcaniques, dont une seule est active.

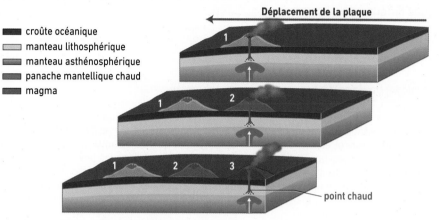

■ croûte océanique
□ manteau lithosphérique
■ manteau asthénosphérique
■ panache mantellique chaud
■ magma

Déplacement de la plaque

point chaud

A Du point chaud à l'alignement volcanique.

Activité pratique

La datation des roches volcaniques de l'archipel Empereur - Hawaï a été réalisée. Elle permet de reconstituer la direction, le sens et la vitesse de déplacement de la plaque Pacifique dans cette région.

■ Mesurer la distance des volcans par rapport au volcan le plus récent.

■ Avec un tableur, construire un graphique mettant en relation l'âge des volcans et leur distance par rapport à Hawaï.

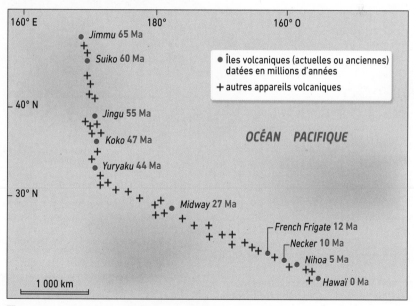

● Îles volcaniques (actuelles ou anciennes) datées en millions d'années
+ autres appareils volcaniques

OCÉAN PACIFIQUE

Jimmu 65 Ma
Suiko 60 Ma
Jingu 55 Ma
Koko 47 Ma
Yuryaku 44 Ma
Midway 27 Ma
French Frigate 12 Ma
Necker 10 Ma
Nihoa 5 Ma
Hawaï 0 Ma

1 000 km

B Une disposition particulière des volcans et de leurs âges.

Activités envisageables

Pour montrer que l'étude du volcanisme de point chaud renseigne sur le mouvement des plaques :

● Reconstituez la trajectoire de la plaque Pacifique depuis 65 Ma (direction et sens de déplacement).

● Évaluez la vitesse moyenne de déplacement de la plaque Pacifique dans cette région.

● Proposez une explication à ces déplacements.

Des clés pour réussir

● Bien établir la relation entre l'âge, l'activité, la position des volcans par rapport au point chaud et le déplacement de la plaque.

● L'île de Yuryaku occupe une position charnière dans cet alignement, tenez-en compte.

✱ Lexique ➡ p. 422

177

Marqueurs thermiques et sismologiques des frontières de plaques

L'ensemble des indices géologiques ainsi que les mesures actuelles permettent d'identifier des zones de divergence et des zones de convergence aux caractéristiques thermiques et sismologiques différentes.

Quelles sont les caractéristiques thermiques et sismologiques des limites de plaques ?

Modélisation

Tectoglob3D

1 Le flux géothermique varie selon les contextes géodynamiques

Le **flux géothermique*** a été déterminé avec précision sur plus de 24 000 stations dispersées sur la planète. À partir de ces résultats et en complétant par des interpolations pour les zones non étudiées, il a été possible de proposer une carte mondiale des variations du flux géothermique. Sa valeur dépend de la conductivité thermique des roches, mais aussi du gradient géothermique (voir p. 154). Le flux géothermique moyen est de 87 mW·m^{-2}, mais il n'est en moyenne que de 65 mW·m^{-2} sur les continents et de 100 mW·m^{-2} dans les océans. Par ailleurs, on peut noter une association entre zones tectoniques (dorsales océaniques, zones de subduction par exemple) et anomalies du flux de chaleur.

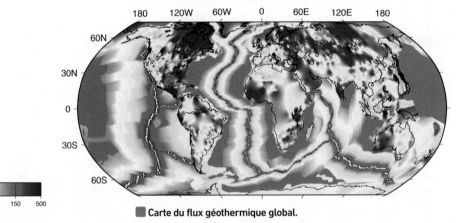

15   35   65   100   150   500
mW m^{-2}

■ Carte du flux géothermique global.

2 Le flux géothermique en zone de subduction

L'arc des Petites Antilles est une zone volcanique active. La variabilité du flux géothermique de cette région est typique du contexte de subduction. Ici, c'est la partie océanique de la plaque sud-américaine qui passe sous la plaque caraïbe.

Activité pratique

À l'aide d'un logiciel comme GeoMapApp par exemple ou d'un autre Système d'Information Géographique :

■ Observer le flux géothermique dans d'autres zones de convergence (au Japon, dans la Cordillère des Andes, dans les Alpes...).

■ Rechercher les similitudes avec le cas des Petites Antilles.

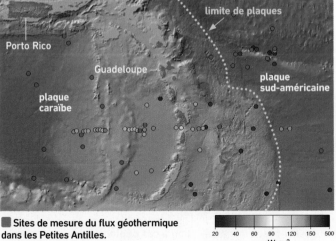

■ Sites de mesure du flux géothermique dans les Petites Antilles.

20   40   60   90   120   150   500
mW·m^{-2}

3 Les marqueurs sismiques des zones de convergence et de divergence

Les plaques lithosphériques sont rigides et peu déformables sauf à leurs frontières. La limite de deux plaques se matérialise donc par une zone plus ou moins large de forte activité sismique, caractéristique des contextes géodynamiques, tels que la subduction, l'expansion ou la collision continentale.

Activité pratique

À l'aide d'un logiciel comme Geo-MapApp par exemple ou d'un autre Système d'Information Géographique :

■ Visualiser les foyers des séismes qui se sont produits au cours d'une période (par exemple entre 1960 et 2018).

■ Caractériser les zones de divergence et de convergence du point de vue de l'abondance des séismes, de leur répartition géographique, de leur magnitude, de la profondeur des foyers sismiques.

■ Identifier les types de frontières qui limitent une plaque tectonique (par exemple la plaque indo-australienne).

Profondeur des foyers sismiques
● < 50 km
● de 50 km à 250 km
● > 250 km

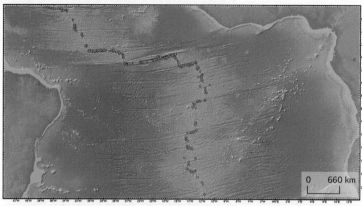

0   660 km

A Dorsale Atlantique Sud (zone d'expansion).

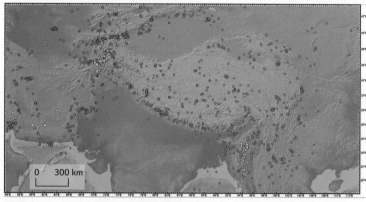

0   300 km

B Chaîne himalayenne (zone de collision).

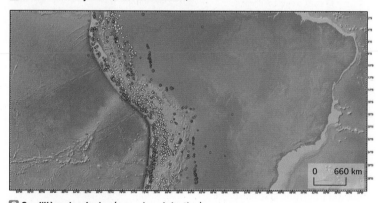

0   660 km

C Cordillère des Andes (zone de subduction).

Activités envisageables

Pour comprendre les particularités sismiques et géothermiques des zones de convergence et des zones de divergence :

● Construisez un tableau comparatif des marqueurs sismiques et géothermiques des zones de convergence et de divergence.

● Proposez des explications à ces particularités sismiques et géothermiques.

Des clés pour réussir

● Identifier les critères de comparaison avant de concevoir le tableau.
● Appuyez-vous sur vos acquis (collège et chapitre 1).

* Lexique ➡ p. 422

Caractéristiques pétrographiques des frontières de plaques

Les frontières des plaques tectoniques sont pour la plupart des lieux de production de nouvelles roches, et en particulier de roches magmatiques. Certaines de ces roches se révèlent typiques du contexte géologique dans lequel elles se sont formées.

> *Quelles roches magmatiques caractérisent les zones de divergence et de convergence ?*

1 Les contextes géodynamiques et leur magmatisme associé

Animation
La machine Terre

Les mouvements des plaques lithosphériques déterminent des contextes géodynamiques tels que les zones de subduction, de collision ou encore d'expansion. Elles produisent toutes des magmas particuliers.

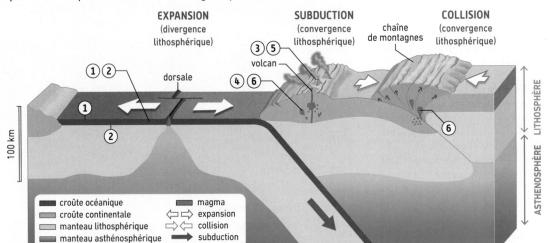

A Les trois principaux types de contexte géodynamique.

Les magmas, qui sont produits dans des contextes géodynamiques différents, se distinguent essentiellement par leur teneur en silice (SiO_2). Les autres éléments chimiques (teneur en Fe, Mg, Al, Ca, Na, K...) déterminent les minéraux qui pourront cristalliser lors du refroidissement du magma, et que l'on retrouvera dans la roche. Quant à la **texture*** de la roche, elle résulte de la vitesse de refroidissement du magma.

La texture grenue est caractéristique des **roches plutoniques*** et la texture microlitique correspond aux **roches volcaniques***.

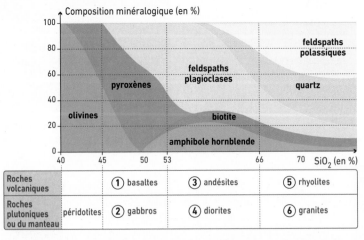

Roches volcaniques		① basaltes	③ andésites	⑤ rhyolites
Roches plutoniques ou du manteau	péridotites	② gabbros	④ diorites	⑥ granites

B Composition minéralogique des roches magmatiques en fonction de leur teneur en SiO_2.

Remarque : plus une roche magmatique est riche en silice, plus sa couleur est claire (observation à l'œil nu).

② Des roches magmatiques typiques des grands contextes géodynamiques

Les six échantillons de roches magmatiques présentés ci-dessous proviennent de contextes différents. **A** et **B** ont la même composition chimique, et les mêmes minéraux. En revanche, leur texture est différente. Il en est de même pour les échantillons **C** et **D** d'une part, **E** et **F** d'autre part.

2 mm   2 cm

pyroxène

A Échantillon et observation microscopique en lumière polarisée analysée (LPA) de la roche A.

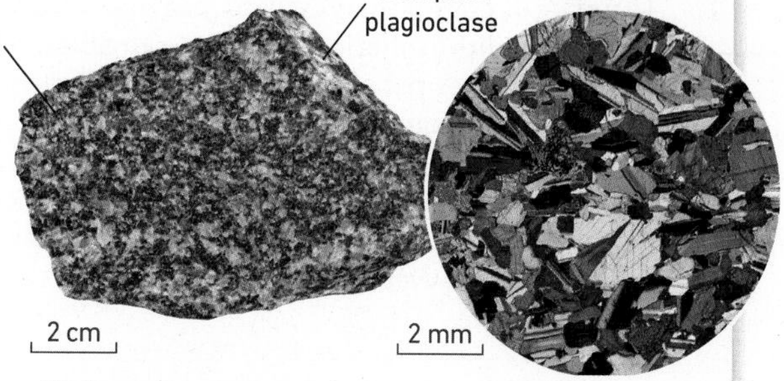

feldspath plagioclase

2 cm   2 mm

B Échantillon et observation microscopique en LPA de la roche B.

2 mm   2 cm

feldspath potassique

C Échantillon et observation microscopique en LPA de la roche C.

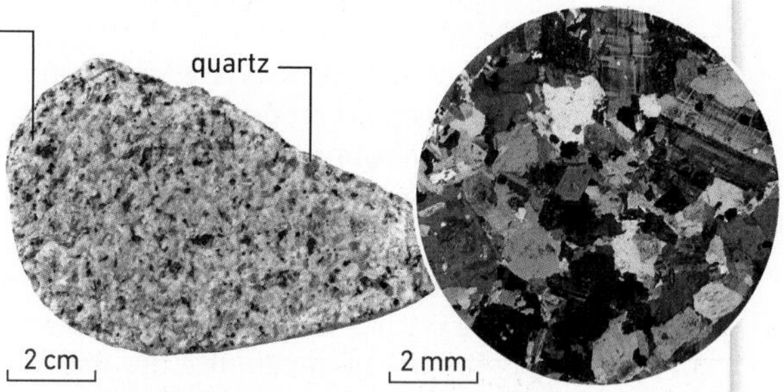

feldspath potassique   quartz

2 cm   2 mm

D Échantillon et observation microscopique en LPA de la roche D.

2 mm   2 cm

feldspath plagioclase

E Échantillon et observation microscopique en LPA de la roche E.

pyroxène et amphibole

2 cm   2 mm

F Échantillon et observation microscopique en LPA de la roche F.

Activités envisageables

Pour identifier les roches caractéristiques des zones de convergence et des zones de divergence :

- Identifiez les minéraux de chacune des roches présentées dans le document 2, déterminez leur texture, leur mode de mise en place (volcanique ou plutonique) et leur nom.
- Montrez que ces roches sont typiques d'un contexte géodynamique de divergence ou de convergence.

Des clés pour réussir

- Vous pouvez vous aider du chapitre 1 p. 144, du chapitre 3 p. 197, du chapitre 4 p. 218 et du guide pratique p. 408 à 411.
- Tirez des arguments précis de l'ensemble des documents.

✳ Lexique ➡ p. 422

Bilan des connaissances

La mobilité horizontale des plaques lithosphériques

Podcast
Bilan

La surface de notre planète est découpée en un ensemble de **plaques lithosphériques** peu déformables, mais mobiles les unes par rapport aux autres (14 plaques principales, une quarantaine de microplaques). Cette mobilité horizontale est l'expression d'une dynamique plus profonde, qui affecte le manteau sous-lithosphérique. Plusieurs méthodes permettent de préciser et de quantifier les mouvements de ces plaques.

1 La géodésie spatiale : une mesure des mouvements actuels des plaques

Les signaux envoyés vers la surface par de nombreux **satellites géodésiques** en orbite autour de la Terre permettent de connaître le positionnement de balises situées à la surface des plaques lithosphériques.

Leur longitude, latitude et altitude sont mesurées en continu avec une précision inférieure au millimètre, ce qui permet de calculer des vitesses de **déplacement absolu,** par rapport au repère fixe des méridiens et parallèles terrestres.

Le mouvement des plaques, les unes par rapport aux autres, détermine leurs **déplacements relatifs**.

Les frontières de deux plaques adjacentes peuvent ainsi être animées de mouvements :
– de **divergence** (éloignement de deux plaques) au niveau des **dorsales** ;
– de **convergence** (rapprochement de deux plaques) au niveau des zones de **subduction** et au niveau des zones de **collision** continentale.

Notons qu'il existe aussi des mouvements de coulissage (glissement horizontal de deux plaques l'une contre l'autre).

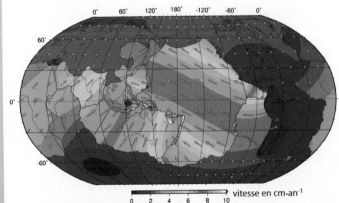

vitesse en cm·an⁻¹
0   2   4   6   8   10

Vitesse des plaques lithosphériques mesurée par géodésie. (carte centrée sur le Pacifique.)

2 Des indices géologiques du déplacement des plaques lithosphériques

L'apport des anomalies magnétiques des fonds océaniques

Certaines roches magmatiques comme les basaltes peuvent conserver les caractéristiques du champ magnétique terrestre au moment de leur formation. À l'aide de magnétomètres très sensibles, on peut retrouver dans un échantillon de roche la « trace » de ce champ magnétique ancien (ou champ paléomagnétique).

L'étude de roches variées a ainsi montré que la polarité du champ magnétique a subi au cours des temps géologiques de nombreuses inversions. À certaines époques, appelées périodes inverses, les pôles magnétiques Nord et Sud étaient inversés par rapport à la situation actuelle. Ces changements de polarité sont parfaitement documentés et ont pu être datés avec précision en domaine continental, ce qui a permis de construire un « calendrier » des inversions magnétiques. Les relevés effectués au niveau du plancher océanique basaltique révèlent des **anomalies du champ magnétique** : selon les endroits, son intensité est soit plus grande que la valeur attendue (anomalie positive), soit plus faible (anomalie négative). Ces anomalies dessinent un profil magnétique en « peau de zèbre » avec des bandes de largeur variable, grossièrement parallèles et symétriques par rapport à l'axe de la dorsale. La mise en relation du profil magnétique du plancher océanique avec le calendrier des inversions magnétiques a permis de dater indirectement les basaltes du plancher océanique et de montrer que les basaltes sont d'autant plus vieux qu'on s'éloigne de part et d'autre de l'axe de la dorsale.

Cette répartition des âges prouve que l'**expansion océanique** s'effectue à partir de l'axe des dorsales. De nouveaux matériaux rocheux s'y forment, puis s'éloignent latéralement, de part et d'autre de cet axe. La connaissance précise de l'âge des basaltes permet alors de calculer la vitesse de l'expansion océanique (en cm·an⁻¹) et donc la vitesse de divergence des plaques.

La vitesse d'expansion de l'océan Atlantique Nord lors des de 2 derniers millions d'années est d'environ 4 cm·an⁻¹ soit une divergence de 4 cm·an⁻¹ des plaques nord-américaine et eurasiatique.

L'apport des forages océaniques

De nombreux forages profonds réalisés dans les océans ont confirmé l'expansion océanique et la divergence des plaques au niveau de la dorsale. Les sédiments les plus profonds ont le même âge que les basaltes qu'ils recouvrent. Plus on s'éloigne de la dorsale, plus les sédiments sont épais et plus les couches au contact des basaltes sont anciennes. Par exemple, dans l'océan Atlantique Nord, la croûte océanique la plus ancienne (datée du Jurassique, soit −175 Ma environ) se trouve proche des continents américain et européen ; en se rapprochant de la dorsale, les basaltes sont de plus en plus récents.

Connaissant ainsi la répartition géographique de l'âge des basaltes de la croûte océanique, on peut calculer la vitesse de divergence des plaques. Cette vitesse est variable d'une dorsale à une autre (de 2 à 3 cm·an^{-1} pour les dorsales les plus lentes, jusqu'à 16 cm·an^{-1} pour les plus rapides).

L'apport des volcans de point chaud

Il existe sur notre planète plusieurs grands alignements d'édifices volcaniques inactifs, à l'extrémité desquels se situent des volcans actifs. Ces volcans sont qualifiés d'« **intraplaques** », car dans la plupart des cas ils sont situés loin d'une frontière de plaques. Dans un alignement, les volcans sont d'autant plus vieux qu'ils sont éloignés du volcan actif.

Ces alignements remarquables proviennent de l'activité d'un **point chaud**, région fixe du manteau profond qui envoie vers la surface un panache de matériel chaud ; des magmas issus de ce manteau anormalement chaud perforent épisodiquement la plaque lithosphérique située au-dessus du point chaud.

Ces points chauds constituent donc des **repères fixes**. La datation des édifices volcaniques qu'ils engendrent et la mesure des distances séparant ces volcans permettent de calculer les vitesses et de connaître les directions de déplacement des plaques. Ainsi, les alignements volcaniques situés dans l'océan Pacifique ont permis de reconstituer les mouvements de cette plaque au cours des 65 derniers millions d'années.

De −65 Ma à −44 Ma, la plaque s'est déplacée vers le nord, créant ainsi toute la chaîne volcanique des îles Empereur, puis la plaque a changé de direction de −44 Ma à aujourd'hui. Elle se dirige à présent vers le nord-ouest avec une vitesse d'environ 8,5 cm·an^{-1}, Hawaï étant le volcan actif de cet alignement.

3. Les marqueurs des zones de divergence et des zones de convergence

Les frontières des plaques en convergence et celles des plaques en divergence présentent des marqueurs géologiques différents, qui permettent de les caractériser.

Des marqueurs thermiques

Le **flux géothermique** mesuré en surface correspond à la dissipation de la chaleur interne du globe. Sa valeur moyenne est de 87 mW·m^{-2}. Cependant, le flux géothermique présente des variations importantes selon les régions (il est en moyenne plus élevé en domaine océanique qu'en domaine continental) et selon les contextes géodynamiques.

Les dorsales présentent un flux thermique plus élevé que la moyenne. Cette anomalie thermique positive est liée à la remontée asthénosphérique dans l'axe des dorsales et à la présence de magma à l'origine de la croûte océanique.

Les zones de subduction présentent un flux thermique très contrasté : à l'aplomb des fosses océaniques, le flux thermique est plus faible que la moyenne. Cette anomalie négative correspond au plongement de la plaque océanique froide dans l'asthénosphère. À l'inverse, au niveau de l'arc volcanique, le flux thermique est plus élevé, du fait de la présence de magmas au sein de la croûte.

Des marqueurs sismiques

Les zones de subduction présentent une répartition caractéristique des foyers des séismes. Les foyers sismiques sont de plus en plus profonds en allant de la fosse vers l'arc volcanique, pouvant atteindre une profondeur de 700 km.

Au niveau d'une dorsale et des chaînes de montagnes, les foyers des séismes restent superficiels (jusqu'à 50 km). Ils sont très dispersés dans le cas des chaînes de montagnes, et en revanche, localisés très près de l'axe des dorsales.

Des marqueurs pétrologiques

Les dorsales fabriquent dans leur axe des roches magmatiques qui s'intègrent à la croûte en formation (zone d'expansion océanique) : en profondeur, des gabbros, **roches plutoniques** à la texture grenue, et en surface des basaltes, **roches volcaniques** à la texture microlitique. La couleur sombre de ces roches magmatiques témoigne de leur teneur en silice relativement faible (SiO_2 entre 45 et 52 %).

Les zones de subduction produisent des roches magmatiques aux teintes variables, plus claires que celles de la croûte océanique, car plus riches en silice ($SiO_2 > 53$ %). En profondeur se forment des roches plutoniques (texture grenue) comme les diorites ou des granites ; elles s'intègrent à la croûte continentale. En surface, le volcanisme produit des roches à la texture microlitique, comme l'andésite et la rhyolite.

Des magmas peuvent également se former au sein de la croûte continentale dans les zones de collision. Dans ce contexte, la teneur en silice est souvent supérieure à 66 %. Il se forme alors principalement des roches claires, plutoniques, de la famille du granite.

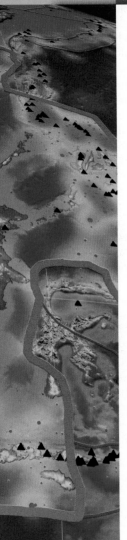

La mobilité horizontale des plaques lithosphériques

Podcast
L'essentiel

À retenir

◗ **La géodésie spatiale : une mesure des mouvements actuels des plaques**

La lithosphère terrestre est découpée en plaques animées de mouvements. Le mouvement des plaques peut être décrit et quantifié par différentes méthodes.

Les mesures géodésiques réalisées permettent de détecter les mouvements actuels et de calculer des vitesses de déplacement des plaques avec une grande précision. Ces mesures permettent de caractériser les déplacements absolus et les déplacements relatifs au niveau des frontières divergentes et convergentes.

◗ **Des indices géologiques du déplacement des plaques lithosphériques**

En domaine océanique, la répartition symétrique des anomalies magnétiques de part et d'autre de l'axe de la dorsale témoigne de l'expansion océanique qui s'y déroule. La datation de ces bandes d'anomalies magnétiques permet de calculer des vitesses de divergence des deux plaques lithosphériques concernées.

Les forages océaniques profonds permettent d'avoir accès aux roches de la croûte océanique (basaltes). À mesure que l'on s'éloigne de la dorsale, les sédiments au contact du basalte sont de plus en plus épais et âgés ; cela confirme l'expansion océanique et la divergence des plaques, et permet d'en calculer la vitesse.

Le volcanisme intraplaque génère des alignements de volcans lorsque la plaque se déplace au-dessus du point chaud, toujours fixe. L'orientation des alignements et la datation des édifices volcaniques permettent de décrire les déplacements de la plaque, et d'en calculer la vitesse.

◗ **Les marqueurs des zones de divergence et des zones de convergence**

Les frontières divergentes présentent des séismes superficiels, un flux thermique élevé et sont à l'origine des roches magmatiques sombres de la croûte océanique : basaltes et gabbros.

Les frontières convergentes en subduction sont le siège de séismes profonds ; le flux thermique est très contrasté : faible au niveau de la fosse, fort localement au niveau de l'arc volcanique. Elles produisent des roches magmatiques plus claires, telles que les diorites et les andésites.

Au niveau des frontières convergentes en collision, les séismes sont superficiels, le flux thermique est faible. Elles produisent des roches magmatiques claires : des granites.

Mots-clés

Anomalies magnétiques ● Collision ● Convergence ● Divergence ● Dorsale ● Expansion océanique ● Flux géothermique ● Géodésie ● Plaques lithosphériques ● Roches plutoniques ● Roches volcaniques ● Subduction ● Volcanisme intraplaque

Schéma bilan

La mobilité horizontale des plaques lithosphériques

Mesures géodésiques

balise GPS

Mesures géologiques

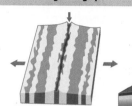

Déplacement de la plaque

Mesures géodésiques
Déplacement des plaques lithosphériques

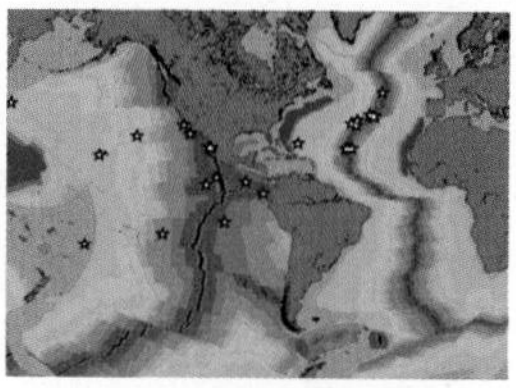

Forages océaniques
Âge du fond des océans et expansion océanique

Enregistrement du paléomagnétisme
Expansion océanique

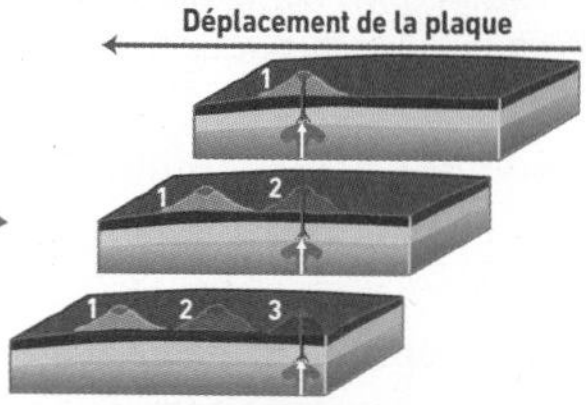

Points chauds
Déplacement des plaques lithosphériques

Déplacements relatifs au niveau des frontières de plaques

→← frontière divergente

→ ← frontière convergente

↖↘ coulissement

17,2 vitesse de déplacement (cm·an⁻¹)

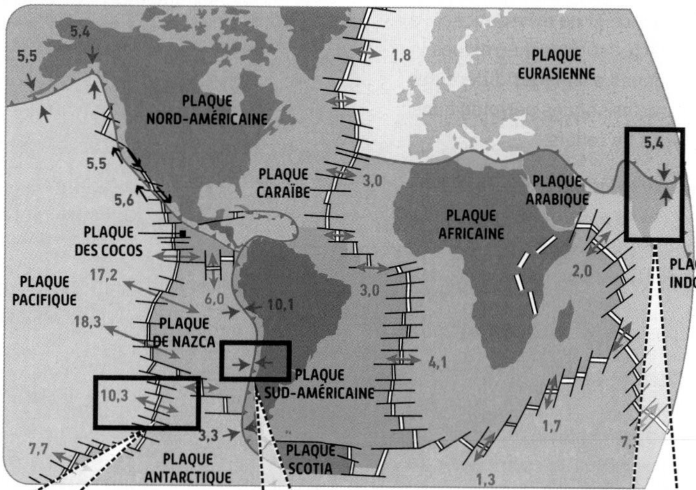

PLAQUE NORD-AMÉRICAINE
PLAQUE EURASIENNE
PLAQUE CARAÏBE
PLAQUE ARABIQUE
PLAQUE AFRICAINE
PLAQUE DES COCOS
PLAQUE PACIFIQUE
PLAQUE DE NAZCA
PLAQUE SUD-AMÉRICAINE
PLAQUE INDO-AUSTRALIENNE
PLAQUE SCOTIA
PLAQUE ANTARCTIQUE

5,4 5,5 1,8 5,4 5,5 5,6 3,0 17,2 6,0 10,1 2,0 18,3 3,0 4,1 10,3 1,7 7,7 3,3 1,3

Zone de divergence EXPANSION

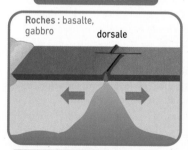

Roches : basalte, gabbro
dorsale

- Flux thermique fort
- Séismes superficiels

☐ manteau lithosphérique
☐ manteau asthénosphérique
☐ croûte océanique
☐ croûte continentale
☐ magma

Zone de convergence SUBDUCTION

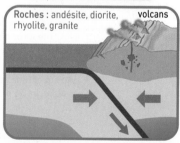

Roches : andésite, diorite, rhyolite, granite
volcans

- Flux thermique :
  - faible au niveau de la plaque plongeante ;
  - fort au niveau de l'arc volcanique
- Séismes superficiels, intermédiaires et profonds

Zone de convergence COLLISION

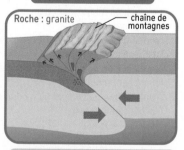

Roche : granite
chaîne de montagnes

- Flux thermique faible
- Séismes superficiels

⇐ ⇒ divergence
⇒ ⇐ convergence
⇒ subduction

1 Retour vers les problématiques

Relisez la page « S'interroger avant d'aborder le chapitre » (p. 169). À l'aide de ce que vous savez à présent, répondez aux questions que vous avez formulées.

2 Questions à choix multiple **BAC**

Pour chaque affirmation, choisissez l'unique bonne réponse.

1. Les anomalies magnétiques :
   a. sont provoquées par les roches du manteau lithosphérique ;
   b. caractérisent un mouvement de convergence ;
   c. sont symétriques de part et d'autre d'une dorsale ;
   d. perturbent la reconstitution des mouvements de divergence.

2. Les zones de convergence et de divergence :
   a. ont les mêmes caractéristiques thermiques ;
   b. ont des caractéristiques sismiques différentes ;
   c. ont les mêmes caractéristiques pétrologiques ;
   d. ont les mêmes types de reliefs.

3. Deux plaques lithosphériques voisines :
   a. convergent lorsqu'elles s'écartent l'une de l'autre ;
   b. divergent lorsqu'elles s'écartent l'une de l'autre ;
   c. coulissent lorsqu'elles se rapprochent l'une de l'autre ;
   d. ne se déplacent pas l'une par rapport à l'autre.

4. La géodésie spatiale permet de mesurer le déplacement des plaques :
   a. à partir d'anomalies magnétiques ;
   b. à partir de forages sédimentaires ;
   c. à partir du suivi de l'âge de volcans alignés ;
   d. à partir d'un réseau de balises recevant des signaux de satellites.

5. Les alignements volcaniques intraplaques :
   a. résultent du mouvement d'un point chaud sous la lithosphère fixe ;
   b. résultent d'un point chaud fixe en dessous de l'asthénosphère mobile ;
   c. résultent d'un point chaud fixe en dessous de la lithosphère mobile ;
   d. résultent du mouvement d'un point chaud sous l'asthénosphère fixe.

6. Le flux thermique de surface :
   a. est plus important à l'équateur qu'au pôle ;
   b. est plus important au niveau des chaînes de montagnes ;
   c. est la quantité de chaleur dégagée par une zone volcanique lors d'une éruption ;
   d. est la quantité de chaleur dégagée par les roches par unité de surface.

3 Vrai ou faux ?

Repérez les affirmations exactes et corrigez celles qui sont inexactes.

1. Les frontières divergentes présentent des séismes profonds, un flux thermique élevé et sont à l'origine des roches magmatiques claires de la croûte océanique, diorites et andésite.
2. En domaine océanique, la répartition symétrique des anomalies magnétiques de part et d'autre de l'axe de la dorsale témoigne de l'expansion océanique qui s'y déroule.
3. À mesure que l'on s'approche de la dorsale, les sédiments au contact du basalte sont de plus en plus épais et âgés.

4 Apprendre en s'interrogeant

1. Cachez une des deux colonnes du tableau ci-dessous et retrouvez ce que contient l'autre colonne (à faire seul ou à plusieurs).
2. Vérifiez vos réponses et reprenez si besoin les notions concernées.

Questions	Réponses
Qu'est-ce que la géodésie ?	Ce sont des techniques utilisées pour mesurer les vitesses actuelles des plaques lithosphériques.
Qu'appelle-t-on volcanisme intraplaque ?	C'est un type de volcanisme qui se met en place au-dessus d'anomalies thermiques appelées « points chauds ».
Qu'est-ce que le mouvement relatif de deux plaques ?	Cela correspond au mouvement d'une plaque par rapport à une autre.

5 Expliquer comment

   a. Les anomalies thermiques caractérisent des contextes de divergence et de convergence des plaques.
   b. Les données sismiques peuvent être des indicateurs d'une convergence lithosphérique.
   c. L'âge des sédiments océaniques permet de mesurer des vitesses de déplacement des plaques.

6 Légender un schéma

Attribuez une légende à chaque lettre. Caractérisez les frontières de plaques correspondant à B et C.

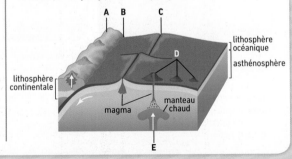

7 Mobiliser ses connaissances BAC

★ Décrivez les marqueurs géologiques qui permettent de différencier les frontières de divergence des frontières de convergence.

8 Mobiliser ses connaissances BAC

★★ Les plaques lithosphériques sont en mouvement à la surface du globe terrestre.
Présentez les méthodes permettant de préciser ces mouvements.

9 Exploiter un graphique, calculer

★ Le graphique ci-dessous présente, pour trois dorsales différentes, la relation entre l'âge d'un basalte de la croûte océanique (donné ici par le calendrier des inversions magnétiques) et son éloignement par rapport à la dorsale.

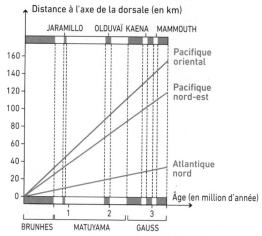

Distance à l'axe de la dorsale (en km)

Relation entre l'âge des basaltes et leur éloignement de la dorsale. D'après, *Géologie : objets et méthodes*, Jean Dercourt et Jacques Paquet, Édition Dunod.

Calculez la vitesse d'expansion océanique de part et d'autre de chacune de ces dorsales.

10 S'exprimer à l'oral Oral

★ Faites un commentaire oral de l'image ci-dessous : dîtes ce que vous observez et précisez les trois contextes géologiques associés aux mouvements des plaques. Vous pouvez vous enregistrer, vous ré-écouter et vous corriger.

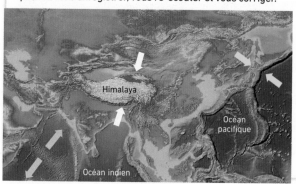

11 Recenser, extraire et exploiter des informations

★★ Deux forages (A et B) ont été réalisés dans l'Atlantique et ont permis de récupérer des carottes de sédiments. Leur position par rapport à la dorsale Atlantique, leur profondeur et leur composition sont données dans les documents ci-après.

	Distance à la dorsale	Profondeur de l'océan	Longueur de la carotte
Forage A	1 060 km	4 432 km	720 m
Forage B	350 km	3 883 km	399 m

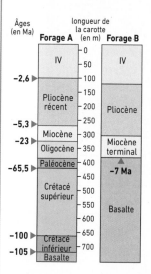

Âge des basaltes des deux forages

Aides à la résolution

- Comparer la localisation et les résultats des deux forages.
- Repérer les sédiments au contact des basaltes et dater ces basaltes.
- Expliquer les différences d'âges des basaltes.
- Calculer la vitesse d'expansion océanique pour chaque forage.

Utilisez ces informations pour montrer que l'océan Atlantique est en expansion, et que la vitesse de ce phénomène varie au cours du temps.

12 Interpréter des résultats et en tirer des conclusions

★ Dans l'océan Indien, on peut observer un alignement d'îles volcaniques. Elles proviennent de l'activité d'un point chaud occupant une position fixe dans le manteau, au-dessus duquel la lithosphère se déplace.

À l'aide du document, indiquez quel a été le sens du déplacement de la lithosphère depuis 65 Ma.

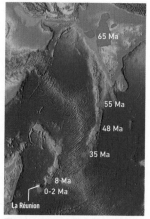

Alignement d'îles volcaniques dans l'océan Indien.

13 Le golfe d'Aden

Le golfe d'Aden est une des régions du monde parmi les plus captivantes pour les spécialistes des géosciences. Il s'y produit un phénomène unique, une ouverture océanique qui s'est propagée d'est en ouest, séparant l'Arabie de l'Afrique.

DOC 1 Carte de la région du golfe d'Aden avec les limites des plaques

Les triangles indiquent la position des stations GPS « YIBL » et « MALI »

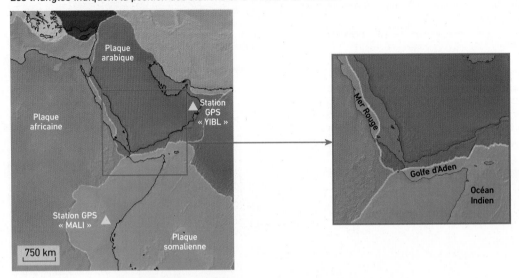

DOC 2 Âge de la croûte océanique dans le golfe d'Aden établi à partir des anomalies magnétiques (en Ma)

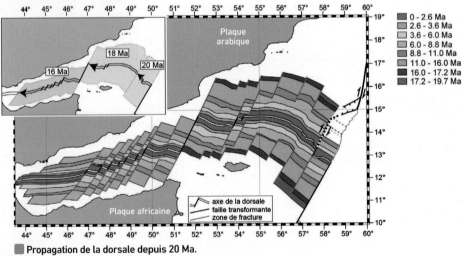

Propagation de la dorsale depuis 20 Ma.

DOC 3 Déplacement absolu des stations GPS « YIBL » et « MALI »

Stations	Déplacement latitudinal (en mm·an⁻¹)	Déplacement longitudinal (en mm·an⁻¹)
YIBL	+33,176 (vers le nord)	+31,754 (vers l'est)
MALI	+26,403 (vers le nord)	+16,584 (vers l'est)

1. Prouvez l'existence d'une ouverture océanique depuis 16 Ma au niveau du golfe d'Aden et estimez la vitesse de divergence au niveau de la longitude 50°.

2. Montrez que cette ouverture se propage vers l'ouest.
   (N.B. : un degré de latitude ou de longitude ≈ 111 km).

Aide à la résolution

- Pour connaître le mouvement de YIBL (mobile) par rapport à MALI (fixe), retrancher les déplacements de l'une par rapport à l'autre.

★ facile   ★★ intermédiaire   ★★★ confirmé

14 Le golfe de Corinthe

★
★ Le golfe de Corinthe est un profond bras de mer qui sépare le Péloponnèse de la Grèce continentale occidentale.
C'est l'une des régions les plus sismiques d'Europe.

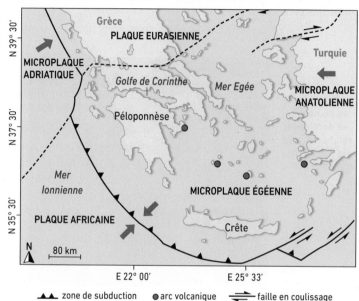

DOC 1 Structure tectonique et données géodésiques dans la région du golfe de Corinthe

▲▲ zone de subduction   ● arc volcanique   ⇌ faille en coulissage

DOC 2 Mécanismes se produisant au foyer des séismes

Un séisme est associé à un déplacement de deux compartiments de roches au moment de la rupture le long du plan de faille qui les sépare. L'étude des sismogrammes permet de déterminer le mécanisme au foyer du séisme, c'est-à-dire de caractériser le mouvement se produisant au niveau de la faille. Les mécanismes au foyer sont représentés par des symboles ronds associant des secteurs blancs (en extension) et des secteurs colorés ou noirs (en compression).

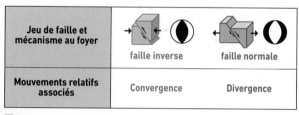

Jeu de faille et mécanisme au foyer	faille inverse	faille normale
Mouvements relatifs associés	Convergence	Divergence

▮ Mouvements relatifs associés aux failles.

10 mm·an⁻¹

0   25 km

38°
21°   22°

DOC 3 Mécanismes au foyer et données géodésiques dans le golfe de Corinthe

Le golfe de Corinthe est doté de nombreuses stations GPS permettant d'évaluer les mouvements relatifs de tous ces points en temps réel et avec une précision de l'ordre du mm par an.
Les déplacements moyens évalués en 2018 aux différentes stations ont été indiqués sur la carte ci-contre par un vecteur dont l'orientation est celle du mouvement et dont la longueur est proportionnelle à la vitesse de déplacement.

▮ Localisation des stations GPS et indications des déplacements évalués en 2018.

▮ À partir des informations tirées des documents et de vos connaissances, montrez que le golfe de Corinthe est une zone d'extension dans un contexte de subduction.

BAC

15 Tsunamis et mouvements lithosphériques

Les tsunamis sont de gigantesques déplacements d'eau sous la forme de vagues pouvant atteindre plusieurs dizaines de mètres de hauteur et se propageant sur des milliers de kilomètres, à très grande vitesse. Au niveau des côtes, ils provoquent de lourds dégâts matériels et humains.

■ À partir de l'étude des documents, identifiez l'origine géographique et la cause du tsunami qui s'est abattu sur Hawaii en 1952.

1 La propagation d'un tsunami

Le 4 novembre 1952, au large de la côte est du Kamtchatka, un tsunami a généré des vagues de 13 mètres de haut qui ont frappé les îles hawaïennes à 13 h 00. Les dommages matériels causés par ces vagues ont été estimés à près d'un million de dollars ; cependant, aucune vie n'a été perdue. Ce tsunami a également causé des dommages sur la côte ouest des États-Unis.

Temps d'arrivée des vagues

Rouge : entre 1 et 4 h
Jaune : entre 5 et 6 h
Vert : entre 7 et 14 h
Bleu : entre 15 et 21 h

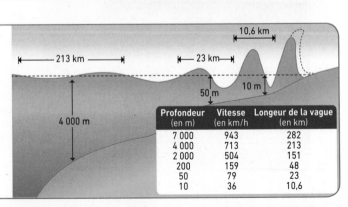

2 Le Kamtchatka, une province sismique

Le Kamtchatka est une péninsule particulièrement sismique. Le 4 novembre 1952, un violent séisme de magnitude 9 sur l'échelle de Richter a fait trembler la région.

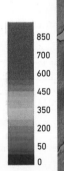

Profondeur des foyers sismiques (en km)

850
700
600
450
350
200
50
0

3 La propagation d'un tsunami

Lorsque des vagues produites par un tsunami arrivent à proximité des côtes, leur vitesse, leur fréquence et leur amplitude changent rapidement. Elles prennent la forme d'un véritable mur d'eau qui peut atteindre plusieurs dizaines de mètres de haut aux conséquences dévastatrices.

Profondeur (en m)	Vitesse (en km/h)	Longeur de la vague (en km)
7 000	943	282
4 000	713	213
2 000	504	151
200	159	48
50	79	23
10	36	10,6

Cet exercice se présente sous la forme d'une **tâche complexe** :
construisez votre propre démarche pour résoudre le problème posé.

Exercices

4 | L'origine des tsunamis

Il existe différents facteurs capables de déclencher un tsunami. Parmi les facteurs les plus fréquents, on distingue les séismes de forte magnitude (A), les éruptions volcaniques sous-marines (B) et les glissements de terrain (C). Tous ces facteurs ont un point commun : ils entrainent le déplacement d'un énorme volume d'eau qui crée une onde se propageant ensuite rapidement dans toutes les directions.

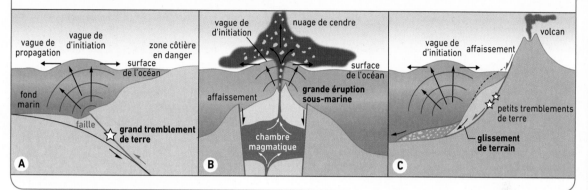

5 | Plaques lithosphériques et mesures géodésiques

Les données GPS de balises situées sur la plaque Pacifique d'une part et sur la plaque d'Okhotsk d'autre part permettent de connaître la direction, le sens et la vitesse de déplacement de ces deux plaques.

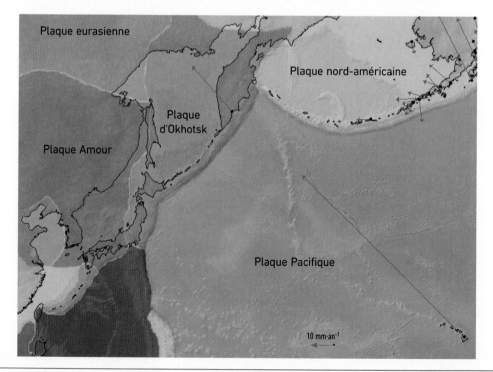

CHAPITRE 3
La dynamique des zones de divergence

Le golfe d'Aden, un océan en train de s'ouvrir, vu par satellite (GEMINI 11, NASA).

Dabbahu   Gab'ho

La divergence fait naître les océans

La région des Afars (Afrique de l'Est) est géologiquement très active. Des séismes fréquents déforment et fracturent la croûte continentale, selon une tectonique en extension. Ils sont ici constatés grâce à la technique d'interférométrie radar[*].

Le long des failles normales créées par la divergence, de nombreux volcans effusifs produisent des basaltes, et, progressivement, l'extension de la croûte continentale est compensée par la mise en place d'une croûte océanique. Si ce rifting aboutit, cette région donnera naissance à une nouvelle dorsale océanique.

Des fumeurs noirs au fond des océans

À 2 500 m sous la surface de l'océan Atlantique, au cœur de la dorsale, des « fumeurs noirs » ont été découverts. Ces cheminées hautes de plusieurs mètres laissent s'échapper une eau à 350 °C, chargée de particules métalliques, et très acide.

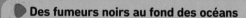

Formuler les problèmes à résoudre

● Mobilisez vos connaissances sur les zones de divergence, puis utilisez ces documents pour vous interroger sur la géologie des océans d'une façon générale, et plus particulièrement sur les dorsales océaniques.

La structure d'une dorsale océanique

Les mouvements des plaques permettent de distinguer deux grands types de limites, convergentes ou divergentes. La divergence s'opère au niveau des dorsales, qui permettent l'expansion océanique.

Quels reliefs et quelles roches trouve-t-on au niveau d'une dorsale océanique ?

① Morphologie et tectonique de la dorsale Est-Pacifique

Les sonars multifaisceaux* des bateaux océanographiques (A) permettent de déterminer avec précision la bathymétrie* des fonds marins. Ils révèlent que les dorsales constituent un ruban continu d'un océan à l'autre, long de 60 000 km, large de 1 000 à 3 000 km. Il s'agit de reliefs s'élevant à quelques milliers de mètres au-dessus des plaines abyssales qui les entourent. Il ne s'agit cependant pas de montagnes : les pentes y sont, en moyenne, très faibles.

La **dorsale*** Est-Pacifique est un exemple de dorsale dite « rapide », qui diffère par différents aspects des dorsales « lentes » (voir unité 3). Son relief s'élève assez régulièrement jusqu'à l'axe de la dorsale, qui forme comme un toit à double pente. L'ensemble est cependant marqué par la présence de falaises parallèles à l'axe de la dorsale, dues au fonctionnement de **failles normales***. Ces failles témoignent des forces d'extension (forces divergentes) qui s'exercent au cours de l'expansion océanique (B).

dorsale Est-Pacifique

sondeur multifaisceaux

sonar à balayage horizontal

bande cartographiée par le sondeur

A Cartographie des reliefs océaniques.

Activité pratique

■ Concevoir et mettre en œuvre le modèle ci-contre, afin de vérifier que la formation des falaises visibles sur la dorsale est bien attribuable à des forces divergentes.

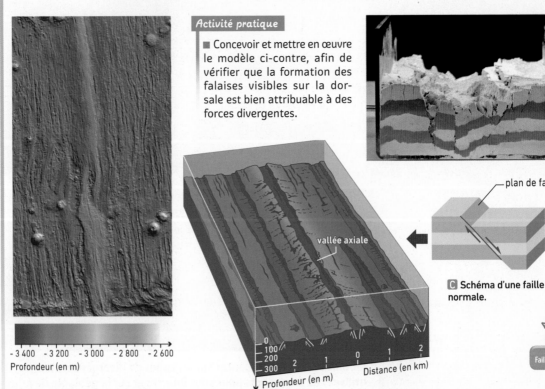

vallée axiale

plan de faille

C Schéma d'une faille normale.

- 3 400   - 3 200   - 3 000   - 2 800   - 2 600
Profondeur (en m)

0
100
200
300
Profondeur (en m)

2   1   0   1   2
Distance (en km)

Animation
Faille de divergence

B Bathymétrie et interprétation 3D de l'axe de la dorsale Est-Pacifique (logiciel GeoMapApp).

② L'organisation verticale de la croûte océanique (dorsale Est-Pacifique)

Les ophiolites* sont des morceaux de lithosphère océanique soulevés et que l'on trouve parfois intégrés à la structure d'une chaîne de montagnes (voir p. 226).

On découvre alors à l'air libre la structure de la croûte océanique, telle qu'elle a été observée *in situ* sur la faille Vema par exemple (voir p. 142).

Ces informations, ainsi que des données sismiques et des observations directes dans l'océan Pacifique, permettent de reconstituer la structure verticale de la croûte.

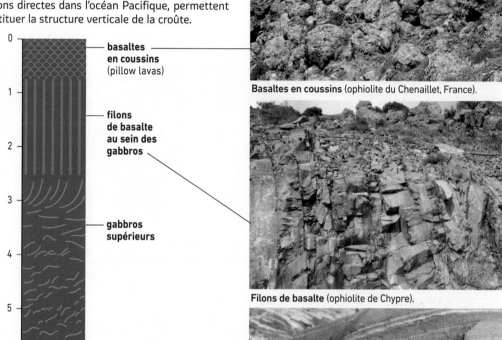

Basaltes en coussins (ophiolite du Chenaillet, France).

Filons de basalte (ophiolite de Chypre).

Gabbros lités (ophiolite d'Oman).

A Coupe schématique de la croûte océanique (océan Pacifique).

0 — basaltes en coussins (pillow lavas)

1 — filons de basalte au sein des gabbros

2

3 — gabbros supérieurs

4

5

6

7 — gabbros lités — Moho

péridotites (manteau)

Profondeur (en km)

B Des lambeaux de croûte océanique observés dans différentes régions du monde.

Activités envisageables

Pour connaître les caractéristiques d'un exemple de dorsale :

● Comparer la morphologie de la dorsale Est-Pacifique à celle des plaines abyssales de cet océan.

● Recherchez des informations complémentaires sur les ophiolites et les techniques permettant d'étudier la croûte océanique.

Des clés pour réussir

● Vous pouvez réaliser des cartes, des coupes et des mesures au niveau de la dorsale Est-Pacifique à l'aide d'un logiciel comme GeoMapApp.

* Lexique ➡ p. 422

La formation de la croûte océanique

La dorsale du Pacifique est un exemple de dorsale rapide. Avec une vitesse d'expansion proche de 10 cm·an^{-1}, elle produit annuellement plus de 3 km^3 de basaltes et de gabbros.

Comment se forme le magma, et que devient-il au niveau de la dorsale ?

Modélisation

Tectoglob3D

① Sous l'axe de la dorsale, une fusion partielle des roches du manteau

Le flux géothermique anormalement élevé au niveau des dorsales (voir p. 178) témoigne de la présence de roches chaudes proches de la surface. La tomographie sismique permet d'établir la carte ci-contre, qui modélise la profondeur de la LVZ (d'après les données du modèle LITHO 1.0). Elle permet de visualiser la **remontée asthénosphérique*** à l'aplomb des dorsales.

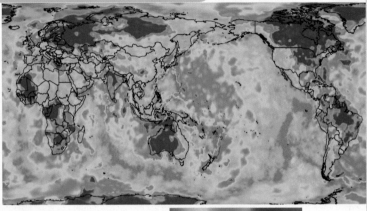

A Une asthénosphère très proche de la surface sous l'axe des dorsales.

Profondeur de la LVZ (en km) 0   100   200   300 350

Le schéma ci-contre représente une presse « à enclumes de diamant ». Cet appareil permet de soumettre une roche à des températures et des pressions telles qu'elles existent dans les profondeurs de la Terre, et d'observer son état (solide, liquide, ou partiellement fondu).

L'échantillon (**en vert**) est réduit en poudre, puis placé entre deux diamants dans un joint métallique (**en bleu**). Un dispositif rapproche les deux diamants (flèches noires) pour régler la pression. L'échantillon est chauffé par un faisceau laser qui traverse les diamants (**en rouge**).

1 mm

Application

Presse à enclumes de diamant

> ***Activité pratique***
>
> À l'aide de l'application « Presse à enclumes de diamants » :
> ■ Rechercher les conditions de pression et de température qui permettent le début de **fusion partielle*** d'une péridotite.
> ■ Collecter ces informations dans un tableur et tracer la courbe de solidus* de cette roche.

L'étude du comportement de la péridotite dans la presse à enclume de diamant permet de tracer son solidus (courbe de début de fusion) et son liquidus (courbe de fin de fusion). Entre ces deux courbes, la péridotite est partiellement fondue.

Si on reporte dans ce diagramme de phase* la courbe représentant pour un lieu donné l'évolution de la température en fonction de la profondeur (géotherme), on peut alors savoir si, à la verticale de ce lieu, le manteau peut produire ou non des magmas, à quelle profondeur et en quelle quantité. À l'aplomb d'une dorsale, les péridotites soumises à des mouvements de convection ascendants remontent vers la surface, pratiquement sans se refroidir.

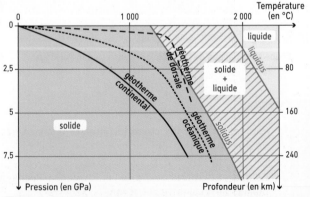

B Mise en relation du diagramme de phase de la péridotite et de trois géothermes typiques (continent, plaine abyssale et dorsale).

② La mise en place de la croûte océanique à partir du magma

À la suite de la fusion partielle de la péridotite asthénosphérique, des gouttelettes de magma se forment, remontent et s'accumulent dans une chambre magmatique sous l'axe de la dorsale (A). Le refroidissement du magma est à l'origine des roches magmatiques de la croûte océanique : l'essentiel refroidit lentement en profondeur. Une faible part du magma, à plus de 1 000 °C, parvient à travers des fissures jusqu'en surface, au contact de l'eau de mer à 2 °C.

Animation Fonctionnement d'une dorsale

Lames minces Basalte Gabbro Éthylvanilline

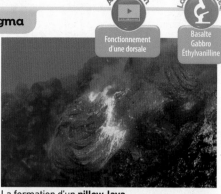

La formation d'un **pillow-lava**.

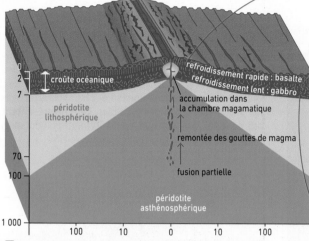

A Le magmatisme à l'origine des roches de la croûte océanique.

croûte océanique

refroidissement rapide : basalte
refroidissement lent : gabbro

accumulation dans la chambre magamatique

péridotite lithosphérique

remontée des gouttes de magma

fusion partielle

péridotite asthénosphérique

2 mm

Le **basalte**, une roche volcanique* (texture microlitique).

1 mm

Le **gabbro**, une roche plutonique* (texture grenue).

0,2 mm

B Cristaux obtenus par refroidissement lent d'un « magma » d'éthylvanilline.

Activité pratique

On souhaite montrer que la vitesse de refroidissement d'un magma a une influence sur la taille des cristaux qui se forment lors de son refroidissement.

■ Chauffer de la poudre d'éthylvanilline sur des lames de verre jusqu'à fusion complète.

■ Refroidir ces lames plus ou moins rapidement.

■ Observer et comparer les cristaux obtenus à l'aide du microscope polarisant.

Activités envisageables

Pour comprendre comment se forme la croûte océanique :

● Expliquez l'origine du magma sous l'axe de la dorsale.

● Proposez une hypothèse permettant d'expliquer pourquoi le refroidissement de ce magma ne redonne pas une péridotite.

● Reliez les textures des roches à la vitesse de refroidissement du magma, et expliquez la superposition des différentes roches magmatiques qui constituent la croûte océanique.

Des clés pour réussir

● Vous pouvez faire des schémas causes/effets.

● Revoyez la composition d'une péridotite p. 149 et les principales roches de la croûte terrestre p. 144 et 145.

* Lexique ➡ p. 422   **PAGE** Flashable   197

Unité 3
Un cas particulier, les dorsales lentes

L'étude des vitesses d'expansion océanique montre que certaines dorsales ont un taux d'accrétion jusqu'à trois fois plus faible que la dorsale Est-Pacifique.

> Quelles sont les particularités de ces dorsales lentes ?

1 Des bathymétries et des morphologies différentes

A Zones axiales d'une dorsale rapide et d'une dorsale lente (relief x 5).

La comparaison de la bathymétrie des dorsales lentes (taux d'expansion < 5 cm·an⁻¹) et rapides (taux d'expansion > 9 cm·an⁻¹) met en évidence des morphologies différentes. Les dorsales rapides (voir unités 1 et 2) sont caractérisées par des pentes régulières et faibles. Elles ne présentent pas de fossé axial marqué, contrairement aux dorsales lentes, qui ont une large vallée axiale, le rift.

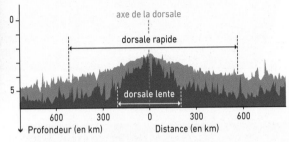

B Comparaison des reliefs et de la bathymétrie d'une dorsale rapide et d'une dorsale lente.

2 Des reliefs étonnants au sein de la vallée axiale

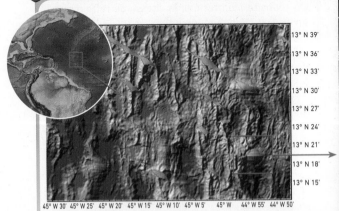

Une étude bathymétrique fine de certaines portions de la dorsale Atlantique révèle de vastes réseaux d'escarpements dus à des failles normales, et orientés pour la plupart vers l'axe du rift. On trouve aussi par endroits d'étonnants dômes striés, dont les stries sont perpendiculaires à l'axe du rift.

▮ Un des dômes striés repérés sur la dorsale Atlantique.

3 Une lithosphère avec ou sans croûte

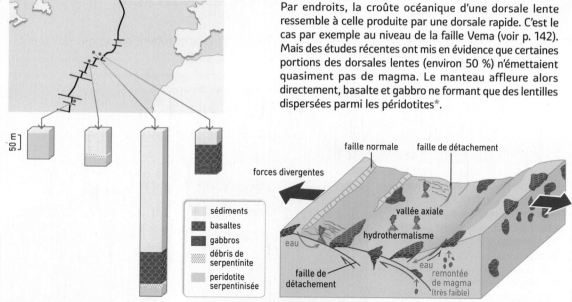

A Différents forages autour de la dorsale médio-atlantique montrent l'hétérogénéité de son fonctionnement.

Par endroits, la croûte océanique d'une dorsale lente ressemble à celle produite par une dorsale rapide. C'est le cas par exemple au niveau de la faille Vema (voir p. 142). Mais des études récentes ont mis en évidence que certaines portions des dorsales lentes (environ 50 %) n'émettaient quasiment pas de magma. Le manteau affleure alors directement, basalte et gabbro ne formant que des lentilles dispersées parmi les péridotites*.

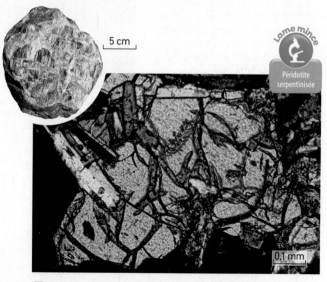

B Un modèle de l'axe d'une dorsale lente montrant l'exhumation* du manteau par les failles de détachement.

Le manteau sous les dorsales lentes est moins chaud que sous les dorsales rapides. La fusion partielle y est donc plus faible, et intermittente. L'essentiel de l'expansion résulte donc non d'une accrétion* de nouvelles roches magmatiques, mais d'un étirement des roches du manteau superficiel sous l'effet des forces divergentes. Il se réalise grâce à des failles normales, et parfois par de grandes failles de détachement*, qui font remonter les péridotites le long de surfaces incurvées, à l'origine des dômes striés. Des circulations hydrothermales* (voir l'unité 4) hydratent les péridotites et font apparaître un nouveau minéral, la serpentine. Cette altération facilite le glissement des roches de part et d'autre des failles normales et des failles de détachement.

C Une péridotite serpentinisée. Échantillon, et lame mince observée en LPA. Vous pouvez observer cette même roche non altérée p. 149.

Pour aborder la diversité des dorsales :

- Dressez un tableau comparatif d'une dorsale lente et d'une dorsale rapide.
- Montrez que les phénomènes magmatiques et tectoniques n'ont pas la même importance pour le fonctionnement des deux types de dorsale.

Des clés pour réussir

- Appuyez-vous sur les unités 1 et 2.
- Listez vos critères de comparaison avant de construire le tableau.

Activités envisageables

Les transformations des roches de la lithosphère océanique

Dès leur formation dans l'axe de la dorsale, les roches de la lithosphère océanique subissent de profonds changements.

Quelles sont les causes de ces changements ?
Comment se manifestent-ils ?

1 Une intense circulation hydrothermale

Que la dorsale soit lente ou rapide, les nombreuses failles et fractures de la croûte océanique permettent à l'eau de mer de s'infiltrer dans les profondeurs de la croûte, et jusque dans les péridotites du manteau superficiel. Là, des échanges thermiques et chimiques s'effectuent entre l'eau et les roches. Fortement réchauffée et chargée de particules métalliques, l'eau remonte alors et rejaillit au niveau de cheminées qualifiées de « fumeurs noirs ». Cette intense circulation hydrothermale brasse d'énormes volumes d'eau : on estime qu'à l'échelle mondiale, c'est l'équivalent de la moitié de l'eau de l'océan Atlantique qui passe chaque année par ce type de circulation hydrothermale.

A Cheminée hydrothermale (fumeur noir), et coupe réalisée dans un fumeur noir mettant en évidence le dépôt de sulfures (fer, cuivre, nickel, zinc, etc.).

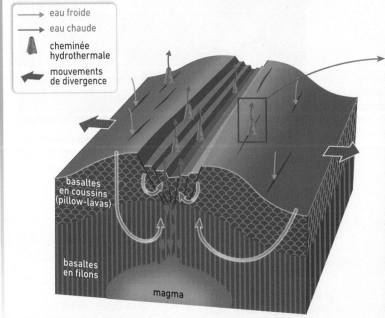

- eau froide
- eau chaude
- cheminée hydrothermale
- mouvements de divergence

basaltes en coussins (pillow-lavas)

basaltes en filons

magma

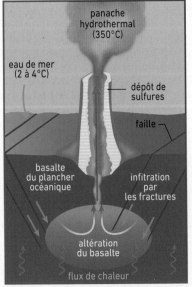

panache hydrothermal (350°C)

eau de mer (2 à 4°C)

dépôt de sulfures

faille

basalte du plancher océanique

infiltration par les fractures

altération du basalte

flux de chaleur

B Modèle de circulation hydrothermale au niveau d'une dorsale.

② Le métamorphisme de la croûte océanique dû à l'hydrothermalisme

En laboratoire, il est possible de soumettre des associations minérales à des pressions et des températures comparables à celles qui règnent dans la lithosphère.

Ces expériences montrent qu'à partir d'un certain seuil, deux minéraux voisins jusqu'alors stables commencent à réagir entre eux, tout en restant à l'état solide, et donnent naissance à de nouveaux minéraux, stables dans les nouvelles conditions de pression et de température. Ces lentes transformations sont appelées **métamorphisme***, et l'éventail de pressions et températures dans lequel une association minérale est stable constitue un **faciès métamorphique***.

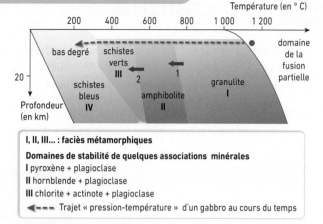

I, II, III... : faciès métamorphiques

Domaines de stabilité de quelques associations minérales
I pyroxène + plagioclase
II hornblende + plagioclase
III chlorite + actinote + plagioclase

◀--- Trajet « pression-température » d'un gabbro au cours du temps

Ⓐ Le métamorphisme de la croûte océanique au cours de l'expansion.

1 : plagioclase + pyroxène + eau → hornblende
2 : plagioclase + hornblende + eau → actinote + chlorite

Ⓑ Exemples de réactions métamorphiques

La circulation des fluides hydrothermaux à travers la jeune croûte océanique refroidit les roches et entraîne des réactions d'hydratation des minéraux qui les constituent. Cet **hydrothermalisme*** transforme les basaltes et les gabbros en métabasaltes* et métagabbros* du faciès amphibolite, puis du faciès schistes verts.

Ils contiennent alors des minéraux hydratés, tels que la chlorite ou l'actinote. Les péridotites situées sous le Moho subissent un métamorphisme similaire, appelé serpentinisation (voir unité 3).

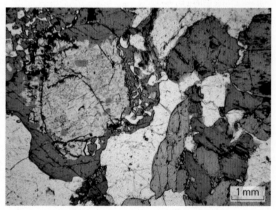

Ⓒ Métagabbro du faciès schistes verts. Échantillon, et lame mince observée en LPNA*.

Pour comprendre ce que deviennent les roches de la lithosphère océanique après leur mise en place :

● Observez ces roches et identifiez leurs minéraux. Recherchez et comparez leur composition chimique.
● Décrivez le rôle de la circulation hydrothermale dans l'évolution physique et chimique des roches de la lithosphère océanique.
● Expliquez comment un gabbro devient un métagabbro du faciès schistes verts, c'est-à-dire un gabbro hydraté.

Des clés pour réussir

● Envisagez plusieurs échelles d'observation ou de modélisation : à l'œil nu, au microscope polarisant, à l'aide d'un logiciel de modélisation moléculaire.

* Lexique ➡ p. 422

L'évolution de la lithosphère océanique

La jeune lithosphère formée dans l'axe de la dorsale s'en éloigne peu à peu, divergeant de part et d'autre vers les plaines abyssales. Au cours de son déplacement, qui dure des dizaines de millions d'années, des changements se produisent dans la lithosphère.

Quelles modifications physiques se produisent dans la lithosphère au cours de l'expansion océanique ?

1 Une lithosphère de plus en plus épaisse

La compilation de nombreuses données géologiques a permis à l'Institut de physique du globe de Paris d'élaborer en 2014 des modèles de la croûte et du manteau lithosphérique, à l'échelle globale (modèles CRUST1.0 et LITHO1.0). Comme leur nom l'indique, ces modèles sont appelés à évoluer grâce aux travaux de recherche qui se poursuivent.

Au fur et à mesure de son vieillissement, la lithosphère refroidit. L'isotherme 1 300 °C, qui marque la limite avec l'asthénosphère, est par conséquent de plus en plus profond : la lithosphère devient donc de plus en plus épaisse (C).

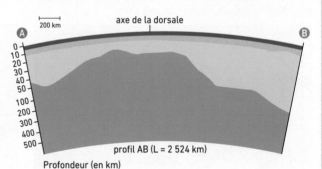

A Une portion de croûte océanique entre Antarctique et Australie (coupe en 3D d'après le modèle CRUST1.0)

Activité pratique

Les données présentées montrent comment évoluent la croûte océanique et le manteau lithosphérique sous-jacent au cours de leur vieillissement, dans une situation locale (A et B) et dans le cas général (C).

Pour tester le caractère prédictif de ces coupes :

■ À l'aide du logiciel Tectoglob3D, tracer des coupes en 2D ou en 3D dans diverses zones océaniques incluant des dorsales.

■ Comparer les résultats obtenus avec ceux présentés ici.

■ Dresser un bilan en faisant preuve d'esprit critique.

B Croûte océanique et limite supérieure de l'asthénosphère (coupe en 2D d'après le modèle LITHO1.0).

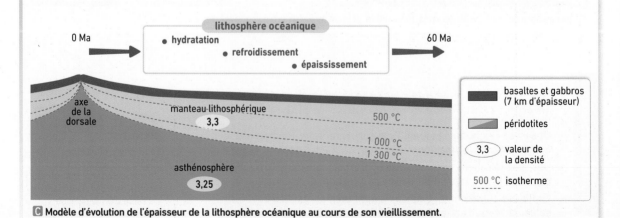

C Modèle d'évolution de l'épaisseur de la lithosphère océanique au cours de son vieillissement.

2 Une lithosphère de plus en plus dense

● La notion d'équilibre gravitaire

Comme un bateau s'enfonce et flotte sur l'eau lorsque s'équilibrent son poids et la poussée d'Archimède*, la lithosphère s'enfonce et « flotte » plus ou moins bien sur le manteau asthénosphérique sous-jacent, solide mais ductile*. Si la **densité*** de l'asthénosphère est très supérieure à celle de la lithosphère, cette dernière s'enfonce peu : l'océan est alors peu profond. Si la densité de la lithosphère augmente, elle s'enfonce dans l'asthénosphère et l'océan devient plus profond.

Comme un bateau trop chargé, elle peut aussi « couler » si sa densité devient supérieure à celle de l'asthénosphère. On parle alors de déséquilibre gravitaire (voir p. 224).

● Le principe du calcul de la densité d'une colonne de lithosphère

La densité d'une colonne de lithosphère est égale à la moyenne des densités de la croûte et du manteau lithosphérique, pondérée par leurs épaisseurs respectives.

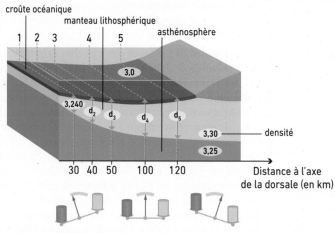

A Vieillissement et augmentation de densité de la lithosphère océanique.

La densité de la lithosphère océanique dépend de l'épaisseur de son manteau lithosphérique, mais aussi de la densité des roches qui la constituent. Or, le métamorphisme qu'elles subissent modifie ce paramètre.

Échantillon	Densité
gabbro	3
métagabbro à hornblende	3,1
métagabbro à chlorite et actinote	3,2
péridotite	3,3
péridotite serpentinisée	3,7

B Densité de quelques roches de la lithosphère océanique.

Activité pratique

L'épaississement de la lithosphère au cours du temps peut être modélisé par une équation simple :

$$P \simeq 9{,}2 \times \sqrt{t}$$

Avec P, la profondeur de l'isotherme 1 300 °C (en km), et t, l'âge de la lithosphère océanique (en millions d'années).

Utiliser ce modèle mathématique pour :
■ Tracer le graphe représentant l'évolution de l'épaisseur d'une lithosphère océanique durant 150 millions d'années.
■ En déduire le graphe représentant l'épaisseur de la lithosphère en fonction de la distance à l'axe de la

dorsale dans l'Atlantique Sud d'une part, dans le Pacifique Sud d'autre part. Pour cela, utiliser la carte géologique du monde p. 414.
■ Trouver l'âge de la lithosphère au niveau des repères 1 à 5 du schéma ci-dessus.
■ Déterminer l'âge à partir duquel se produit le déséquilibre gravitaire.

Remarque : ce modèle mathématique n'est fiable qu'à partir de 1 000 km de distance à l'axe de la dorsale, c'est-à-dire là où le refroidissement ne dépend plus des circulations hydrothermales.

Activités envisageables

> **Pour savoir quels changements affectent la lithosphère océanique au cours de son vieillissement :**

● **Décrivez ce qui change dans une colonne de lithosphère, depuis sa formation dans l'axe de la dorsale jusqu'à sa présence dans la plaine abyssale.**

● **Établissez des relations de cause à effet entre les modifications mises en évidence.**

Des clés pour réussir

● Rappelez-vous qu'en sciences les modèles sont des simplifications du réel.

● Dans une moyenne pondérée, chaque terme du calcul est associé à un coefficient multiplicateur.

* Lexique ➡ p. 422

 La dynamique des zones de divergence

Podcast
Bilan

1 La divergence océanique

L'étude du relief des fonds océaniques montre que les dorsales sont des bombements de grande amplitude des fonds marins. Parfois larges de plusieurs milliers de kilomètres, elles forment un réseau long de 60 000 km, qui domine les plaines abyssales en moyenne à 2 500 m de profondeur (voir à ce sujet la carte p. 412). Les dorsales sont caractérisées par des **activités sismiques** (séismes peu profonds), **tectoniques** (nombreuses failles normales dues à l'extension provoquée par la divergence), **magmatiques** (21 km³ de roches volcaniques et plutoniques produites chaque année) et **hydrothermales** (fumeurs noirs).

2 Le magmatisme de dorsale

Fusion partielle des péridotites

La tomographie sismique explique le flux géothermique anormalement élevé au niveau des dorsales, en mettant en évidence à leur aplomb une **remontée asthénosphérique**. Les péridotites y sont soumises à des mouvements de convection ascendants qui les font remonter et provoquent leur **décompression**. En revanche, ce mouvement se fait pratiquement sans échanges thermiques avec l'environnement, donc **sans baisse significative de la température** des roches.

L'étude du comportement de la péridotite dans la presse à enclume de diamant permet de tracer son **solidus** (courbe de début de fusion) et son liquidus (courbe de fin de fusion). Entre ces deux courbes, la péridotite est partiellement fondue. Si on reporte dans ce diagramme de phase la courbe représentant le **géotherme typique d'une dorsale**, on constate que celui-ci **recoupe la courbe de solidus** entre 100 et 20 km de profondeur environ. Les péridotites situées sous l'axe de la dorsale peuvent donc produire des magmas. Il s'agit toujours d'une **fusion partielle**, qui ne concerne pas plus de 20 % de la péridotite. Le magma (puis les roches qui se forment suite à sa cristallisation) n'a pas la même composition chimique et minéralogique que la péridotite. En effet, certains éléments chimiques (comme la silice, le calcium, etc.) passent plus facilement dans la phase liquide que d'autres (comme le fer ou le magnésium, par exemple).

Les gouttelettes de magma issues de cette fusion partielle, moins denses que la roche solide, remontent et s'accumulent dans une zone située entre 2 et 7 km sous l'axe de la dorsale. Là s'accumule un liquide épais où se forment des cristaux : c'est la **chambre magmatique**.

Mise en place de la croûte océanique

Au sein de la chambre magmatique des courants brassent cette bouillie cristalline. Le contact des parois, un peu moins chaudes que le cœur de la chambre, favorise la lente cristallisation du magma. La roche qui se forme ainsi **en profondeur** (roche **plutonique**) est **grenue**, c'est-à-dire entièrement constituée de gros cristaux jointifs. Dans ce cas, pyroxène et plagioclase prédominent : il s'agit d'un **gabbro**.

La divergence des plaques lithosphériques provoque l'**extension de la dorsale**, et plus particulièrement de son axe. Des **failles normales** se forment dans le toit de la chambre magmatique. Du magma s'y infiltre, formant des filons verticaux atteignant la surface des roches. Le refroidissement de ce magma à proximité ou au contact de l'eau de mer très froide est rapide : la roche qui se forme par arrivée du magma **en surface** (roche **volcanique**) est **microlitique**, c'est-à-dire constituée d'une pâte minérale qui n'a pas eu le temps de cristalliser et de cristaux, pour la plupart microscopiques : des microlites. Comme dans le gabbro, pyroxène et plagioclase prédominent : la roche qui cristallise dans les filons ou sous forme de laves en coussins au contact direct de l'eau de mer est un **basalte**.

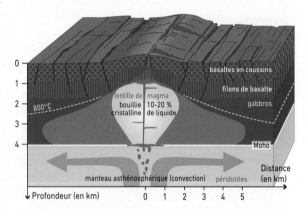

■ Des magmas mantelliques à l'origine de la croûte océanique.

3 La diversité des dorsales

Le magmatisme qui vient d'être décrit concerne les dorsales dites « rapides », c'est-à-dire celles qui sont situées aux frontières de plaques où la vitesse de divergence est au moins de 9 cm·an⁻¹. Les dorsales moins actives ont des fonctionnements différents.

Des dorsales productrices de croûte

Les **dorsales rapides** présentent un bombement large de plusieurs milliers de kilomètres. La vallée axiale est peu marquée, voire absente. Ces caractéristiques sont dues à la présence d'un manteau très chaud sous de la croûte. **La production de magma y est permanente**, et suffisamment forte pour que l'essentiel de la création de nouvelle surface océanique s'y fasse par **accrétion**, c'est-à-dire par apport de nouvelles roches magmatiques. Ces dorsales présentent une croûte océanique continue, formée d'environ 2 km de basalte en coussins et en filons, qui reposent sur 3 à 5 km de gabbros.

Les dorsales rapides, comme la dorsale Est-Pacifique, produisent donc **une croûte océanique épaisse** de 5 à 7 km, principalement par **magmatisme**.

Des dorsales qui produisent peu ou pas de croûte

L'étude de la dorsale Atlantique a révélé des caractéristiques différentes de celles des dorsales rapides. Le bombement est nettement plus étroit. Au centre se trouve une **vallée axiale** (le rift) produite par le fonctionnement de nombreuses **failles normales**, ainsi que des **failles de détachement**, qui mettent des péridotites à l'affleurement. Ces caractéristiques sont à mettre en relation avec la présence d'un manteau nettement moins chaud que sous une dorsale rapide. Il n'y a parfois pas de chambre magmatique, ou plusieurs petites chambres magmatiques qui ne fonctionnent que de façon intermittente. Très peu de magma étant produit, très peu de basaltes et de gabbros sont mis en place : **la croûte océanique est peu épaisse, discontinue, voire totalement absente**.

Les roches retrouvées à l'affleurement sont pour partie au moins des péridotites serpentinisées, c'est-à-dire fortement hydratées et altérées par une circulation hydrothermale importante.

Le magmatisme ne joue donc qu'un rôle secondaire dans le cas des dorsales lentes, l'essentiel de la divergence étant assumé par des **phénomènes tectoniques** : failles normales et failles de détachement.

Notons qu'il existe tous les intermédiaires entre les deux modèles de dorsale que nous venons de décrire.

4 Les transformations de la lithosphère océanique

Des changements chimiques et minéralogiques

Dès sa formation au niveau de la dorsale, la nouvelle croûte océanique et les roches du manteau superficiel sont traversées par une eau froide qui s'infiltre grâce aux très nombreuses failles. L'eau se réchauffe au contact des roches profondes. Sa densité diminue et elle ressort par des cheminées hydrothermales, les fumeurs noirs, à des températures comprises entre 300 et 400 °C.

L'équivalent de la moitié de l'eau de l'Atlantique passerait ainsi par la **circulation hydrothermale** des dorsales chaque année.

Des réactions chimiques ont lieu entre l'eau et les minéraux : l'eau se charge en éléments métalliques, tandis que des molécules d'eau pénètrent au sein même des cristaux. Les roches subissent de ce fait des transformations chimiques et minéralogiques qualifiées d'**hydrothermalisme**.

Au cours de cette circulation, les roches se refroidissent. Cette baisse de température déstabilise les associations minérales présentes initialement. Ainsi, les cristaux de pyroxène et de plagioclase réagissent entre eux et avec l'eau dès que la température s'abaisse sous 700 °C. Il se forme alors un nouveau minéral hydraté : la hornblende. Lorsque la température descend sous 500 °C, ce minéral réagit à son tour avec d'autres, et de nouveaux minéraux, encore plus hydratés, apparaissent, comme la chlorite et l'actinote.

Les roches de la lithosphère subissent donc dès leur mise en place sur la dorsale un **métamorphisme**, c'est-à-dire des transformations minérales à l'état solide, dues à leur **hydratation** et à des changements d'environnement physique (pression, température). En l'occurrence, les roches passent dans le **faciès « schistes verts »**, environnement caractérisé par une pression et une température basses. On appelle métabasaltes, métagabbros et métapéridotites du faciès schistes verts les **roches métamorphiques** ainsi formées.

Des changements physiques

Les circulations hydrothermales refroidissent rapidement les roches sur une dizaine de kilomètres d'épaisseur. Lorsque la température du manteau superficiel passe sous 1 300 °C, la péridotite devient rigide : **un manteau lithosphérique se forme**. Le refroidissement se poursuivant, d'abord par hydrothermalisme, puis par conduction thermique, l'isotherme 1 300 °C (qui correspond à la limite lithosphère/asthénosphère) se situe de plus en profondément : **le manteau lithosphérique s'épaissit** donc au cours du vieillissement de la lithosphère océanique. Après 25 Ma, il a plus de 40 km d'épaisseur. À l'âge de 100 Ma, son épaisseur dépasse 100 km.

Le vieillissement s'accompagne aussi d'une augmentation de la densité de la lithosphère. En effet, les roches métamorphiques qui se forment au cours du refroidissement sont plus denses que les roches magmatiques initiales. **Le métamorphisme « alourdit » la croûte** et l'ensemble de la lithosphère océanique. De plus, si la croûte conserve son épaisseur initiale, l'épaississement du manteau lithosphérique (densité 3,3) augmente peu à peu sa contribution à la densité moyenne de la lithosphère. À partir d'un certain âge, celle-ci dépasse la densité du manteau asthénosphérique ductile ($d = 3,25$) sur lequel la lithosphère océanique rigide repose en équilibre dynamique. C'est pourquoi l'océan devient **de plus en plus profond** à mesure que l'on s'éloigne de l'axe de la dorsale en direction des plaines abyssales.

La dynamique des zones de divergence

À retenir

La divergence océanique

Les dorsales sont des bombements larges de plusieurs milliers de kilomètres, formant un réseau long de 60 000 km, qui domine les plaines abyssales, en moyenne à 2 500 m de profondeur. Elles sont caractérisées par une forte activité tectonique (failles normales dues à l'extension provoquée par la divergence), magmatique (production de basalte et de gabbro) et hydrothermale (fumeurs noirs).

Le magmatisme de dorsale

Une remontée asthénosphérique se produit sous les dorsales à cause de mouvements ascendants du manteau, anormalement chaud. Vers 70 km de profondeur, la péridotite décompressée et encore très chaude subit une fusion partielle. Certains minéraux fondent davantage que d'autres, si bien que le magma formé n'a pas la même composition que celle de la péridotite. Les gouttelettes de magma basaltique remontent et s'accumulent près de la surface dans une chambre magmatique. Le refroidissement lent de ce magma en profondeur produit des roches plutoniques, donc grenues (gabbros). Son refroidissement rapide en surface produit des roches volcaniques, donc microlitiques (basaltes). Ces roches magmatiques forment la nouvelle croûte océanique.

La diversité des dorsales

La présence d'un manteau très chaud sous certaines dorsales permet une production de magma permanente et abondante. La création de nouvelles surfaces océaniques est alors rapide et se fait surtout par magmatisme. Ces dorsales rapides présentent une croûte océanique continue, constituée de basaltes et de gabbros. Là où le manteau est nettement moins chaud, l'activité magmatique est faible et intermittente. La création de nouvelles surfaces océaniques est lente, la croûte océanique est peu épaisse, discontinue, voire totalement absente. L'essentiel de la divergence est pour ces dorsales lentes assumé par des phénomènes tectoniques : failles normales et failles de détachement, qui portent des péridotites hydratées à l'affleurement.

Les transformations de la lithosphère océanique

La circulation d'eau dans la jeune lithosphère océanique entraîne un hydrothermalisme, c'est-à-dire une hydratation et une transformation chimique des minéraux qui la constituent. Le refroidissement déstabilise les associations minérales initiales. De nouveaux minéraux se forment, par métamorphisme. Ce refroidissement provoque aussi l'enfoncement de l'isotherme 1 300 °C (limite lithosphère/asthénosphère) et donc l'épaississement de la lithosphère océanique. L'ensemble de ces changements a pour conséquence l'augmentation de densité de la lithosphère, qui s'enfonce peu à peu dans l'asthénosphère sous-jacente.

Mots-clés

Densité ● Dorsale ● Faille normale ● Fusion partielle ● Hydrothermalisme ● Magmatisme ● Métamorphisme ● Remontée asthénosphérique

La dynamique des zones de divergence

Des dorsales et des lithosphères océaniques diversifiées

Dorsale rapide

manteau très chaud

▽

production de grandes quantités de magma

▽

croûte océanique continue

Dorsale lente

manteau moins chaud

▽

production de faibles quantités de magma

▽

croûte océanique discontinue ou absente

océan Pacifique

dorsale médio-Atlantique

— axe de la dorsale

croûte océanique créée au cours des derniers 10 Ma

dorsale Est-Pacifique

océan Indien

Mise en place de la lithosphère océanique

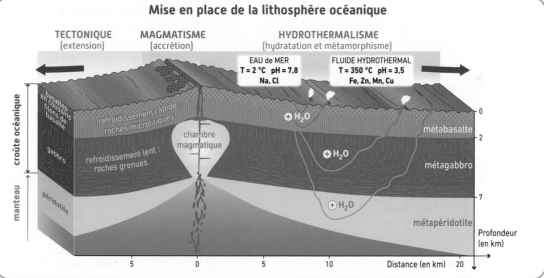

TECTONIQUE (extension)   **MAGMATISME** (accrétion)   **HYDROTHERMALISME** (hydratation et métamorphisme)

EAU de MER
T = 2 °C   pH = 7,8
Na, Cl

FLUIDE HYDROTHERMAL
T = 350 °C   pH = 3,5
Fe, Zn, Mn, Cu

croûte océanique

basaltes en coussins filons de basalte

refroidissement rapide : roches microlitiques

⊕ H₂O

métabasalte

gabbro

refroidissement lent : roches grenues

chambre magmatique

⊕ H₂O

métagabbro

manteau

péridotite

⊕ H₂O

métapéridotite

Profondeur (en km)

0 — 2 — 7

5   0   5   10   Distance (en km)   20

Évolution de la lithosphère océanique

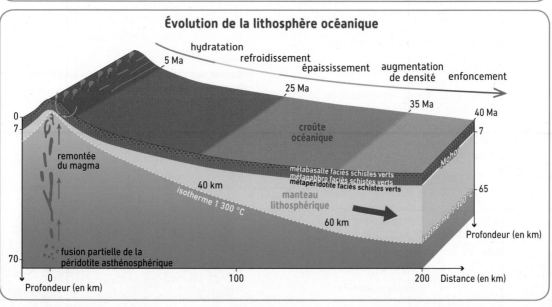

hydratation
refroidissement
épaississement
augmentation de densité
enfoncement

5 Ma
25 Ma
35 Ma
40 Ma

croûte océanique

remontée du magma

métabasalte faciès schistes verts
métagabbro faciès schistes verts
métapéridotite faciès schistes verts

Moho

40 km

isotherme 1 300 °C

manteau lithosphérique

60 km

isotherme 1 300 °C

fusion partielle de la péridotite asthénosphérique

0 — 7

70

0   100   200   Distance (en km)

Profondeur (en km)

7 — 65

Profondeur (en km)

1 Retour vers les problématiques

Relisez la page « S'interroger avant d'aborder le chapitre » (p. 193). À l'aide de ce que vous savez à présent, répondez aux questions que vous avez formulées.

2 Questions à choix multiple **BAC**

Pour chaque affirmation, choisissez l'unique bonne réponse parmi les quatre propositions.

1. Les dorsales océaniques sont situées :
a. à l'intérieur d'une plaque lithosphérique ;
b. au niveau d'une zone de divergence des plaques ;
c. au niveau d'une zone de convergence des plaques ;
d. au niveau d'une zone de coulissement des plaques.

2. Le magma des dorsales a pour origine :
a. une fusion partielle des roches de la croûte ;
b. une fusion partielle des roches du manteau ;
c. une fusion totale des roches de la croûte ;
d. une fusion totale des roches du manteau.

3. Les basaltes des fonds océaniques résultent :
a. du refroidissement lent du magma en profondeur ;
b. du refroidissement rapide du magma en profondeur ;
c. du refroidissement lent du magma en surface ;
d. du refroidissement rapide du magma en surface.

4. En s'éloignant de la dorsale, la lithosphère océanique :
a. s'épaissit sans changer de densité ;
b. s'amincit et devient plus dense ;
c. s'épaissit et devient plus dense ;
d. refroidit et devient moins dense.

3 À vous de corriger

Corrigez ces affirmations fausses pour les rendre exactes :
a. La zone d'effondrement au centre des dorsales lentes est due à la remontée du magma.
b. Le magma des dorsales résulte de la fusion partielle des gabbros.
c. Au niveau des dorsales rapides, la divergence peut faire affleurer le manteau.
d. En s'éloignant de la dorsale, les roches de la lithosphère refroidissent et libèrent de l'eau.

4 Mettre en relation

Reliez les deux grands types de dorsales à leurs caractéristiques :

1. Dorsale rapide
2. Dorsale lente

a. Activité magmatique réduite
b. Volume important de la dorsale
c. Affleurement possible du manteau
d. Forte activité magmatique
e. Vallée axiale large

5 Replacer dans l'ordre chronologique

Replacez dans l'ordre chronologique ces différentes étapes de la formation d'une nouvelle croûte océanique au niveau d'une dorsale rapide :
a. Remontée du magma vers la surface.
b. Décompression des roches du manteau.
c. Cristallisation des basaltes.
d. Remontée du magma vers la chambre magmatique.
e. Fusion partielle des péridotites du manteau.
f. Remontée du manteau asthénosphérique sous la dorsale.

6 Apprendre en s'interrogeant

1. Cachez une des deux colonnes du tableau ci-dessous et retrouvez ce que contient l'autre colonne (à faire seul·e ou à plusieurs).
2. Vérifiez vos réponses et reprenez si besoin les notions concernées.

Questions	Réponses
Comment se forme une nouvelle croûte océanique ?	Par la remontée de magma au niveau de la dorsale, formant les gabbros et basaltes par cristallisation.
Quelle est la cause de la formation de magma sous les dorsales ?	Par décompression des roches mantelliques chaudes remontant sous la dorsale.
Comment la densité de la lithosphère augmente-t-elle au cours du temps ?	Par augmentation de l'épaisseur du manteau lithosphérique, plus dense que la croûte.
Pourquoi la composition minéralogique des roches de la lithosphère océanique change-t-elle ?	À cause d'une circulation d'eau dans la lithosphère, entraînant une hydratation des minéraux des roches.

7 Annoter un schéma

Proposez des légendes pour les roches A à C, et pour les mécanismes 1 à 4.

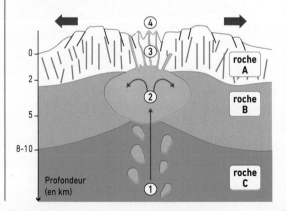

8 Mobiliser ses connaissances BAC

Les dorsales océaniques sont les principales zones de divergence entre plaques.

Par un exposé structuré, comparez les caractéristiques et le fonctionnement des dorsales lentes et rapides.

9 Mobiliser ses connaissances BAC

Le vieillissement de la lithosphère océanique s'accompagne de modifications chimiques, mais aussi physiques. **En vous appuyant sur un ou plusieurs schémas, décrivez les changements physiques qui affectent la lithosphère océanique au cours de son vieillissement.**

10 Faire un lien avec le langage mathématique

Le tableau ci-dessous présente les densités de diverses enveloppes du globe.

Mesure	Densité
Croûte océanique	2,9
Manteau lithosphérique	3,3
Asthénosphère	3,25

Avec une épaisseur de croûte océanique constante e = 7 km, calculez l'épaisseur E de la lithosphère océanique à partir de laquelle la densité moyenne de la lithosphère devient supérieure à celle de l'asthénosphère. L'épaississement de la lithosphère océanique s'effectuant selon la loi $E = 9,2 \sqrt{t}$ (E, en km et t, âge de la lithosphère en Ma). À quel âge la lithosphère acquiert-elle une densité supérieure à celle de l'asthénosphère ?

Aides à la résolution

- La lithosphère correspond à la croûte et au manteau lithosphérique, donc l'épaisseur du manteau lithosphérique est égale à $h = E - e$.
- La densité moyenne de la lithosphère évolue suivant l'épaisseur du manteau lithosphérique :
  $d_{lithosphère} = (e/E) \, d_{croûte} + (h/E) \, d_{manteau\ lithosphérique}$.
- Calculer E pour que $d_{lithosphère} = d_{asthénosphère}$.
- Une fois l'épaisseur E calculée, en déduire t en utilisant la relation mathématique de l'énoncé.

11 Communiquer dans un langage graphique

On mesure sur plusieurs dorsales deux paramètres : la vitesse d'accrétion et la largeur de la zone tectoniquement active (ZTA ou zone présentant des failles actives).

	Vitesse d'accrétion (en cm·an⁻¹)	Largeur de la ZTA (en km)
Dorsale Atlantique à 37° N	2	40
Dorsale Est-Pacifique à 13° N	11	5
Dorsale Est-Pacifique à 21° N	6	20

Représentez graphiquement les résultats des mesures afin d'établir une relation entre les deux paramètres.

12 Recenser, extraire, organiser et exploiter des informations

L'infiltration d'eau dans la partie supérieure de la lithosphère océanique, au cours du trajet des fluides hydrothermaux, entraine la serpentinisation de la péridotite selon la réaction suivante :

$$3\ Mg_2SiO_4 + SiO_2 + 4\ H_2O \rightarrow 2\ Mg_3Si_2O_5(OH)_4$$
olivine   serpentine

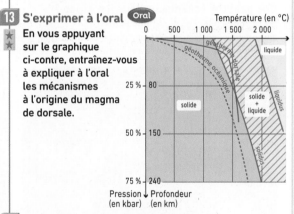

■ Observation microscopique de péridotite serpentinisée de l'ophiolite d'Oman (LPA).

Établissez une relation entre l'observation microscopique et la réaction chimique de la serpentinisation.

13 S'exprimer à l'oral Oral

En vous appuyant sur le graphique ci-contre, entraînez-vous à expliquer à l'oral les mécanismes à l'origine du magma de dorsale.

14 Concevoir un protocole expérimental

En s'éloignant de la dorsale les roches de la croûte subissent une hydratation. Ainsi, les gabbros se transforment en métagabbros à hornblende.

Proposez un protocole expérimental pour montrer que cette hydratation s'accompagne d'une légère augmentation de densité des roches.

15 Formuler un problème scientifique et des hypothèses

L'âge de la croûte océanique au fond des océans ne dépasse pas 200 millions d'années, alors que l'on a découvert des roches de la croûte continentale datant de plus de 4 milliards d'années.

Formulez le problème scientifique soulevé par ces datations et, à l'aide de vos connaissances, proposez une hypothèse en réponse à ce problème.

16 Une relation entre expansion océanique et climat ?

La période du Crétacé (– 135 Ma à – 65 Ma) est une des périodes les plus chaudes qu'ait connue la Terre depuis 500 millions d'années.

◾ À partir de vos connaissances et des informations tirées des documents, établissez un lien entre l'activité des dorsales océaniques et le climat du Crétacé.

Gaz	CO_2	SO_2	H_2	CO	O_2	N_2
%	57,09	28,89	5,71	2,20	0,74	5,34

DOC 1 Composition des gaz magmatiques lors d'un magmatisme voisin de celui des dorsales (Afars).

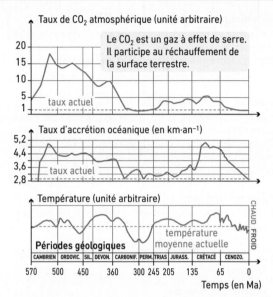

Taux de CO_2 atmosphérique (unité arbitraire)

Le CO_2 est un gaz à effet de serre. Il participe au réchauffement de la surface terrestre.

taux actuel

Taux d'accrétion océanique (en km·an^{-1})

taux actuel

Température (unité arbitraire)

CHAUD FROID

température moyenne actuelle

Périodes géologiques

CAMBRIEN ORDOVIC. SIL. DEVON. CARBONIF. PERM. TRIAS JURASS. CRÉTACÉ CENOZO.

570 500 450 360 300 245 205 135 65 0

Temps (en Ma)

DOC 2 Variations de quelques paramètres depuis 570 Ma.

17 Des gabbros océaniques dans les Alpes ?

On retrouve dans les Alpes des roches de la famille des gabbros caractérisées par une composition minéralogique particulière. Selon les géologues, ces roches proviennent d'une ancienne croûte océanique ayant existé avant la formation de la chaîne de montagnes.

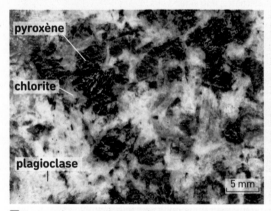

pyroxène

chlorite

plagioclase

5 mm

A Roche A (observée à l'œil nu).

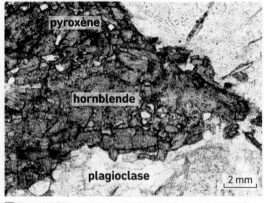

pyroxène

hornblende

plagioclase

2 mm

B Roche B (observée au microscope polarisant LPNA).

DOC 1 Observation de deux roches retrouvées dans les Alpes, à 2 600 m d'altitude.

Actinote	Hornblende
T < 400 °C	400 °C < T < 700 °C

DOC 2 Domaines de stabilité de deux minéraux du gabbro dans les conditions de pression de la croûte océanique.

plagioclase + pyroxène + eau → hornblende
plagioclase + hornblende + eau → chlorite + actinote

DOC 3 Réactions de formation de la chlorite et de l'actinote dans un gabbro.

1. À partir de l'étude des documents et de vos connaissances, argumentez l'hypothèse des géologues.

2. Replacez les roches A et B selon leur éloignement de la dorsale, au moment de leur formation, en justifiant votre réponse.

★ facile ★★ intermédiaire ★★★ confirmé

18 Des exercices de fusion partielle de péridotite

★
★

Des scientifiques ont réalisé des expériences de fusion partielle en plaçant des échantillons d'une même péridotite à différentes conditions de température et de pression, dans une presse à enclume de diamant. Ils ont obtenu une fraction liquide, dont la composition chimique est présentée dans le tableau.

	Expérience 1	Expérience 2	Composition de la péridotite ayant servi aux expériences
P (en Gpa)	1	1,5	
T (en °C)	1 300	1 550	
% de fusion partielle	23	51	
SiO_2	49,80	49,6	48,28
TiO_2	2,70	1,40	0,22
Al_2O_3	12,5	7,00	4,91
MgO	12,00	24,9	32,53
CaO	10,90	6,10	2,99

DOC 1 **Composition chimique des liquides issus de la fusion partielle de la péridotite.**

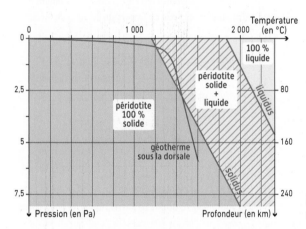

DOC 2 **Géotherme de dorsale et diagramme de phase de la péridotite.**

▨ À partir des données des documents, cochez la bonne proposition pour chacune des affirmations ou questions ci-dessous :

1. **À une température de 1 600 °C et une pression de 7,5 GPa, une péridotite est :**
   ❏ entièrement solide ;
   ❏ partiellement fondue ;
   ❏ totalement fondue ;
   ❏ dans un état intermédiaire entre solide et liquide.

2. **Le taux de fusion partielle dépend :**
   ❏ de la composition du liquide magmatique ;
   ❏ de la température uniquement ;
   ❏ de la pression uniquement ;
   ❏ de la pression et de la température.

3. **Les liquides issus des expériences de fusion partielle de péridotite :**
   ❏ ont une composition identique à celle de la péridotite ;
   ❏ sont enrichis en aluminium (Al_2O_3) par rapport à la péridotite ;
   ❏ sont enrichis en magnésium (MgO) par rapport à la péridotite ;
   ❏ sont appauvris en Si (SiO_2) par rapport à la péridotite.

4. **Quelle(s) expérience(s) reproduit les conditions du magmatisme de dorsale ?**
   ❏ Les deux expériences.
   ❏ L'expérience 1.
   ❏ L'expérience 2.
   ❏ Aucune des deux expériences.

5. **Sous la dorsale, la fusion partielle est possible :**
   ❏ au-delà de 100 km de profondeur ;
   ❏ à moins de 10 km de profondeur ;
   ❏ uniquement à 80 km de profondeur ;
   ❏ entre 100 et 20 km de profondeur.

6. **La température du magma formé sera d'environ :**
   ❏ 1 100 °C ;
   ❏ 1 300 °C ;
   ❏ 1 500 °C ;
   ❏ 1 700 °C.

BAC

19 La dorsale de Juan de Fuca

Située à l'ouest de l'état de Washington (nord-ouest des États-Unis), la dorsale de Juan de Fuca est une zone de divergence entre la plaque Pacifique et la petite plaque de Juan de Fuca.

■ À partir des données scientifiques et de vos connaissances, argumentez l'affirmation suivante : la dorsale de Juan de Fuca est un type intermédiaire entre les dorsales rapides et les dorsales lentes.

1 Profil bathymétrique de la dorsale

Les missions océanographiques ont permis d'établir un profil bathymétrique de la dorsale de Juan de Fuca.

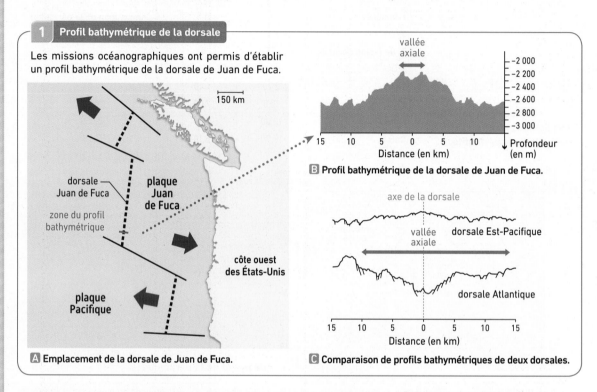

A Emplacement de la dorsale de Juan de Fuca.

B Profil bathymétrique de la dorsale de Juan de Fuca.

C Comparaison de profils bathymétriques de deux dorsales.

2 Paléomagnétisme et vitesse d'expansion

Les données paléomagnétiques permettent de calculer une vitesse moyenne d'expansion océanique au niveau des dorsales.

A Aspect des anomalies magnétiques au niveau de la dorsale de Juan de Fuca.

B Distance de quelques anomalies magnétiques par rapport à l'axe de trois dorsales.

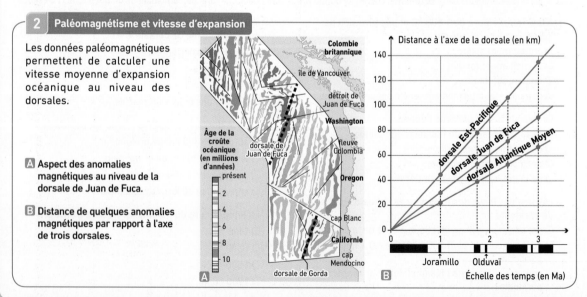

Cet exercice se présente sous la forme d'une **tâche complexe** :
construisez votre propre démarche pour résoudre le problème posé.

Exercices

3 Profondeur de la LVZ sous la dorsale

La LVZ (« low velocity zone » ou « zone des faibles vitesses ») correspond à la partie supérieure de l'asthénosphère, dans laquelle les ondes sismiques sont ralenties par le comportement ductile des péridotites. Le graphique ci-contre met en relation la profondeur du sommet de la LVZ sous différentes dorsales avec leur vitesse d'accrétion.

Sous la dorsale de Juan de Fuca, les données sismiques ont permis d'estimer la profondeur du sommet de la LVZ à environ 3,2 km.

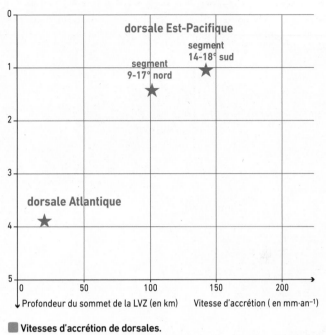

Vitesses d'accrétion de dorsales.

4 Éléments traces et magmatisme de dorsale

Les éléments traces contenus en très faible quantité dans les basaltes océaniques permettent de caractériser le magma à l'origine de ces roches.

Ainsi, pour les éléments lanthane (La) et samarium (Sm), les géologues ont pu établir un lien entre le rapport $\dfrac{La}{Sm}$ et le type de magmatisme de dorsale :

- Les basaltes issus de dorsales rapides (est du Pacifique) ont un rapport supérieur à 1.
- Les basaltes issus de dorsales lentes (Atlantique) ont un rapport supérieur à 0,7.

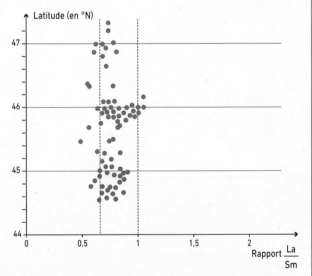

Mesures du rapport entre les teneurs en La et Sm sur divers échantillons de basalte prélevés le long de de la dorsale de Juan de Fuca.

La dynamique des zones de convergence

1 cm

Gabbros métamorphisés, île de Syros (Grèce, Cyclades).

S'interroger avant d'aborder le chapitre

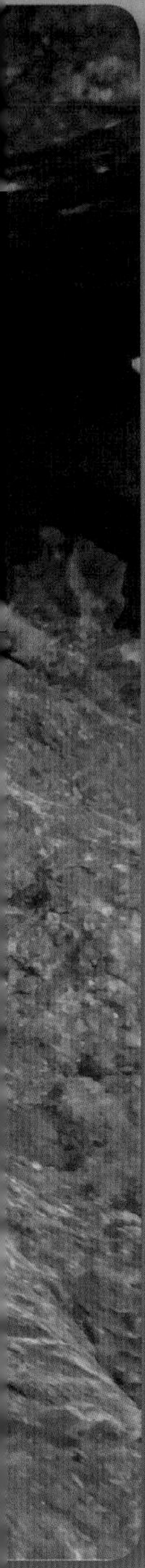

Des rives océaniques géologiquement actives

Certaines marges océaniques sont marquées par la présence de volcans actifs, comme ici le Villarica, au Chili, photographié lors de son éruption de 2015 (A). Les rives de l'océan Pacifique sont ainsi constellées d'édifices volcaniques, que ce soit sur des îles (Fidji, Tonga, Japon, etc.) ou sur le continent (cordillère des Andes). On parle de la « ceinture de feu » du Pacifique.

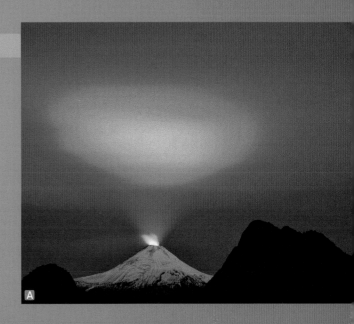

A

B

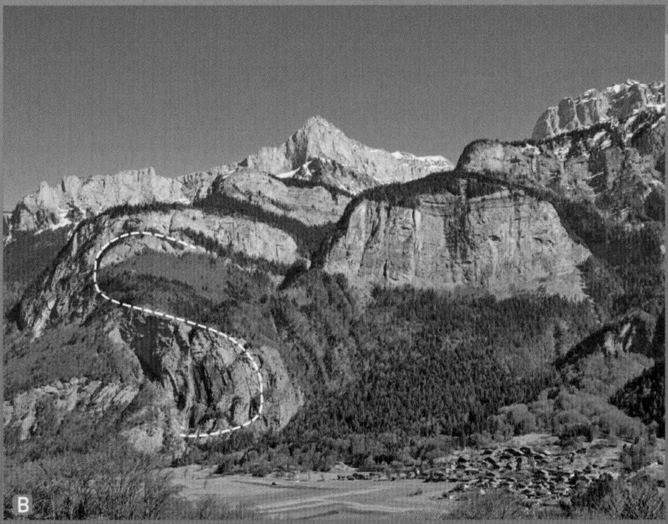

Des reliefs continentaux remarquables

Certaines chaînes de montagnes sont constituées en grande partie de roches sédimentaires d'origine marine, souvent très déformées. La photo ci-contre (B), prise dans la vallée de l'Arve, en Haute-Savoie, montre une impressionnante structure en « S » : un double pli couché.

Formuler les problèmes à résoudre

- Les situations exposées ici sont toutes en relation avec la convergence lithosphérique. Reliez ces informations à vos connaissances sur le déplacement des plaques lithosphériques en général, et les zones de convergence en particulier.
- Formulez les questions qui restent à approfondir pour bien comprendre en quoi la convergence lithosphérique consiste.

La subduction océanique

Dans une zone de convergence, lorsqu'au moins l'une des deux plaques concernées est de nature océanique, un phénomène de subduction de la lithosphère océanique se produit. On en connaît les marqueurs sismiques, thermiques et pétrologiques tels qu'ils se présentent en surface.

> **Comment se manifeste le plongement de la lithosphère océanique en profondeur ?**

Modélisation
Tectoglob3D

1 Une répartition caractéristique des foyers sismiques

Un réseau mondial de surveillance permet de localiser de manière très précise la position du foyer de tous les séismes qui se produisent. Si la plupart des foyers sont localisés à faible profondeur (moins de 30 km), ceux des séismes des **zones de subduction*** peuvent être très profonds (jusqu'à 700 km).

La répartition particulière de ces foyers sismiques a été découverte dès 1935 par le géophysicien japonais K. Wadati, puis par le sismologue américain H. Benioff en 1949. Elle est nommée de ce fait « plan de Wadati-Benioff ».

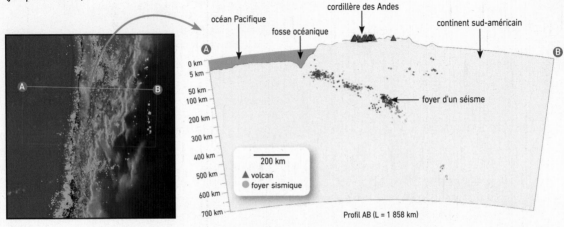

A Répartition des foyers sismiques sur une coupe verticale de la bordure occidentale de l'Amérique du Sud (logiciel Tectoglob3D).

Modélisation
Tectoglob3D

Activité pratique

■ À l'aide d'un logiciel comme Tectoglob3D, réaliser des coupes au niveau de la côte ouest de l'Amérique du Sud, des côtes du Japon ou d'autres îles de la bordure de l'océan Pacifique.

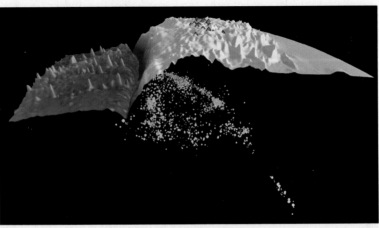

B Vue en bloc, diagramme 3D d'une zone de subduction.

2 Une structure thermique particulière sous l'arc volcanique

Tectoglob3D

Activité pratique 1

■ À l'aide du logiciel Tomographie sismique, réaliser des coupes au niveau de la côt ouest de l'Amérique du Sud des côtes du Japon, ou d'autres îles de la bordure de l'océan Paci-fique, des îles Fidji et Tonga.

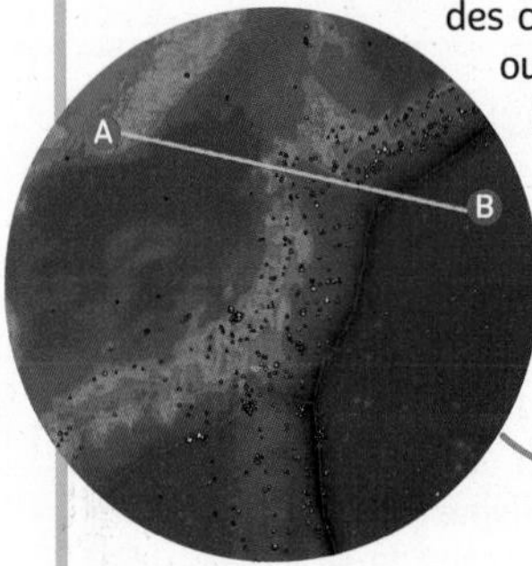

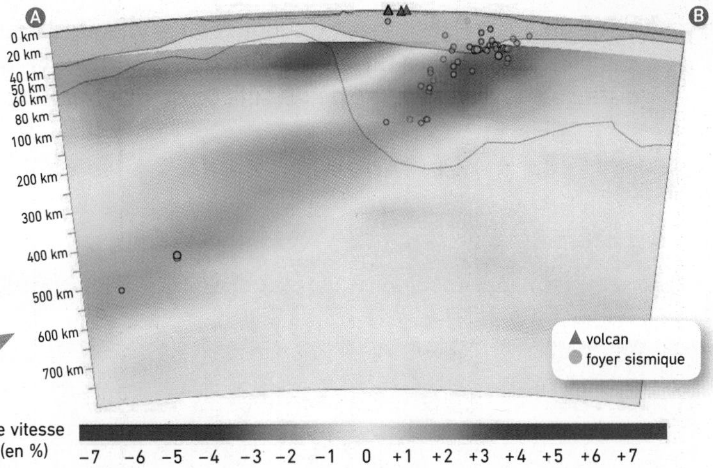

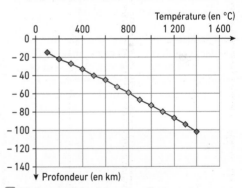

Anomalie de vitesse sismique (en %)

−7 −6 −5 −4 −3 −2 −1 0 +1 +2 +3 +4 +5 +6 +7

▲ volcan
● foyer sismique

A Tomographie sismique au nord du Japon.

L'étude des données sismiques permet de modéliser la répartition des températures en différents points d'une zone de subduction. Les isothermes (lignes d'égale température) y présentent une disposition caractéristique.

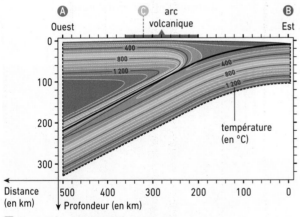

B La structure thermique profonde au nord du Japon.

Activité pratique 2

■ Le graphique ci-dessous montre le géotherme* à la verticale du point B, situé dans la plaine abyssale* (diagramme ci-contre).
■ Tracer le géotherme à la verticale du point ⓒ, situé dans l'arc volcanique, en utilisant les isothermes et l'échelle de profondeur.

C Géotherme de la plaine abyssale.

Activités envisageables

Pour connaître la structure profonde d'une zone de subduction :

● Décrivez les caractéristiques sismiques observables sur une coupe effectuée dans une zone de subduction.
● Reliez les données sismiques au modèle thermique de la zone de subduction.
● Montrez que la sismicité et la structure thermique de cette zone peuvent s'expliquer par la plongée d'une lithosphère océanique sous une autre plaque lithosphérique.

Des clés pour réussir

● Appuyez-vous sur vos connaissances concernant la tomographie sismique (chapitre 1) et la subduction (chapitres 1 et 2).
● Recherchez des relations de cause à effet.

Le magmatisme des zones de subduction

Le magmatisme des zones de subduction se manifeste sur la plaque chevauchante, formant un « arc magmatique » situé au sein des reliefs bordant la fosse océanique. À bien des égards, il se distingue du magmatisme de dorsale ou du magmatisme de point chaud.

En quoi le magmatisme des zones de subduction est-il particulier ?

1 Des activités magmatiques à la fois volcaniques et plutoniques

Le Pinatubo est un volcan des Philippines, typique du **volcanisme explosif*** que l'on rencontre dans les zones de subduction. Sa violente éruption durant l'été 1991 (A) fut l'une des plus importantes du xxᵉ siècle. On estime que 10 km³ de matériaux ont été produits, notamment sous forme de **nuées ardentes*** qui ont comblé les vallées alentour sur des centaines de mètres d'épaisseur, et de cendres dispersées sur une grande partie du sud-est asiatique. L'éruption fut aussi marquée par la formation d'un dôme de lave, dont une explosion a décapité le sommet, lequel a été remplacé par une **caldeira***, le Pinatubo perdant ainsi 260 m d'altitude.

A L'éruption du volcan Pinatubo, en 1991.

Le **magmatisme*** des zones de subduction se manifeste aussi par la production d'énormes **massifs plutoniques***. Formés par refroidissement lent au sein de la **plaque chevauchante***, ils affleurent* néanmoins après des millions d'années d'érosion, formant des reliefs spectaculaires, comme ceux du parc Yosemite, aux États-Unis (B et C).

C Ces roches plutoniques sont des granitoïdes (famille de roches comprenant les granites et les diorites).

B Les imposants reliefs du parc Yosemite, aux États-Unis.

2 Des roches magmatiques typiques, riches d'indices à interpréter

Malgré la diversité de leurs modes de mise en place et de leurs textures, les roches magmatiques des zones de subduction ont des points communs : entre autres, elles contiennent toutes des minéraux hydroxylés, c'est-à-dire incorporant le radical OH dans leurs formules chimiques. Ces groupements OH résultent de la dissociation de molécules d'eau présentes dans le magma à l'origine de ces roches. La composition chimique des magmas joue un rôle majeur dans leur capacité à se déformer (viscosité) (D). Par exemple, les magmas basaltiques, pauvres en silice, sont très fluides : ils s'écoulent et se dégazent très facilement.

A Andésite
Échantillon et observation en LPA*.

0,5 mm

B Diorite (granitoïde)
Échantillon et observation en LPA*.

1 mm

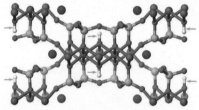

C **Modèle moléculaire d'une amphibole**, de formule chimique $NaCa_2(Mg,Fe,Al)_5[(Si,Al)_8O_{22}](OH)_2$.

Nature du magma	Teneur en silice (SiO₂)	Viscosité* (g·cm⁻¹·s⁻¹)
basaltique	45 à 53 %	10^4
andésitique	54 à 66 %	10^8
rhyolitique	67 à 77 %	10^{12}

D **Teneur en silice et viscosité** de trois magmas.

Activité pratique

■ Observer des lames minces d'andésite et de granitoïdes afin de déterminer les principaux minéraux qui composent ces roches.

À l'aide d'une visionneuse de modèles de minéraux (MinUSc) :

■ Observer des modèles moléculaires des minéraux présents dans les roches magmatiques typiques des zones de subduction.

■ Identifier les minéraux de ces roches qui sont hydroxylés, et ceux qui ne le sont pas.

Modélisation · MinUSc

Activités envisageables

Pour caractériser le magmatisme des zones de subduction :

● Établissez un lien entre le volcanisme explosif, typique des zones de subduction, et la composition chimique des magmas présents dans ces zones.

● Proposez une hypothèse pour expliquer l'abondance des roches plutoniques produites par les zones de subduction.

● Formulez le problème posé par la présence de minéraux hydroxylés dans les roches des zones de subduction.

Des clés pour réussir

● Le cas du magmatisme de dorsale peut vous servir de référence.

● Les pages 180 et 181 présentent d'autres caractéristiques des roches étudiées ici.

Origine et diversité des roches magmatiques

Les zones de subduction sont le siège d'un magmatisme de grande ampleur, marqué par un volcanisme explosif et par la production de granitoïdes.

D'où proviennent les magmas des zones de subduction ?
Comment peuvent-ils être à l'origine de roches si variées ?

1 Des magmas repérables par tomographie sismique

Le document ci-dessous est une tomographie sismique réalisée à travers la zone de subduction située au nord du Japon (U1, doc 2). La diminution de vitesse des ondes sismiques marque la présence de matériaux anormalement chauds.

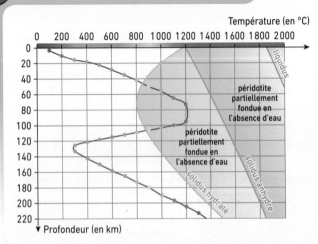

2 Une « fenêtre » d'obtention du magma

Le diagramme ci-contre représente le géotherme d'une zone de subduction, c'est-à-dire l'évolution de la température avec la profondeur à la verticale de l'arc volcanique (voir p. 217).

Les deux courbes de solidus* représentent les conditions de pression et de température permettant un début de fusion des péridotites du **coin de manteau*** de la plaque chevauchante, l'une en condition anhydre*, et l'autre en présence d'eau.

L'eau agit comme un fondant* : pour une même pression, la présence d'eau a pour effet d'abaisser la température de fusion des péridotites.

3 Des magmas qui évoluent au cours de leur remontée vers la surface

Les magmas résultant d'une **fusion partielle** * du manteau sont pauvres en silice : leur composition initiale correspond à celle d'un basalte. Très fluides et moins denses que la roche environnante, ils remontent vers la surface et forment des chambres magmatiques au sein de la croûte de la plaque chevauchante. Là, ils peuvent rester piégés ou atteindre la surface.

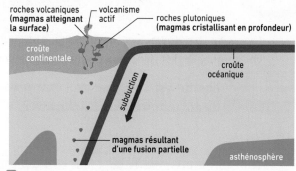

A Le devenir des magmas.

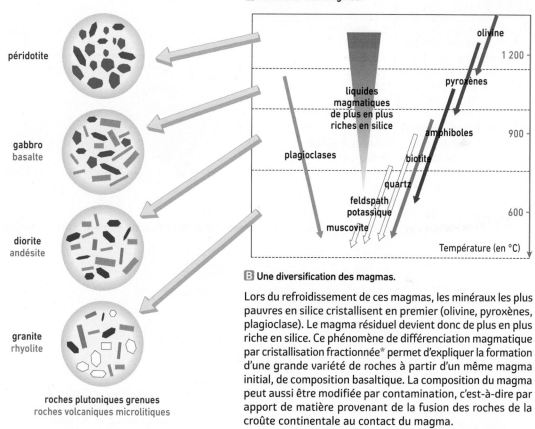

B Une diversification des magmas.

Lors du refroidissement de ces magmas, les minéraux les plus pauvres en silice cristallisent en premier (olivine, pyroxènes, plagioclase). Le magma résiduel devient donc de plus en plus riche en silice. Ce phénomène de différenciation magmatique par cristallisation fractionnée * permet d'expliquer la formation d'une grande variété de roches à partir d'un même magma initial, de composition basaltique. La composition du magma peut aussi être modifiée par contamination, c'est-à-dire par apport de matière provenant de la fusion des roches de la croûte continentale au contact du magma.

Pour comprendre d'où viennent les magmas et la diversité des roches produites dans une zone de subduction :

- Localisez la zone de production de magma et nommez la roche qui subit une fusion partielle.
- Identifiez une condition nécessaire à la fusion partielle de cette roche.
- Expliquez comment le magma initial évolue, et peut conduire à l'obtention de roches magmatiques de texture et de composition différentes.

Des clés pour réussir

- Dans le document 2, vérifiez que vous comprenez bien la signification du géotherme (voir p. 217), ainsi que celle des deux courbes de solidus (si besoin, reportez-vous à la p. 198).
- Mettez en relation les documents 1 et 2.
- Rappelez-vous que plus un magma est riche en silice, plus il est visqueux.

* Lexique ➡ p. 422

Le métamorphisme de subduction

La production de magma nécessite la présence d'eau dans la zone du manteau située sous l'arc volcanique. Or, les minéraux du manteau ne sont habituellement pas hydratés.

> *Quelle est l'origine de l'eau présente dans le coin de manteau de la plaque chevauchante ?*

1 Des transformations minéralogiques se produisent dans la croûte en subduction

Des expériences menées en laboratoire permettent de soumettre des minéraux à des conditions de pression et de température (P-T) qui se réalisent lors de la subduction de la croûte océanique. Elles montrent que des minéraux, stables dans des conditions P-T précises, commencent à réagir entre eux lorsque ces conditions changent, et donnent naissance à de nouveaux minéraux : un **métamorphisme*** se produit.

Le graphe (**A**) présente les domaines de stabilité* de quelques assemblages minéralogiques :

I : pyroxène + plagioclase
II : hornblende + plagioclase
III : chlorite + actinote + plagioclase
IV : glaucophane + plagioclase +/– omphacite
V : grenat + omphacite +/– glaucophane

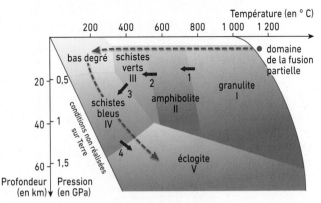

A Les domaines de stabilité de quelques assemblages minéralogiques.

- **1** : plagioclase + pyroxène + eau → hornblende
- **2** : plagioclase + hornblende + eau → actinote + chlorite
- **3** : plagioclase + chlorite + actinote → glaucophane + eau
- **4** : plagioclase + glaucophane → grenat + omphacite + eau

B Quelques réactions du métamorphisme.

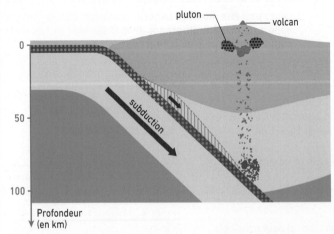

C La croûte océanique subit un métamorphisme progressif à mesure qu'elle s'enfonce lors de la subduction.

Les réactions métamorphiques qui se produisent dans le **panneau en subduction*** font apparaître différents métagabbros* dans la croûte de la plaque océanique plongeante. Ces roches passent successivement du faciès* « schistes verts » au faciès « schistes bleus » puis au faciès « éclogites ».

■ croûte océanique
■ croûte continentale
■ magmas

Faciès métamorphiques
::::: schistes verts
::::: schistes bleus
::::: éclogite

|||||| manteau hydraté entraîné par la plaque subduite
❀❀ fusion partielle

2 Observation des roches et des minéraux du métamorphisme de subduction

Bien que les réactions métamorphiques se produisent à grande profondeur, on peut parfois récolter des échantillons de ces roches en surface. En effet, ces réactions étant très lentes, si la roche en cours de transformation est ramenée à la surface (grâce à l'érosion par exemple), les associations minérales typiques des différents faciès restent stables et peuvent être observées.

L'échantillon (A) ci-contre montre des minéraux qui illustrent le passage du faciès « schistes bleus » au faciès « éclogites ». Avant d'être ramenés vers la surface, ces minéraux étaient en train de réagir entre eux, selon l'équation 4 du document (1B).

1 cm

A Deux faciès sur une même roche.

B Métagabbro* du faciès « schistes bleus »
Échantillon et observation en LPA*.

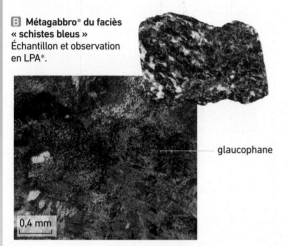

glaucophane

0,4 mm

C Métagabbro du faciès « éclogites »
Échantillon et observation en LPA*.

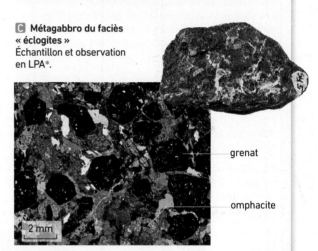

grenat

omphacite

2 mm

Activité pratique

■ Observer des lames minces de métagabbros des faciès schistes bleus et éclogites afin de reconnaître les principaux minéraux qui composent ces roches.

À l'aide d'une visionneuse de modèles de minéraux (MinUSc) :
■ Observer les modèles moléculaires des minéraux impliqués dans les réactions du métamorphisme de subduction.
■ Démontrer le fait que ces réactions produisent de l'eau.

Modélisation

MinUSc

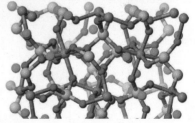

D Modèle moléculaire du grenat pyrope, minéral typique du faciès « éclogites ».

Activités envisageables

Pour comprendre comment de l'eau apparaît en profondeur et permet la formation de magmas :

● Observez des métagabbros et identifiez les conditions de profondeur et de température de leur formation.

● Identifiez les réactions métamorphiques qui se produisent au cours de la subduction, et montrez qu'elles correspondent à une déshydratation de la croûte océanique plongeante.

● Proposez un scénario expliquant la fusion partielle de la zone du manteau de la plaque chevauchante située vers 100 km de profondeur.

Des clés pour réussir

● Appuyez-vous sur l'ensemble de ces documents, mis en relation.

● Faites le lien avec les unités 2 et 3, ainsi qu'avec le chapitre 3.

Subduction et mobilité des plaques lithosphériques

On a longtemps cru que la lithosphère océanique était contrainte de passer en subduction par la poussée exercée par l'expansion se produisant dans l'axe des dorsales. La réalité s'avère différente.

> *Comment la subduction contribue-t-elle au déplacement des plaques lithosphériques ?*

1 Une lithosphère océanique en déséquilibre gravitaire

L'augmentation de la densité de la lithosphère océanique au cours de son vieillissement (voir le chapitre 3) est à l'origine de la subduction. Mais la plongée de la lithosphère océanique est généralement retardée par rapport à l'établissement du déséquilibre gravitaire (A).

En effet, la lithosphère océanique jeune (proche de l'axe de la dorsale) et la lithosphère continentale constituent, du fait de leur faible densité, de véritables « flotteurs », qui maintiennent la lithosphère océanique âgée en surface. Celle-ci n'entre en subduction qu'à la faveur de mouvements tectoniques capables de désolidariser la plaque dense de l'un de ses flotteurs.

Par ailleurs, les différences de densité constatées étant faibles, et l'asthénosphère étant à l'état ductile* (et non liquide), les mouvements verticaux de la lithosphère sont très lents.

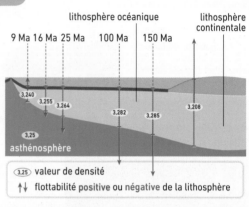

A Densité et flottabilité* de la lithosphère océanique.

L'augmentation de pression et de température lors de la subduction transforme les roches de la croûte océanique (voir p. 222 et 223), ce qui s'accompagne d'une modification de leur densité.

Modélisation

Tectoglob3D

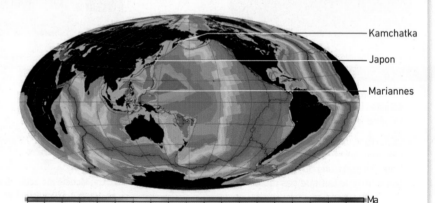

B L'âge de la lithosphère océanique du Pacifique dans diverses zones de subduction.

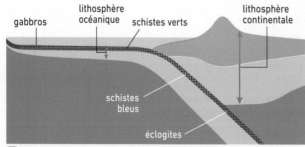

C Les conséquences des transformations métamorphiques de la croûte océanique.

D Densités de roches de la croûte océanique.

Roche	Densité
gabbro	2,9 à 3,1
métagabbro « schistes verts »	3,2
métagabbro « schistes bleus »	3,4
métagabbro « éclogites »	3,5

② L'origine de la mobilité des plaques lithosphériques

Pour expliquer le mouvement des plaques océaniques, deux mécanismes peuvent être envisagés :
– le fonctionnement de la dorsale « pousse » la plaque océanique, qui, à son autre extrémité, est contrainte de plonger sous la plaque voisine ;
– la subduction de la partie âgée d'une plaque océanique « tire » sur l'autre extrémité de la plaque, provoquant l'expansion au niveau de la dorsale.

Les informations présentées dans les documents donnent des arguments pour trancher entre ces deux hypothèses.

La partie jeune de la plaque océanique repose sur l'asthénosphère comme sur un plan incliné, et tend donc à glisser, exerçant une poussée latérale de la plaque. Par ailleurs, la partie plongeante de la plaque océanique, plus dense que l'asthénosphère, s'enfonce en exerçant une traction sur le reste de la plaque océanique. Des calculs simples permettent d'estimer l'ordre de grandeur de ces forces au sein de la lithosphère océanique.

L'étude détaillée du mouvement des douze principales plaques lithosphériques montre que leurs vitesses absolues sont très différentes. On peut distinguer deux groupes : les plaques « rapides » et les plaques « lentes ». Il apparaît que ces deux catégories se distinguent aussi par l'abondance relative de la subduction à leurs frontières.

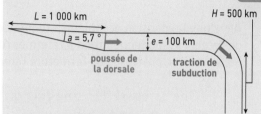

✓ **Calcul de la pression de poussée et de la traction de subduction :**

Poussée = $\dfrac{L}{2} \times g \times 50 \times \sin a$

Traction = $H \times g \times 50$

✓ **Remarques :**
Les résultats sont obtenus en N·m^{-2} ; g, accélération de la pesanteur, vaut 9,81 m·s^{-2}.
La valeur « 50 » correspond à la différence de masse volumique entre la lithosphère et l'asthénosphère : en effet, 1 m^3 de lithosphère pèse 50 kg de plus que le même volume d'asthénosphère.
Dans ces calculs, on néglige l'influence de la croûte.

A Des calculs pour estimer les forces exercées sur une plaque océanique.

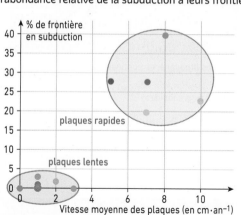

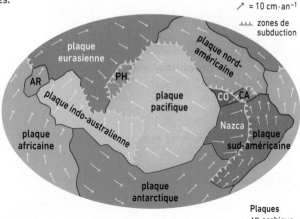

Plaques
AR arabique
PH philippine
CO cocos
CA caraïbe

B Une mise en relation de la vitesse des plaques lithosphériques et de l'abondance de la subduction à leurs frontières.

* Lexique ➡ p. 422

> *Pour comprendre le mécanisme de la subduction et son rôle dans la convection mantellique :*

● **Expliquer le décalage entre l'âge théorique et l'âge réel de la lithosphère lors de son entrée en subduction.**
● **Identifiez un mécanisme qui renforce la subduction d'une lithosphère océanique une fois que celle-ci a débuté.**
● **Recherchez des arguments qui permettent de montrer que la subduction constitue le moteur principal de la mobilité des plaques lithosphériques.**

Des clés pour réussir

● Comparez l'âge auquel la lithosphère océanique atteint une flottabilité négative et l'âge de la lithosphère océanique dans les zones de subduction.
● Calculez la pression de poussée et la traction de subduction, et comparez les valeurs obtenues.

6 La collision continentale

Alors que l'expansion océanique a tendance à éloigner les continents situés de part et d'autre de l'océan, la subduction tend à refermer l'océan, et donc à rapprocher les continents qui le bordent. Si ce processus de fermeture l'emporte, les continents finissent par entrer en collision.

Que se passe-t-il une fois qu'un océan est résorbé par subduction ?

1 De la subduction à la collision

Les blocs continentaux étant de même densité, la subduction de l'un sous l'autre ne peut pas se dérouler, comme c'est le cas lorsqu'une lithosphère océanique dense plonge sous une lithosphère de densité inférieure (A).

Les blocs continentaux entrent alors en collision, engendrant une réduction de surface de la croûte continentale. Il va en résulter la création d'une chaîne de montagnes, avec des déformations importantes des croûtes continentales concernées (B).

A Subduction de la lithosphère océanique.

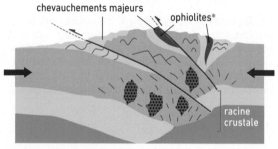
B Collision des lithosphères continentales.

- ~~~~ sédiments plissés
- ⌒⌒ croûte continentale déformée
- 🔲 plutons de granitoïdes
- \|/ métamorphisme

2 En surface, la formation de reliefs importants

Les Alpes forment des reliefs partant du sud-est de la France et allant jusqu'en Autriche. Elles résultent de la collision, débutée il y a 80 millions d'années, entre le bloc continental européen (plaque eurasienne) et une petite plaque continentale détachée de l'Afrique, l'Apulie.

A Les Alpes suisses.

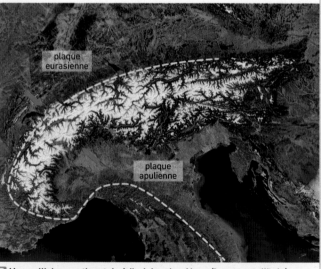
B Une collision continentale à l'origine des Alpes (image satellitale).

③ En profondeur, une racine crustale

Un ensemble de profils sismiques* réalisés à travers les Alpes a permis d'obtenir une coupe de la chaîne alpine (A) et une interprétation synthétique de ces données (B).

Sous les reliefs, la croûte continentale a un aspect particulier, et elle peut être bien plus épaisse que la normale. Elle forme ce qu'on appelle une **racine crustale***.

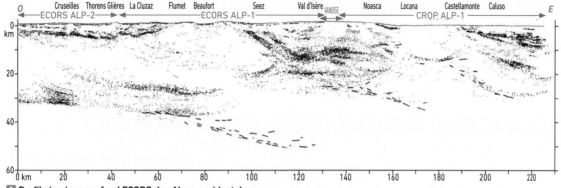

A Profil sismique profond ECORS des Alpes occidentales.

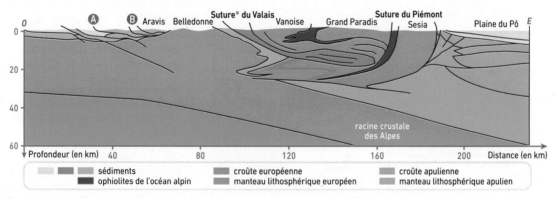

sédiments — croûte européenne — croûte apulienne
ophiolites de l'océan alpin — manteau lithosphérique européen — manteau lithosphérique apulien

B Schéma d'interprétation du profil sismique.

La coupe géologique ci-contre représente la région de Chambéry, en périphérie des Alpes. On y voit un ensemble de **failles inverses*** (voir p. 229) permettant le **chevauchement*** de couches géologiques. En effet, des terrains anciens (Jurassique, en bleu) se retrouvent au-dessus de terrains plus jeunes (Crétacé, en vert). Un **empilement*** de roches sédimentaires s'est donc produit de l'est vers l'ouest suite à la compression alpine.

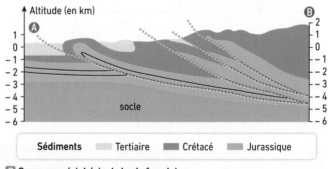

Sédiments — Tertiaire — Crétacé — Jurassique

C Coupe en périphérie de la chaîne alpine.

Activités envisageables

Pour décrire la collision et ses conséquences :

● Expliquez pourquoi la fermeture d'un océan empêche la subduction de se poursuivre dans les mêmes conditions qu'auparavant.

● Décrivez les conséquences de la collision continentale sur la géométrie des portions de plaques lithosphériques concernées.

Des clés pour réussir

● Souvenez-vous des conditions de la subduction océanique, et confrontez-les à celles de la collision.

● Au cours de la collision, le volume des roches continentales est conservé.

* Lexique ➞ p. 422

7 Des déformations à l'échelle du paysage

Le volume de roches étant constant, le raccourcissement lié à la collision doit s'accompagner de modifications géométriques. Ces déformations sont facilement repérables à l'échelle des paysages au sein des chaînes de collision.

Quels types de déformations peut-on observer dans les paysages d'une chaîne de collision ?

1 Une grande diversité de déformations, organisée en fonction de la profondeur

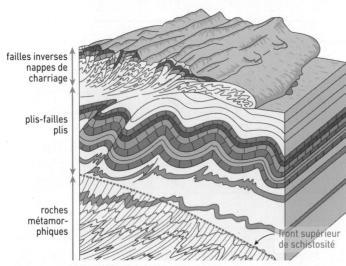

failles inverses
nappes de charriage*

plis-failles
plis

roches métamor-phiques

front supérieur de schistosité

Des déformations différentes selon la profondeur.

La déformation des roches au cours de la collision dépend de leur nature, mais aussi de leur position dans l'empilement suite à la collision.

On distingue différents niveaux structuraux*.
- Dans la partie supérieure, les roches sont froides et rigides ; on observe surtout des failles inverses (déformations cassantes).
- En dessous, la chaleur permet des déformations plus souples : des **plis*** se forment.
- Plus profondément encore, on observe des phénomènes liés à l'augmentation de pression et de température (métamorphisme et même magmatisme, voir pages suivantes).

2 Les plis, des déformations souples

Le « chapeau de Gendarme » est un relief proche de la commune de Septmoncel (Jura). Il y a 130 millions d'années, des sédiments calcaires et marneux se sont déposés au fond d'une mer tropicale. Ces couches horizontales ont été ensuite plissées par la formation des Alpes, il y a 20 millions d'années, sous l'effet de forces de compression.

Animation

Plis

A Un exemple de pli : le « chapeau de Gendarme » dans le Jura.

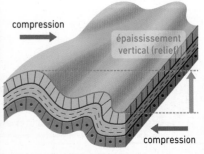

compression

épaississement vertical (relief)

compression

B Une déformation sans fracturation.

3 Les failles inverses, des déformations cassantes

Animation

Types de failles

A Faille inverse visible à l'affleurement.

Cette faille remarquable a été photographiée dans un talus fraîchement taillé pour la construction d'une route (**A**). Le bloc situé au-dessus du plan de faille (à droite) est venu surmonter le bloc situé en dessous (à gauche), inversant l'ordre normal des couches : il s'agit d'une faille inverse.

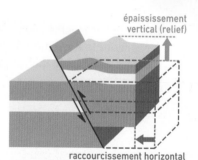

épaississement vertical (relief)

raccourcissement horizontal

B Formation d'une faille inverse.

Activité pratique

Pour modéliser la formation de failles inverses :
- Superposer dans un récipient rectangulaire des couches horizontales de plâtre coloré, en tassant légèrement entre chaque couche.
- Exercer une pression latérale progressive et observer.

C État initial.

D État final.

4 Des déformations plus complexes : les plis-failles

Il arrive que les roches commencent par se plisser, puis, leur seuil de résistance étant dépassé, finissent par se casser, donnant une structure mixte : un pli-faille.

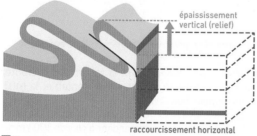

épaississement vertical (relief)

raccourcissement horizontal

A Formation d'un pli et d'un pli-faille.

B Pli-faille de Saint-Rambert-en-Bugey (Ain).

Activités envisageables

Pour caractériser les déformations visibles dans les paysages des chaînes de collision :

- Montrez que les déformations étudiées résultent d'un même type de contrainte, que vous caractériserez.
- Identifiez les composantes horizontale et verticale de ces déformations.
- Proposez des hypothèses permettant d'expliquer la diversité de ces déformations.

Des clés pour réussir

- Pensez à déterminer la direction et le sens des forces qui agissent sur les roches.
- Rappelez-vous que les roches conservent leur volume malgré les contraintes.
- Reliez chaque exemple aux informations du document 1.

* Lexique ➡ p. 422

8 Des déformations à d'autres échelles

Plis et failles inverses sont des structures visibles en surface, mais elles ne suffisent pas à expliquer la formation de de reliefs ni l'épaississement de la croûte continentale dans les chaînes de montagnes.

Quelles autres déformations se produisent lors de la collision continentale ?

---

1 Les nappes de charriage, des déformations à l'échelle kilométrique

A Le col du Lautaret, dans les Alpes françaises.

Dans les Alpes françaises, le col du Lautaret (**A**) présente des contacts anormaux entre couches sédimentaires : leur superposition actuelle ne reflète plus l'ordre chronologique initial des dépôts (Trias puis Jurassique, Crétacé et Tertiaire) (**B**).

En effet, des couches de gypse* au comportement plastique, datées du Trias, ont pu constituer un plan de glissement : les contraintes tectoniques en compression provoquent alors des déplacements horizontaux de grande ampleur (plusieurs kilomètres ou dizaines de kilomètres) appelés **nappes de charriage***.

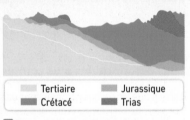

☐ Tertiaire ☐ Jurassique
☐ Crétacé ☐ Trias

B Schéma d'interprétation du paysage.

---

2 Un découpage « en écailles » de la croûte continentale, des déformations à l'échelle régionale

L'Himalaya est né de la collision de la plaque indienne avec la plaque eurasiatique. Une interprétation de profils réalisés par sismique réflexion* permet d'établir le schéma ci-dessous. À l'aplomb de la suture du Tsangpo, la plaque indienne plonge en partie sous le plateau du Tibet (plaque eurasiatique).

Des failles inverses découpent la totalité de la croûte, notamment la MFT (chevauchement frontal) et la MBT (chevauchement bordier). On observe ainsi un véritable découpage « en écailles » de la croûte, permettant la formation d'une racine crustale descendant à plus de 100 km de profondeur, et de reliefs dépassant les 8 000 m d'altitude.

Animation
▶
Formation de l'Himalaya

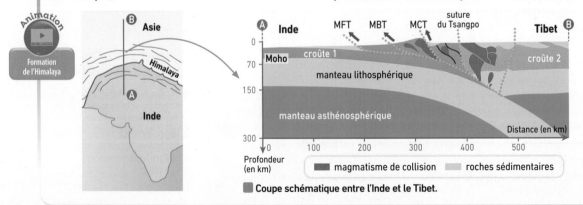

☐ magmatisme de collision ☐ roches sédimentaires

☐ **Coupe schématique entre l'Inde et le Tibet.**

3 Des déformations à l'échelle de l'échantillon de roche et des minéraux

Certaines déformations peuvent se voir à une échelle décimétrique, comme par exemple sur la roche métamorphique présentée ci-contre (A). L'observation microscopique révèle des déformations encore plus petites (B). On constate en effet que certains minéraux en feuillets, comme les micas, sont plissés : la contrainte compressive liée à la collision continentale s'est donc exercée jusqu'à cette échelle.

Ce type de déformations se produit lorsque la collision provoque l'enfouissement de roches sédimentaires à grande profondeur. Sous l'effet combiné de la pression et de la température, elles subissent un métamorphisme qui se traduit par l'apparition de nouveaux minéraux et d'un feuilletage plus ou moins intense, la schistosité*. Dans certains cas, cela modifie complètement l'aspect initial de la roche.

A Des déformations visibles à l'œil nu.

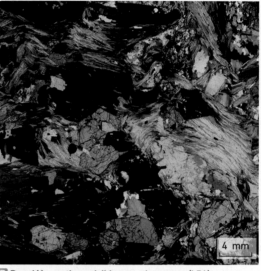

4 mm

B Des déformations visibles au microscope (LPA).

S0 et S1 correspondent à deux épisodes de compression.

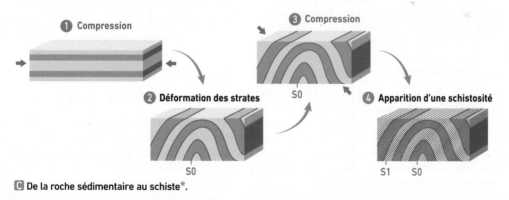

1 Compression

2 Déformation des strates

S0

3 Compression

S0

4 Apparition d'une schistosité

S1   S0

C De la roche sédimentaire au schiste*.

Activités envisageables

Pour montrer que les déformations liées à la collision se déroulent à toutes les échelles d'observation :

● Reliez certaines déformations à la formation de reliefs et à l'épaississement de la croûte continentale.

● Proposez un scénario pour expliquer comment une roche sédimentaire peut être transformée lors de la collision.

Des clés pour réussir

● Faites le lien avec les effets géométriques des failles inverses (voir p. 229).

● Référez-vous aux niveaux structuraux, présentés dans le document 1 p. 228.

La dynamique des zones de convergence

Au niveau des dorsales océaniques, les plaques sont divergentes et de nouvelles portions de lithosphère se forment. Par ailleurs, les fonds océaniques les plus anciens, situés en bordure des océans, n'ont pas plus de 200 millions d'années. Ceci suggère que la lithosphère océanique âgée se résorbe au niveau de zones de convergence, par le phénomène de subduction. D'autres zones de convergence voient s'affronter des plaques lithosphériques continentales, cette convergence étant marquée par la formation de chaînes de montagnes. On précisera ici les marqueurs et les mécanismes des phénomènes de subduction et de collision continentale.

1 Convergence lithosphérique et subduction océanique

◗ Des marqueurs de la subduction

Une **zone de subduction** est une frontière de plaques convergentes, au niveau de laquelle une plaque lithosphérique océanique plonge obliquement dans l'asthénosphère sous une autre plaque, océanique ou continentale. La première est qualifiée de **plaque subduite**, la seconde de **plaque chevauchante**.

Le relief de ces zones est asymétrique : en partant de la plaque subduite, on trouve souvent une **fosse océanique** profonde de plusieurs kilomètres, puis, sur la plaque chevauchante, des reliefs positifs formant un **alignement d'îles** volcaniques ou une **cordillère** parallèle à la ligne de côte, également parsemée de **volcans**.

Les nombreux séismes qui se produisent dans ces zones sont remarquables par la répartition de leurs foyers : les séismes superficiels, souvent violents et dévastateurs, ont leurs foyers principalement localisés dans la croûte de la plaque chevauchante. D'autres séismes dessinent un « plan incliné » qui s'enfonce jusqu'à 700 km de profondeur. L'inclinaison de ce plan, nommé **plan de Wadati-Benioff**, est variable selon les zones de subduction. La distribution de ces foyers sismiques caractérise le plongement de la lithosphère océanique rigide dans l'asthénosphère ductile.

Les anomalies du flux géothermique constatées précédemment à la surface des zones de subduction (chapitre 2) correspondent en profondeur avec les **anomalies thermiques** révélées par la tomographie sismique : les isothermes (lignes d'égale température) adoptent une forme remarquable : ils plongent obliquement sous la fosse océanique, confirmant la présence d'un matériau froid (la lithosphère océanique) s'enfonçant dans un matériau chaud (l'asthénosphère).

◗ Le magmatisme des zones de subduction

L'activité volcanique des zones de subduction est intense. C'est le cas des rives de l'océan Pacifique (la « ceinture de feu ») ou encore des Petites Antilles. Les nombreux édifices volcaniques présents sur les îles ou dans la cordillère connaissent des **éruptions de type explosif** particulièrement dangereuses : elles s'accompagnent souvent de nuées ardentes dévastatrices.

Ceci s'explique par la richesse en silice des magmas formés dans ce contexte. Cette caractéristique rend en effet le magma visqueux, ralentit sa remontée vers la surface et empêche son dégazage progressif. Lorsqu'il atteint la surface, des **roches volcaniques** se forment, comme l'andésite ou la rhyolite. Mais la plus grande partie du magma refroidit et cristallise dans les profondeurs de la croûte, formant des **roches plutoniques** de type granitique (granite, diorite, etc.). La **diversité de ces roches magmatiques** s'explique aussi par la cristallisation fractionnée, qui enrichit le magma en silice à mesure qu'il remonte et refroidit, ainsi que par la contamination des magmas par les roches de la croûte environnante.

Malgré la diversité de ces roches, leur composition chimique apparentée indique qu'elles se forment à partir d'**un même type de magma, riche en eau**.

En effet, certains minéraux, comme les amphiboles et les micas (biotite, muscovite), contiennent dans leur formule chimique des groupements hydroxyles (OH) révélateurs de l'hydratation du magma.

◗ L'origine des magmas

Les magmas des zones de subduction sont issus de la **fusion partielle** du **coin de manteau** situé sous la plaque chevauchante. Pourtant, les températures qui règnent dans ces péridotites ne devraient pas permettre leur fusion partielle, à moins qu'elles soient hydratées. Or, la croûte océanique qui entre en subduction est très hydratée : les basaltes et gabbros qui la composent ont été transformés par les circulations hydrothermales et sont devenus des métabasaltes et métagabbros du faciès « schiste vert », riches en **minéraux hydroxylés**.

En s'enfonçant dans l'asthénosphère plus chaude, la lithosphère océanique se réchauffe lentement tout en étant soumise à une pression croissante. Ce changement de faciès déstabilise les minéraux de la plaque plongeante : ils réagissent entre eux (**réactions métamorphiques**, à l'état solide) et de nouveaux minéraux, caractéristiques des **faciès schistes bleus** puis **éclogites**, se forment.

Ces **nouveaux minéraux** (glaucophane, grenat, ompha-cite) sont **peu ou pas hydroxylés**. Ainsi, ces transformations métamorphiques s'accompagnent d'une **déshydratation de la croûte océanique** en subduction. L'eau libérée remonte et provoque l'**hydratation des péridotites du coin de manteau** de la plaque chevauchante. Cela rend possible leur **fusion partielle**, à l'origine des **magmas**.

● Le mécanisme de la subduction

La densité moyenne de la lithosphère océanique augmente avec son âge, comme nous avons pu l'établir au chapitre précédent. Après 15 à 20 millions d'années environ, elle devient plus dense que le manteau asthénosphérique. Ce **déséquilibre gravitaire** n'entraîne néanmoins pas une plongée immédiate dans l'asthénosphère : l'ensemble des matériaux mis en jeu sont à l'état solide, les différences de densité sont faibles, et la portion de lithosphère qui pourrait sombrer est solidaire du continent, beaucoup moins dense. Des accidents tectoniques liés aux mouvements des plaques sont nécessaires pour déclencher la subduction.

L'**augmentation de densité** est accentuée par les **transformations métamorphiques** qui affectent la croûte océanique lors de la subduction. En effet, la densité d'un métagabbro augmente lorsqu'il passe du faciès « schiste vert » à celui de « schiste bleu », puis d'« éclogite ».

● Subduction et convection mantellique

L'étude des forces qui agissent au niveau d'une plaque océanique montre que l'augmentation de densité est le **principal moteur de la subduction**. Ce faisant, le **panneau de lithosphère en subduction** tracte toute la lithosphère océanique située en surface, jusqu'à l'axe de la dorsale. Il provoque les **mouvements descendants de la convection** mantellique. Ceux-ci participent à leur tour à la mise en place des **mouvements ascendants** sous la dorsale. La subduction joue donc un **rôle essentiel dans l'expansion océanique**, et plus généralement dans le mouvement des plaques lithosphériques.

▪ Paysage des Dolomites, dans les Alpes italiennes. Ces reliefs sont constitués de roches sédimentaires formées il y a 250 millions d'années dans l'océan Téthys, avant sa fermeture et la collision des plaques eurasienne et apulienne.

② Convergence lithosphérique et collision continentale

La subduction peut entraîner la fermeture d'un océan et provoquer la collision des continents situés de part et d'autre. Les lithosphères continentales ayant des densités faibles par rapport à la lithosphère océanique et à l'asthénosphère, la subduction ne peut se poursuivre dans les mêmes conditions : la poursuite de la convergence modifie alors considérablement la géométrie des deux continents en collision : un **raccourcissement** se produit, compensé par un **épaississement**. Près de la surface, les déformations sont en général cassantes : on voit apparaître des **failles inverses**. Plus en profondeur, la chaleur permet des déformations plus souples, telles que les plis-failles et les **plis**. Ces déformations se superposent sur des kilomètres d'épaisseur, contribuant à créer des reliefs.

Des déformations de grande ampleur se produisent, de l'échelle kilométrique à l'échelle régionale. Les contraintes compressives peuvent ainsi déplacer sur des dizaines de kilomètres des formations rocheuses, décollées de leur contexte originel et charriées au-dessus d'autres roches, parfois plus récentes. On parle alors de **nappes de charriages**. L'ensemble de la croûte continentale peut aussi être affecté par des failles majeures, qui conduiront à un **empilement** d'écailles crustales. Si une partie de cette surépaisseur se retrouve dans les reliefs (4 800 m dans les Alpes, 8 800 m dans l'Himalaya), la majeure partie se retrouve en profondeur. Les images de sismique-réflexion montrent la présence de **racines crustales** : la croûte continentale sous les plus hautes chaînes de montagnes peut ainsi dépasser 100 km d'épaisseur. Parfois, une véritable subduction continentale entraîne une partie de la croûte, qui passe alors sous l'autre, le manteau lithosphérique accompagnant ce mouvement.

Au sein des écailles crustales, **les roches subissent un métamorphisme** lié à une augmentation de pression et de température. De nouveaux minéraux apparaissent, souvent orientés par les contraintes compressives. On obtient des roches foliées (alternance de lits clairs et sombres), schisteuses (structurées en feuillets parallèles), comme les micaschistes ou les gneiss.

Ces déformations se produisent pour la plupart à grande profondeur au sein de la chaîne de collision, mais le jeu de grandes failles et les phénomènes d'érosion peuvent porter ces roches à l'affleurement.

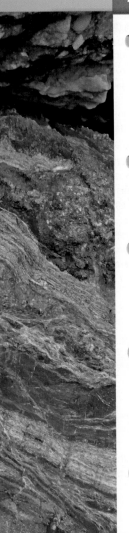

À retenir

Des marqueurs de la subduction

Les zones de subduction sont des frontières de plaques convergentes, au niveau desquelles une plaque lithosphérique océanique plonge obliquement dans l'asthénosphère sous une autre plaque, océanique ou continentale. Les nombreux séismes qui se produisent dans ces zones dessinent un plan incliné qui s'enfonce jusqu'à 700 km de profondeur, et qui témoigne du plongement de la lithosphère océanique froide et rigide dans l'asthénosphère chaude et ductile.

Le magmatisme des zones de subduction

Les nombreux volcans présents sur la plaque chevauchante sont de type explosif, car leur magma est riche en silice, ce qui le rend visqueux. Ce magma permet la formation de roches volcaniques et plutoniques diversifiées. Leur composition chimique indique cependant qu'elles se forment à partir d'un même type de magma, riche en eau.

L'origine des magmas

Les magmas des zones de subduction sont issus de la fusion partielle du coin de manteau de la plaque chevauchante. Cette fusion partielle est possible du fait de l'hydratation des péridotites. L'eau présente dans ces péridotites provient de la déshydratation des minéraux de la croûte en subduction, sous l'effet de l'augmentation de pression et de température (réactions métamorphiques).

Le mécanisme de la subduction et l'origine de la convection mantellique

Le déséquilibre gravitaire dû au vieillissement de la lithosphère océanique peut déclencher l'entrée en subduction, à la faveur d'un accident tectonique de grande ampleur. L'augmentation de densité, accentuée par le métamorphisme qui se produit lors de la subduction, est le principal moteur de la subduction. Celle-ci est à l'origine des mouvements descendants de la convection mantellique, et indirectement des mouvements ascendants sous la dorsale, organisant ainsi les mouvements des plaques lithosphériques.

Convergence lithosphérique et collision continentale

Quand la lithosphère océanique est totalement résorbée, deux blocs continentaux, de densité égale, s'affrontent. La convergence s'accompagne alors d'intenses déformations à toutes les échelles. Les roches sont plissées, fracturées (failles inverses), charriées parfois sur des dizaines de kilomètres. De grandes failles traversent la croûte continentale, séparant des blocs qui se chevauchent les uns sur les autres. C'est par cet écaillage crustal que l'on explique la création de reliefs et la présence d'une racine crustale. Des déformations affectent aussi les roches et les minéraux qui les composent.

Mots-clés

Chevauchement ● Coin de manteau ● Faille inverse ● Massif plutonique ● Nappe de charriage ● Panneau en subduction ● Plaque chevauchante ● Pli ● Racine crustale ● Volcanisme explosif ● Zone de subduction

La dynamique des zones de convergence

Convergence lithosphérique et subduction

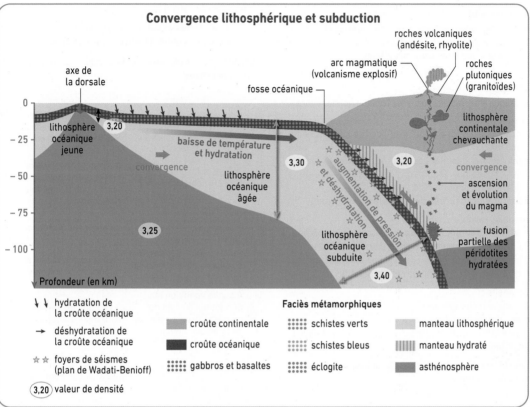

roches volcaniques
(andésite, rhyolite)

arc magmatique
(volcanisme explosif)

roches
plutoniques
(granitoïdes)

fosse océanique

axe de
la dorsale

lithosphère
continentale
chevauchante

0

− 25

− 50

− 75

− 100

lithosphère
océanique
jeune

3,20

baisse de température
et hydratation

convergence

lithosphère
océanique
âgée

3,30

3,25

augmentation de pression
et déshydratation

3,20

convergence

ascension
et évolution
du magma

lithosphère
océanique
subduite

3,40

fusion
partielle des
péridotites
hydratées

Profondeur (en km)

↓↓ hydratation de
la croûte océanique

→ déshydratation de
la croûte océanique

☆☆ foyers de séismes
(plan de Wadati-Benioff)

3,20 valeur de densité

Faciès métamorphiques

croûte continentale

croûte océanique

gabbros et basaltes

schistes verts

schistes bleus

éclogite

manteau lithosphérique

manteau hydraté

asthénosphère

Convergence lithosphérique et collision continentale

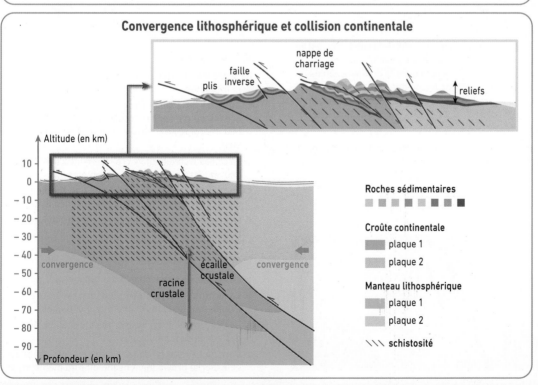

nappe de
charriage

faille
inverse

plis

reliefs

Altitude (en km)

10

0

− 10

− 20

− 30

− 40

− 50

− 60

− 70

− 80

− 90

convergence

racine
crustale

écaille
crustale

convergence

Profondeur (en km)

Roches sédimentaires

Croûte continentale

plaque 1

plaque 2

Manteau lithosphérique

plaque 1

plaque 2

\\\ **schistosité**

1 Retour vers les problématiques

Relisez la page « S'interroger avant d'aborder le chapitre » (p. 215) ; à l'aide de ce que vous savez à présent, répondez aux questions que vous avez formulées.

2 QCM BAC

Pour chaque affirmation, choisissez l'unique bonne réponse.

1. La subduction :
a. provoque l'hydratation des roches de la croûte océanique ;
b. fait plonger des plaques dans le manteau ;
c. est causée par l'augmentation de la densité de la lithosphère continentale ;
d. se déroule au niveau de frontières divergentes.

2. Une faille inverse :
a. augmente la longueur initiale de la zone concernée ;
b. se met en place quand les contraintes sont extensives ;
c. conserve l'ordre normal de superposition des roches ;
d. contribue à la création de reliefs positifs.

3. L'andésite :
a. est une roche grenue ;
b. est une roche volcanique ;
c. est issue de la fusion partielle de la croûte océanique ;
d. cristallise à l'issue d'un refroidissement lent.

4. Les roches qui débutent la subduction ont un faciès métamorphique :
a. schiste vert ;
b. schiste bleu ;
c. éclogite ;
d. amphibolite.

5. Le retard dans le déclenchement de la subduction est lié :
a. au métamorphisme de la plaque plongeante ;
b. à l'hydratation des roches de la croûte océanique ;
c. à des phénomènes tectoniques ;
d. à la flottabilité positive de la croûte continentale.

3 Légender un schéma

Identifiez les éléments numérotés dans ce schéma, et donnez-lui un titre.

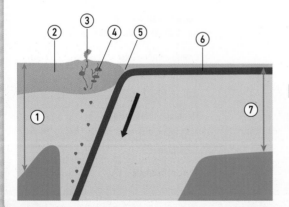

4 Apprendre en s'interrogeant

1. Cachez l'une des colonnes du tableau suivant, et retrouvez ce que contient l'autre (à faire seul ou à plusieurs).

2. Vérifiez vos réponses, et reprenez si besoin les notions concernées.

Questions	Réponses
Quelle est la cause de la subduction ?	L'augmentation de la densité de la lithosphère océanique liée à son vieillissement.
Qu'est-ce qu'une roche du faciès « schiste bleu » ?	Une roche issue du métamorphisme de la croûte océanique pendant la subduction et contenant de la glaucophane.
Quels sont les minéraux typiques d'une roche du faciès « éclogite » ?	Le grenat et l'omphacite.
Quelles déformations sont associées au contexte de collision continentale ?	Failles inverses, plis et nappes de charriages.
À quelle condition les péridotites du coin de manteau situé au-dessus de la plaque plongeante peuvent-elles fondre ?	Il faut que les roches soient hydratées, ce qui abaisse leur point de fusion.
Qu'est-ce que la schistosité ?	Le feuilletage qui apparaît dans une roche métamorphique, dont les minéraux se forment dans des conditions de compression.

5 Vrai ou faux ?

Repérez les affirmations exactes, et corrigez celles qui sont inexactes.

a. Au cours de la subduction, les roches de la lithosphère océanique passent successivement par les faciès de métamorphisme schiste vert, puis éclogite, puis schiste bleu.

b. La collision continentale crée des failles, dont la plupart peuvent être qualifiées de « normales ».

c. Le plan de Wadati-Benioff témoigne du plongement dans l'asthénosphère de roches chaudes et ductiles.

d. Les roches magmatiques des zones de subduction sont riches en minéraux hydroxylés.

6 Expliquez pourquoi :

a. Les zones de subduction ont une sismicité importante.

b. La croûte continentale peut dépasser les 80 km d'épaisseur sous les chaînes de montagnes.

c. Le géotherme a une forme très particulière au niveau des zones de subduction.

d. Deux roches magmatiques différentes comme l'andésite et la diorite proviennent néanmoins du même magma.

7 Restituer des connaissances BAC

Les zones de subduction sont le siège de phénomènes métamorphiques et magmatiques.

Expliquez comment, dans les zones de subduction, le métamorphisme est à l'origine du magmatisme.

8 Restituer des connaissances BAC

Le Moho, habituellement situé à une profondeur de 30 km sous les continents, peut atteindre 70 km dans les zones de collision continentale.

Présentez les mécanismes qui sont responsables de cette plus grande épaisseur de la croûte continentale.

9 Construire un schéma d'interprétation

Située dans les Pyrénées, la grotte d'Harpéa est surmontée de calcaires montrant des signes évidents de déformation.

Faites un schéma à partir de cette photographie montrant d'une part l'aspect initial des calcaires, d'autre part leur aspect actuel. Nommez le mécanisme de déformation en cause, symbolisez les forces ayant agi et précisez leur nature.

Aides à la résolution

Votre schéma devra satisfaire aux exigences suivantes :
- les éléments nécessaires à la compréhension sont représentés, de façon simplifiée ;
- les éléments inutiles à la compréhension ne sont pas représentés ;
- les relations entre les éléments sont représentées comme dans la réalité ;
- le schéma est bien légendé, donc les éléments sont clairement nommés, et les codes choisis (couleurs, formes, etc.) sont expliqués ;
- un titre décrit ce que représente le schéma.

10 Tester une hypothèse en modélisant

Les contraintes en compression peuvent produire des failles inverses, qui sont des déformations cassantes, mais aussi des plis, qui se produisent sans fracturer les couches initiales.

Proposez une expérience simple de modélisation qui permettrait de rendre compte de la formation de plis. Si possible, mettez-la en œuvre avec l'aide de votre professeur(e).

11 Mettre en relation des informations

La roche photographiée ci-dessous est une éclogite trouvée dans le Limousin. Elle diffère de celle présentée p. 223, car la fin de son histoire n'est pas identique. Son retour en surface ayant été lent, des réactions métamorphiques ont eu le temps de se produire et d'en modifier la composition minéralogique.

grenat

hornblende brune

5 mm

Rappelez quels sont les minéraux caractéristiques du faciès éclogite, puis à l'aide du diagramme p. 222, reconstituez la suite du trajet « pression, température et temps » de cet échantillon.

12 Mettre en relation des informations et des connaissances

Les îles Kermadec forment un archipel inhabité situé au nord-est de la Nouvelle-Zélande.

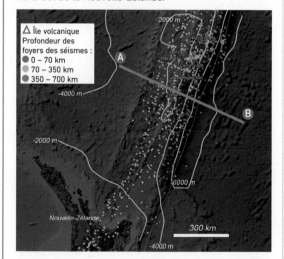

△ Île volcanique
Profondeur des foyers des séismes :
- 0 – 70 km
- 70 – 350 km
- 350 – 700 km

2000 m
A
B
-4000 m
-2000 m
-6000 m
Nouvelle-Zélande
300 km
-4000 m

Étudiez le document pour argumenter l'idée que les îles Kermadec sont situées dans une zone de subduction.

Schématisez une coupe verticale de cette zone selon le trajet [AB], en précisant les types de croûte, les contours de la plaque en subduction et de la plaque chevauchante, la position des îles et des foyers sismiques.

13 Un point commun à tous les plans de Wadati-Benioff

Dans une zone de subduction, le plan de Wadati-Benioff marque la limite entre la lithosphère océanique plongeante et la lithosphère chevauchante. Le tableau ci-contre permet de comparer les plans de Wadati-Benioff de différentes zones de subduction.

■ Faire un schéma comparatif des zones de subduction. Identifiez leur point commun, et proposez une explication.

	Nord du Chili	Japon	Mariannes
Âge de la lithosphère océanique au niveau de la fosse (en Ma)	50	120	160
Angle du plan de Wadati-Benioff entre la fosse et l'arc volcanique (en degrés)	21	24	45
Distance entre la fosse océanique et l'arc volcanique (en km)	300	270	200
Profondeur du plan de Wadati-Benioff à l'aplomb de l'arc volcanique (en km)	≈ 100	≈ 100	≈ 100

A Quelques caractéristiques de trois zones de subduction.

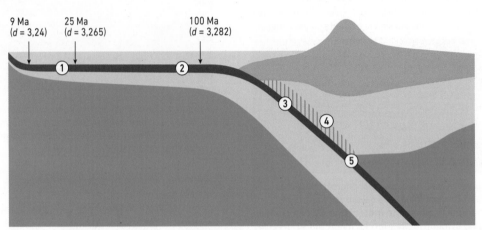

9 Ma (d = 3,24) 25 Ma (d = 3,265) 100 Ma (d = 3,282)

B Coupe schématique d'une zone de subduction montrant la densité et le degré d'hydratation de quelques roches.

① gabbros
② métagabbros faciès schistes verts (très hydratés)
③ métagabbros faciès schistes bleus (hydratés)
④ manteau hydraté
⑤ métagabbros faciès éclogite (anhydres)

■ lithosphère océanique
▨ lithosphère continentale

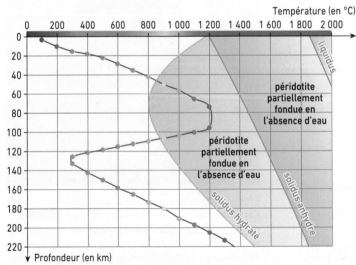

Température (en °C)

péridotite partiellement fondue en l'absence d'eau

péridotite partiellement fondue en l'absence d'eau

liquidus

solidus hydraté

solidus anhydre

Profondeur (en km)

C Le géotherme d'une zone de subduction.

facile intermédiaire confirmé

14 Deux roches magmatiques d'une zone de subduction

Deux élèves qui étudient les lames de deux roches magmatiques provenant de zones de subduction sont en désaccord sur l'origine des différences qu'ils constatent : l'un pense que les roches sont issues de deux magmas de compositions chimiques différentes, tandis que l'autre pense que la vitesse de refroidissement en est la cause.

■ **En vous aidant des pages 408 à 411 (guide pratique) et du tableau ci-dessous, identifiez ces roches et déterminez la ou les causes de leurs différences.**

2 mm

2 mm

A Roche 1 vue en LPA*.

B Roche 2 vue en LPA*.

	Quartz, feldspaths (orthose, avec ou sans plagioclases) et biotite	Feldspaths (plagioclases), pyroxènes et amphiboles	
Microlitique Existence de phénocristaux* et de microlites* dans une pâte non cristallisée (verre).	rhyolite	andésite	**Roche volcanique formée en surface** (refroidissement rapide)
Grenue Phénocristaux. L'ensemble de la roche est entièrement cristallisé.	granite	diorite	**Roche plutonique formée en profondeur** (refroidissement lent)
	Magma riche en silice (> 65 %)	**Magma moyennement riche en silice** (entre 53 et 65 %)	

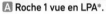 Composition minéralogique, texture et conditions de formation **de différentes roches magmatiques.**

15 Un témoin de l'histoire alpine

La montagne du Blayeul, au nord de Digne, dans les Alpes, est un relief dans lequel les géologues repèrent un « contact anormal » entre les roches qui le composent.

■ **Expliquez pourquoi on parle de « contact anormal », et expliquez comment ce relief a pu se former.**

roches du Trias supérieur (– 230 à – 205 Ma)

roches de l'Éocène (– 53 à – 34 Ma)

LES PLANÈTES VIRTUELLES DE CLAIRE MALLARD

L'étonnante image de la Terre qui figure p. 140 est l'œuvre d'une jeune chercheuse, Claire Mallard, alors étudiante en doctorat à l'université de Lyon. Elle nous présente ses travaux.

✖ Construire des « planètes virtuelles »

Notre planète est composée de plusieurs couches de composition et de propriétés différentes. Le comportement du manteau est très complexe ; or ni ses propriétés ni sa structure ne sont connues. De nombreuses approximations sont donc nécessaires :
- La densité des différentes enveloppes terrestres et leurs épaisseurs sont assez bien caractérisées par le modèle PREM.
- Un profil de viscosité de la Terre, construit à partir de plusieurs études : celle de la remontée de la lithosphère suite à la fonte des calottes glaciaires, celle de la gravité et celles en laboratoire sur les roches mantelliques.
- Un profil de température reprenant le géotherme terrestre avec évacuation de la chaleur interne par conduction à travers la lithosphère et convection dans le manteau sous-jacent.

On impose ensuite des lois physiques pour simuler la formation de plaques en surface et la convection mantellique :
- Pour la lithosphère, rigide, on impose une limite de plasticité ; lorsqu'une contrainte dépasse cette valeur, une limite de plaque est créée.
- Pour le manteau sous-lithosphérique, son comportement peut être considéré comme fluide sur une grande échelle de temps. La convection est régie par trois équations physiques.

✖ Des apports au modèle de la dynamique terrestre

Une fois définies les limites des modèles, nous avons pu établir certaines conclusions :
- L'agencement des plaques en deux groupes de tailles différentes est observable depuis la mise en place de la tectonique des plaques et non depuis 100 Ma comme on le pensait avant. Les grandes plaques ont une durée de vie qui se mesure en centaines de millions d'années. Elles sont associées aux grands courants de convection délimités par les zones de subduction. Les petites plaques, elles, accumulent la déformation entre les grandes plaques. Elles ont des vitesses plus importantes et des durées de vie qui s'évaluent en dizaines de millions d'années.
- Les cycles de formation et désagrégation des supercontinents ne sont pas aussi réguliers que ce que l'on pensait.
- On peut aussi regarder quand, où et comment les zones de subduction se forment ou comment les panaches mantelliques (points chauds) bougent sur des millions d'années.

◄ Exemple de « planète virtuelle ».

Créée par modélisation numérique, cette simulation permet de comprendre les relations entre petites et grandes plaques tectoniques (limites en jaune) et les mouvements de convection dans le manteau : subduction de plaques froides (en bleu) et panaches de matériaux chauds provenant de l'interface manteau/noyau (en rouge). Elle permet de reconstruire également la dynamique des continents (en mauve).

Claire Mallard s'implique aussi pour défendre la place des femmes dans la recherche scientifique. Vous pouvez retrouver et suivre son actualité sur Internet !

DES MÉTIERS DANS LE DOMAINE DE LA GÉOLOGIE

✖ Devenir ingénieur(e) géologue

L'ingénieur(e) géologue ou géophysicien est chargé de comprendre la nature du sous-sol dans différents contextes comme la prévention des risques géologiques (volcans, séismes, glissements de terrain, etc.), la réalisation de constructions (géotechnique), l'évaluation de l'impact de polluants (environnement) ou encore l'étude de l'écoulement et de l'infiltration des eaux de pluie (hydrogéologie).

Il peut aussi exercer son métier dans le cadre de la prospection et de l'exploitation de ressources naturelles (combustibles fossiles, ressources minières, matériaux, etc.).

POUR Y PARVENIR Après avoir suivi les spécialités SVT et physique-chimie au lycée, il faut préparer le concours d'entrée dans une **école d'ingénieur spécialisée** par exemple via une **CPGE BCPST** de deux ans. Certaines écoles recrutent directement après le bac sur concours. Il est aussi possible de passer par un **cycle universitaire** permettant l'obtention d'une licence (sciences de la Terre) puis d'un **master** spécialisé dans un domaine particulier. Dans tous les cas, il faut envisager une formation de **5 ans**.

✖ Devenir géomètre topographe

Le géomètre topographe est le premier à intervenir sur le terrain avant même que le chantier ne débute. Il est chargé de délimiter le terrain et d'examiner les propriétés du sous-sol afin d'apporter aux ingénieurs et architectes les éléments nécessaires aux prises de décision. Il est aussi responsable du diagnostic de défauts apparaissant sur des constructions existantes.

POUR Y PARVENIR une formation de **deux ans** permet l'obtention d'un brevet de technicien supérieur (BTS). Il est possible de poursuivre ses études en **licence professionnelle** voire en école d'ingénieurs.

ils témoignent pour vous...

Pouvez-vous nous expliquer les qualités à développer au lycée pour réussir dans le supérieur ? En quoi les SVT vous ont-elles été utiles ?

Logan
étudiant en 2ᵉ année de BCPST

Selon moi, la principale qualité à développer pour réussir dans les études supérieures en SVT est la rigueur. Il est aussi important d'être curieux et ouvert d'esprit, tout en ayant une bonne capacité d'analyse et de synthèse. Être motivé, déterminé et actif en classe sont un plus à travailler au lycée.
Les SVT permettent d'acquérir une culture scientifique ainsi qu'un esprit de synthèse. Personnellement, les SVT m'ont fait découvrir la complexité et la diversité du monde vivant que l'on approfondit dans le supérieur.

Pierre
étudiant à l'ENTPE (École Nationale des Travaux Publics de l'État) de Lyon

Je pense qu'il est primordial de savoir prendre du recul sur un phénomène. Dans ma filière, les exercices sont moins axés sur les calculs (utiles pour comprendre les problématiques), mais plus sur les enjeux. C'est en cela que les SVT sont très formatrices à mon sens. Elles nous permettent de comprendre le fonctionnement global d'un système et des différentes interactions au sein de celui-ci. Au lycée, il est donc important de développer son esprit critique et d'apprendre à aborder un problème sous différents angles.

Parc national de
l'archipel Haida Gwaii,
Canada.

Enjeux planétaires contemporains

Retrouver des acquis

Êtres vivants et milieux de vie forment des écosystèmes

■ Les écosystèmes sont constitués par un milieu et les êtres vivants qui l'occupent.

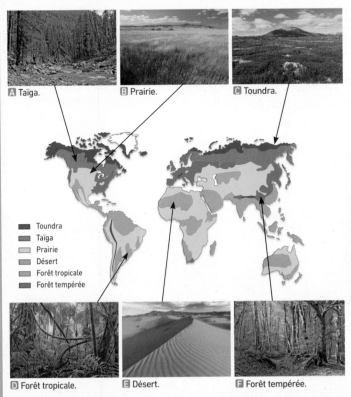

A Taïga.

B Prairie.

C Toundra.

- Toundra
- Taïga
- Prairie
- Désert
- Forêt tropicale
- Forêt tempérée

Il existe des grands types d'écosystèmes continentaux, dans lesquels cohabitent de nombreux petits écosystèmes qui correspondent à des différences locales des conditions environnementales (nature du sol, pluviométrie, température...).

■ Écosystèmes de la forêt et de la mare, dans la forêt tempérée de Fontainebleau.

D Forêt tropicale.

E Désert.

F Forêt tempérée.

Les écosystèmes génèrent des flux de matière

■ Par leur métabolisme, les êtres vivants d'un écosystème échangent de la matière et de l'énergie entre eux et avec leur environnement. Ils établissent des réseaux trophiques composés de chaines alimentaires.

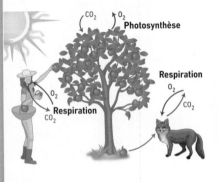

CO_2 O_2
Photosynthèse
Respiration
O_2
CO_2
O_2
Respiration
CO_2

A Des échanges de matières en lien avec le métabolisme.

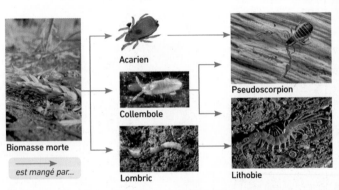

Acarien

Pseudoscorpion

Collembole

Biomasse morte

est mangé par...

Lombric

Lithobie

B Le réseau trophique du sol.

Des écosystèmes gérés par l'Homme

■ Les agrosystèmes sont des écosystèmes destinés à produire de la biomasse.

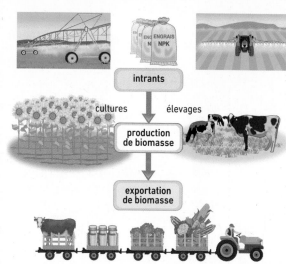

Pour satisfaire leurs besoins en produits d'origine végétale et animale (aliments, matériaux, médicaments, énergie) les êtres humains ont modifié de nombreux écosystèmes pour les transformer en agrosystèmes.

L'agriculteur modifie certains paramètres de l'écosystème et utilise des intrants (variétés sélectionnées, eau, engrais, pesticides…) afin de produire de grandes quantités de biomasse végétale ou animale.

L'Homme modifie profondément de nombreux écosystèmes

■ En modifiant ou faisant disparaître certains écosystèmes, l'espèce humaine est à l'origine de la disparition de nombreuses espèces animales et végétales.

Depuis le XVIIe siècle, le taux d'extinction des vertébrés a été multiplié par 10 (A).

■ Actuellement, de nombreuses pistes sont explorées afin de rendre notre agriculture durable et de préserver l'environnement (B et C).

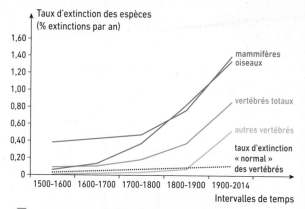

A Extinction des espèces de vertébrés au cours du temps.

C Expérimentation d'une culture couplée de céréales et d'arbres.

Forêt de hêtres au printemps, dans les Vosges.

● Des arbres, mais pas seulement...

La plus grande forêt française est en Guyane : avec ses 8 millions d'hectares, couvrant 95 % du territoire, la forêt guyanaise ne se contente pas d'être la plus vaste : elle abrite une biodiversité sans commune mesure avec celle des forêts tempérées de la France métropolitaine.

■ Dendrobate à tapirer (*Dendrobates tinctorius*), amphibien vivant dans la forêt guyanaise.

● Un équilibre dynamique

Un écosystème n'est pas figé, il se modifie au cours du temps et peut parfois être perturbé. Très souvent il retrouve son état initial ou un autre état d'équilibre. Mais certaines perturbations peuvent aussi être irréversibles.

■ Deux mois après un incendie dans une forêt, de nouvelles pousses apparaissent.

Formuler les problèmes à résoudre

● La forêt est un exemple d'écosystème : c'est un milieu complexe où s'exercent de multiples interactions, entre les êtres vivants d'une part, et entre les êtres vivants et leur milieu d'autre part.

Formulez quelques questions suggérées par ces documents concernant l'organisation et le fonctionnement d'un écosystème.

La forêt : un écosystème riche et très structuré

Les forêts couvrent près d'un tiers des terres émergées (30 % du territoire français).
Une forêt est avant tout un peuplement d'arbres, mais elle abrite bien d'autres êtres vivants.

> *Quelles sont les principales caractéristiques d'un écosystème forestier ?*

1 Observer et décrire scientifiquement un écosystème forestier

La forêt de Fontainebleau, située en Île-de-France, est un exemple de forêt tempérée caducifoliée*. Son étude permet d'identifier des caractéristiques communes à toutes les forêts mais également de souligner des particularités. Un site préservé au sud de la forêt (A) a été choisi pour réaliser un inventaire de sa **biocénose*** et caractériser son **biotope***.

de 20 à 30 m
strate arborescente supérieure

de 7 à 20 m
strate arborescente inférieure

de 1 à 7 m
strate arbustive

de 0 à 1 m
strate herbacée haute et basse

A La structure verticale d'une forêt tempérée : la forêt de Fontainebleau.

« Pour décrire la composition d'une forêt, nous travaillons sur des parcelles rondes de 20 mètres de rayon. Des capteurs-récepteurs nous permettent à tout moment de connaître notre position par rapport au centre de la parcelle et de localiser précisément chaque arbre. Pour chaque type d'être vivant, nous appliquons des procédures de relevé standardisées. Ainsi, les essences d'arbres sont relevées en hiver. Il faut environ deux heures pour un inventaire complet des arbres. Les espèces végétales du sol (plantes à fleurs) sont étudiées pendant une durée de 35 minutes au printemps. Le relevé des oiseaux se fait en deux passages de 5 minutes (avant et après le 15 mai), celui des chauves-souris en trois passages de 30 minutes (au printemps, au début et à la fin de l'été). Il est fondamental de suivre ces procédures afin de pouvoir comparer nos résultats avec ceux d'autres équipes, en France ou dans le monde. »

Interview de Yoan Paillet, ingénieur de recherche IRSTEA

Type + (nombre d'espèces)	Nom vernaculaire + (*nom latin*)	Abondance*
Essences d'arbres (2)	Chêne pédonculé (*Quercus robur*)	10
	Hêtre commun (*Fagus sylvatica*)	19
	Pin sylvestre (*Pinus sylvestris*)	0
Plantes à fleurs (20)	Lierre grimpant (*Hedera helix*)	2
	Mélique à une fleur (*Melica uniflora*)	1
	Ronce des bois (*Rubus fruticosus*)	0,5
	Violette de Rivinus (*Viola riviniana*)	0,1
Oiseaux (14)	Merle noir (*Turdus merula*)	1
	Troglodyte mignon (*Troglodytes troglodytes*)	1 et 2
	Pic épeiche (*Dendrocopos major*)	2
Chauves-souris (6)	Pipistrelle commune (*Pipistrellus pipistrellus*)	1, 2 et 3
	Noctule de Leisler (*Nyctalus leisleri*)	2
Mousses (32)		
Champignons (44)		
Carabes* (8)		

B Exemple de relevé de la flore et de la faune et principales caractéristiques du milieu.

Caractéristiques physiques
- Surface : 1,26 ha.
- Précipitations annuelles : 650 mm.
- Température moyenne annuelle : 11 °C.
- Sol : 70 cm de sable sur calcaire. Sur d'autres parcelles, une couche argileuse peut être présente.

*Abondance
- Pour les essences d'arbres : nombre d'individus.
- Pour les plantes à fleurs :
  0,5 : très peu abondant ;
  1 : recouvrement < 5 % ;
  2 : recouvrement de 5 à 25 %.
- Pour les animaux : observations au cours des passages.

② Des interactions qui structurent l'écosystème

▪ Les facteurs abiotiques* conditionnent la répartition des espèces

Dans un écosystème, les conditions physiques (relief, humidité, lumière, vent, nature du sol) ne sont pas les mêmes partout.

Certaines espèces végétales nécessitent un éclairement important pour se développer, d'autres, au contraire, ont besoin d'un éclairement limité. Cela va conditionner les lieux propices au développement de ces espèces (en lisière, dans les trouées, ou en sous-bois) et les moments de l'année favorables à leur croissance (au début du printemps, ou en été par exemple). Ainsi, les jeunes pousses de chêne ont besoin de beaucoup de lumière et participent aux premiers stades des forêts. Au contraire, les jeunes pousses de hêtre (A) tolèrent les éclairements faibles. Si la disponibilité en eau est suffisante, les hêtraies* peuvent, à terme, remplacer les chênaies*. En forêt de Fontainebleau, la présence d'une couche argileuse au-dessus du calcaire rend possible l'installation du pin sylvestre, absent ailleurs.

Ⓐ Germination de hêtre.

▪ Les êtres vivants modifient les facteurs abiotiques

La présence des arbres influence les conditions physiques à l'intérieur de la forêt (B).

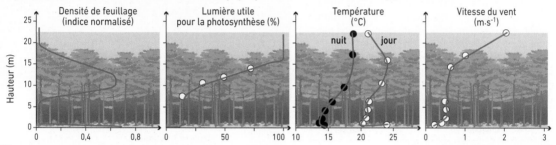

Ⓑ Variation verticale de facteurs environnementaux dans une forêt de pins.

Les racines modifient la structure du sol et favorisent la circulation d'eau ou la disponibilité en éléments minéraux issus de la dégradation de la roche mère du sous-sol (C).

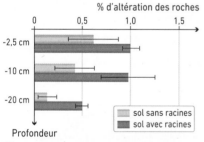

Ⓒ Action des racines sur la disponibilité en éléments minéraux.

▪ Les facteurs biotiques* s'influencent entre eux

Certaines espèces, qualifiées d'espèces ingénieures*, rendent possible la présence d'autres êtres vivants. Ainsi, les pics créent des micro-habitats dans les troncs d'arbre (D), colonisés ensuite par d'autres animaux. En forêt de Fontainebleau, on en compte environ une centaine par hectare.

Les bois morts (troncs, branches, souches) sont également très importants dans les forêts : quand ils ne sont pas exportés (comme c'est le cas dans les forêts exploitées), ils permettent que se constituent à leur niveau des écosystèmes particuliers.

Ⓓ Des micro-habitats dans un tronc d'arbre.

Activités envisageables

Pour identifier les caractéristiques de l'écosystème forestier :

● **Décrivez la structuration verticale** (y compris dans le sol) et la **structuration horizontale** d'un écosystème forestier. Vous pouvez faire un schéma et vous appuyer sur les documents ou sur d'autres exemples.

● **Décrivez des interactions entre biotope et biocénose** caractérisant l'écosystème forestier. Recherchez d'autres exemples en complément de ceux présentés ici.

Des clés pour réussir

● Dans une forêt, les arbres sont la base de la structuration de l'écosystème.

● Pensez aux interactions entre les êtres vivants de la biocénose.

* Lexique ➡ p. 422

Des relations de compétition ou d'exploitation entre les êtres vivants

L'écosystème forestier abrite de nombreuses espèces qui interagissent entre elles. Ces interactions biotiques peuvent être antagonistes, c'est-à-dire négatives pour l'un des partenaires au bénéfice de l'autre.

Quelles sont les caractéristiques des interactions biotiques négatives ?

Modélisation

Compétition dans une chênaie-hêtraie

1 La compétition

Dans un écosystème, il y a **compétition*** entre êtres vivants quand ceux-ci recherchent et exploitent la même ressource ou le même espace. Cette compétition peut être intraspécifique (entre individus de la même espèce) ou interspécifique (entre individus d'espèces différentes). La compétition interspécifique peut aboutir à une cohabitation équilibrée ou à l'élimination d'une espèce. C'est par exemple le cas d'une succession végétale*.

Au stade juvénile, le hêtre a besoin d'ombre pour se développer, puis, au stade adulte, il tolère le soleil. Le chêne tolère le soleil au stade juvénile et nécessite un fort éclairement au stade adulte.

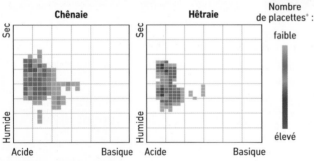

A Conditions du sol dans lesquelles les chênes et les hêtres peuvent se développer.

Nombre de placettes* :
faible
élevé

Hauteur initiale des chênes (cm)	35		102	
Taux d'éclairement (%)	10	40	10	40
Hauteur finale des chênes plantés en chênaie (cm)	85	110	135	160
Hauteur finale des chênes plantés en hêtraie (cm)	60	80	110	130

B Croissance de chênes en chênaie ou hêtraie, en fonction de l'éclairement et de la hauteur initiale des arbres, sur une période de 5 ans.

2 Le parasitisme

Certains insectes déposent leur ponte sur les arbres, au sein d'organes bien ciblés : à l'intérieur d'un fruit ou d'une graine, dans un bourgeon, au sein d'une feuille, ou encore d'une fleur en développement. Les œufs ainsi isolés seront alors bien protégés. Dès l'éclosion, les larves pourront trouver sur place de quoi se nourrir et se développer tout au long de leur cycle de vie. En réponse à cette agression, il arrive que le végétal réagisse en produisant une excroissance de plus ou moins grande dimension communément appelée galle*.

Plus généralement, les **parasites*** vivent aux dépens d'un **hôte*** sur lequel ils se fixent pour en exploiter des ressources. Ils ne provoquent pas forcément leur mort mais le pénalisent et peuvent souvent l'amoindrir.

■ Galle dite « pomme de chêne », causée par un insecte hyménoptère*, le cynips *Biorhiza pallida*.

③ La prédation

Dans un écosystème, les êtres vivants établissent des relations alimentaires ; l'ensemble des chaînes alimentaires forment le **réseau trophique*** de l'écosystème. La consommation d'autres êtres vivants est appelée **prédation***. Cette définition s'applique aussi aux animaux herbivores.

Les populations de prédateurs et de proies sont interdépendantes. Leurs effectifs évoluent de manière cyclique et décalée dans le temps.

L'équilibre proies-prédateurs est un système naturel d'équilibre dynamique dans lequel les populations de proies et de prédateurs d'un écosystème se régulent d'elles-mêmes (A).

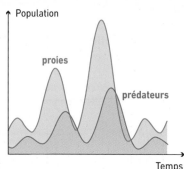

A Exemple de modèle d'équilibre prédateurs-proies : modèle de Lotka-Volterra.

La forêt française a subi des changements nombreux et profonds qui ont conduit à une expansion remarquable des grands herbivores tels que le cerf et le chevreuil. Ces grands herbivores exercent une pression sur l'écosystème forestier, qualifiée de pression d'herbivorie, également appelée pression d'abroutissement.

L'abroutissement correspond à la consommation de broussailles et de jeunes arbres par les animaux sauvages. En fonction de sa fréquence et/ou de son intensité, il peut modifier la forme de l'arbre, ralentir sa croissance ou aboutir à sa mort (B). L'indice d'abroutissement* permet d'évaluer l'importance de cette pression : la méthode consiste à relever la consommation de semis sur des placettes* réparties dans la parcelle forestière.

B Abroutissement dû à un chevreuil.

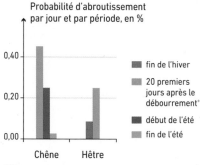

Probabilité d'abroutissement par jour et par période, en %

- fin de l'hiver
- 20 premiers jours après le débourrement*
- début de l'été
- fin de l'été

C Risque d'abroutissement selon les essences d'arbres et les moments de l'année.

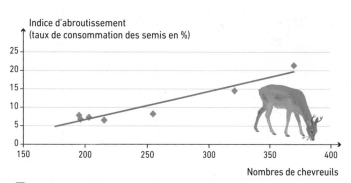

Indice d'abroutissement (taux de consommation des semis en %)

Nombres de chevreuils

D Résultats d'une étude réalisée sur un territoire délimité dans un massif forestier de la Marne.

Pour identifier les caractéristiques des interactions biotiques dites négatives :

- **Recherchez les points communs et les différences entre les trois types de relation présentées ici. Cherchez d'autres exemples et présentez-les.**
- **Montrez que ces interactions jouent un rôle dans l'équilibre et la dynamique de l'écosystème.**

Des clés pour réussir

- Distinguez les relations interspécifiques et intraspécifiques.
- Identifiez les espèces qui bénéficient de ces relations et celles qui en pâtissent.

* Lexique ➞ p. 422

3 Des associations à bénéfices réciproques

Les interactions entre les êtres vivants d'un écosystème ne sont pas nécessairement antagonistes, elles peuvent être bénéfiques, voire nécessaires à la survie de certaines espèces.

Quelles sont les caractéristiques des interactions biotiques bénéfiques ?

1 Les symbioses, des associations à bénéfices réciproques

Au sein d'une biocénose, il peut exister entre les êtres vivants de multiples interactions. Certaines d'entre elles sont durables et bénéfiques pour les deux partenaires : on parle alors de **symbiose*** (au sens strict).

coexistence physique durable (symbiose au sens large)

mutualisme (bénéfice réciproque) avec ou sans coexistence

interaction parasite

coexistence et mutualisme

interaction transitoire

symbiose mutualiste : coexistence et bénéfice réciproque

Un lichen : *Flavoparmelia caperata.*

Les lichens sont typiquement des associations symbiotiques : un lichen est en effet le résultat d'une association étroite entre une algue (chlorophyllienne) et un champignon dont une caractéristique est la capacité à capter et retenir l'eau.

2 En forêt, des associations bien cachées

La majorité des plantes vivent en symbiose avec des champignons au niveau de leurs racines. Cette association constitue une **mycorhize*** (du grec *mukês*, champignon, et *rhiza*, racine).

Il existe plusieurs types de mycorhizes : le plus souvent les filaments mycéliens* pénètrent à l'intérieur des cellules de la racine (endomycorhizes). Chez beaucoup d'arbres des forêts tempérées, les filaments du champignon forment un manchon entourant les racines et restent dans la matrice extracellulaire* (ectomycorhizes).

Les mycorhizes forment un véritable réseau entre les racines d'un arbre et même entre arbres voisins.

Microscope
Mycorhize

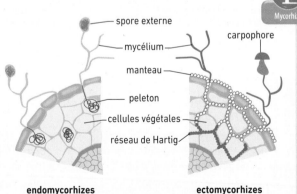

spore externe
carpophore
mycélium
manteau
peleton
cellules végétales
réseau de Hartig

endomycorhizes — ectomycorhizes

A Réseaux mycorhiziens en forêt.
Pour des raisons de lisibilité, les filaments des champignons sont représentés par des couleurs différentes selon les espèces et seul un petit nombre d'espèces est dessiné.

B Deux types de mycorhizes (coupes transversales d'une racine).

3 Caractéristiques des symbioses mycorhiziennes

Dans les écosystèmes forestiers, une espèce d'arbre peut héberger plusieurs espèces de champignons. Le chêne sessile, par exemple, peut être colonisé par plusieurs dizaines d'espèces fongiques* différentes. Inversement, une espèce de champignon peut s'associer à plusieurs espèces d'arbres.

Activité pratique

■ Observation d'ectomycorhize à la loupe binoculaire (A)

– Dans un sol forestier, prélever de l'humus ou une motte de terre avec quelques jeunes pousses d'arbres.

– Repérer et dégager quelques racines et les placer rapidement dans une coupelle d'eau pour éviter qu'elles ne se dessèchent.

– Observer à l'œil nu puis à la loupe binoculaire le système racinaire. Repérer les ectomycorhizes, souvent placées latéralement de part et d'autre d'une racine, grâce à leur forme de manchon et leur aspect cotonneux.

■ Observation d'endomycorhize au microscope (B)

– Extraire une motte de terre d'un sol forestier, prélever quelques fragments d'extrémités racinaires de plantes herbacées, les laver et les déposer dans une coupelle d'eau.

– Découper un petit fragment, l'écraser entre lame et lamelle et observer au microscope.

– Il est possible de faire une coloration.

La symbiose ectomycorhizienne se caractérise par une faible spécificité entre arbres et champignons et par une grande diversité.

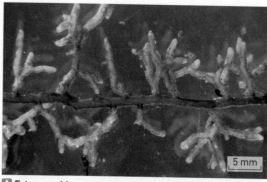

A Ectomycorhizes sur une racine de pin (loupe binoculaire).

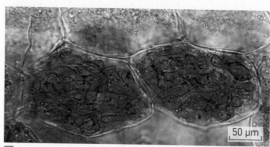

B Endomycorhizes dans des cellules de racine de liseron (microscope optique, coloration au bleu coton acétique).

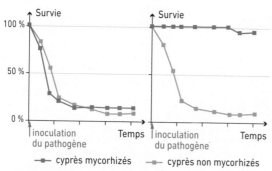

C Survie de cyprès mycorhizés ou non, après l'inoculation d'un pathogène* racinaire (en %).
À gauche : les champignons mycorhiziens sont ajoutés en même temps que le pathogène.
À droite : les champignons mycorhiziens sont ajoutés 6 mois avant l'inoculation du pathogène.

— cyprès mycorhizés — cyprès non mycorhizés

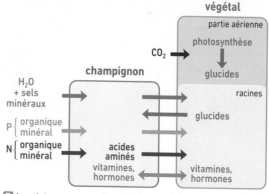

D Les échanges entre les deux partenaires.

Activités envisageables

Pour établir les caractéristiques des interactions biotiques bénéfiques :

● Comparez les modalités de chacune des interactions biotiques présentées dans le document 1 et donnez des exemples.

● À partir d'observations et de l'exploitation des documents, justifiez la qualification de symbiose donnée aux mycorhizes, et expliquez comment elles modifient le fonctionnement de la plante.

Des clés pour réussir

● Identifiez les partenaires et les interactions qu'ils établissent.

● Envisagez la situation en cas d'absence d'association mycorhizienne.

* Lexique ➡ p. 422

4 L'organisation trophique d'un écosystème forestier

Les êtres vivants d'un écosystème établissent entre eux des relations alimentaires, constituant le réseau trophique de l'écosystème. Ces relations génèrent une circulation et des échanges de matière entre les êtres vivants mais aussi avec le milieu de vie.

> **Comment les relations trophiques sont-elles structurées au sein de l'écosystème forestier ?**

1 Un réseau trophique formé de chaînes alimentaires interconnectées

Du fait de sa biodiversité importante, il est possible d'identifier dans un écosystème forestier de nombreuses chaînes alimentaires. Celles-ci sont interconnectées et forment le réseau trophique.

Les représentations de type chaîne ou réseau sont qualitatives : elles permettent d'établir les relations entre les espèces concernées, mais elles ne donnent aucune indication sur la taille des populations, ni sur l'importance quantitative des flux de matière et d'énergie au sein de l'écosystème.

Animation
Un exemple de réseau trophique

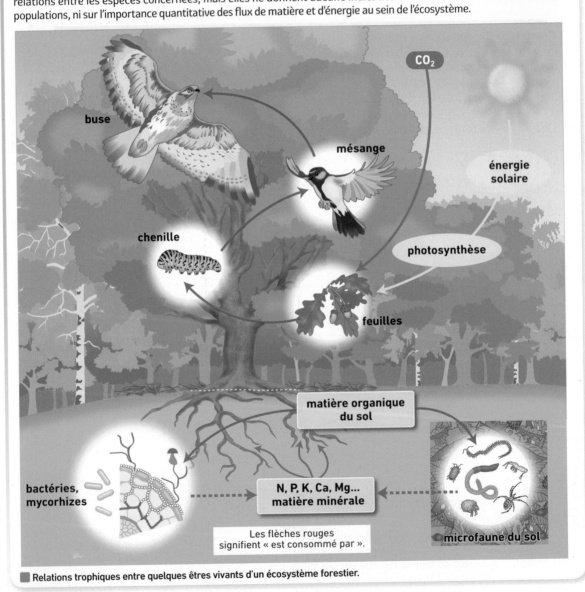

Relations trophiques entre quelques êtres vivants d'un écosystème forestier.

Animation
▶
Les pyramides écologiques

2 Une organisation pyramidale en niveaux trophiques

La place d'un être vivant dans une chaîne alimentaire permet de définir son **niveau trophique***. On distingue couramment :

- le niveau des **producteurs primaires*** ;
- un ou plusieurs niveaux de **consommateurs*** (primaires, secondaires…) ;
- le niveau des consommateurs du sol, qualifiés de **décomposeurs***.

Les **producteurs primaires** sont les végétaux chlorophylliens. Ils utilisent l'énergie lumineuse pour transformer la matière minérale (eau, ions minéraux, dioxyde de carbone) en matière organique : c'est le processus de photosynthèse. Les producteurs primaires sont **autotrophes***. Ils sont à la base de la production de matière organique.

Les **consommateurs** se nourrissent de matière organique. Ils dépendent donc des producteurs, soit directement dans le cas des phytophages (consommateurs primaires), soit indirectement dans le cas des zoophages (consommateurs secondaires ou d'ordre supérieur). Les consommateurs sont **hétérotrophes***.

Les **décomposeurs** utilisent la matière organique morte (provenant des producteurs et des consommateurs morts), et les transforment en matière minérale. On peut distinguer d'une part les détritivores* (comme les vers de terre) qui consomment des cadavres et des excréments, d'autre part les transformateurs*(bactéries, champignons) qui terminent la décomposition de la matière organique jusqu'à sa minéralisation totale. Ceci permet le recyclage de la matière organique.

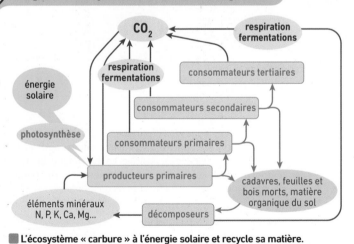

Remarque : dans une telle représentation, la largeur attribuée à chaque niveau trophique donne une indication sur l'effectif des populations.

Animation
▶
Flux d'énergie dans un écosystème

3 L'organisation fonctionnelle de l'écosystème

CO_2

respiration fermentations

respiration fermentations

consommateurs tertiaires

consommateurs secondaires

énergie solaire

consommateurs primaires

photosynthèse

producteurs primaires

cadavres, feuilles et bois morts, matière organique du sol

éléments minéraux N, P, K, Ca, Mg…

décomposeurs

■ L'écosystème « carbure » à l'énergie solaire et recycle sa matière.

L'écosystème est parcouru par des flux de matière, qui passent d'un niveau trophique au suivant. La matière est recyclée, en partie grâce au sol (décomposition) mais aussi par la respiration* de tous les êtres vivants de l'écosystème.

L'énergie nécessaire aux êtres vivants est obtenue à partir de la matière organique utilisée au cours de la respiration ou des fermentations. En définitive, c'est la photosynthèse*, et donc l'énergie solaire, qui fait fonctionner tout l'écosystème.

Activités envisageables

> *Pour comprendre la structure des relations trophiques au sein d'un écosystème forestier :*

- Sur le modèle de ce qui est présenté ici, documentez-vous et représentez schématiquement une partie du réseau trophique d'un écosystème forestier, en distinguant les différents **niveaux trophiques**.
- Expliquez la forme pyramidale du schéma du document 2.
- Justifiez la légende donnée au schéma du document 3.

Des clés pour réussir

- Utilisez flèches, couleurs et symboles. Pensez à faire un bloc légende et un titre.
- Faites preuve d'esprit critique.

5 Écosystèmes, flux de matière et cycles géochimiques

Un écosystème ne fonctionne pas en vase clos, indépendamment des autres écosystèmes : si la matière circule d'un niveau trophique à un autre, il y a également des entrées et sorties de matière, de telle sorte que tout écosystème a un impact sur les cycles des éléments chimiques à l'échelle de la planète.

> *Quel est le bilan de matière d'un écosystème forestier ? Quel est son effet sur les cycles géochimiques, en particulier celui du carbone ?*

1 Les stocks de carbone dans un écosystème forestier

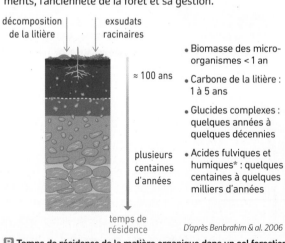

Diverses méthodes permettent de quantifier la **biomasse*** des êtres vivants constituant la biocénose d'un écosystème forestier, à laquelle il faut ajouter la masse de la matière organique du sol. Au total, le **stock*** de carbone est en moyenne de 150 tonnes par hectare dans les forêts exploitées de la France métropolitaine, mais atteint 240 t/ha dans les forêts en évolution libre* (A). Il se répartit dans différents compartiments (B).

A Une réserve forestière intégrale (le bois n'est pas exploité).

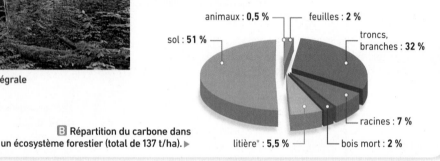

animaux : **0,5 %** — feuilles : **2 %**
sol : **51 %**
troncs, branches : **32 %**
racines : **7 %**
litière* : **5,5 %** — bois mort : **2 %**

B Répartition du carbone dans un écosystème forestier (total de 137 t/ha). ▶

2 Les flux de carbone dans une forêt

Au sein d'une forêt, on identifie deux **flux*** de carbone principaux : l'entrée du carbone correspondant à l'assimilation* du CO_2 par la photosynthèse (c'est ce qu'on appelle la production primaire brute), et la sortie du carbone correspondant à l'émission de CO_2 par la respiration ou la fermentation des êtres vivants de l'écosystème. La différence constitue la production primaire nette (A).

Contrairement à une idée répandue, une forêt âgée en équilibre conserve sa capacité d'assimilation du carbone et une production primaire nette positive. La dynamique du flux de carbone dans le sol (B) diffère grandement selon les peuplements, l'ancienneté de la forêt et sa gestion.

Flux de carbone (g/m²/an)

PPB = production primaire brute (flux entrant)

PPN = production primaire nette

Respiration (flux sortant)

Âge (années)

A Évolution des divers flux de carbone au cours du développement d'une forêt.

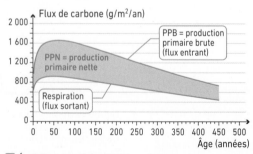

décomposition de la litière — exsudats racinaires

≈ 100 ans

plusieurs centaines d'années

temps de résidence

- Biomasse des micro-organismes < 1 an
- Carbone de la litière : 1 à 5 ans
- Glucides complexes : quelques années à quelques décennies
- Acides fulviques et humiques* : quelques centaines à quelques milliers d'années

D'après Benbrahim & al. 2006

B Temps de résidence de la matière organique dans un sol forestier.

3 Les forêts : des puits de carbone

Animation
▶
Cycle du carbone

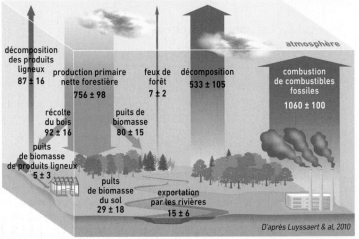

■ Bilan des échanges de carbone (en millions de tonnes par an) pour les pays de l'Union européenne.

Le schéma ci-contre illustre l'impact des forêts de l'Union européenne sur le cycle du carbone.

En France métropolitaine, le stock de matière organique des 16 millions d'hectares de forêt représente 2 200 millions de tonnes de carbone. Les forêts françaises produisent annuellement 87 millions de m³ de biomasse (accroissement de 3,4 %). Cela représente 32 millions de tonnes de carbone stockés, dont 20 millions sont prélevés par l'exploitation forestière. Ce flux est à comparer à celui des rejets de CO_2, qui représentent pour la France 94,5 millions de tonnes de carbone.

À l'échelle planétaire, les forêts fixent annuellement 2,3 milliards de tonnes de carbone, mais la déforestation en émet 1,6 milliard.

4 L'impact de la gestion des forêts

Tout prélèvement en forêt a un impact sur les stocks de carbone et la capacité de stockage de l'écosystème forestier. Les éléments à prendre en compte sont multiples.

- L'usage du bois prélevé : dans le cas des produits bois à longue durée de vie, le carbone continue à être séquestré (la durée de vie d'une charpente est de plusieurs décennies). Inversement, la combustion du bois de chauffage rejette directement le carbone dans l'atmosphère.

- Les coupes excessives amputent l'écosystème d'arbres matures ayant une bonne capacité d'assimilation (par leur surface foliaire étendue). Par ailleurs, en ouvrant le couvert forestier, l'activité des décomposeurs augmente et la quantité de carbone stockée dans le sol diminue drastiquement.

- Le nettoyage de la forêt et l'élimination du bois mort a aussi un effet négatif : en effet, celui-ci peut mettre plusieurs années à se décomposer (voire dizaines d'années sous climat froid ou sec).

- L'allongement des cycles d'exploitation, le maintien sur place des rémanents*, le reboisement, l'amélioration de la qualité donc de la durée de vie des produits de la filière bois, permettent au contraire de maintenir le rôle de **puits de carbone*** de l'écosystème forestier.

■ Parcelle éclaircie, forêt de chênes de Tronçais (Allier).

Activités envisageables

Pour comprendre l'impact de l'écosystème forestier sur le cycle biogéochimique du carbone :

● Comparez les deux photographies (documents 1 et 4) et envisagez l'impact de ces deux écosystèmes sur leur bilan carbone. Présentez cette comparaison sous forme d'un schéma où vous ferez figurer les réservoirs de carbone et les flux.

● Justifiez l'appellation de « puits de carbone » attribuée aux écosystèmes forestiers.

Des clés pour réussir

● Vous pouvez représenter les réservoirs et les flux par des formes ou des flèches de différentes dimensions.

● Utilisez des informations extraites de l'ensemble des documents.

6 La dynamique des écosystèmes : perturbations et résilience

Une forêt est un système dynamique qui évolue naturellement mais peut aussi être endommagé par des perturbations plus ou moins importantes.

Quelles perturbations peuvent affecter un écosystème forestier ?
Comment celui-ci réagit-il ?

1 La dynamique de l'installation d'une forêt : les successions végétales

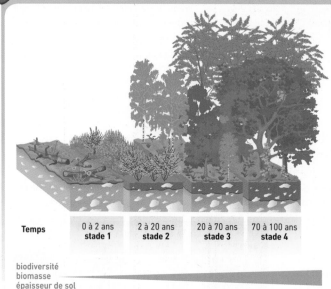

Une **succession écologique*** est le processus naturel de développement d'un écosystème au travers d'une succession de stades. Le stade correspondant à la maturité, supposé en équilibre dynamique, est appelé **climax***. Les stades se différencient par des communautés végétales principales différentes. Les êtres vivants d'un stade modifient les conditions de vie (évolution du sol, de l'accès à la lumière, à l'eau...) et permettent l'installation de ceux du stade suivant.

À tout moment, des perturbations peuvent provoquer le retour à des stades antérieurs.

Temps	0 à 2 ans stade 1	2 à 20 ans stade 2	20 à 70 ans stade 3	70 à 100 ans stade 4

biodiversité
biomasse
épaisseur de sol

Succession écologique menant à un climax de hêtres.

- **Stade 1** : végétation dite pionnière (mousses, lichens, téesdalie à tige nue).
- **Stade 2** : prairie puis stade arbustif (callune, genêt à balais).
- **Stade 3** : stade forestier initial avec prédominance des essences de lumière (bouleau, chêne).
- **Stade 4** : stade forestier terminal (climax) avec prédominance des essences d'ombre (hêtre).

2 Des perturbations diverses

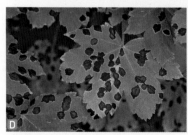

A Attaque par un insecte, l'ips typographe (forêt d'épicéas).

B Feu de forêt (causse Méjean, Lozère).

C Canicule et sécheresse (forêt d'Ambazac, août 2003).

D Érable atteint par la maladie de la tache noire (champignon).

E Abattage d'un arbre dans une hêtraie.

③ La résilience aux perturbations

■ Exemple en forêt de Fontainebleau

Certaines zones de la forêt de Fontainebleau, comme la zone de la Tillaie, sont particulièrement intéressantes car elles n'ont pas été exploitées depuis le règne de Louis XIV et l'intervention humaine y est donc minime.

Il arrive que des intempéries endommagent cette forêt, voire en détruisent certains secteurs. Ce fut le cas lors des tempêtes particulièrement violentes de 1967, 1990 et 1999 (A). Le suivi de la zone de la Tillaie entre deux épisodes de tempête permet d'étudier la **résilience*** de cet écosystème, c'est-à-dire sa capacité à s'auto-réparer suite à une perturbation et à retrouver un état de biodiversité, de structure et de fonctionnement similaire à l'état initial (B).

	La Tillaie (34,15 ha)		
	1967	**1990**	**1999**
Nombre d'arbres déracinés	147	108	
Nombre d'arbres cassés par le vent	21	45	
Nombre total d'arbres endommagés	168 (4,9 /ha)	153 (4,5 /ha)	110 (3,2/ha)

B Dommages provoqués par les trois dernières tempêtes (cases grisées : données non disponibles).

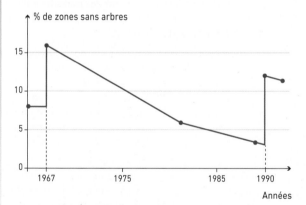

A Régénération en forêt de Fontainebleau (zone de la Tillaie) après la tempête de 1999.

C Suivi des zones dépourvues d'arbres.
Les zones sans arbres, appelées trouées de chablis*, sont dans un premier temps colonisées par des arbustes, puis par des arbres, d'abord des bouleaux ou des chênes, puis des hêtres.

■ Résilience et biodiversité

La résilience est une propriété écologique intrinsèque* de chaque écosystème. Cette capacité à s'auto-réparer dépend de la sévérité de la perturbation mais surtout de la biodiversité de l'écosystème avant perturbation. En effet, la complexité du réseau d'interactions au sein d'un écosystème favorise sa résilience. En particulier, la richesse du matériel végétal disponible après la perturbation (graines, semis, rejets, apports par migration de nouveaux animaux) et son adéquation aux nouvelles conditions du milieu détermine la possibilité et la vitesse de la régénération du boisement.

Les écosystèmes forestiers étant particulièrement riches et complexes, ils sont souvent très résilients.

Parfois, l'intensité de la perturbation est telle que la reconstitution de l'écosystème n'est plus possible ; la zone évolue alors vers un autre type d'écosystème. C'est le cas de certaines forêts sèches qui, suite à des perturbations importantes (sécheresse ou incendie), sont remplacées par des savanes*.

Activités envisageables

> *Pour comprendre la dynamique d'un écosystème forestier :*

- **Recherchez des exemples précis d'évolution d'un écosystème forestier suite à une perturbation.**

- **Comparez avec l'exemple présenté ici et avec la succession écologique lors de la mise en place d'une forêt.**

Des clés pour réussir

- Vous pouvez trouver des photographies ou des données montrant la diversité végétale, son abondance, le temps nécessaire à la résilience…

- Tenez compte aussi d'une éventuelle intervention humaine pour faciliter la régénération de l'écosystème.

La dynamique des écosystèmes

Podcast
Bilan

Un écosystème est un ensemble formé par un milieu physique, le **biotope**, et les êtres vivants qui l'occupent, associés en une communauté appelée **biocénose**. La préservation des écosystèmes passe par une bonne connaissance scientifique de leur fonctionnement. L'exemple des **écosystèmes forestiers** permet de comprendre leur organisation et leur dynamique. Les principes qui les régissent peuvent être étendus aux autres écosystèmes de la planète.

1 Structurations verticale et horizontale de la forêt

Les forêts se caractérisent par une forte **structuration verticale**. On peut facilement distinguer plusieurs niveaux au-dessus du sol : une strate de mousses et de champignons (quelques cm de haut) ; une strate herbacée composée d'herbes, de fougères, de jeunes germinations (jusqu'à 1 m) ; une strate arbustive (de 1 à 7 m) et une strate arborée (au-dessus de 7 m). Horizontalement, la forêt n'est pas homogène. On distingue des zones où dominent les grands arbres, d'autres où dominent les buissons, des clairières, des arbres morts (qui favorisent le développement de certaines espèces) ou encore les lisières, qui délimitent les bordures extérieures de la forêt.

La particularité de l'écosystème forestier est d'être dominé par les **arbres**. Ils structurent l'écosystème forestier, conditionnent son fonctionnement, sa dynamique et son équilibre. Les arbres modifient le biotope et les **paramètres abiotiques** et par conséquent influencent la répartition de la biocénose. La présence des arbres est responsable d'un microclimat au sein de la forêt. En effet, ils filtrent la lumière qui pénètre jusqu'au sol et régulent la température et l'humidité. De plus, dans une forêt tempérée caducifoliée (composée d'arbres perdant leurs feuilles en automne), les arbres participent au contraste des conditions saisonnières.

Certaines espèces moins tolérantes à l'ombre pourront se développer en lisière de forêt ou au début du printemps avant la pousse des feuilles des arbres. En revanche, les espèces tolérantes à l'ombre pourront se développer sous un couvert végétal dense.

2 Fonctionnement de l'écosystème forestier

● Les interactions entre organismes

Les êtres vivants d'un écosystème sont sans cesse en interaction. On peut différencier les interactions qui ont des effets bénéfiques pour l'un des partenaires au détriment de l'autre et les interactions qui ont des effets bénéfiques pour les deux partenaires. La diversité des interactions biotiques peut donc s'étudier à la lueur de leurs effets, négatifs ou positifs, sur les partenaires.

La **compétition** : elle peut se manifester entre des individus d'une même espèce ou d'espèces différentes, par exemple lorsque les individus exploitent **la même ressource** (la lumière, l'eau…) ou **le même espace**. Cette compétition a des effets sur la biodiversité de l'écosystème. Par exemple, la **compétition pour la lumière** peut provoquer une réduction du nombre de jeunes arbres ou une modification de la forme des arbres. Dans un écosystème forestier, cette compétition peut aboutir à un équilibre stable entre les espèces ou à l'élimination d'une espèce (par exemple au cours d'une succession végétale).

Le **parasitisme** : les êtres vivants **parasites** vivent aux dépens de leur hôte. Dans le cas des galles, certains insectes parasites déposent leurs pontes sur une zone de l'arbre qui, en réaction, produit une structure protectrice. Les larves se nourriront ensuite de ce végétal. Tout au long de leur développement, les parasites utilisent certaines ressources de leur hôte et les affaiblissent sans forcément provoquer leur mort.

La **prédation** : un prédateur est un organisme libre qui se nourrit aux dépens d'un autre. Cette définition inclut les animaux herbivores. Les effectifs des populations de prédateurs et de proies évoluent de manière dépendante, cyclique et décalée. C'est le cas par exemple entre les grands herbivores de la forêt et les strates herbacée et arbustive, qui subissent une pression d'herbivorie.

La **symbiose** : cette relation désigne une association durable à bénéfices réciproques entre êtres vivants. La majorité des plantes vivent en symbiose avec des champignons et/ou des bactéries. Les **mycorhizes**, qui sont des associations entre filaments de champignons et racines de végétaux, favorisent l'alimentation en eau et sels minéraux pour la plante qui, en échange, fournit des matières organiques aux champignons. Certaines bactéries symbiotiques facilitent l'assimilation de molécules azotées.

● Les réseaux trophiques

Un **réseau trophique** regroupe l'ensemble des relations alimentaires entre les individus d'un écosystème. Il traduit donc les chaînes de circulation de matière et d'énergie au sein d'une biocénose.

Au sein d'un réseau trophique, il est possible de définir différents niveaux :

– les **producteurs primaires** sont les végétaux chlorophylliens : autotrophes, ils utilisent l'énergie lumineuse pour transformer la matière minérale en matière organique grâce à la photosynthèse ;

- les **consommateurs** : hétérotrophes, ils se nourrissent de matière organique et dépendent donc entièrement des producteurs ;
- les **décomposeurs** sont des consommateurs ayant un rôle particulier : hétérotrophes, ils transforment la matière organique morte en matière minérale et permettent son recyclage. Ils jouent un rôle fondamental dans le sol, participant activement à sa formation.

L'étude des relations trophiques permet de caractériser le fonctionnement et la dynamique d'un écosystème : dans tout écosystème, la matière constituant les êtres vivants est constamment transférée et recyclée.

Stocks de matière, flux et cycles biogéochimiques

On appelle **biomasse** la masse d'êtres vivants dans un écosystème : on peut quantifier la masse d'une espèce, d'un groupe plus vaste ou encore d'un niveau trophique. On peut également estimer la biomasse totale de la biocénose d'un écosystème.

La biomasse est une description statique de la biocénose, elle définit des **stocks** de matière. Or, les différents compartiments d'un écosystème ne sont pas indépendants les uns des autres mais échangent de la matière et de l'énergie et sont donc liés par des **flux**.

L'étude des flux de matière entre les compartiments, comme par exemple le carbone, l'eau ou l'azote, permet d'établir des **bilans d'entrée et de sortie** de la matière.

Ainsi, le **cycle du carbone** dans un écosystème comprend les flux de matières organiques circulant d'un niveau trophique à l'autre.

L'entrée du carbone dans l'écosystème est due à l'assimilation du CO_2 par les végétaux, grâce à la photosynthèse. Le carbone ressort de l'écosystème sous forme de CO_2, du fait de la respiration des êtres vivants et des processus de décomposition de la biomasse morte.

Pour un élément donné, le bilan entre entrée et sortie de l'écosystème détermine si cet écosystème est un **puits** ou une **source**. Grâce à l'importance de la fonction photosynthétique, les forêts, mêmes âgées, sont des puits importants de CO_2.

Les écosystèmes forestiers participent aussi activement au cycle de l'eau, du fait notamment de l'importance de la transpiration foliaire.

3 Développement de la forêt, perturbation et résilience

Les écosystèmes ne sont pas des entités stables et figées mais au contraire des ensembles très **dynamiques**. La mise en place d'une forêt se fait à travers une succession de stades que l'on appelle **succession écologique**. Le stade final, appelé **climax**, est supposé être un stade d'équilibre optimal. En réalité, il s'agit plutôt d'un concept théorique permettant de comprendre l'évolution de l'écosystème. En effet, aucun stade n'est stable : à tout moment, les êtres vivants présents modifient les conditions de vie et donc les conditions d'installation et de développement d'autres êtres vivants. En forêt, les arbres jouent un rôle fondamental dans cette dynamique.

Une **perturbation** est un événement qui modifie la composition, la structure et le fonctionnement d'un écosystème. Les perturbations peuvent être d'origine naturelle (tempêtes, maladies, incendies…) ou provoquées par les actions humaines (exploitation, pollution, incendies criminels…). Elles peuvent modifier légèrement l'écosystème (chute d'un arbre) ou de manière beaucoup plus importante (disparition d'une partie de la forêt suite à une tempête ou à un incendie).

La **résilience** d'un écosystème désigne sa capacité à revenir naturellement à son état initial après une perturbation. Des études récentes montrent que la complexité du réseau d'interactions, la diversité génétique et la diversité fonctionnelle d'un écosystème favorisent sa résilience. Les forêts sont des écosystèmes particulièrement riches et complexes qui montrent donc une résilience importante.

Certaines perturbations sont cependant irréversibles : trop fortes ou trop répétées, elles provoquent des modifications trop importantes pour que l'écosystème puisse se régénérer. Un autre écosystème le remplace alors. C'est par exemple ce qu'il se passe lors du processus de désertification.

Un écosystème se caractérise donc par un équilibre dynamique, sans cesse bousculé par des facteurs internes et externes, mais le plus souvent capable de résilience.

Pic noir et écureuils roux, Parc Naturel Régional des Vosges du Nord, classé réserve mondiale de l'UNESCO.

La dynamique des écosystèmes

Podcast
L'essentiel

À retenir

▶ **L'écosystème : un ensemble structuré entre les êtres vivants et leur milieu**

Un écosystème, une forêt par exemple, est un ensemble formé par une communauté d'êtres vivants, la **biocénose**, et le milieu dans lequel ils vivent, le **biotope**. Les **paramètres abiotiques** (conditions physiques et chimiques) et les **facteurs biotiques** (dus aux êtres vivants) influencent la **biodiversité** et la répartition des êtres vivants au sein de l'écosystème.

▶ **Des interactions entre les êtres vivants**

Les êtres vivants d'un écosystème sont en **interaction**. Ces interactions peuvent s'analyser en termes de **compétition** (pour la lumière, l'eau, les aliments...), d'**exploitation** (prédation, parasitisme) ou encore de **coopération** (symbiose). Ces interactions déterminent l'organisation de l'écosystème, son fonctionnement et sa dynamique.

▶ **Stocks et flux de matière au sein d'un écosystème**

Au sein d'un écosystème, les êtres vivants constituent un stock de matière vivante : c'est la **biomasse**. Les êtres vivants génèrent des flux de matières qui circulent d'un niveau à un autre du **réseau trophique**. La **photosynthèse** réalisée par les végétaux chlorophylliens produit des matières organiques, sources de nourriture pour les autres êtres vivants. La **respiration** des êtres vivants et la **décomposition** de la matière organique assurent un recyclage de cette matière.

▶ **L'effet des écosystèmes sur les cycles biogéochimiques**

Pour un écosystème, on peut établir un **bilan d'entrée et de sortie** de la matière. Ce bilan détermine l'effet global de l'écosystème : par exemple, concernant le cycle du carbone, les forêts jouent le **rôle de puits**, car l'ensemble de l'écosystème forestier absorbe plus de CO_2 qu'il n'en rejette.

▶ **Développement, perturbation et résilience des écosystèmes**

Les écosystèmes sont des ensembles en **équilibre dynamique** qui évoluent : on peut déterminer, pour un écosystème naturel, différents stades constituant une **succession écologique**. Cet équilibre peut être perturbé à tout moment par des facteurs internes et externes (catastrophes naturelles ou non, incendies, maladies...), mais les écosystèmes ont souvent une capacité de **résilience** leur permettant de rétablir leur équilibre. Les écosystèmes ont néanmoins une certaine fragilité et peuvent être perturbés de façon irréversible.

Mots-clés

Biotope ● Biocénose ● Consommateurs ● Cycle biogéochimique ● Décomposeurs ● Dynamique d'un écosystème ● Écosystème ● Flux de matière ● Parasitisme ● Perturbation ● Prédation ● Producteurs primaires ● Réseau trophique ● Résilience ● Stock de matière ● Succession écologique ● Symbiose

La dynamique des écosystèmes

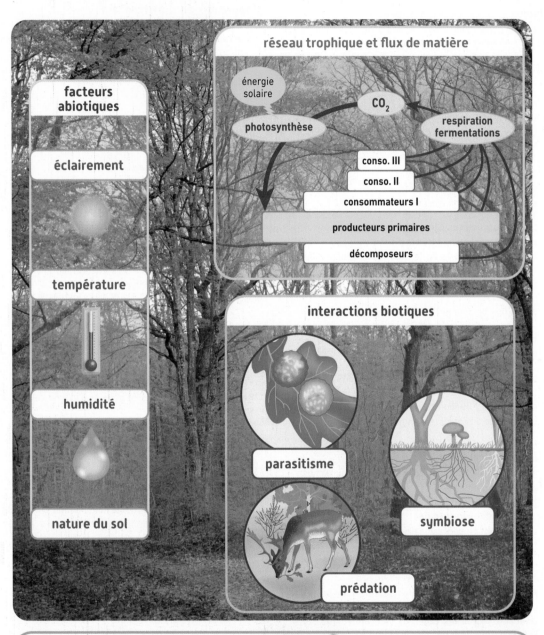

réseau trophique et flux de matière

énergie solaire

CO_2

photosynthèse

respiration fermentations

conso. III

conso. II

consommateurs I

producteurs primaires

décomposeurs

facteurs abiotiques

éclairement

température

humidité

nature du sol

interactions biotiques

parasitisme

symbiose

prédation

temps

succession végétale

perturbation

résilience

1 Retour vers les problématiques

Relisez la page « S'interroger avant d'aborder le chapitre » (p. 247). À l'aide de ce que vous savez à présent, formulez en quelques phrases les réponses aux questions suscitées par l'étude des documents présentés sur cette page.

2 QCM BAC

Pour chaque affirmation, choisissez l'unique bonne réponse.

1. Un écosystème est constitué par :
a. les communautés d'êtres vivants présentes à un endroit donné ;
b. un biotope, sans la biocénose ;
c. une biocénose, sans le biotope ;
d. un biotope et une biocénose.

2. La forêt est un écosystème qui se caractérise par :
a. sa surface, toujours très importante ;
b. sa structuration verticale, qui résulte de la présence des arbres ;
c. des facteurs abiotiques homogènes dans tout le biotope ;
d. son rôle de source vis-à-vis du cycle du carbone.

3. La compétition entre deux êtres vivants :
a. a toujours un effet négatif sur les deux individus impliqués ;
b. a toujours un effet bénéfique sur les deux individus impliqués ;
c. est une perturbation qui déséquilibre un écosystème ;
d. contribue à l'équilibre d'un écosystème.

4. Les perturbations qui modifient l'équilibre des écosystèmes :
a. sont des phénomènes dus aux activités humaines ;
b. sont toujours néfastes pour les écosystèmes ;
c. font partie de la dynamique et du fonctionnement normal des écosystèmes ;
d. entraînent en général la disparition de l'écosystème touché.

3 Questions à réponse courte

1. Pourquoi les forêts sont-elles qualifiées de puits de carbone ?
2. Quel rôle jouent les végétaux chlorophylliens dans le fonctionnement d'un écosystème ?
3. Pourquoi le nombre de niveaux trophiques d'un écosystème est-il en général limité ?

4 Expliquer les différences entre...

a. biomasse et flux de carbone.
b. biotope et biocénose.
c. parasitisme et symbiose.
d. perturbation et résilience.
e. perturbation réversible et perturbation irréversible.

5 Apprendre en s'interrogeant

1. Cachez une des deux colonnes du tableau ci-dessous et retrouvez ce que contient l'autre colonne (à faire seul ou à plusieurs).
2. Vérifiez vos réponses et reprenez si besoin les notions concernées.

Questions	Réponses
Qu'est-ce qu'une mycorhize ?	C'est une symbiose entre champignon et racine d'une plante.
Qu'est-ce qu'une forêt ?	C'est un écosystème dominé par la présence d'arbres.
Comment le biotope et la biocénose s'influencent-ils ?	Les conditions du milieu (biotope) conditionnent la répartition des êtres vivants. Cependant les êtres vivants modifient les conditions du milieu.
Quelles sont les différentes relations possibles entre les êtres vivants ?	Elles peuvent avoir des effets bénéfiques sur les êtres vivants qui interagissent (symbiose) ou des effets négatifs sur au moins un des partenaires de l'interaction (prédation, parasitisme, compétition).
Qu'est-ce que la résilience d'un écosystème ?	C'est sa capacité à revenir naturellement à son état initial après une perturbation.

6 Vrai ou faux ?

Repérez les affirmations exactes et corrigez celles qui sont inexactes.

a. Le cycle du carbone correspond à la production de biomasse résultant de la photosynthèse.
b. Un consommateur de 1er ordre peut aussi être consommateur de 2e ordre.
c. Les écosystèmes se caractérisent par des équilibres dynamiques.
d. Les décomposeurs ont un rôle fondamental, car ce sont les producteurs primaires de l'écosystème.

7 Compléter le schéma

Indiquez les légendes a à f.

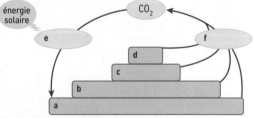

8 Rédiger des phrases...

... avec les mots ou expressions suivants :

a. matière, organique, minérale, sol.
b. répartition, biocénose, conditions abiotiques.
c. communauté, êtres vivants, biocénose.

★ facile ★★ intermédiaire ★★★ confirmé

9 Le flux de matière dans les écosystèmes **BAC**

★★ Dans un écosystème, les êtres vivants génèrent des flux de matières qui entrent, circulent et sortent.

À partir de vos connaissances et en vous appuyant sur un exemple de votre choix, expliquez comment la matière circule au sein d'un écosystème.

10 Les interactions entre les êtres vivants d'un écosystème **BAC**

★★ Dans un écosystème, il s'établit des interactions multiples entre les êtres vivants de la biocénose.

En vous appuyant sur des exemples, présentez les différents types d'interactions développées entre les êtres vivants d'un écosystème.

11 Communiquer par un schéma

★ Pour qu'un super-prédateur comme le faucon pèlerin grossisse de 1 kg (poids adulte), il doit consommer 50 kg de carnivores de premier ordre (mésanges, chauves-souris, reptiles...). Pour produire ces 50 kg, ces carnivores auront dû consommer 2 500 kg d'herbivores (insectes, limaces, lapins...). Pour produire ces 2 500 kg, ces herbivores auront consommé auparavant 50 000 kg de végétaux.

Représenter par un schéma les informations essentielles apportées par ce texte.

12 S'exprimer à l'oral **Oral**

★★★ Présentez oralement le document 3 p. 255 en commentant ce qui est expliqué et en justifiant le titre donné au document. Vous pouvez vous enregistrer, vous réécouter, vous corriger.

13 Raisonner avec rigueur

★ La mesure de la biomasse à deux moments différents de la même année permet de déterminer le stockage et le flux de matière. Le tableau ci-dessous concerne une hêtraie de 120 ans.

Biomasse végétale (t/ha)	
En février	En octobre
311	315

Expliquez ce que traduisent ces mesures.

14 Communiquer sous la forme d'un tableau

★ Les productivités primaires et les biomasses varient selon les types de forêt (par exemple : boréale, tempérée caducifoliée ou équatoriale humide) mais plus largement selon les écosystèmes.

Recherchez les différentes productivités primaires et les biomasses de différents écosystèmes et présentez ces informations sous la forme d'un tableau.

15 Comprendre et exploiter un graphique

★★ Des études expérimentales menées sur une prairie aux États-Unis ont consisté à établir pour différentes placettes :

– la diversité spécifique, en dénombrant les espèces présentes ;
– la résistance à une perturbation, en évaluant les dégâts causés par une sécheresse.

Cette étude a permis d'établir le graphique ci-dessous.

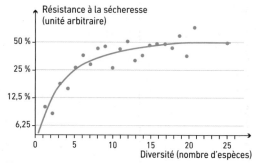

■ Résistance à une perturbation en fonction de la diversité d'un écosystème.

Interprétez ce graphique et énoncez ce qu'il démontre.

Aides à la résolution

● Formulez le problème auquel cette étude se propose de répondre.
● Repérez ce que représentent chaque axe et les valeurs mesurées.
● Décrire les résultats en relevant des données chiffrées significatives.
● Rédigez une conclusion en établissant une corrélation.

16 Exploiter un graphique et établir des relations de cause à effet

★★ Le lynx du Canada est un magnifique félin vivant dans la forêt boréale, où il se nourrit principalement de lièvres. Les fluctuations des populations de ces deux espèces ont pu être évaluées dans la région de la baie d'Hudson, d'après le commerce de peaux de ces deux animaux.

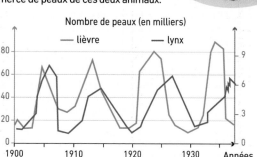

Décrivez les variations constatées et expliquez comment les effectifs de ces deux espèces sont régulés.

17 Une symbiose fixatrice d'azote

Pour leur métabolisme, les végétaux ont besoin d'azote, qu'ils se procurent sous forme minérale, principalement à partir des ions nitrates (NO_3^-) présents dans le sol. La teneur en azote est souvent faible dans le sol des forêts tempérées, ce qui limite la production végétale. Afin d'améliorer la disponibilité des sols forestiers en azote sans recourir aux engrais azotés, des scientifiques ont envisagé la possibilité d'utiliser les propriétés particulières des plantes de la famille des fabacées.

En effet, les racines des fabacées présentent des nodosités (à ne pas confondre avec des mycorhizes) qui résultent d'une symbiose avec des bactéries (*Rhizobium*) capables d'absorber très efficacement différentes sources d'azote, notamment l'azote moléculaire de l'air (l'air contient 78 % de diazote).

1. Justifiez la qualification de symbiose donnée aux nodosités.

2. Expliquez en quoi l'idée de ces scientifiques est intéressante mais pourrait aussi avoir des effets néfastes.

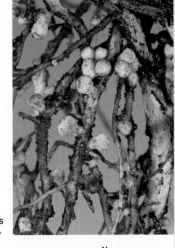

A Nodosités sur les racines d'une fabacée. ▶

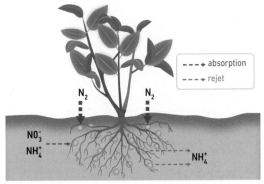

- - - → absorption
- - - → rejet

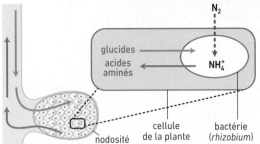

B Les échanges d'azote effectués par les nodosités.

C Les échanges entre des bactéries du genre *Rhizobium* et une plante.

18 Les relations du gui et de son hôte

Le gui est une plante dépourvue de racines : il ne peut se développer au sol et utilise les branches des arbres comme support (plante épiphyte).

Le gui est classiquement classé comme plante hémiparasite dans le sens où c'est un végétal chlorophyllien donc capable d'effectuer sa propre photosynthèse. D'ailleurs, le gui reste vert, même en hiver (A).

Après la germination de ses graines gluantes déposées par les oiseaux sur l'arbre, le gui installe ses suçoirs jusque dans les vaisseaux du bois où circulent l'eau et les sels minéraux absorbés par l'arbre à partir du sol (B). Sa présence diminue la croissance en diamètre et en hauteur de l'arbre, avec qui il entre en compétition pour la capture de l'énergie lumineuse.

Une étude menée sur des guis africains révèle en outre que 50 à 65 % des matières carbonées qui constituent la biomasse du gui peuvent provenir de la plante hôte, particulièrement au printemps, lorsque la sève s'enrichit de réserves accumulées par l'arbre. Ceci permet également au gui de croître même quand il ne bénéficie que d'un faible éclairement.

■ Recherchez les arguments qui permettent d'établir la nature des relations entre le gui et son hôte.

A Gui fixé sur la branche d'un arbre, au début du printemps.

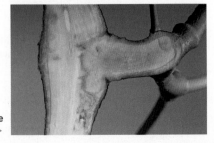

B Coupe révélant la relation physique entre le gui et son hôte. ▶

facile intermédiaire confirmé

19 La résilience des forêts méditerranéennes après un incendie

• Les incendies jouent un rôle important dans la dynamique de certaines forêts. Dans les régions très sèches, il peut s'agir de phénomènes naturels (provoqués par la foudre), mais dans les régions méditerranéennes ils sont le plus souvent d'origine humaine (accidentelle ou criminelle). De nombreuses études permettent aujourd'hui de mieux comprendre comment la forêt méditerranéenne se répare après le passage d'un incendie.

• Les chercheurs étudiant cette question ont montré que les communautés végétales brûlées retrouvent rapidement une composition floristique et une structure comparables à celles qui existaient avant le feu. Suite à un feu, la végétation des strates basses (0-50 cm) se développe en premier, puis évolue avec l'installation des strates plus élevées (2-4 m), jusqu'à reconstitution de la strate arborescente.

Un an après l'incendie, 70 % des parcelles étudiées possédaient plus de 75 % des espèces qui seront présentes 10 ou 12 ans plus tard ; 2 ans après le feu, ce pourcentage dépasse les 80 % et il atteint les 100 % en 5 ans.

• Cette régénération rapide fait intervenir deux principaux mécanismes : la régénération par rejet et la régénération par germination de graines. Les espèces régénérant par rejet de souche se développent plus rapidement, parfois dans les quinze jours qui suivent le feu. Plus tard dans la succession, les espèces à graines sont favorisées.

◗ **Décrivez la dynamique de la résilience de la forêt méditerranéenne et argumentez l'idée de successions animales liées aux successions végétales.**

Pin d'Alep (*Pinus halepensis*)
Régénération par germination. Possède des cônes sérotineux*.

Ciste cotonneux (*Cistus albidus*)
Régénération par germination.

Chêne kermès (*Quercus coccifera*)
Hauteur : 1,5 à 3 m.
Régénération par rejet.

Chêne vert (*Quercus ilex*)
Jusqu'à 20 m.
Régénération par rejet, croissance lente.

A Quelques exemples et leur principal mécanisme de régénération

* *C'est-à-dire fermés par une résine qui fond à haute température.*

Alouette lulu (*Lullula arborea*)
Habitat : landes, bois clairs, répartition clairsemée, nid au sol, protégé par la végétation.

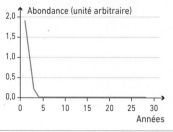

Fauvette pitchou (*Sylvia undata*)
Habitat : landes broussailleuses, parfois dans les bois, nid dans un buisson.

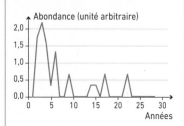

Roitelet triple-bandeau (*Regulus ignicapillus*)
Habitat : forêt de feuillus ou conifères, nid dans les conifères.

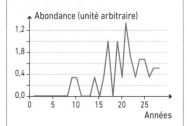

B Dynamique de la population de quelques espèces d'oiseaux sur les mêmes zones, après un incendie.

20 Au cœur d'une forêt équatoriale

★★★

Comme les forêts tempérées, les forêts équatoriales sont des écosystèmes organisés et dynamiques. Elles ont aussi leur vulnérabilité et sont susceptibles d'être plus ou moins profondément perturbées, ce qui n'est pas sans conséquences sur les cycles biogéochimiques.

■ À partir de l'étude de ces documents, justifiez cette approche en comparant avec ce que vous savez de l'organisation et du fonctionnement des écosystèmes. Dégagez les caractéristiques particulières de ce type de forêt.

1 Composition et structuration de la forêt équatoriale guyanaise

● **Présentation générale**

La forêt guyanaise est une forêt équatoriale humide (A). La température varie entre 22 et 30°C, l'eau est présente en abondance. La végétation ne connait donc pas de saisons comme en France métropolitaine, et la forêt y est toujours verte. Les feuilles tombent et sont renouvelées progressivement. Seul 1 % de la lumière du soleil parvient jusqu'au sol.

● **La structuration verticale**

Dans ces forêts exubérantes, il n'est pas toujours facile d'établir des délimitations. On distingue néanmoins :
– la strate arborescente (de 15 à 50 m) avec la strate des géants (de 40 à 50 m), la strate moyenne qui est continue et dense (de 30 à 40 m), la strate arborescente basse qui est également souvent très dense (de 15 à 25 m) ;
– la strate arbustive de 1 à 7 m ;
– la strate herbacée de 0 à 1 m.
Des lianes pouvant atteindre 200 m de longueur utilisent les arbres pour monter vers la canopée et bénéficier d'un meilleur ensoleillement.
Les plantes épiphytes, comme par exemple les orchidées, utilisent d'autres plantes comme support.
L'enracinement de ces végétaux est globalement peu profond, ce qui rend les arbres et arbustes souvent instables.

A

● **Quelques données chiffrées sur la biodiversité de la forêt guyanaise**

– 5 500 espèces végétales, dont 1 700 espèces ligneuses (contre 130 en France métropolitaine). Un seul hectare de forêt guyanaise peut comporter 200 à 300 espèces d'arbres différentes.
– 400 espèces de grands arbres, dont 70 sont exploitées pour leur bois.
– 400 espèces d'orchidées.
– 188 espèces de mammifères (singes hurleurs, atèles, jaguar, tapir, tatou, rongeurs...).
– 480 espèces de poissons d'eau douce (dont 1/4 sont endémiques de la Guyane).
– 100 à 200 espèces de reptiles.
– 109 espèces d'amphibiens.
– 740 espèces oiseaux.
– 350 000 espèces d'insectes.

Ainsi, plus de 96 % de la biodiversité française se trouve en Guyane ! De plus, de nouvelles espèces y sont régulièrement découvertes.

B Le fromager (*Ceiba pentandra*), peut atteindre 40 à 60 m de hauteur.

C L'oncille (*Leopardus tigrinus*) est un petit félin qui ne pèse pas plus de 3 à 4 kg.

D Les trois espèces de wapa (ici *Eperua falcata*), représentent 10 à 20 % de la forêt guyanaise.

*Cet exercice se présente sous la forme d'une **tâche complexe** : construisez votre propre démarche pour résoudre le problème posé.*

Exercices

2 Stocks et flux de carbone dans les écosystèmes forestiers

Les forêts jouent un rôle prépondérant dans le cycle du carbone. Celui-ci est actuellement en déséquilibre : depuis le début de l'ère industrielle, la concentration en CO_2 dans l'atmosphère est en constante augmentation. Or, le CO_2 est l'un des principaux gaz à effet de serre.

La capacité de stockage du carbone par les forêts est présenté dans le tableau A.

Une étude internationale (B), publiée en 2011, a pour la première fois compilé des mesures des flux de carbone associés aux écosystèmes forestiers de toute la planète sur la période 1990/2007. Pour les forêts tropicales, cette étude

	Forêts tropicales ($1,76 \times 10^9$ ha)	Forêts tempérées ($1,04 \times 10^9$ ha)	Forêts boréales ($1,37 \times 10^9$ ha)
Végétation	212	59	88
Sol	216	100	471

A Stocks de carbone dans les principaux écosystèmes forestiers de la planète, en Gt de carbone (Gt = 10^9 t).

distingue le flux entrant dû aux forêts intactes, le flux sortant imputable à la déforestation et le flux entrant résultant des replantations. La comparaison sur deux périodes permet en outre d'apprécier la tendance de variation de ces flux.

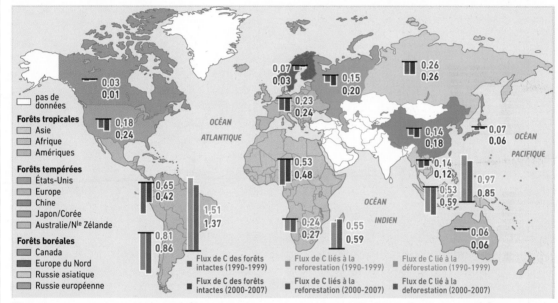

B Flux de carbone (Gt de carbone/an) dans les forêts du monde.
Les barres colorées dirigées vers le bas représentent les puits de C ; celles vers le haut représentent les sources de C.

D'après A Large and Persistent Carbon Sink in the World's Forests, Pan et all., Science, Juillet 2011

3 Le fléau de l'orpaillage

Outre sa forêt, la Guyane possède une autre richesse naturelle : l'or. L'orpaillage (recherche et extraction d'or dans les cours d'eau aurifères) provoque une grande turbidité de l'eau et une augmentation de la concentration en mercure, puisque ce métal très toxique est utilisé pour agglomérer les poussières d'or. Depuis le début des années 2000 et le boom du prix de l'or (+ 600 % en 12 ans), les sites d'orpaillage clandestins se sont multipliés en Guyane. Enfin, l'installation de ces sites clandestins s'accompagne d'une déforestation sauvage. On estime par exemple qu'au cours de l'année 2015 ce sont 170 km² de forêt qui ont ainsi disparu.

Site d'orpaillage illégal en Guyane.

Les services rendus par les écosystèmes

Comme la joie procurée aux enfants et aux adultes par un parcours sportif au milieu des arbres, les écosystèmes forestiers rendent de nombreux services à l'humanité.

▶ Des arbres remarquables

Le chêne sessile Stebbing-II, âgé de plus de 380 ans, est un des arbres remarquables de la forêt de Tronçais (Allier, France). Afin que les générations futures puissent encore profiter de ce patrimoine, une gestion durable de l'écosystème forestier est nécessaire.

▶ Des écosystèmes riches en ressources exploitables

Dans cette scierie des Vosges, les planches délignées sur place sont labellisées : elles proviennent de forêts gérées durablement (label PEFC) et respectent les normes européennes et françaises de conformité des bois de structure (Marquage CE).

Formuler les problèmes à résoudre

▶ À partir des documents et de vos connaissances, réfléchissez aux services rendus à l'humanité par les écosystèmes forestiers.

▶ Interrogez-vous sur les manières dont les sociétés humaines affectent le fonctionnement de ces écosystèmes et sur la durabilité des services qu'ils nous rendent.

1 La remise en question d'une pratique forestière

La forêt tempérée est un milieu naturel, modifié depuis des siècles par les activités humaines. Elle fournit une matière première renouvelable aux usages multiples : le bois. Certaines méthodes d'exploitation, telles que les coupes rases, sont aujourd'hui très controversées.

> *Quels sont les impacts des coupes rases sur l'écosystème forestier ?*

1 Tour d'horizon des forêts métropolitaines françaises

La forêt française métropolitaine couvre environ 30 % du territoire, soit près de 16,5 millions d'hectares. Sa surface a doublé entre 1830 et 2015. Les trois quarts des massifs forestiers sont privés, un dixième appartient à l'État (les forêts domaniales) et le reste correspond aux forêts communales.

La moitié de la forêt française métropolitaine est constituée de peuplements monospécifiques* (chêne sessile, chêne pédonculé (A), châtaignier ou hêtre pour les feuillus*, épicéa, pin maritime, pin sylvestre ou sapin pour les résineux*). Ces derniers couvrent un tiers des surfaces boisées, alors que les feuillus (principalement les chênes) en couvrent deux tiers.

A Forêt de chênes pédonculés (Haute-Saône), exploitée pour le bois de chauffage.

Malgré la grande diversité des forêts françaises, les manières dont elles sont organisées et exploitées afin de récolter du bois sont peu nombreuses (B).

Les futaies* (C) correspondent à la production d'arbres par plantation ou semis naturel. L'homogénéité des dimensions et des âges permet de distinguer les futaies régulières des futaies irrégulières.

Les taillis (D) sont des peuplements feuillus constitués de tiges issues de rejets de souches*. Après la coupe, des bourgeons se développent, donnant naissance à des pousses appelées rejets.

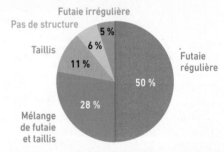

Futaie irrégulière
Pas de structure
5 %
Taillis
6 %
11 %
Futaie régulière
50 %
28 %
Mélange de futaie et taillis

B Organisation des forêts métropolitaines (en %).

C Futaie régulière de montagne (Jura) plantée avec une seule essence de résineux.

D Taillis formé de rejets de souches de châtaignier.

② Les inconvénients de l'exploitation d'une forêt par coupe rase

Quand la totalité des arbres d'une parcelle est coupée en une seule fois, on parle de **coupe rase*** ou de coupe à blanc. Souvent présentée par ses défenseurs comme gage d'efficacité économique, cette méthode de récolte du bois est vue par ses détracteurs comme une source de perturbation importante de l'environnement forestier. Les coupes rases nécessitent l'utilisation d'engins très lourds, générateurs de dégâts comme le tassement des sols (A), induisant asphyxie et perte de biodiversité. La mise à nu des sols favorise leur érosion (B) ou leur inondation (C). Enfin, elles détériorent la qualité paysagère et l'attractivité de la forêt. Ainsi, randonneurs, usagers et riverains ont une mauvaise image de cette pratique, même si elle est suivie de plantations.

Les coupes rases sont réglementées en France par le code forestier* : dans une forêt de plus de 4 hectares, toute coupe rase d'un hectare ou plus doit être suivie d'une reconstitution dans les 5 ans, par régénération naturelle ou plantation. Pour un taillis, c'est le seul mode de coupe utilisé (D).

Ces coupes vont être progressivement abandonnées dans les prochaines années, au moins dans les forêts domaniales franciliennes gérées par l'ONF* (Office National des Forêts), sous la pression conjointe du public et des élus locaux.

Ⓐ Tassement d'un sol forestier suite aux passages des engins d'abattage.

Ⓑ Coupe rase sur une colline favorisant l'érosion du sol.

Ⓒ Remontée de la nappe induite par une coupe rase.

Ⓓ Taillis de châtaignier après une coupe rase.

Activités envisageables

Afin de comprendre pourquoi les coupes rases sont l'objet d'un débat :

- Comparez, sous forme d'un tableau, futaie, taillis et forêt peu ou pas exploitée (voir p. 248).
- Présentez les avantages et les impacts de l'exploitation des forêts par coupes rases et dites pourquoi cette pratique est considérée par beaucoup comme à proscrire.

Des clés pour réussir

- Utilisez différents critères : organisation, peuplement végétal, biodiversité, exploitation…
- Veillez à bien consulter l'ensemble des documents avant de répondre.

* Lexique ➡ p. 422

La surexploitation des forêts tropicales

Contrairement à la France, où la surface de la forêt est en augmentation, les écosystèmes forestiers régressent à l'échelle mondiale. Ainsi, les forêts tropicales sont soumises à une surexploitation, voire à une déforestation.

Quelle est l'ampleur et quelles sont les conséquences de l'exploitation des forêts tropicales ?

1 L'évolution de la superficie des forêts à l'échelle mondiale

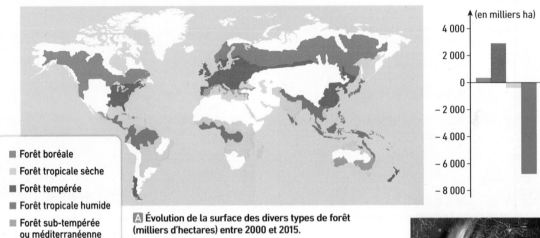

■ Forêt boréale
■ Forêt tropicale sèche
■ Forêt tempérée
■ Forêt tropicale humide
■ Forêt sub-tempérée ou méditerranéenne

(en milliers ha)

A Évolution de la surface des divers types de forêt (milliers d'hectares) entre 2000 et 2015.

■ *Globalforestwatch.org* est un système d'information géographique (SIG*) qui permet de suivre la déforestation, les coupes de bois et le reboisement dans le monde entier, grâce à une carte interactive. Cette plateforme associe l'imagerie satellitale à différentes bases de données régulièrement actualisées, et propose une démarche participative.

1986

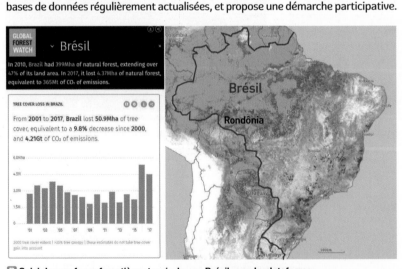

B Suivi des surfaces forestières tropicales au Brésil avec la plateforme Globalforestwatch (en violet les gains, en rose les pertes).

C Images satellitales de la région brésilienne du Rondônia en 1986 (haut) et 2001 (bas).

2001

2 La déforestation favorise le développement d'une maladie émergente

L'ulcère de Buruli est une redoutable maladie infectieuse provoquée par la bactérie *Mycobacterium ulcerans*. Une étude récente réalisée en Guyane française a constaté la présence de cette bactérie dans dix-sept points d'eau douce. En analysant plus de 3 600 animaux, les chercheurs ont montré que la bactérie se concentre dans le bas de la chaîne alimentaire, notamment dans les mollusques et insectes qui filtrent l'eau ou broutent les végétaux des fonds marécageux. Or, la déforestation entraîne des variations de la température de l'eau et une augmentation de la luminosité, ce qui se traduit notamment par une raréfaction des espèces prédatrices du haut de la chaîne alimentaire comme les poissons. Ainsi, dans les zones forestières les plus perturbées, les vecteurs* de la maladie pullulent, ce qui accroit le risque sanitaire de transmission.

■ Marécage propice à la présence des bactéries *Mycobacterium ulcerans* (A), observées au microscope optique (B).

3 Les conséquences d'une exploitation pétrolière

Le parc national de Yasuni est situé au sein de la forêt amazonienne, à l'est de l'Équateur. Cette région est le territoire de l'un des peuples indigènes d'Équateur, les amérindiens Huaorani. Vaste de 9 820 km², le parc présente une biodiversité exceptionnelle et son sous-sol comporte d'importantes réserves de pétrole. Décidée en 2013, la mise en exploitation des hydrocarbures a débuté en 2016.

Les craintes liées à la présence des 130 puits de pétrole sont multiples : chaque puits engendre autour de lui une déforestation de 1,5 hectare (sans tenir compte de celle associée aux voies d'accès et aux infrastructures) et chaque forage produit 3 500 m³ de déchets. Enfin, les eaux polluées extraites avec le pétrole seront rejetées dans le milieu naturel.

■ Dans le parc Yasuni, puits de pétrole et perruches Toui de Deville cohabiteront difficilement.

* Lexique ➡ p. 422

Activités envisageables

Afin de bien comprendre l'impact d'une surexploitation des forêts tropicales :

- Décrivez l'évolution de la surface des forêts tropicales humides dans le monde, au Brésil et dans d'autres pays.
- Expliquez les impacts négatifs de la surexploitation présentés par ces documents.
- Recherchez d'autres exemples d'exploitation ou de surexploitation des forêts tropicales et envisagez-en les conséquences.

Des clés pour réussir

- Identifiez bien les indications fournies par les cartes et graphiques avant de répondre.
- Utilisez les connaissances acquises au cours du chapitre 1.
- Vous pouvez trouver des exemples qui ne se traduisent pas nécessairement par une déforestation.

La forêt : des services insoupçonnés

Lieu de loisirs, source de matériaux renouvelables, réserve de biodiversité : une forêt est tout cela à la fois et bien plus encore. Les bénéfices tirés de sa présence et de son fonctionnement sont multiples et constituent ce qu'on appelle les services écosystémiques.

Quels sont les services écosystémiques rendus par une forêt ?

1 L'écosystème de la forêt d'Orléans

Vaste de 35 000 hectares, la forêt d'Orléans est la plus grande forêt domaniale de France. Cette forêt tempérée de plaine est divisée en quatre massifs. Elle comporte surtout des chênes et des pins sylvestres, auxquels s'ajoutent d'autres essences* (charme, bouleau, hêtre). Exploitée en futaies régulières, parsemée de plus de mille mares et percée de clairières, sa biodiversité est grande : près de 760 espèces animales et végétales sont présentes. Parcourue de routes empierrées et de sentiers, la forêt accueille chaque année des milliers de visiteurs. Diverses chasses (en battue aux sangliers, individuelle à la bécasse...) s'y pratiquent sur un espace dédié.

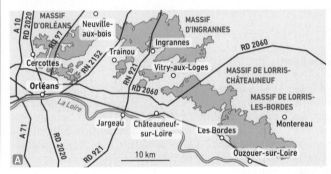

Dans les massifs de la forêt d'Orléans, les cervidés sont nombreux parmi les futaies de chênes.

2 La notion de service écosystémique

Les services écosystémiques sont les bénéfices que les êtres humains tirent du fonctionnement des écosystèmes. Cette notion met en valeur la dépendance de l'Homme vis-à-vis d'un écosystème. On distingue :
– les services de support, processus écologiques de base de tout écosystème ;
– les services de régulation, qui déterminent la qualité de notre environnement ;
– les services d'approvisionnement, produits de l'écosystème utilisés comme ressources ;
– les services culturels, biens immatériels obtenus à travers les loisirs et le développement personnel.

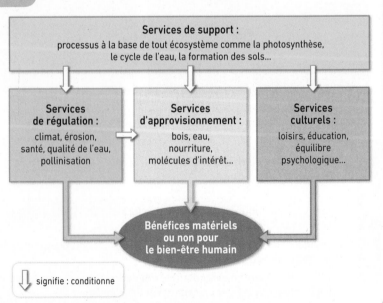

Services de support :
processus à la base de tout écosystème comme la photosynthèse, le cycle de l'eau, la formation des sols...

Services de régulation :
climat, érosion, santé, qualité de l'eau, pollinisation

Services d'approvisionnement :
bois, eau, nourriture, molécules d'intérêt...

Services culturels :
loisirs, éducation, équilibre psychologique...

Bénéfices matériels ou non pour le bien-être humain

Les quatre grandes catégories de services écosystémiques.

signifie : conditionne

3 La diversité des services écosystémiques rendus par la forêt d'Orléans

A

B

Chaque année, l'équivalent de 230 hectares de forêt sont abattus afin de permettre aux autres arbres de grandir. Les branchages de sous-étage issus de cet abattage peuvent être broyés et devenir des « plaquettes » (A), utilisées à Orléans afin de produire de l'électricité et pour le chauffage urbain de l'équivalent de 13 000 logements.

À Chambon-la-Forêt, l'eau se caractérise par une très faible teneur en nitrates (< 2 mg/L) : production et distribution d'eau sont assurées par la commune et sa qualité fait que cette source est commercialisée en tant qu'eau minérale naturelle (B).

Le balbuzard pêcheur (C) est un oiseau emblématique de la forêt d'Orléans. Ce rapace migrateur revient fin février afin de s'y reproduire. Les couples reproducteurs peuvent être vus depuis l'observatoire du Ravoir, ouvert au public.

Sillonnée par des itinéraires de promenades et randonnées balisées par l'ONF, la forêt d'Orléans se décline de nombreuses manières (D). Au printemps, les orchidées comme la goodyère rampante (E) et à l'automne, les cèpes de Bordeaux (F) sont au rendez-vous !

C

D

E

F

Pour comprendre ce que sont les services écosystémiques rendus par une forêt :

- Relevez puis classez les services écosystémiques assurés par la forêt d'Orléans.
- Concevez une démarche de projet afin de sensibiliser aux services écosystémiques rendus par une forêt (ou un autre écosystème) proche de chez vous.

Des clés pour réussir

- Une démarche de projet consiste à définir une production à réaliser, la stratégie pour y parvenir et les étapes de sa mise en œuvre.
- Identifiez bien à quel besoin le projet doit répondre.

* Lexique ➡ p. 422

4 Les services écosystémiques de régulation

Les écosystèmes nous rendent naturellement de nombreux services sans que nous ayons à intervenir et sans que nous en ayons conscience. Certains de ces services écosystémiques ont un rôle majeur dans la régulation de processus naturels indispensables pour l'humanité.

> *En quoi les écosystèmes assurent-ils des fonctions de régulation indispensables à l'humanité ?*

1 Une modération du réchauffement climatique

L'exploitation humaine des combustibles fossiles (pétrole, gaz et charbon) provoque une augmentation du taux de CO_2 atmosphérique (280 ppm* en 1800, 405 ppm en 2018). Or, le CO_2 est l'un des principaux gaz à effet de serre (GES)*. L'augmentation de sa concentration atmosphérique concourt à une élévation globale de la température moyenne de la Terre.

Une hêtraie de la forêt de Hesse (Moselle) fait partie d'un réseau européen de suivi des échanges de CO_2 entre l'écosystème forestier et l'atmosphère. Depuis 1996, une tour de 18 m sert de support aux nombreux capteurs (A) mesurant à différentes hauteurs l'hygrométrie*, l'ensoleillement, la vitesse du vent, les taux de CO_2 et d'O_2, la température, etc.

Le flux net de CO_2 entre l'écosystème et l'atmosphère est la différence entre le flux entrant dû à la photosynthèse et le flux sortant dû à la respiration. Ce flux varie au cours de la journée et des saisons (B).

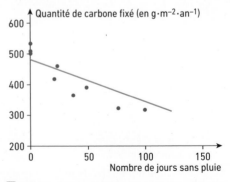

A Tour de mesure de la forêt de Hesse et capteurs permettant le suivi des échanges gazeux entre l'écosystème et l'air.

Animation

▶

Cycle du carbone

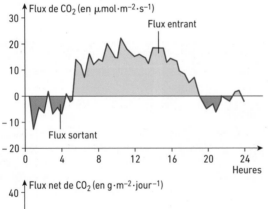

L'augmentation de la fréquence des phénomènes climatiques extrêmes est l'une des conséquences du réchauffement climatique. Parmi ces phénomènes, sécheresses et canicules, souvent à l'origine de graves incendies, peuvent modifier l'efficacité des puits de carbone forestiers. Le graphique C montre la fixation du dioxyde de carbone par les hêtres de la forêt de Hesse en 2003, année marquée par une forte canicule.

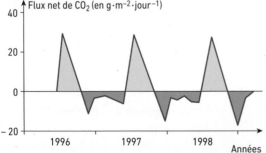

B Mesure du flux net de CO_2 au cours d'une journée ensoleillée (en haut) et au cours des trois premières années de mesure (en bas) sur le site de Hesse.

C Activité photosynthétique d'une forêt en fonction du nombre de jours sans pluie.

② Disponibilité et qualité des eaux

Les forêts favorisent le stockage de l'eau dans le sol, alimentant les nappes souterraines et les rivières lors des périodes sèches tout en réduisant les risques de crues. Dans certains territoires insulaires, les forêts constituent la seule forme de stockage d'eau douce.

Les engrais minéraux et les pesticides sont très peu utilisés en forêt, contrairement aux régions de grande culture.

L'eau y est donc d'une grande qualité.

Par ailleurs, le sol d'une forêt, épais, riche en humus* et en organismes vivants, est à même de retenir une grande quantité d'éléments minéraux. Ainsi, l'installation de ripisylves* (A) permet de limiter la pollution des cours d'eau par les nitrates* (B).

A La ripisylve est une bande boisée en bordure d'une rivière ou d'un fleuve.

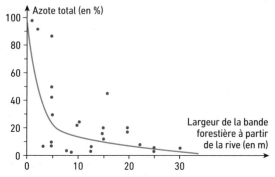

B Teneur en azote (NO_3^-, NO_2^-, NH_4^+) d'un cours d'eau en fonction de la largeur de la ripisylve.

③ La monétarisation des services de régulation

Les services rendus par l'écosystème forestier sont gratuits mais peuvent être estimés monétairement. Dans le cas de la gestion des eaux, cette estimation peut se faire via le calcul des dépenses nécessaires en cas d'absence ou de dégradation de l'écosystème forestier (installations de systèmes de traitement des eaux, coûts des inondations, etc.). La valeur du service rendu étant supérieure à celle du coût de reboisement, des milliers d'hectares de forêt ont été replantés pour protéger les captages* d'eau potable de nombreuses villes.

Dans le cadre de la lutte contre le réchauffement climatique, les entreprises et collectivités ont pour obligation de réduire leurs émissions de GES. Elles peuvent recourir à l'achat de droits d'émission de GES servant à compenser les rejets excédentaires.

Selon les pays du monde, la valeur du droit d'émission d'une tonne de CO_2 varie de 2 à 100 euros (31 euros en France en 2017).

Service rendu par la forêt	Estimation monétaire du service (en France et en euros · ha⁻¹ · an⁻¹)
Séquestration annuelle du carbone	115
Stockage du carbone sur le long terme	414
Purification des eaux	90
Stockage et limitation des crues	30 à 120

▪ Estimation monétaire des services de régulation rendus par la forêt (Les services culturels et d'approvisionnement ne sont ici pas pris en compte).

Pour comprendre les bénéfices des fonctions de régulation assurées par les écosystèmes :

- Expliquez en quoi les forêts permettent de modérer le réchauffement climatique et donnez quelques facteurs pouvant limiter ce service écosystémique.
- Indiquez les services rendus par les forêts dans le cadre de la gestion des eaux.
- Expliquez en quelques phrases l'intérêt et les dangers de la monétarisation des services écosystémiques.

Des clés pour réussir

- Une analyse rigoureuse des graphiques est nécessaire.
- Veillez à argumenter vos réponses à partir des informations fournies et de vos connaissances.

* Lexique ➡ p. 422

Vers une gestion durable des écosystèmes

5

Il devient évident que la surexploitation des écosystèmes peut entraîner un déséquilibre mettant en péril les services rendus. Cette prise de conscience conduit à envisager des modes de gestion respectant le fonctionnement des écosystèmes.

> *Comment assurer un équilibre durable entre le fonctionnement d'un écosystème et son exploitation ?*

1 Un exemple de sylviculture en futaie régulière

La forêt des Landes (Aquitaine) est un massif artificiel créé au xixᵉ siècle. Elle alimente une filière bois diversifiée, employant 30 000 personnes et majoritairement certifiée PEFC*, ce qui constitue une reconnaissance de son mode d'exploitation durable. On y cultive le pin maritime sous la forme de futaie régulière (tous les arbres sont du même âge sur une parcelle donnée).

Les plants utilisés sont aujourd'hui génétiquement sélectionnés en fonction de l'intérêt de leurs caractères (vitesse de croissance, forme du tronc, résistance aux maladies, etc.). Dans certains cas, les plants sont produits par culture *in vitro**.

PEFC™
10-4-215
Gardien de
l'équilibre forestier
pefc-france.org

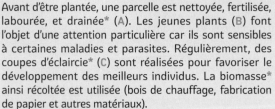

Avant d'être plantée, une parcelle est nettoyée, fertilisée, labourée, et drainée* (A). Les jeunes plants (B) font l'objet d'une attention particulière car ils sont sensibles à certaines maladies et parasites. Régulièrement, des coupes d'éclaircie* (C) sont réalisées pour favoriser le développement des meilleurs individus. La biomasse* ainsi récoltée est utilisée (bois de chauffage, fabrication de papier et autres matériaux).

L'élagage* (D) favorise l'absence de nœuds au niveau des troncs. Environ 40 ans après la plantation, la pinède* (E) subit une coupe rase pour récupérer les grumes* destinées au bois de construction (F). Les résidus de récolte sont laissés sur place ; en se décomposant, ils enrichiront les sols.

② L'exemple de la futaie irrégulière jardinée

Une futaie irrégulière est constituée d'arbres d'espèces et d'âges différents et se caractérise par une bonne pénétration de la lumière jusqu'au sous-bois, favorisant le développement des jeunes individus. La conduite d'une futaie jardinée nécessite une connaissance poussée des exigences écologiques de chaque espèce et du fonctionnement général de l'écosystème.

L'exploitant y privilégie une régénération naturelle et décide du devenir de chaque arbre en fonction de la qualité de son bois, de son rôle écologique et de la diversité du peuplement.

Certains arbres ne seront ainsi jamais récoltés, afin qu'ils puissent réaliser la totalité de leur cycle de vie et servir d'habitats à de nombreuses espèces. Les interventions y sont régulières et les coupes ont lieu tous les 10 ans sans dépasser 20 % du peuplement. Lors des récoltes, une attention particulière est portée au respect des différents milieux de vie forestiers (lisières, clairières, mares, etc.).

Ce mode de sylviculture permet une production continue de différents types de bois sans traces apparentes.

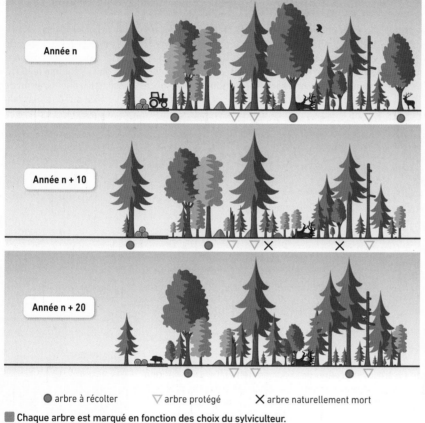

Année n

Année n + 10

Année n + 20

● arbre à récolter   ▽ arbre protégé   ✕ arbre naturellement mort

■ Chaque arbre est marqué en fonction des choix du sylviculteur.

Pour comprendre comment une exploitation des écosystèmes peut se faire de façon durable :

● Présentez sous la forme d'un schéma les caractéristiques de l'exploitation de la forêt landaise et justifiez le label PEFC dont elle bénéficie.

● Montrez que l'exploitation en futaie jardinée garantit un meilleur maintien des services écosystémiques forestiers que l'exploitation en futaie régulière.

● Recherchez et expliquez pourquoi la sylviculture en futaie jardinée n'est pas applicable dans toutes les régions.

Des clés pour réussir

● Inspirez-vous du schéma du document 2.

● Reportez-vous à ce que vous avez étudié précédemment.

● Pensez à la complexité du fonctionnement d'un écosystème.

* Lexique ➟ p. 422

6 L'ingénierie écologique

Depuis les années 1960, la rencontre de l'écologie scientifique et de l'ingénierie a permis la naissance du génie écologique. Celui-ci s'appuie sur le vivant comme acteur principal de la résilience des écosystèmes dégradés.

> *Quels sont les enjeux et moyens mis en œuvre dans un projet d'ingénierie écologique ?*

1 La forêt semi-sèche de La Réunion : un écosystème unique au monde gravement menacé

La forêt semi-sèche de l'île de La Réunion est une forêt tropicale de basse altitude régie par une longue période sèche d'avril à novembre et des pluies très abondantes le reste de l'année. Cet écosystème particulier a quasiment disparu de la planète du fait des activités humaines (A). Sur l'île de la Réunion, le défrichement*, les incendies, et l'introduction d'espèces invasives (B) ont eu raison de 99 % de la surface occupée par cet écosystème avant l'arrivée de l'être humain.

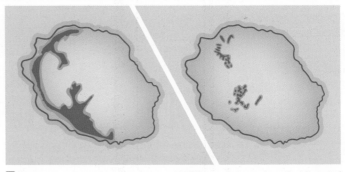

A La liane papillon, originaire d'Asie et introduite en 1915, menace les espèces végétales indigènes qu'elle enroule et recouvre, les privant de lumière.

B Extension de la forêt semi-sèche en 1665 (à gauche) et aujourd'hui (à droite).

2 Mise en place du projet de sauvegarde

La forêt semi-sèche représente un trésor méconnu de biodiversité (A). Le parc national de La Réunion, en collaboration avec le Conseil régional, a lancé en 2009 un projet de **conservation biologique*** (B) sur environ 40 ha du massif de la Montagne, pour un coût de 2,5 millions d'euros dont une grande partie provient de **fonds de compensation***. Dans de nombreux pays développés, les lois imposent en effet aux entreprises ou aux collectivités une compensation écologique des dégâts provoqués par leurs activités sur l'environnement, qu'ils soient réels ou futurs. Cette compensation peut prendre la forme de financements de travaux réalisés par d'autres organismes sur d'autres écosystèmes. Il existe ainsi des droits de dégradation de l'environnement, tant que ces dégâts sont compensés par ailleurs.

2009   2010   2011   2012   2013   2014

- Identification des zones d'intervention, des espèces cibles et des protocoles
- Récolte des semences et production des plants
- Réintroduction des plants en milieu naturel en saison des pluies
- Lutte contre les espèces exotiques envahissantes en saison sèche
- Suivi et évaluation du projet

B Les principales étapes du projet de conservation biologique s'étalent sur une période de 5 ans.

A La rareté du «bois d'ortie» est à l'origine de la quasi-extinction de la Salamide d'Augustine, car les chenilles de ce papillon ne se nourrissent que de cette plante.

3 Restauration et réhabilitation de la forêt semi-sèche

Une base de données de 48 espèces (dont 14 menacées) est constituée pour définir l'écosystème de référence à restaurer.

La récolte des semences se fait par prélèvement sur des individus adaptés à leur milieu naturel de façon à garantir le bon développement des futurs plants. Pour permettre une diversité génétique suffisante, les prélèvements sont effectués sur un nombre maximal d'individus, mais ils ne doivent pas excéder un tiers des semences disponibles, afin de garantir le maintien des espèces dans les rares zones où elles sont encore présentes. Cette opération, délicate du fait du relief escarpé, de la rareté des individus et de la nécessité de prélever des fruits mûrs a mobilisé 356 personnes au total et a nécessité 237 journées de travail sur 3 ans (A).

A Récolte de semences dans la ravine de la Grande Chaloupe.

B Le site de production des plants.

C Plantations sur la parcelle réhabilitée.

À partir des semences récoltées, plus de 100 000 plants sont produits en pépinière (B) et préparés de façon à augmenter leur survie dans le milieu naturel (diminution progressive des arrosages, de l'utilisation d'engrais et d'insecticides).

Dix parcelles (d'une surface totale de 30 ha) sont choisies pour une **restauration*** de l'écosystème par élimination des espèces envahissantes, maintien des espèces indigènes encore présentes sur le site et réintroduction de 7 000 plants.

Sur une autre parcelle (9 ha), une **réhabilitation*** est engagée par destruction mécanique de la totalité du couvert végétal et préparation du sol pour la plantation de 82 000 individus (C).

Le suivi révèle un taux moyen de survie des plants de 80 %. Une prévention du retour des espèces invasives est mise en place, ainsi que des mesures limitant les risques d'incendie (D). Enfin, le projet fait l'objet d'une sensibilisation du grand public (plus de 6 000 jeunes ont été sensibilisés à la protection des écosystèmes).

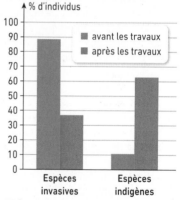

D Évaluation de l'efficacité de la réhabilitation un an après.

Activités envisageables

Pour étudier la conduite d'un projet d'ingénierie écologique :

- Présentez sous la forme d'un schéma les principales étapes du projet présenté.
- Précisez la différence entre restauration et réhabilitation écologiques.
- Montrez les aspects positifs et négatifs du système de compensation écologique.

Des clés pour réussir

- Réfléchissez aux étapes qui précèdent la mise en place effective du projet.
- Pensez à définir les services écosystémiques maintenus ou développés par ce projet.

* Lexique ➡ p. 422

Les services rendus par les écosystèmes

Podcast
Bilan

Les sociétés humaines ont, pour la plupart d'entre elles, cherché depuis des siècles à dominer la nature, sans comprendre que l'humanité n'est qu'une espèce en interaction avec d'autres au sein d'écosystèmes très variés. Ainsi, nos actions ont déjà profondément altéré 75 % des écosystèmes à la surface des continents. Une prise de conscience est en train de se produire, et permet déjà la mise en place progressive d'une gestion écosystémique plus durable. L'exemple des écosystèmes forestiers, qui couvrent plus d'un tiers des continents, permet de comprendre les menaces et les enjeux de gestion dont ils sont l'objet.

1 Des écosystèmes forestiers modifiés par les actions humaines

L'exploitation des forêts tempérées françaises

En sylviculture, l'organisation d'une forêt reflète son mode d'exploitation.

Les **futaies** sont des forêts composées de grands arbres, feuillus et/ou résineux. Elles représentent plus de la moitié de ces surfaces forestières. En revanche, les **taillis** sont des peuplements de feuillus constitués de tiges issues de rejets de souches. Une organisation mixte, mélange de futaies et taillis, existe sur un quart de la surface occupée par les forêts.

Quand les arbres sont tous coupés en une fois sur l'ensemble de la parcelle, futaie ou taillis, on parle de **coupe rase**. Dans ce mode d'exploitation, les forêts sont traitées comme des ressources immédiatement disponibles. En France, même si ce type de coupe est suivi d'un semis naturel ou artificiel, cette méthode est mal perçue par le grand public. Outre l'aspect visuel désastreux, les sols sont fortement érodés. La destruction des habitats provoque une perte de biodiversité.

L'exploitation des forêts tropicales humides

Elles couvrent plus du tiers de la surface forestière mondiale. Cet écosystème se rencontre notamment en Indonésie, au Congo et sur une grande partie de l'Amazonie. Les plantes dominantes sont de très grands arbres, de 30 à 60 mètres de haut, possédant des troncs élancés et des branches sommitales très ramifiées dont l'ensemble forme la canopée. Ces forêts abritent une **biodiversité remarquable**, dont 16 000 espèces d'arbres !

La **déforestation,** suivie d'une reconversion en terres agricoles, constitue **la plus grande menace**. Après des coupes rases, les terres libérées sont exploitées pour l'élevage extensif ou la culture intensive (par exemple soja ou canne à sucre en Amazonie, palmier à huile en Indonésie). Pauvres en éléments minéraux, les sols forestiers reconvertis s'épuisent rapidement et deviennent impropres aux cultures. Des espèces **endémiques** comme l'orang-outan de Bornéo en Indonésie sont menacées d'extinction. De plus, des maladies émergentes (ulcère de Buruli par exemple) se développent. Outre les effets locaux, l'amplification du réchauffement climatique planétaire constitue une conséquence majeure de la déforestation.

2 Les services écosystémiques

Les ressources gratuitement fournies par les écosystèmes sont variées. On les qualifie de **services écosystémiques.** Ces derniers sont définis comme l'ensemble des caractéristiques de l'écosystème procurant des ressources aux humains ou déterminant la qualité de leur milieu de vie. Outre les processus écologiques à la base de tous les écosystèmes (voir chapitre 1), on distingue trois catégories de services.

Les services d'approvisionnement

Ils désignent les éléments des écosystèmes utilisés comme **ressources** par les humains. Le bois en est l'exemple le plus évident, omniprésent dans notre quotidien. Matériau naturel renouvelable, il offre, outre le chauffage, des débouchés variés : construction de charpentes, réalisation de meubles et de parquets, production de papier… Nourriture (champignons, fruits, graines, gibier), eau, molécules d'intérêt pour la santé, réserve de variétés génétiques potentiellement utiles, constituent d'autres exemples de services d'approvisionnement.

Les services de régulation

Ces services correspondent aux **processus déterminant la qualité de notre environnement**. Ainsi, en absorbant du dioxyde de carbone atmosphérique (CO_2), les forêts contribuent à limiter l'effet de serre exercé par ce gaz, ce qui modère le réchauffement climatique. Les forêts fixent plus de CO_2 qu'elles n'en libèrent : ce sont de véritables « puits de carbone ».

Il existe d'autres exemples importants de services de régulation : disponibilité et qualité de l'eau, limitation de l'érosion, de l'importance des inondations, de la propagation de certaines maladies, succès de la pollinisation.

Les services culturels

Les forêts sont des environnements où l'on peut pratiquer des **loisirs variés** comme les randonnées pédestres ou cyclistes ou encore des parcours acrobatiques dans les arbres. Elles permettent également d'éduquer et de sensibiliser les jeunes générations et le grand public à la découverte de la biodiversité et à sa protection.

Comme beaucoup d'écosystèmes, les forêts sont considérées comme des lieux de bien-être, ce qu'ont traduit nombre de peintres ou de poètes.

● La valeur monétaire des services rendus

Quelle que soit la nature des services écosystémiques rendus à la société, ces derniers sont gratuits. Néanmoins, il est possible de leur attribuer une **valeur monétaire**, de façon plus ou moins complexe et précise. Cette monétarisation constitue un argument pouvant protéger les écosystèmes lorsque des décisions d'aménagement du territoire doivent être prises. Elle fait l'objet d'un débat quant à la fiabilité des valeurs attribuées ou encore la possibilité d'acquérir des « droits à polluer ».

3 Vers une gestion rationnelle des ressources exploitables

Maintenir, voire améliorer la qualité des services écosystémiques pour les générations futures est une nécessité. Parallèlement, l'activité économique associée à leur exploitation doit être assurée. Afin d'atteindre ce double objectif, une gestion durable basée sur la connaissance scientifique des écosystèmes s'impose.

● Gérer durablement les écosystèmes forestiers

Le concept de **gestion durable**, notamment des forêts, a été défini lors de la conférence de Rio (Brésil) en 1992. Cette gestion durable fait appel à la sylviculture, c'est-à-dire à l'entretien et à l'exploitation rationnelle des forêts.
La **sylviculture traditionnelle** consiste à favoriser la régénération, naturelle ou non, en pratiquant des coupes d'éclaircie. Ces dernières réduisent la densité du peuplement et permettent ainsi d'améliorer la croissance des plus beaux arbres. L'objectif majeur est d'obtenir une production élevée de bois. Pour cela, des futaies régulières composées d'une seule essence d'arbres de même âge fournissent d'importantes productions de biomasse,

donc des rendements économiques élevés. La forêt de pin maritime des Landes constitue un exemple de ce mode d'exploitation. Inconvénient, des coupes rases d'une parcelle entière sont pratiquées au bout de 40 ans lorsque les pins sont à maturité, mettant à nu transitoirement le sol forestier.
La **sylviculture écologique** associe diverses essences forestières adaptées aux conditions locales et d'âges variés sur une même parcelle. Bien que souvent moins productives, ces forêts résistent mieux aux maladies, aux aléas climatiques et garantissent le maintien de la biodiversité locale. Les prélèvements réguliers permettent une production continue de bois avec des traces apparentes réduites dans le paysage forestier. Cette gestion en futaies irrégulières « jardinées » permet ainsi de garder un couvert forestier permanent et de maintenir non seulement le service d'approvisionnement mais aussi les autres services écosystémiques.

● Maintenir et réparer les écosystèmes : l'ingénierie écologique

Tous les milieux naturels, dont les forêts, sont ponctuellement très endommagés voire détruits par des catastrophes naturelles ou d'origine humaine. Quelles que soient leurs capacités de résilience, ces milieux peuvent nécessiter une aide afin de réparer les perturbations engendrées. L'ensemble des techniques qui permettent de réparer les écosystèmes, d'optimiser leur gestion voire de les recréer afin d'en tirer durablement des bénéfices forment **l'ingénierie écologique**. C'est une ingénierie centrée sur l'emploi du vivant envisagé comme outil et sur la résilience des écosystèmes.
Selon les cas on distingue :
– La **restauration** : l'écosystème dégradé est traité (élimination des espèces invasives et réintroduction des espèces d'origine).
– La **réhabilitation** : biotope et biocénose de l'écosystème disparu sont rétablis en intégralité.
– La **réaffectation** : l'écosystème d'origine est remplacé par un autre.
Les moyens financiers nécessaires peuvent provenir de fonds de **compensation**, c'est-à-dire de l'argent versé par diverses entreprises ou collectivités responsables de la dégradation des écosystèmes. Dans ce cas les montants découlent de la valeur monétaire des services écosystémiques perdus.
Outre ces aspects techniques, l'ingénierie écologique comporte **une dimension éthique très forte** : elle renvoie à des écosystèmes durables intégrant la société humaine dans son environnement naturel, au bénéfice des deux.

Les services rendus par les écosystèmes

Podcast
L'essentiel

À retenir

◗ Des écosystèmes forestiers modifiés par les actions humaines

L'être humain exploite les écosystèmes de la planète afin de subvenir à ses besoins en nourriture, en matériaux et énergie. Cette **exploitation des écosystèmes** perturbe leur bon fonctionnement en modifiant leur biotope à une échelle locale (érosion des sols par exemple) et à une échelle globale (cycle du CO_2).

Dans les cas les plus graves, comme la déforestation, on constate une forte dégradation voire une destruction complète des écosystèmes. Les conséquences sont nombreuses : **déclin de la biodiversité**, baisse de la production et de l'activité économique, **pollution** des eaux, du sol et de l'air, **développement de certaines maladies** qui affectent notre santé.

◗ Les services écosystémiques

La nature fournit **gratuitement** à l'humanité de nombreux services. Outre les processus écologiques à la base de tout écosystème, on distingue trois types de services écosystémiques. Les services **écosystémiques d'approvisionnement** correspondent aux produits issus de l'exploitation des écosystèmes : biomasse, eau, molécules d'intérêt médical...

Les écosystèmes favorisent la dépollution de l'eau (nitrates), limitent le réchauffement climatique (absorption du dioxyde de carbone) et la propagation de maladies, conservent la fertilité des sols. Ce sont les **services écosystémiques de régulation**.

Enfin, les écosystèmes constituent des ressources patrimoniales et récréatives importantes : ce sont les **services écosystémiques culturels**.

Ces services font l'objet d'une **monétarisation** : il s'agit de leur attribuer une valeur financière. Ce principe de monétarisation fait l'objet de débats d'ordres éthique et technique.

◗ Vers une gestion durable des ressources exploitables

Le **maintien** des services écosystémiques impose une **gestion raisonnée** des écosystèmes basée sur une **connaissance scientifique** poussée de leur fonctionnement. Ainsi, la **sylviculture écologique** permet de fournir continuellement du bois tout en maintenant l'organisation forestière : activité économique et préservation des services écosystémiques demeurent durablement associées.

Quand les écosystèmes sont endommagés, des techniques d'**ingénierie écologique** s'appuyant sur le vivant peuvent être mises en œuvre, rétablissant partiellement (restauration) ou totalement (réhabilitation) les services écosystémiques dégradés. Dans certains cas, un écosystème détruit peut être remplacé par un autre (réaffectation).

Mots-clés

Compensation ● **Conservation biologique** ● **Gestion durable** ● **Ingénierie écologique** ● **Réhabilitation** ● **Services écosystémiques d'approvisionnement, de régulation et culturels.**

Les services rendus par les écosystèmes

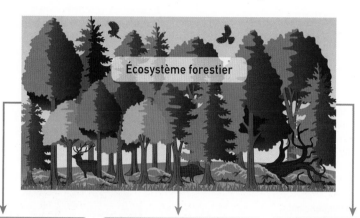

Écosystème forestier

Déforestation et conversion en agrosystème

Exemple : soja

- Appauvrissement et érosion des sols
- Déclin de la biodiversité
- Pollution de l'eau et de l'air
- Émergences de maladies
- Changement climatique

Sylviculture traditionnelle

Exemple : futaie régulière

Sylviculture écologique

Exemple : futaie irrégulière jardinée

Ingénierie écologique

Compensation

Restauration
Réhabilitation
Réaffectation

Exemple : création d'une ripisylve

Conservation biologique

Services écosystémiques

+   d'approvisionnement   **++**

—   de régulation   **+**

NO_3^- CO_2

—   culturels   **+**

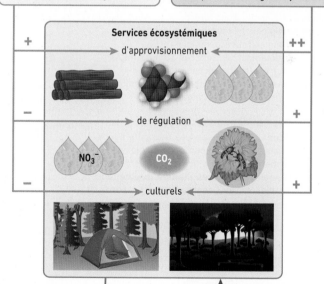

+   Monétarisation

+

Restauration des services

+ : favorise
— : défavorise

1 Retour vers les problématiques

Relisez la page « S'interroger avant d'aborder le chapitre » (p. 271). À l'aide de ce que vous savez à présent formulez en quelques phrases les réponses aux questions suscitées par l'étude des documents présentés sur cette page.

2 QCM BAC

Pour chaque affirmation, choisissez l'unique bonne réponse parmi les quatre propositions.

1. **La surface actuelle des forêts tropicales :**
   a. est en hausse modérée ;
   b. subit une forte baisse ;
   c. se montre relativement stable ;
   d. n'est pas quantifiable.

2. **Les services écosystémiques sont :**
   a. des fonctions assurées gratuitement par les écosystèmes pour les Hommes ;
   b. des fonctions assurées gratuitement par les Hommes pour les écosystèmes ;
   c. des organismes chargés de gérer les écosystèmes ;
   d. assurés uniquement par les forêts.

3. **La récolte de bois constitue :**
   a. un service écosystémique culturel ;
   b. un service écosystémique de régulation ;
   c. un service écosystémique d'approvisionnement ;
   d. un service écosystémique de support.

4. **La gestion rationnelle d'une forêt :**
   a. est un exemple de restauration écologique ;
   b. supprime son activité économique ;
   c. maintient seulement ses services écosystémiques mais pas son exploitation économique ;
   d. permet son exploitation économique et le maintien de ses services écosystémiques.

3 Retrouver des notions importantes

Associez à chacun des quatre services écosystémiques, un ou des exemples suivants : absorption de dioxyde de carbone atmosphérique, observation des êtres vivants, photosynthèse, pollinisation des plantes, promenade pédestre, purification de l'eau, sentiment de bien-être.
Vérifiez vos réponses puis reprenez si besoin les notions concernées.

4 Vrai ou faux

Repérez les affirmations exactes et corrigez celles qui sont inexactes.
a. La déforestation mondiale amplifie la biodiversité et réduit le réchauffement climatique.
b. L'espèce humaine affecte le fonctionnement de la plupart des écosystèmes.
c. Une forêt bien gérée ne nécessite pas l'intervention humaine.
d. La monétarisation des services écosystémiques attribue une valeur à la nature.
e. La restauration d'un écosystème endommagé consiste à le réparer.

5 Expliquer les différences entre...

a. Une coupe rase et une coupe d'éclaircie.
b. Une futaie et un taillis.
c. Une futaie régulière et une futaie jardinée.
d. La restauration et la réhabilitation d'un écosystème.

6 Associer textes et schémas

Associez à chaque schéma le titre qui lui correspond.
a. Futaie régulière – b. Futaie régulière non gérée – c. Coupe rase suivie de semis – d. Futaie irrégulière jardinée

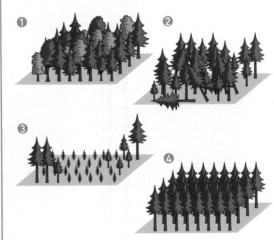

7 Apprendre en s'interrogeant

1. Cachez une des deux colonnes du tableau ci-dessous et retrouvez ce que contient l'autre colonne (à faire seul ou à plusieurs).

2. Vérifiez vos réponses, et reprenez si besoin les notions concernées.

Questions	Réponses
Quelles sont les quatre catégories de services écosystémiques ?	De support, d'approvisionnement, de régulation et culturels.
Quelles sont les principales conséquences de la déforestation ?	Une perte de la biodiversité et de la fonction de régulation vis-à-vis du cycle du carbone.
Qu'est-ce que l'ingénierie écologique ?	Ensemble des techniques permettant de réparer, optimiser, voire recréer des écosystèmes.
Pourquoi les coupes rases de forêts sont-elles progressivement abandonnées en France ?	Parce qu'elles perturbent les sols en les mettant à nu, même provisoirement, et défigurent le paysage.

8 Maîtriser ses connaissances BAC

Présentez quelques conséquences de la déforestation intensive subie par les forêts tropicales humides.

9 Maîtriser ses connaissances BAC

En vous basant sur cette photographie d'une hêtraie en automne, exposez les principaux services écosystémiques assurés par une telle forêt.

10 Interpréter un graphique et en tirer des conclusions

Dans une forêt tempérée de chênes, les effets d'un détourage réalisé en 2010 ont été évalués. Cette opération consiste à enlever tous les végétaux au contact des chênes d'avenir. Les résultats sont donnés dans le graphique ci-dessous.

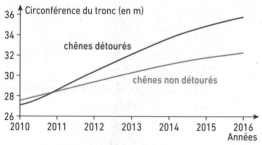

Quel est l'effet du détourage sur les chênes ?

11 Exploiter un tableau et exprimer mathématiquement

L'évaluation des superficies mondiales de quatre types de forêt a été réalisée entre 2000 et 2015, par périodes de cinq ans. Les résultats sont donnés en millions d'hectares par an (source FAO 2016).

Forêts	2000/2005	2005/2010	2010/2015
Boréales	− 0,2	+ 1	− 0,1
Subtropicales	− 0,1	− 0,8	+ 0,1
Tempérées	+ 3,5	+ 3	+ 2
Tropicales	− 8	− 7	− 6

Calculez l'augmentation ou la diminution annuelle de superficie de chaque type de forêt entre 2000 et 2015.

Rédigez un texte commentant plus précisément les évolutions calculées lors de cette période.

12 Extraire et exploiter des informations

Dans un rapport publié par la FAO (Organisation des Nations Unies pour l'Alimentation) en 2006, on peut lire : « *Nous devons assurément arrêter la déforestation et accroître la superficie des terres émergées boisées.* » Cette affirmation découle de l'analyse de l'extrapolation présentée par la carte ci-dessous.

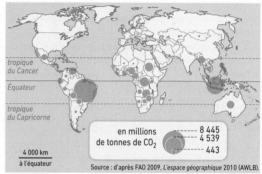

Modélisation de la libération de carbone à l'horizon 2030.

Justifiez l'affirmation de l'auteur de ce rapport.

13 Faire un schéma fonctionnel

La maladie de Lyme est provoquée par la bactérie *Borrelia burgdorferi* transmise par les piqûres de tiques. Si la piqûre n'est pas détectée et traitée, la maladie peut s'installer et provoquer l'apparition de symptômes (douleurs articulaires, troubles nerveux et cardiaques) sur plusieurs mois ou années. C'est une maladie qualifiée d'émergente du fait de l'augmentation du nombre de cas observés notamment au nord-est des États-Unis. On constate dans ces régions une importante fragmentation des parcelles forestières favorables à la souris à pattes blanches *Peromyscus leucopus* qui prolifère facilement en lisières (par absence de compétiteurs et de prédateurs). Or cette souris est, pour la bactérie, un réservoir idéal où elle se développe facilement sans rendre malade son hôte.

Expliquez, sous la forme d'un schéma fonctionnel, l'impact de la déforestation sur la santé humaine illustré par cet exemple.

14 Ripisylves et gestion des crues

Une commune, gravement touchée par d'importantes inondations ayant entraîné des décès, recherche un moyen de limiter les risques lors des prochains épisodes pluvieux. Elle envisage, en amont de la commune, l'installation de ripisylves, c'est-à-dire de bandes forestières le long des cours d'eau.

En tant que responsable d'un cabinet d'études, vous présentez au conseil municipal les résultats d'une modélisation de la présence ou de l'absence d'une ripisylve sur le débit de la rivière lors de deux inondations d'intensités différentes (graphique ci-contre).

1. **Présentez précisément les effets de la présence de la ripisylve dans chaque cas.**

2. **Expliquez en quoi cette solution peut répondre au besoin exprimé par la commune.**

3. **À l'aide de vos connaissances apportez des arguments complémentaires en faveur du choix de l'installation d'une ripisylve.**

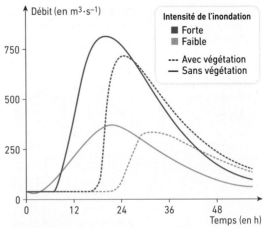

■ Modélisations du débit de la rivière dans quatre situations.

15 Forêts et réchauffement climatique

Les sols constituent des réservoirs plus ou moins importants de stockage du carbone sous forme organique (**A**).

Des chercheurs canadiens ont déposé sur 21 sites repérés par les lettres sur la carte (**B**) un échantillon de litière identique. Trois ans plus tard, ils sont revenus mesurer la quantité de matière perdue par décomposition.

Leurs résultats sont présentés dans le graphique (**C**).

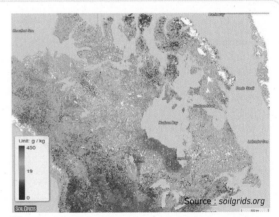

A Réservoirs de carbone dans les sols (Canada).

type d'environnement
■ Arctique
■ Subarctique
■ Boréal
■ Tempéré
■ Prairie
■ Montagneux

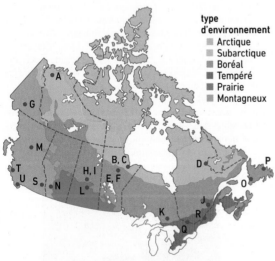

B Répartition géographique des sites étudiés.

■ À partir des documents proposés et de vos connaissances :
– analysez les résultats de l'étude menée par les chercheurs canadiens.
– expliquez pourquoi on peut craindre une accélération du réchauffement climatique.

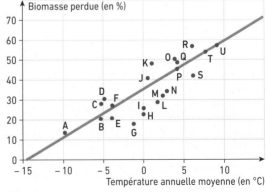

C Biomasse perdue par décomposition en fonction de la température du site d'études.

★ facile   ★★ intermédiaire   ★★★ confirmé

16 Ingénierie écologique en plaine de la Crau

★
★
★

Située dans le département des Bouches-du-Rhône, la plaine de la Crau est la seule steppe* (localement nommée « coussouls de Crau ») semi-aride d'Europe occidentale. En 2006, les pouvoirs publics y lancent l'une des plus grandes opérations d'ingénierie écologique d'Europe.

▣ **Montrez que ce projet d'ingénierie écologique est un projet de réhabilitation écologique aboutissant à une restauration de services écosystémiques que vous préciserez.**

Le sol de la steppe de la Crau est pauvre, caillouteux et sec. Pourtant, la biodiversité y est importante car jusqu'à 70 espèces végétales au m² s'y développent en compagnie de 130 espèces animales dont certaines sont uniques au monde (A). Elle constitue aussi un refuge de reproduction vital pour de nombreux oiseaux (ganga cata, outarde canepetière, etc.).

A Le criquet rhodanien et le bupreste de Crau sont deux insectes endémiques* de la plaine de la Crau.

Jusqu'au XVIIIᵉ siècle, les 40 000 ha de cette steppe servaient de pâturage aux troupeaux de moutons de la région. De la fin du XIXᵉ siècle jusqu'aux années 1970, le développement de l'irrigation permit une production intensive de foin ainsi que l'installation de cultures maraîchères et de vergers industriels. Aujourd'hui, il reste moins de 10 000 ha de l'écosystème d'origine.

Après l'acquisition de 357 ha de vergers à l'abandon en 2008, les pouvoirs publics entreprennent les travaux de nettoyage en 2009. Plus de 300 000 arbres, en dépérissement depuis l'arrêt de l'irrigation, sont arrachés et valorisés dans une filière bois-énergie locale.

B Transfert de sol.

Les terrains sont ensuite aplanis et réensemencés par deux méthodes expérimentales :

• Le transfert de sol (contenant les semences des espèces naturellement présentes) de coussouls condamnés par des projets d'aménagements (B).

  Cette technique présente l'avantage de reconstituer le plus fidèlement possible les caractéristiques biotiques (organismes du sol) et abiotiques (pH, éléments minéraux) de la steppe.

• L'aspiration de foin sur une parcelle préservée de la steppe ensuite redéposée sur la parcelle à traiter (C).

C Transfert de foin.

Un suivi de 30 ans est nécessaire pour évaluer l'efficacité du projet notamment via des inventaires faunistiques et floristiques réguliers (D).

La remise en état du site fait aussi appel à la réimplantation d'une activité d'élevage ovin permettant d'intégrer une dimension socio-économique au projet. Deux bergeries ont ainsi été construites et mises à disposition des éleveurs voisins. Il s'agit d'une part active du fonctionnement de l'écosystème puisque le pâturage défavorise le retour des espèces arbustives.

	Zone non traitée	Zone traitée par transfert de foin	Zone traitée par transfert de sol
Indice de biodiversité (en % d'un coussoul sain)	36	42	87

D Évaluation de l'efficacité du projet 3 années après les travaux.

BAC

17 La pollinisation : un service écosystémique en danger

★★★ La reproduction des plantes à fleurs, sauvages ou cultivées, nécessite préalablement le transport des grains de pollen des organes sexuels mâles sur les organes sexuels femelles : c'est la pollinisation. Actuellement, ce service écosystémique de pollinisation est fortement menacé.

■ À l'aide de cet ensemble de documents, expliquez pourquoi le service de pollinisation doit être protégé puis discutez de l'intérêt de l'interdiction des insecticides néonicotinoïdes.

1 Les acteurs essentiels du service de pollinisation

Chez la plupart des plantes, divers dispositifs imposent la fécondation croisée : le pollen d'une plante ne peut féconder efficacement que les ovules d'une autre plante. Le transport des grains de pollen est principalement réalisé par deux types d'agents : le vent et les insectes. La pollinisation par le vent, appelée anémogamie, concerne les espèces dont les grains de pollen sont de petite taille (10 à 15 μm de diamètre) et abondant. On a calculé qu'un pied de maïs émet 50 millions de grains de pollen alors que 1 000 sont nécessaires à la fécondation des ovules d'un seul pied.

La pollinisation par les insectes est appelée entomogamie. Elle est majoritairement assurée par les hyménoptères*, comme les bourdons et les abeilles (A), qui récoltent pour se nourrir et alimenter leurs larves le nectar des fleurs (liquide sucré) et le pollen. Passant de fleur en fleur, ces insectes les fécondent involontairement grâce aux grains de pollen (B) retenus par leurs poils. Plus rarement, l'eau, les oiseaux et les chauves-souris assurent cette pollinisation.

En Chine, dans la province du Sichuan, de nombreux vergers sont déjà pollinisés manuellement par les êtres humains, du fait de la disparition des insectes pollinisateurs.

■ Abeille domestique butinant une fleur de tournesol (A) et grains de pollen de tournesol (B), observés au MEB*.

2 Le service de pollinisation chez les plantes cultivées

Au niveau européen, 80 % des espèces de plantes à fleurs sont pollinisées par des animaux, majoritairement par des insectes. Et pour les espèces cultivées, ce sont 84 % d'entre elles qui dépendent directement des insectes pollinisateurs.

Cette dépendance peut être mesurée par la perte relative de production agricole qui serait provoquée par la disparition des pollinisateurs (correspondance quantitative), que l'on associe à une appréciation générale qualitative.

Correspondance quantitative	Correspondance qualitative	Exemples
95 %	Essentielle	Melons, pastèques
65 %	Forte	Pommes, cerises, concombres, cornichons
25 %	Modérée	Aubergines, tournesol, groseilles, figues, fraises
5 %	Faible	Oranges, tomates
0	Nulle	Céréales

■ Les fleurs de melons, unisexuées*, sont essentiellement pollinisées par les abeilles.

Cet exercice se présente sous la forme d'une **tâche complexe** :
construisez votre propre démarche pour résoudre le problème posé.

Exercices

3 La valeur monétaire du service de pollinisation

Un rapport de juin 2016 du Commissariat au développement durable, organisme gouvernemental mis en place en 2008, souligne : « *L'évaluation du service de pollinisation réalisée dans le cadre de l'EFESE s'est attachée à quantifier l'une de ses dimensions : sa contribution à la production végétale française destinée à l'alimentation humaine. En 2010, on estime ainsi entre 2,3 et 5,3 milliards d'euros la contribution des insectes pollinisateurs à la valeur marchande de la production végétale française destinée à l'alimentation humaine ce qui représente entre 5,2 % et 12 % de cette valeur.* »

Cette valeur dépend du type de culture pratiquée et n'est donc pas uniformément répartie sur le territoire (cartes A et B).

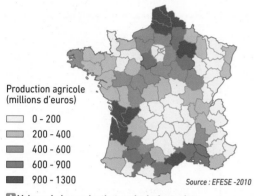

Production agricole
(millions d'euros)

- 0 - 200
- 200 - 400
- 400 - 600
- 600 - 900
- 900 - 1300

Source : EFESE -2010

A Valeur de la production agricole française.

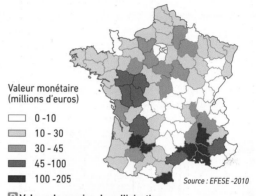

Valeur monétaire
(millions d'euros)

- 0 -10
- 10 - 30
- 30 - 45
- 45 -100
- 100 -205

Source : EFESE -2010

B Valeur du service de pollinisation.

4 L'interdiction des pesticides néonicotinoïdes

Suspectés de provoquer la mort des abeilles, les pesticides néonicotinoïdes* sont interdits en France depuis le 1er septembre 2018. Ces substances étaient utilisées en agriculture contre divers insectes ravageurs.

Pour tester l'effet des insecticides néonicotinoïdes, des chercheurs de l'INRA (Institut National de la Recherche Agronomique) ont mené l'expérience suivante : en travaillant sur plus de 650 abeilles, ils ont fait absorber à la moitié d'entre elles une goutte de solution sucrée enrichie d'un nanogramme (dose non mortelle) d'un pesticide néonicotinoïde, le thiaméthoxane ; la seconde moitié a reçu une simple goutte de solution sucrée. Par la mise au point d'un suivi individuel des abeilles (A), ils ont constaté que, relâchées à moins d'un kilomètre de la ruche, les butineuses ayant absorbé ce pesticide ont été 2 à 3 fois moins nombreuses à la rejoindre. D'autres travaux ont mis en évidence un second effet néfaste du thiaméthoxane. Environ 6 800 abeilles ont été munies d'une puce électronique (B) et installées dans des ruches situées à diverses distances de champs de colza traités avec ce pesticide. Leur espérance de vie a diminué de 22 % dans les ruches les plus proches des champs.

D'après « La Recherche », hors-série n° 29 Mars-Avril 2019.

B

Ruche (A) munie de lecteurs automatiques comptabilisant les entrées et sorties de chaque abeille porteuse d'une puce électronique (B).

A

Dans la revue « Le Betteravier français » du 14/03/2019, un agriculteur déclare : « *Il faudra maîtriser la cercosporiose et surtout la jaunisse. Nous n'avons plus de protection en enrobage de semences contre cette maladie avec l'interdiction des néonicotinoïdes. Mais il y a tout de même une bonne nouvelle avec l'homologation, le 21/03/2018, du Teppeki à base de flonicamide, pour lutter contre le puceron vert, vecteur de jaunisses virales. Son efficacité a été démontrée dans les expérimentations de l'ITB (Institut technique de la betterave) et ce produit constitue la seule alternative efficace à l'arrêt des néonicotinoïdes...* ». La betterave est une plante anémogame et ses fleurs n'apparaissent pas dans les cultures du fait de la récolte des tubercules* une année après le semis.

Une interdiction posant problème aux betteraviers du nord de la France.

CONSTRUIRE EN BOIS POUR LUTTER CONTRE LE RÉCHAUFFEMENT CLIMATIQUE

La plus vieille construction en bois connue est une partie du temple bouddhique d'Ikaruga au Japon (A) dont l'âge avoisine les 1300 ans ! En Europe ou en Amérique du Nord, de nombreuses habitations possèdent des éléments en bois vieux de plusieurs siècles. Ces constructions constituent donc une forme de stockage de long terme du carbone piégé dans le bois par l'activité photosynthétique des forêts.

Aujourd'hui encore, les forêts fournissent le bois nécessaire à la construction de charpentes traditionelles mais aussi d'habitations complètes : fustes*, chalets de montagne, maisons bioclimatiques* mais aussi des immeubles d'habitations (B). Ces constructions utilisent diverses essences (chêne, cèdre, mélèze, sapin, etc.) dont le choix est déterminé par les propriétés mécaniques du bois (résistance, souplesse) et le coût du projet.

Construire en bois est donc une manière de compenser nos émissions de CO_2 et limiter le réchauffement climatique.

A Cette pagode et le bois de sa charpente datent du VIIe siècle.

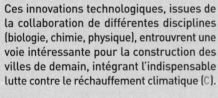

B Le bois : un matériau d'avenir.

Malheureusement, les propriétés mécaniques du bois ne permettent pas de réaliser des bâtiments très hauts. Le plus grand immeuble actuel en bois est une résidence universitaire de Vancouver (Canada) de 18 étages, atteignant 53 mètres. Cependant, plusieurs projets de gratte-ciel bois de plus de 100 m, dont une tour haute de 300 m à Londres, sont à l'étude. Afin de les mener à bien, des recherches visent à améliorer les qualités mécaniques du bois. Ainsi, des chercheurs du Maryland (USA) ont réussi à multiplier la dureté et la résistance du bois par 10 ! Pour ce faire, ils ont dû éliminer la lignine*, une macromolécule conférant sa rigidité naturelle au bois, puis comprimer ce dernier tout en le chauffant.

Ces innovations technologiques, issues de la collaboration de différentes disciplines (biologie, chimie, physique), entrouvrent une voie intéressante pour la construction des villes de demain, intégrant l'indispensable lutte contre le réchauffement climatique (C).

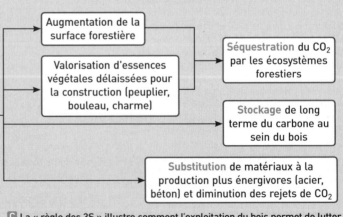

Développement de la construction bois

Augmentation de la surface forestière

Valorisation d'essences végétales délaissées pour la construction (peuplier, bouleau, charme)

Séquestration du CO_2 par les écosystèmes forestiers

Stockage de long terme du carbone au sein du bois

Substitution de matériaux à la production plus énergivores (acier, béton) et diminution des rejets de CO_2

C La « règle des 3S » illustre comment l'exploitation du bois permet de lutter contre le réchauffement climatique.

DES MÉTIERS DANS LE DOMAINE DE L'ÉCOLOGIE

✖ Devenir ingénieur(e) écologue

L'ingénieur(e) écologue a pour fonction d'analyser, de mesurer et de prévoir l'impact des activités humaines sur l'environnement et la biodiversité afin d'imaginer les mesures compensatoires nécessaires.
Il peut travailler dans le privé comme dans le public pour différents types d'organismes : bureaux d'études et sociétés de conseil en environnement, conservatoires et parcs naturels, sociétés autoroutières, collectivités territoriales et services de l'état, associations, industries, etc.

POUR Y PARVENIR Après l'obtention d'un bac avec spécialité SVT, des études longues sont nécessaires (bac + 5) via un parcours universitaire et l'obtention d'un master spécialisé ou par l'intermédiaire d'écoles d'ingénieurs (deux années de prépa intégrée puis 3 années de spécialisation), qui permettent également l'obtention de ces masters.

✖ Devenir technicien(ne) en gestion forestière

Le technicien supérieur en gestion forestière est un spécialiste du diagnostic de l'état d'une forêt et de la gestion de chantiers forestiers. Il peut cependant assurer des fonctions variées : gestion d'un massif forestier (planification des travaux sylvicoles, suivi des espèces...), développement d'animations auprès des propriétaires de parcelles forestières ou du grand public (communication, conseils, formations...), suivi d'une unité de transformation du bois (valorisation des produits, transports...), etc.

POUR Y PARVENIR Deux années permettent l'obtention d'un brevet de technicien supérieur. Divers BTS ou BTSA peuvent conduire à ce métier (gestion forestière, gestion et protection de la nature etc.). Une poursuite d'études d'un an est envisageable pour l'obtention d'une licence professionnelle.

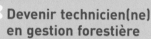

ils témoignent pour vous...

Jean-Baptiste

titulaire de deux BTS et d'une licence professionnelle en cartographie

Pouvez-vous nous expliquer les qualités à développer au lycée pour réussir dans le supérieur ? En quoi les SVT vous ont-elles été utiles ?

Coline

ingénieur agronome de l'école ISARA de Lyon

❝ *Pour réussir dans le supérieur, la rigueur est nécessaire. Celle-ci s'apprend dès le lycée et servira tout au long de la vie professionnelle. Une autre qualité à développer est l'analyse. Analyser une situation (par la collecte de données, leur traitement et l'élaboration d'une synthèse) permet de prendre les bonnes décisions. Outre cette méthodologie, les SVT m'ont amené à obtenir des bases solides en écologie qui sont fondamentales dans les métiers liés à l'environnement.*
Tout ceci m'a permis de développer mon esprit critique et mon sens de l'investigation... ❞

❝ *Les cours en amphithéâtre sont différents de ceux du lycée. Les informations sont très théoriques et les concepts rapidement évoqués. Il faut être autonome pour creuser les passages de cours qui n'ont pas été développés, partager avec ses camarades les informations comprises et découvrir le lien des matières entre elles. Les SVT au lycée m'ont orienté vers cette autonomie en m'autorisant à appliquer mon mode d'apprentissage favori : transposer les cours écrits sous forme de schémas personnels. Cette méthode m'a obligée à être active pour trouver, par moi-même, toutes les connexions manquantes.* ❞

PARTIE **4**

Corps humain et santé

Retrouver des acquis

Des maladies génétiques

La diversité des individus d'une même espèce est en partie due à la variabilité de l'ADN. En effet, la séquence des nucléotides de l'ADN peut subir des mutations. C'est ainsi que se forment les divers allèles d'un même gène (A).

Certaines maladies ont une cause génétique (B) : des mutations peuvent être à l'origine d'allèles dont l'expression se traduit par des déficiences aux différentes échelles du phénotype. De telles maladies sont donc héréditaires.

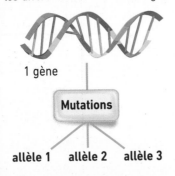

1 gène

Mutations

allèle 1   allèle 2   allèle 3

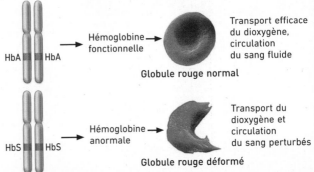

HbA   HbA   →   Hémoglobine fonctionnelle   →   Transport efficace du dioxygène, circulation du sang fluide

Globule rouge normal

HbS   HbS   →   Hémoglobine anormale   →   Transport du dioxygène et circulation du sang perturbés

Globule rouge déformé

A Mutations et diversité allélique.

B La drépanocytose : un exemple de maladie génétique.

Des maladies infectieuses

Certaines maladies sont dues à une infection par des microorganismes (bactéries, virus...).

La transmission des agents pathogènes par contagion peut alors être à l'origine d'épidémies (paludisme, SIDA, grippe...).

Épiderme   bactéries

Derme

vaisseau sanguin

A L'infection bactérienne.

Quand elles infectent un être humain, certaines bactéries rencontrent des conditions très favorables à leur prolifération : des ressources en eau, en nourriture, une température de 37 °C (A). Or, dans ces conditions optimales, une bactérie grandit, se divise et donne naissance à deux bactéries toutes les 20 minutes (B).

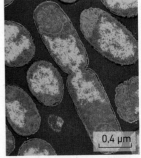

0,4 µm

B Une bactérie en division.

1 Pénétration du virus

virus   cellule infectée

2 Virus latent ou multiplication du virus

3 Sortie de nouveaux virus et destruction possible de la cellule

C L'infection virale.

Contrairement aux bactéries, les virus ne se divisent pas. Un virus pénètre dans une cellule hôte, dont il détourne la machinerie cellulaire pour s'y reproduire. De nombreux virus sortent de la cellule infectée par bourgeonnement, en provoquant souvent sa mort. Une cellule peut produire des milliers voire des millions de nouveaux virus.

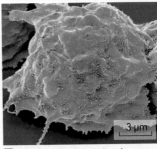

3 µm

D Cellule humaine infectée par le virus de la grippe.

Notre système immunitaire nous défend

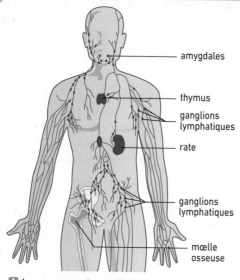

A Les organes du système immunitaire.

Le système immunitaire comprend de nombreux organes disséminés dans tout le corps, des cellules et des molécules dont le rôle est, entre autres, de lutter après contamination contre la prolifération et les effets des agents pathogènes.

Certains de ces organes, comme le thymus et la moelle osseuse, produisent les cellules immunitaires.

D'autres, comme la rate et les ganglions, les stockent et sont des organes où s'organisent les réponses immunitaires.

Animation

Les organes du système immunitaire

B Sang humain observé au microscope optique.

En cas d'infection, le système immunitaire réagit.

Les phagocytes éliminent les microorganismes en les englobant puis les digérant : c'est la phagocytose.

Si l'infection n'est pas maîtrisée, une réponse plus spécifique se met en place en quelques jours. Elle fait intervenir :

– Des lymphocytes B à l'origine de la fabrication de molécules d'anticorps. Les anticorps se fixent et neutralisent ainsi le microbe (ou des toxines qu'il libère).

– Des lymphocytes T capables de reconnaître et détruire les cellules infectées si le microbe s'est introduit dans une cellule (cas des virus par exemple).

L'utilisation des antibiotiques est un moyen pour aider l'organisme à lutter contre les bactéries.

La vaccination est un moyen préventif de protection contre une maladie.

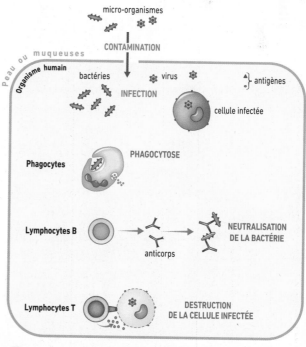

C L'action du système immunitaire suite à une infection.

Variation génétique et santé

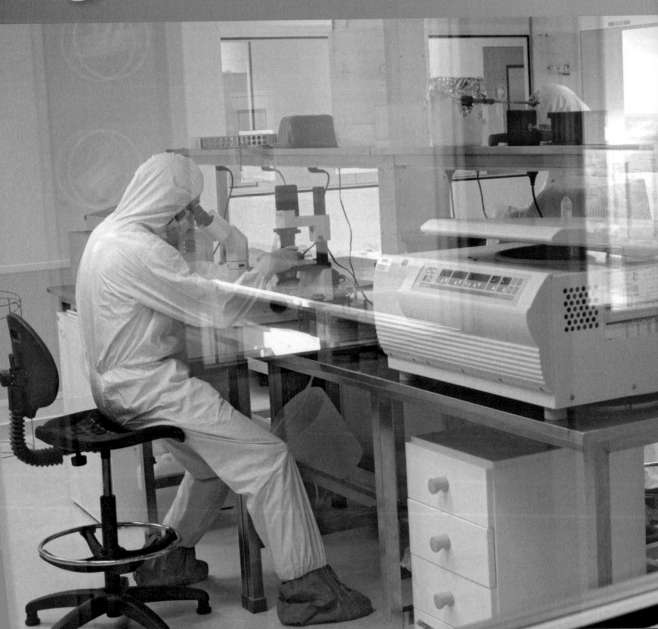

Chercheur travaillant dans un laboratoire sur les maladies génétiques (Généthon, Evry).

Des cellules devenues cancéreuses

Les cellules ci-contre sont des cellules du col de l'utérus qui se divisent sans contrôle. Leur prolifération est à l'origine d'une tumeur envahissante qui peut se propager à d'autres organes et provoquer le décès du patient. Pourtant, ce cancer est évitable.

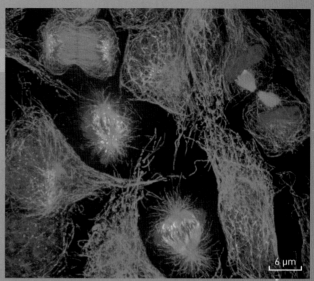

6 µm

La découverte des antibiotiques

En 1945, dix-sept ans après avoir découvert par hasard la pénicilline, Alexander Fleming met en garde contre le risque de résistance aux antibiotiques : « *La personne irréfléchie qui joue avec un traitement à base de pénicilline est moralement responsable de la mort de l'individu qui succombe à une infection par l'organisme résistant à la pénicilline.* »

Formuler les problèmes à résoudre

Ces documents évoquent plusieurs aspects relatifs à de grands problèmes de santé. Recherchez des exemples de maladies ainsi concernées, formulez des questions que cela vous suggère, montrant les défis auxquels la médecine est aujourd'hui confrontée.

La mucoviscidose, un exemple de maladie génétique

La mucoviscidose est qualifiée de maladie monogénique car cette pathologie est due à une ou des mutations concernant un seul gène. C'est une maladie grave qui touche 6 000 personnes en France. L'espérance de vie, qui était de 5 ans dans les années 1960, atteint aujourd'hui 50 ans.

Quelle est la cause de cette maladie et comment se manifeste-t-elle ?

1 Les manifestations cliniques d'une maladie grave

Les organes creux du corps humain sont tapissés par des cellules qui sécrètent un mucus* habituellement fluide. La mucoviscidose tire son nom du mucus anormalement visqueux* sécrété par ces cellules, provoquant de graves dysfonctionnements.

- Au niveau pulmonaire (A), l'accumulation de mucus dans les bronches provoque des difficultés à respirer, entretient des infections et, à la longue, détruit le tissu pulmonaire.

- Au niveau digestif, le mucus obstrue les canaux qui libèrent les enzymes pancréatiques dans l'intestin. Ceci se traduit par des problèmes digestifs importants, une perte de poids, et, à terme, par une altération du pancréas*. L'intestin, le foie, la vésicule biliaire* sont aussi fréquemment atteints.

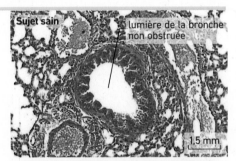

Sujet sain — lumière de la bronche non obstruée

1,5 mm

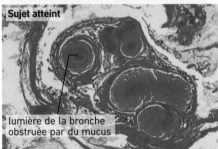

Sujet atteint

lumière de la bronche obstruée par du mucus

A Bronches d'un sujet sain et d'un sujet malade (microscopie optique, coupe transversale).

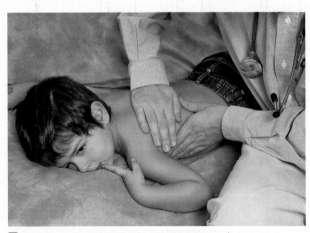

B Une séance de kinésithérapie respiratoire.

- La kinésithérapie respiratoire (B), réalisée deux fois par jour, permet d'éliminer les excès de mucus. Elle peut être faite par un professionnel ou par un membre de la famille ayant reçu une formation.

- Une hygiène de vie assez stricte doit être respectée. Le patient doit éviter les contacts avec les allergènes (poussières...), le tabac et les personnes atteintes d'infections des bronches. Une activité physique régulière et adaptée est conseillée.

- Des traitements médicaux (voir p. 306 et p. 309) ont permis des progrès importants.

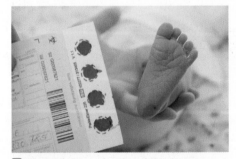

C Un dépistage systématique à la naissance.

En France, le **dépistage*** systématique de cinq maladies génétiques, dont la mucoviscidose (C), est pratiqué depuis 2002 chez le nourrisson de 3 à 4 jours. On prélève quelques gouttes de sang et on recherche la présence de marqueurs* caractéristiques de chacune des maladies. Ces études ont pour objet d'améliorer la prise en charge précoce du malade.

Animation

Comparaison CFTR

② Le dysfonctionnement d'une protéine membranaire à l'origine de la mucoviscidose

C'est une protéine bien précise, dénommée CFTR, qui a été identifiée comme responsable de la mucoviscidose. Après sa production dans le cytoplasme des cellules sécrétrices, cette protéine s'implante dans la membrane. Elle permet alors la sortie d'ions chlorure (Cl⁻), ce qui est nécessaire à la production d'un mucus fluide. Chez les malades, cette protéine est soit absente, soit anormale : le chlore ne peut plus circuler à travers la membrane cellulaire.

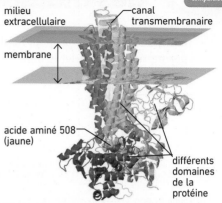

B Modèle moléculaire de la protéine **CFTR**.

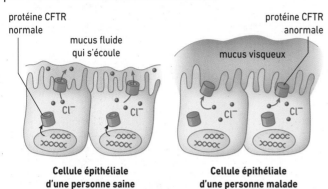

A Cellules épithéliales d'un sujet sain et d'un sujet malade.

La protéine CFTR est une grosse molécule formée de 1 480 acides aminés. Elle est normalement enchâssée dans la membrane des cellules épithéliales* et sa conformation tridimensionnelle ménage un canal permettant la sortie des ions chlorure.

③ L'origine génétique de la mucoviscidose

La protéine CFTR est codée par un gène situé sur le chromosome 7. Près de 2 000 mutations différentes de ce gène ont été identifiées. Certaines entravent la production de la protéine, d'autres conduisent à la synthèse d'une protéine défectueuse.

Activité pratique

À l'aide du logiciel Anagène ou GenieGen :
■ Comparer des allèles du gène CFTR afin d'identifier des mutations.
■ Utiliser les fonctionnalités du logiciel pour déterminer les conséquences sur la production de la protéine CFTR.

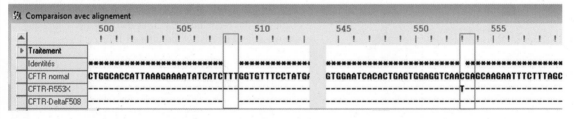

■ Comparaison partielle de trois allèles du gène **CFTR** (brin non transcrit d'ADN). Un tiret indique une identité, l'absence de tiret indique une délétion*. Les autres portions du gène sont identiques pour les trois allèles.

Activités envisageables

Pour comprendre l'origine et les manifestations de la mucoviscidose :

● **Expliquez comment une anomalie *a priori* mineure peut avoir des conséquences aussi importantes.**

● **Comparez les conséquences, à l'échelle moléculaire, des mutations mises en évidence par la comparaison des allèles.**

● **Faites un schéma de type « cause à effet » expliquant l'origine de la maladie et ses conséquences.**

Des clés pour réussir

● Vous pouvez utiliser le code génétique (p. 92).
● Mettez en relation les documents 2 et 3.
● Pensez aux différentes échelles de définition du phénotype.

* Lexique ➡ p. 422

PAGE Flashable   303

Origine et transmission des maladies monogéniques

(2)

Les maladies rares sont pour la plupart des maladies génétiques. Différentes stratégies permettent d'identifier le ou les gènes impliqués, de comprendre l'origine et le mode de transmission de l'anomalie et d'évaluer les risques d'être atteint par ces pathologies.

> *Comment la compréhension des causes et du mode de transmission d'une maladie monogénique permet-elle d'évaluer le risque génétique ?*

1 Mode de transmission de la mucoviscidose et identification du gène CFTR

Tout individu possède deux allèles de chaque gène. Si les deux allèles sont identiques, le sujet est dit homozygote*. Si les deux allèles sont différents, il est qualifié d'hétérozygote* (A).

L'examen d'arbres généalogiques familiaux comme celui présenté ci-contre (B) permet de déterminer qu'il s'agit d'une maladie à transmission **autosomique* récessive***.

On peut en effet déterminer comment l'allèle responsable est transmis et à quelles conditions un sujet est atteint.

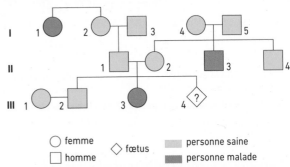

○ femme ◇ fœtus ▨ personne saine
□ homme   ▩ personne malade

B Arbre généalogique d'une famille concernée par plusieurs cas de mucoviscidose.

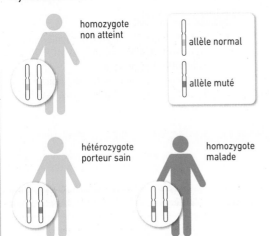

homozygote non atteint

hétérozygote porteur sain

homozygote malade

allèle normal

allèle muté

A Les différents génotypes possibles.

Le gène impliqué dans cette pathologie est longtemps resté inconnu. C'est l'étude des génomes de grandes cohortes de patients qui a permis son identification.

En 1985, une liaison génétique fut établie : les sujets atteints furent identifiés comme possédant généralement un marqueur génétique connu, situé sur le bras long du chromosome 7. En utilisant des techniques d'analyse d'ADN, le gène impliqué fut précisément localisé et identifié en 1989.

Animation
Hérédité et arbre généalogique

Cette découverte confirme que le gène CFTR est localisé sur un autosome. Il s'agit d'un grand gène (250 000 paires de nucléotides) comportant 27 exons*. On a identifié de nombreuses mutations de ce gène. Dans la population française, le risque d'être porteur d'une mutation du gène CFTR est en moyenne de 1/32. La mutation F508Δ (voir page 303) est la plus fréquente (70 % des cas).

Le gène identifié a été cloné* et le modèle de la protéine CFTR a pu être établi (voir p. 303). La maladie est récessive car la présence d'un seul allèle non muté permet en général une synthèse suffisante de la protéine CFTR.

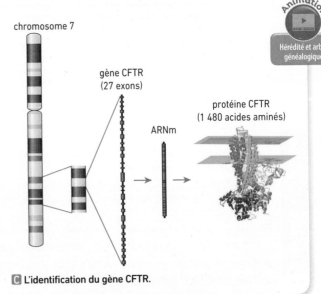

chromosome 7

gène CFTR (27 exons)

ARNm

protéine CFTR (1 480 acides aminés)

C L'identification du gène CFTR.

2 Le cas d'une maladie liée au sexe : exemple de la myopathie de Duchenne

La myopathie de Duchenne, ou dystrophie musculaire de Duchenne (DMD) affecte principalement des garçons avec une incidence* de 1 / 3 300 (*source : Orphanet*). Cela s'explique car cette pathologie grave est une maladie récessive causée par diverses anomalies du gène DMD, situé sur le chromosome X (A).

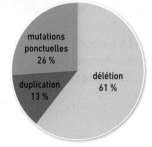

mutations ponctuelles 26 %

délétion 61 %

duplication 13 %

A Principales anomalies du gène DMD.

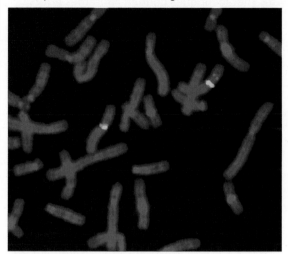

Ce gène permet la synthèse de la dystrophine, une protéine impliquée dans le soutien des fibres musculaires. Chez les malades, la dystrophine n'étant pas ou mal synthétisée, cela provoque une dégénérescence progressive de l'ensemble des muscles de l'organisme avec une espérance de vie réduite.

Sur le caryotype ci-contre (B), la technique d'hybridation par des sondes* fluorescentes (FISH) permet de repérer un allèle muté. Une sonde jaune se fixe spécifiquement sur le chromosome X, tandis qu'une autre sonde, de couleur rose, se fixe sur le gène DMD, si celui-ci est présent dans son intégralité.

B Marquage du gène responsable de la myopathie de Duchenne (FISH, microscopie optique).

3 Le conseil génétique

La consultation de conseil génétique (B) permet d'évaluer un risque dans une situation précise, éventuellement d'orienter vers un diagnostic prénatal* ou vers le dépistage d'un sujet afin de rechercher s'il est porteur d'une mutation.

A Arbre généalogique d'une famille concernée par la DMD.

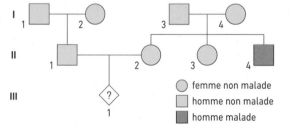

○ femme non malade
□ homme non malade
■ homme malade

Le plus souvent, les mutations à l'origine des maladies génétiques sont héritées. Mais parfois (30 à 40 % des cas de myopathie), la mutation est absente chez les parents : il s'agit d'une mutation *de novo* (voir p. 67).

voir p. 67

Activités envisageables

Pour comprendre la transmission des maladies monogéniques et comment on évalue un risque :

● Évaluez le risque d'avoir un enfant atteint de mucoviscidose pour un couple n'ayant pas d'antécédents familiaux connus.

● Expliquez quels sont les génotypes possibles et leur probabilité pour l'enfant à naître III 4 (Doc 1). Évaluez le risque pour le sujet II4 d'avoir un enfant atteint de mucoviscidose.

● Représentez par un schéma le mode de transmission de la myopathie et expliquez pourquoi ce sont en général les garçons qui sont atteints. Explorez le cas de l'arbre généalogique du doc 3.

Des clés pour réussir

● Tenez compte des diverses informations dont on dispose.

● Inspirez-vous du schéma du doc 1A mais tenez compte de la localisation du gène DMD.

* Lexique ➡ p. 422

3 Limiter les effets d'une maladie génétique

La compréhension de l'origine d'une maladie génétique et de ses conséquences sur l'organisme permet d'envisager des réponses thérapeutiques pour en limiter les effets et soulager les malades.

Comment peut-on prendre en charge une maladie génétique ?

1 Des traitements pour mieux vivre avec la mucoviscidose

A L'aérosolthérapie, une voie d'administration qui renforce l'efficacité de certains médicaments.

Il n'existe aujourd'hui pas de traitement permettant de guérir de la mucoviscidose. Les médicaments visent à soulager les symptômes de la maladie et lutter contre ses effets. Le traitement par aérosols* est la principale méthode proposée. Cette technique permet une action rapide et mieux ciblée des médicaments inhalés. Ceux-ci visent à limiter l'inflammation*, provoquer une dilatation des bronches ou combattre des infections (**antibiotiques***).

Du point de vue nutritif, l'alimentation doit être adaptée et enrichie pour compenser la mauvaise absorption des nutriments : moins de graisses, plus de protéines et de vitamines. L'absorption d'enzymes vise à faciliter la digestion en compensant la fonction pancréatique défectueuse.

Une autre approche consiste à tenter de restaurer ou compenser la fonction de la protéine CFTR. De nombreuses molécules sont aujourd'hui en phase d'essais et donnent des résultats encourageants.

Ces molécules visent à :
– permettre la mise en place de la protéine CFTR au niveau de la membrane cellulaire (correcteurs) ;
– agir sur la protéine CFTR pour augmenter son efficacité, par exemple en facilitant l'ouverture du canal de sortie de l'ion Cl^- (potentiateurs) ;
– augmenter la production de la protéine CFTR quand celle-ci est insuffisante ou dans le but de favoriser l'action des autres molécules (amplificateurs).

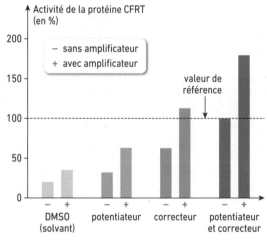

B Effet de différentes molécules sur l'activité de la protéine CFTR.

Lorsque l'altération des poumons devient une préoccupation majeure, la greffe des poumons est envisagée. Elle se traduit par une amélioration considérable de la qualité et de l'espérance de vie.

Environ 11 % des personnes atteintes de mucoviscidose en France vivent aujourd'hui avec des poumons greffés. De mieux en mieux maîtrisée et en constante augmentation, la transplantation pulmonaire est un espoir pour de nombreux malades.

C Radiographie pulmonaire d'un patient souffrant de mucoviscidose.

② Contrôler les facteurs environnementaux pour limiter la drépanocytose

La drépanocytose est une des maladies génétiques les plus répandues dans le monde (voir page 96). Si le déterminisme de cette pathologie est bien génétique, d'autres facteurs interviennent pour déclencher les modifications moléculaires à l'origine des crises drépanocytaires.

En effet, l'hémoglobine HbS qui résulte de l'expression de l'allèle muté, peut exister dans les hématies sous forme soluble ou sous forme de fibres insolubles, en proportions variables. C'est la formation de fibres qui est à l'origine de la déformation des hématies provoquant les crises liées à la maladie. Le passage de l'état soluble de l'hémoglobine à sa polymérisation en fibres est un équilibre chimique dépendant de plusieurs facteurs qui ont pu être testés en laboratoire.

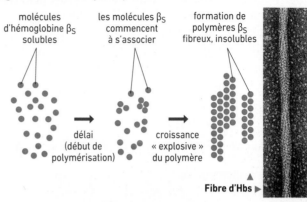

molécules d'hémoglobine β_S solubles

les molécules β_S commencent à s'associer

formation de polymères β_S fibreux, insolubles

délai (début de polymérisation)

croissance « explosive » du polymère

Fibre d'Hbs ▶

A La formation d'une hémoglobine fibreuse, à l'origine des symptômes de la maladie.

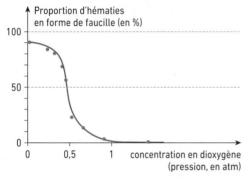

Proportion d'hématies en forme de faucille (en %)

concentration en dioxygène (pression, en atm)

B Pourcentage d'hématies déformées en fonction de la concentration en dioxygène.

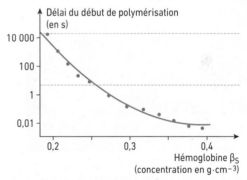

Délai du début de polymérisation (en s)

Hémoglobine β_S (concentration en $g \cdot cm^{-3}$)

C Temps nécessaire à la formation des fibres en fonction de la concentration en hémoglobine S.

La prise en charge de la drépanocytose repose notamment sur des recommandations qui permettent de prévenir les crises et les complications :

– Pas d'altitude supérieure à 2 000 m.

– Porter des vêtements non serrés, aérer les locaux.

– Éviter les efforts violents ou prolongés.

– Éviter la déshydratation : ne pas rester trop longtemps au soleil, boire de l'eau.

– Surveiller la fièvre, cause d'une déshydratation même légère.

– Limiter les écarts de température (en cas de baignade par exemple) afin d'éviter les phénomènes de vasoconstriction*.

D La drépanocytose expliquée aux jeunes (Fête de la science à Pointe-à-Pitre, Guadeloupe).

Activités envisageables

Pour connaître des stratégies visant à limiter les effets d'une maladie génétique :

● Faites l'inventaire des moyens mis en œuvre ou explorés pour lutter contre ces deux maladies. Discutez de leur efficacité.

● Comparez ces deux exemples et montrez qu'ils reposent sur une bonne connaissance scientifique des pathologies à prendre en charge.

Des clés pour réussir

● Expliquez pourquoi une maladie génétique est difficilement guérissable.

● Reliez les symptômes à leur cause.

● Justifiez les différences d'approche dans chacun des deux cas.

* Lexique ➡ p. 422

4

La thérapie génique : corriger l'anomalie génétique

Pour guérir définitivement d'une maladie génétique, l'idée qui s'impose est de corriger l'anomalie à l'origine de la maladie. Ce concept de thérapie génique, né dans les dernières décennies du xxᵉ siècle, a suscité beaucoup d'espoirs, mais aussi des déceptions, avant d'aboutir à des résultats prometteurs.

Quels sont les perspectives actuelles offertes par la thérapie génique ?

1 Des premiers résultats aux multiples stratégies actuelles

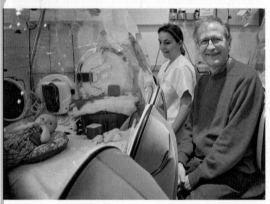

A Alain Fischer en présence d'un enfant atteint de déficit immunitaire qui l'oblige à vivre en conditions aseptiques* strictes.

La thérapie génique a été initialement conçue pour insérer dans les cellules une copie fonctionnelle du gène qui leur fait défaut, afin que celle-ci s'exprime et que les protéines produites accomplissent leur fonction. Il faut pour cela disposer de vecteurs capables d'intégrer ce gène au génome des cellules. Ce gène vient alors s'ajouter au patrimoine génétique des cellules ciblées par le vecteur (B).

Depuis quelques années, l'évolution très rapide des connaissances et des technologies a permis d'élargir la thérapie génique à de nombreuses indications (C).

En 2000, l'équipe d'Alain Fisher, de l'hôpital Necker à Paris (A), annonce le premier succès mondial d'une **thérapie génique*** réalisée chez une fillette de 4 ans atteinte d'une forme génétique de déficit immunitaire*.

Par la suite, grâce à de nouveaux protocoles cliniques et des vecteurs* améliorés (pour éviter les problèmes d'insertions aléatoires à l'origine de plusieurs cas de leucémies*), ces approches ont permis d'obtenir de nouveaux succès thérapeutiques.

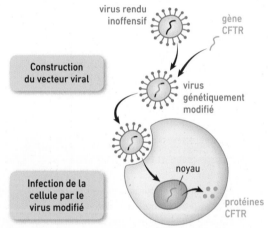

B Premier essai de thérapie génique classique mise en œuvre dans le cas de la mucoviscidose (essai s'avérant peu concluant).

Les différentes approches de la thérapie génique actuellement

- Suppléer un gène déficient.
- Supprimer ou réparer un gène anormal directement dans la cellule.
- Modifier les ARNm pour obtenir une protéine fonctionnelle.
- Produire des cellules modifiées en les dotant de propriétés thérapeutiques (anti-tumorales par exemple).
- Modifier des virus pour qu'ils détruisent des cellules cancéreuses ou produisent des molécules actives.

(D'après Inserm)

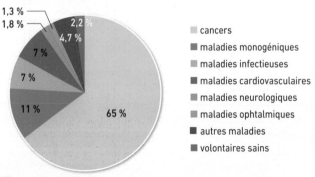

1,3 %
1,8 %
2,2 %
4,7 %
7 %
7 %
11 %
65 %

- cancers
- maladies monogéniques
- maladies infectieuses
- maladies cardiovasculaires
- maladies neurologiques
- maladies ophtalmiques
- autres maladies
- volontaires sains

C Indications visées par les essais cliniques de thérapie génique (1989 - 2017).

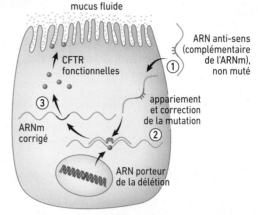

2 De nouvelles stratégies pour vaincre la mucoviscidose

De nouveaux essais sont en cours concernant la mucoviscidose :

– En 2012, un important essai de thérapie génique utilisant un vecteur synthétique (liposome*) a donné des résultats modestes, mais encourageants.

– En 2018, un essai de thérapie génique « nouvelle génération » est annoncé. Il utilise un virus rendu inoffensif mais capable d'introduire une copie saine du gène CFTR dans les cellules pulmonaires et pouvant être inhalé de façon répétée.

– Une thérapie innovante (molécule baptisée QR-10) donne des résultats prometteurs (essais cliniques sur 70 patients) : cette molécule, constituée d'une courte séquence d'ARN, vise à réparer l'ARNm. Elle est administrée par aérosol.

■ Principe de la stratégie de l'ARN anti-sens*.

3 L'espoir d'une guérison

En mars 2017, l'équipe du professeur Marina Cavazzana (Inserm, Hopital Necker, Paris) annonçait le succès d'une thérapie génique entreprise trois ans plus tôt chez un adolescent de 13 ans qui souffrait d'une forme très sévère de drépanocytose.

Aujourd'hui, le jeune garçon a un taux d'hémoglobine normal, la protéine résultant de l'expression du gène transféré représentant 50 % de son hémoglobine circulante. Il n'a plus besoin de transfusions sanguines et a repris ses activités scolaires et sportives.

La thérapie génique s'est effectuée « ex-vivo » : des cellules souches* ont été prélevées, modifiées, puis réinjectées au patient. Le vecteur utilisé est un virus modifié. Le gène inséré est une forme fonctionnelle du gène codant pour l'hémoglobine, auquel on a volontairement inséré une mutation qui se traduit par une inhibition particulièrement forte de la polymérisation de l'hémoglobine (voir page 307).

D'autres équipes explorent d'autres stratégies, notamment la possibilité de corriger directement l'allèle défectueux avec CRISPR-Cas9, l'outil révolutionnaire qui s'annonce très prometteur (voir page 134).

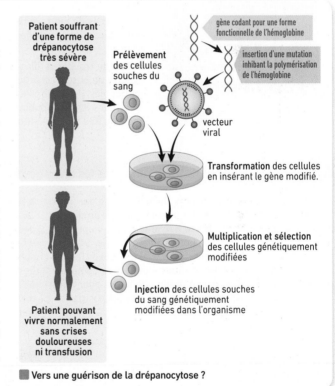

■ Vers une guérison de la drépanocytose ?

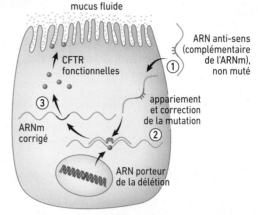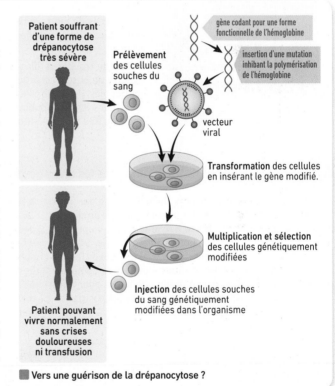

Activités envisageables

> *Pour comprendre les espoirs suscités par les progrès récents de la thérapie génique :*

● Comparez les deux exemples présentés par les documents 2 et 3.

● Recherchez des informations sur le complexe moléculaire CRISPR-Cas9 et expliquez comment il pourrait être utilisé pour la thérapie génique.

Des clés pour réussir

● Relevez la particularité du gène transféré dans l'exemple du doc 3.

● Pour en savoir plus sur CRIPSR-Cas9, reportez-vous à la p. 134, envisagez les indications possibles (doc 1C).

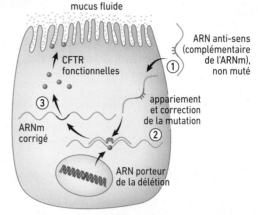

Unité 4

5

Prédispositions génétiques et facteurs environnementaux

Beaucoup de maladies sont multifactorielles : des facteurs liés au mode de vie et à l'environnement s'ajoutent à des causes d'origine génétique pour provoquer le développement d'une pathologie.

> *Comment détermine-t-on les multiples facteurs qui interviennent dans le déclenchement d'une maladie ?*

1 Les maladies cardiovasculaires, une des premières causes de mortalité

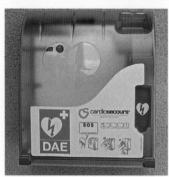

En France, malgré les progrès thérapeutiques et la prévention, les **maladies cardiovasculaires*** sont encore à l'origine de 140 000 décès par an. Elles peuvent affecter les veines (phlébites*), les artères (AVC*, anévrismes*) ou le cœur (infarctus du myocarde*).

40 000 cas de morts subites dues à un trouble du rythme cardiaque surviennent chaque année en France.

En cas de trouble cardiaque majeur, les premières minutes de prise en charge sont cruciales. Pour sauver des vies, des défibrillateurs* sont désormais installés dans les lieux publics, permettant d'apporter une aide très rapide en attendant les secours.

■ Un défibrillateur : les instructions sont données par un guidage vocal.

2 La mise en évidence de l'influence de facteurs génétiques

■ Afin de rechercher si les cas de mort subite par arrêt cardiaque ont un déterminisme génétique, une **étude épidémiologique*** a été menée pendant 25 ans auprès de 7 746 hommes, employés de la ville de Paris, âgés de 42 à 53 ans, sans problèmes cardiaques au début de l'étude. L'analyse statistique des résultats a permis de comparer les taux de décès entre un groupe de sujets ayant des antécédents familiaux et un groupe n'ayant pas d'antécédents familiaux (A).

■ Une autre étude a exploité des données cumulées sur 26 ans concernant 9 262 jumeaux. Dans le cas où l'un des deux jumeaux est décédé d'un infarctus du myocarde, on a recherché s'il était plus fréquent ou non que le jumeau survivant développe lui aussi cette même pathologie.
Ce risque est exprimé relativement, par rapport à la probabilité de présenter cette pathologie chez des jumeaux de même âge tous deux encore en vie. Les résultats sont présentés en fonction de l'âge du décès du premier jumeau (B).

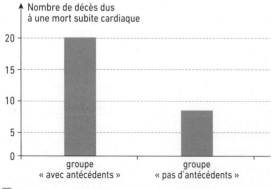

A Pourcentage de décès par mort subite dans deux groupes.

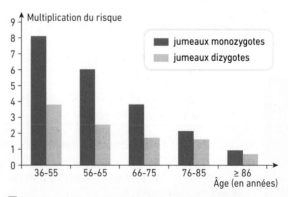

B Risque relatif de maladie cardiaque chez des sujets en fonction de l'âge du décès par infarctus de leur jumeau.

③ Le balayage du génome pour identifier des allèles de prédisposition

Les techniques de séquençage du génome permettent aujourd'hui de faire des recherches de variations génétiques statistiquement corrélées à des troubles cardiovasculaires, en analysant l'ensemble du génome d'un grand nombre d'individus.

On s'intéresse particulièrement aux sites de l'ADN qui présentent une variabilité due au changement d'un seul nucléotide (SNP, voir page 53).

Ainsi, une recherche menée en 2011 sur 2 905 sujets a montré que la possession d'une mutation de la séquence SNP rs3739998 située sur le chromosome 10 (possédée par 20 % de la population européenne) augmentait de 30 % le risque cardiovasculaire.

De tels résultats peuvent ensuite être exploités, d'une part pour la **prévention*** des personnes possédant ce facteur de risque (ce qui suppose de les identifier), d'autre part pour orienter la recherche scientifique sur les conséquences biologiques de la mutation concernée.

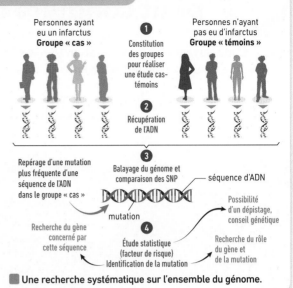

Une recherche systématique sur l'ensemble du génome.

④ L'influence des facteurs individuels et environnementaux

« The INTERHEART study », est une très large étude « cas-témoins »*, réalisée entre 1999 et 2003 pour analyser l'impact des facteurs de risques environnementaux ou du mode de vie sur l'infarctus du myocarde.

Conditions de l'étude :

– 15 152 cas : personnes ayant eu un infarctus.

– 14 820 témoins : personnes n'ayant pas eu d'infarctus.

– 52 pays, 5 continents.

– Toutes les classes d'âge, personnes des deux sexes.

Les résultats de l'enquête ont permis de préciser l'impact d'un certain nombre de facteurs (multiplication ou division du risque d'infarctus).

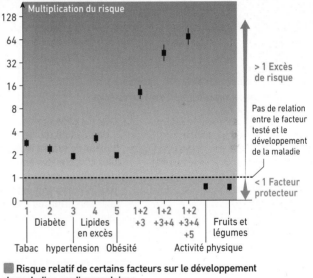

Risque relatif de certains facteurs sur le développement de maladies cardiovasculaires.

Activités envisageables

Pour comprendre comment on détermine les facteurs qui influencent le développement de maladies aux causes multiples :

● Analysez chacune des études présentées et formulez les informations qu'elles apportent.

● Envisagez les mesures qui pourraient alors être prises pour diminuer l'incidence des maladies cardiovasculaires.

Des clés pour réussir

● Montrez l'intérêt mais aussi les limites de chacune des études.

● Pensez à la prévention, aux soins, à la recherche médicale fondamentale et appliquée, à l'information du public, jeune et moins jeune.

* Lexique ➡ p. 422

Une altération du génome peut conduire au cancer

Dans certains cas, une mutation somatique peut conduire à la formation d'un clone cellulaire qui se multiplie de façon incontrôlée, à l'origine d'un cancer.

Quelles sont les causes et facteurs qui conduisent à la cancérisation et quelles sont les moyens de prévention ?

1 D'une cellule fonctionnelle au développement d'une tumeur

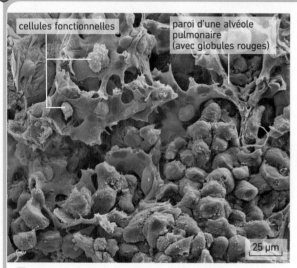

cellules fonctionnelles

paroi d'une alvéole pulmonaire (avec globules rouges)

25 µm

A Cellules cancéreuses (en vert) dans les alvéoles d'un poumon (MEB*).

cellule mutée

Mutation de gènes de régulation du cycle cellulaire

Croissance

tumeur

Multiplication incontrôlée des cellules mutées formant une tumeur

Accumulation des mutations et prolifération de cellules cancéreuses

Vascularisation importante de la tumeur et migration de cellules cancéreuses

vascularisation — cellule cancéreuse

B L'origine de métastases.

Dans l'organisme, le fonctionnement cellulaire est soumis à une régulation permanente :
– l'ADN est systématiquement contrôlé, les lésions et mutations réparées ;
– les cellules qui ne remplissent plus leur fonction sont détruites par le système immunitaire (voir chapitre 3) ;
– la multiplication des cellules est contrôlée par des signaux moléculaires qui gouvernent le passage d'une phase à l'autre du cycle cellulaire.

Il arrive cependant que des cellules échappent à ces contrôles. Dans ce cas, elles peuvent acquérir plus ou moins rapidement les caractéristiques essentielles des cellules cancéreuses :
– **transformation** : la cellule perd la fonction qu'elle accomplissait au sein de l'organe ;
– **immortalité** : elle ne répond plus aux signaux d'autodestruction ;
– **prolifération** : elle se multiplie activement sans contrôle, conduisant à la formation d'une tumeur* d'abord de petite taille, aux cellules toutes identiques.

■ Une cellule qui se cancérise se multiplie indéfiniment, formant alors une tumeur de masse importante dont les besoins nutritifs augmentent. Les cellules cancéreuses émettent des signaux cellulaires qui stimulent par exemple le développement de nouveaux vaisseaux sanguins. Ceci facilite l'approvisionnement en nutriments, mais aussi la migration éventuelle de cellules tumorales vers d'autres régions de l'organisme où elles peuvent être à l'origine de tumeurs secondaires appelées métastases* (**B** et **C**).

En l'absence de soins, la tumeur peut atteindre assez rapidement une masse importante ; elle compromet alors la fonction de l'organe qui l'abrite. Dans le cas d'un **cancer*** pulmonaire, une insuffisance respiratoire se développe et peut être à l'origine du décès.

■ La surface irrégulière des cellules ci-contre (**C**) est caractéristique des cellules cancéreuses. Ceci modifie les propriétés d'adhésion des cellules entre-elles, facilite leur détachement et leur déplacement.

Tout en se divisant activement et anarchiquement, ces cellules peuvent alors former de nouveaux foyers cancéreux.

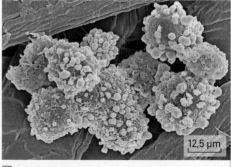

12,5 µm

C Cellules métastatiques (col de l'utérus).

2 Des gènes impliqués dans le processus de cancérisation

■ À la fin du xxᵉ siècle, les chercheurs ont suspecté certains gènes d'être impliqués dans le processus de cancérisation. C'est le cas du gène p53.

Ceci a été confirmé par des études expérimentales, notamment sur des souris très particulières dotées d'un gène p53 inactif, mais que l'on peut réactiver par des techniques spécifiques. Au début de l'une de ces expérimentations, les souris ont été irradiées, ce qui déclenche la formation de tumeurs ; on réactive ensuite l'expression du gène p53. Les résultats sont indiqués dans le graphique ci-contre.

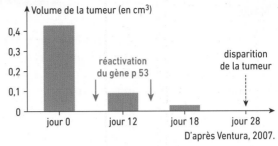

D'après Ventura, 2007.

A Évolution du volume de la tumeur au cours de l'expérience.

Activité pratique

On cherche à savoir si le gène p53 est effectivement impliqué dans le développement de tumeurs. Pour cela, il est possible de comparer des séquences d'ADN de cellules cancéreuses ou normales, provenant de divers individus (Logiciel Anagène ou GenieGen).

	730 740 750 760 770 780 790 800 810 820 830
Traitement	
Cellule normale	GCATGGGCGGCATGAACCGGAGGCCCATCCTCACCATCATCACACTGGAAGACTCCAGTGGTAATCTACTGGGACGGAACAGCTTTGAGGTGCGTGTTTGTGCCTGTCCTGGGAG
Cancer oesophage	--T-----
Cancer foie	------------------------T---
Cancer poumon	-------A---

B Comparaison des allèles p53 d'une cellule normale et de cellules cancéreuses.

■ Le rôle de la protéine p53 a pu être élucidé : c'est une protéine « facteur de transcription » (voir page 99). Elle active l'expression de nombreux gènes, impliqués dans la réparation de l'ADN, la destruction des cellules anormales, la régulation du cycle cellulaire.

Molécule 3D
Protéine p53

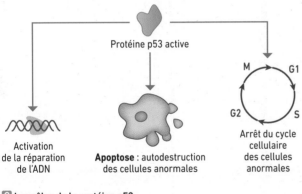

C Les rôles de la protéine p53.

D Protéine p53 en action.

Activités envisageables

Pour comprendre le processus de cancérisation :

● Étudiez l'ensemble des documents et faites un schéma de type « cause à effet » présentant le processus de cancérisation.

● Justifiez l'appellation de « gène suppresseur de tumeur » donné au gène p53.

● Discutez des conséquences possibles de mutations du gène p53.

Des clés pour réussir

● Avant de commencer le schéma, faites la liste des informations déduites de l'étude des différents documents puis ordonnez-les.

● Distinguez bien causes et conséquences.

7

Les cancers : des causes complexes

Les dérèglements cellulaires à l'origine d'un cancer peuvent être spontanés, mais il existe des facteurs qui peuvent augmenter le risque de cancer. Les études épidémiologiques permettent d'identifier ces facteurs et de mettre en œuvre des mesures de santé publique, notamment en matière de prévention.

Quels facteurs peuvent augmenter le risque de cancérisation ?

Dépistage organisé du cancer du sein
Dès 50 ans, c'est tous les **2 ans**

1 Des prédispositions génétiques

Le cancer du sein est une maladie qui touche beaucoup de femmes. Détectée très tôt par mammographie* (A), une petite tumeur peut-être traitée : la très grande majorité des femmes guérissent du cancer du sein.

Les études épidémiologiques et l'analyse du génome ont révélé que plus de 90 % des cancers du sein sont spontanés (des facteurs liés au mode de vie étant associés à une augmentation modérée du risque), 5 à 10 % étant liés à des facteurs génétiques héréditaires. Deux gènes, qui augmentent le risque de développer un cancer du sein, ont ainsi pu être identifiés (B et C).

En 2013, l'actrice Angelina Jolie, dont la mère et la grand-mère sont décédées d'un cancer du sein, révélait qu'elle avait décidé de subir une double mastectomie (ablation des deux seins). Un test génétique avait révélé qu'elle était porteuse d'une mutation du gène BRCA1.

A Campagne de dépistage du cancer du sein.

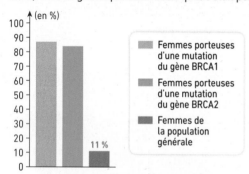

B Influence des mutations du gène BRCA1 ou BRCA2 sur le risque de développer un cancer du sein.

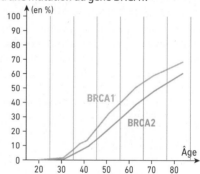

C Risque de développer un cancer du sein en fonction de l'âge chez les femmes portant des mutations du gène BRCA1 ou BRCA2.

2 Le mélanome, un cancer lié à la fois à des facteurs de risques individuels et environnementaux

En 2017, le plus grave des cancers de la peau, le mélanome* cutané, a touché près de 15 500 personnes en France. On estime que plus de 70 % des cas sont dus à des expositions excessives aux rayons UV. Contrairement aux idées reçues, les UV artificiels ne préparent pas la peau au soleil et sont classés cancérogènes* depuis 2009. L'Agence nationale de sécurité sanitaire (ANSES) recommande de cesser l'exposition de la population aux UV artificiels. Tout le monde est susceptible de développer un mélanome, mais nous ne sommes pas égaux face aux risques.

Les peaux à risques doivent faire l'objet d'une protection et d'une surveillance régulière.

Les facteurs de risque

Antécédents familiaux | Exposition au soleil | Peau claire et sensible | Taches de rousseur et grains de beauté | Âge

3 Le tabac, premier facteur de risque de cancer

Le tabagisme est à l'origine de 73 000 décès par an en France, dont 44 000 dus à un cancer, pouvant concerner différents organes. La fumée du tabac contient en effet au moins soixante-dix substances (benzène, arsenic, goudrons, polonium...) reconnues comme cancérogènes.

Une récente étude menée sur 5 243 cas de cancers a formellement démontré l'effet mutagène* de la fumée de cigarette et a permis de dénombrer, pour différents types cellulaires, les mutations imputables à la fumée de cigarette (A).

Cavité buccale	23
Pharynx	39
Larynx	97
Poumons	150
Foie	6
Vessie	18

A Nombre de mutations induites par la consommation d'un paquet de cigarette par jour pendant un an (*Source : L. B. Alexandrov, Science, nov. 2016*).

D'après Santé Publique France, la France compte 25 % de personnes consommant du tabac quotidiennement (ce taux est beaucoup plus élevé qu'au Royaume-Uni ou aux Etat-Unis par exemple). Le tabac constituant le facteur de risque évitable le plus important, la lutte contre le tabagisme est la priorité d'action en santé publique. À tout âge, l'arrêt du tabac entraîne un bénéfice significatif !

SAVOIR QUE FUMER LONGTEMPS, MÊME PEU, AUGMENTE LE RISQUE DE CANCER, C'EST POUVOIR AGIR.

4 Des microorganismes à l'origine de cancers

Une vaste étude épidémiologique, menée dans huit régions du monde, montre que 14 millions de nouveaux cas de cancer apparaissent chaque année. Les infections microbiennes sont en cause dans 15,4 % des cas (jusqu'à 31 % des cas dans les pays les moins avancés) (*source : The Lancet, 2016*).

La bactérie *Helicobacter pylori* (estomac), les virus hépatiques B et C (foie) et les papillomavirus sont responsables de 95 % de ces cas de cancer.

Il existe plus d'une centaine de papillomavirus (HPV) : ce sont des virus très contagieux et résistants, le plus souvent sans danger, touchant hommes et femmes dans toutes les régions. Certains sont bénins (verrues par exemple) mais une quinzaine d'entre eux sont cancérogènes.

L'infection par certains papillomavirus est à l'origine des cancers du col de l'utérus (4e cause de mortalité par cancer chez les femmes). Environ 8 femmes sur 10 sont exposées à ces virus au cours de leur vie.

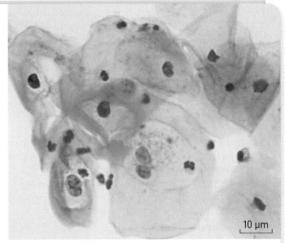

■ Cellules du col de l'utérus infectées par le virus HPV. Ces cellules sont considérées comme précancéreuses.

Ces virus ont la particularité de faire exprimer par la cellule hôte* des protéines virales qui se fixent sur des molécules régulatrices du cycle cellulaire, déstabilisant ainsi le contrôle cellulaire et favorisant l'apparition d'une tumeur.

Un vaccin, dont l'efficacité est proche de 100 %, est proposé aux jeunes filles à partir de 11 ans. En France, la couverture vaccinale* est de 21,4 %, ce qui est très en dessous des 60 % fixés par le plan cancer, et très faible par rapport à de nombreux pays.

Activités envisageables

Pour identifier les différents facteurs favorisant l'apparition et le développement des cancers :

● Faites l'inventaire des causes et facteurs de risque associés aux cancers présentés dans ces documents.

● Justifiez les mesures de santé publique que l'on peut proposer, discutez de leur intérêt.

● Dites comment on pourrait, selon vous, améliorer la prévention.

Des clés pour réussir

● Montrez l'intérêt et les limites de certaines mesures, comme le dépistage de la prédisposition génétique au cancer du sein par exemple.

● Vous pouvez enrichir vos réponses par des recherches complémentaires.

* Lexique ⇒ p. 422

8 La résistance aux antibiotiques : une grave menace pour la santé

La découverte de l'action des antibiotiques au milieu du xxᵉ siècle a permis de faire des progrès considérables dans la lutte contre les maladies infectieuses. Cependant, des populations de bactéries résistantes aux antibiotiques ne cessent d'apparaitre, ce qui devient un problème de santé majeur.

> *Quelle est l'origine de cette antibiorésistance et comment peut-on la limiter ?*

1 Des antibiotiques plus ou moins efficaces

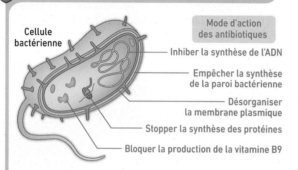

A Les cibles d'un antibiotique.

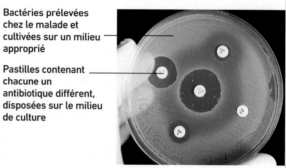

Bactéries prélevées chez le malade et cultivées sur un milieu approprié

Pastilles contenant chacune un antibiotique différent, disposées sur le milieu de culture

B La réalisation d'un antibiogramme.

Les antibiotiques sont des molécules au départ naturellement produites par des microorganismes pour lutter contre des bactéries. La compréhension de leur mode d'action (A) permet de disposer aujourd'hui de plusieurs familles d'antibiotiques (naturels ou de synthèse), dont on peut tester l'efficacité.

Pour déterminer quel antibiotique utiliser, on réalise un antibiogrammme* (B). Un prélèvement contenant des bactéries est étalé sur une boite de Petri sur laquelle on a déposé des pastilles de différents antibiotiques. Après mise en culture, on observe le développement de colonies bactériennes sur le milieu nutritif. Les zones limpides sont celles où les bactéries ne se sont pas développées.

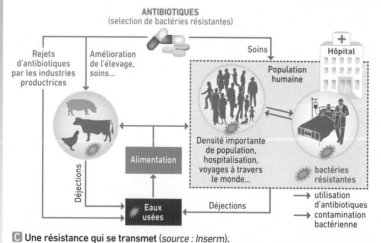

C Une résistance qui se transmet (*source : Inserm*).

D Nombre de signalements de bactéries hautement résistantes (*source : Cpias*).

L'utilisation systématique d'antibiotiques pendant plusieurs décennies dans différents domaines s'est accompagnée de l'apparition de bactéries résistantes à un ou plusieurs antibiotiques (bactéries **multirésistantes***) et cette résistance se transmet (C).

Les « Bactéries Hautement Résistantes émergentes » (BHRe), sont très surveillées (D). En effet, leur sensibilité à seulement une ou deux classes d'antibiotiques rend les traitements difficiles et pourrait conduire à plus ou moins long terme, à une impasse thérapeutique.

② L'acquisition d'une résistance aux antibiotiques

Activité pratique

■ L'étude expérimentale dont un résultat est présenté ci-contre a pour objectif de déterminer si des bactéries sensibles à un antibiotique peuvent devenir résistantes.
Une telle étude nécessite le respect des conditions de sécurité ; elle s'effectue sur des bactéries non pathogènes*.

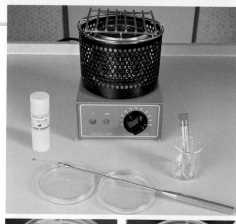

BOITE A : culture (0,1 mL) sur un milieu sans antibiotique. La boîte est recouverte d'un tapis de bactéries qu'il est impossible de compter. Cependant, une même culture de dilution 10^{-7} permet d'obtenir 10 colonies.

BOITE B : culture (0,1 mL, non diluée) sur un milieu avec antibiotique. On dénombre 15 colonies de bactéries.

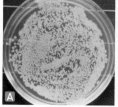 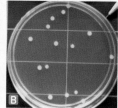

■ Interprétation (C) : les antibiotiques ne sont pas mutagènes. Cependant, des mutations conférant aux bactéries une résistance aux antibiotiques (par exemple en modifiant les molécules cibles) apparaissent spontanément, à une fréquence faible, mais les bactéries se divisent très rapidement (une division toutes les 20 minutes environ).

Cette résistance confère un avantage sélectif* à la souche mutante. L'antibiotique détruit les souches sensibles mais épargne les souches résistantes qui continuent à se développer.

C Un processus de sélection naturelle.

Population de bactéries sensibles à la céfotaxime, **apparition d'un mutant résistant**.

Traitement à la céfotaxime, seul le **mutant résistant survit**.

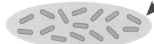

Le **mutant résistant se multiplie**, la population de bactéries devient résistante à la céfotaxime.

Des pratiques pour limiter l'antibiorésistance

■ Réduire la consommation d'antibiotiques : la France est parmi les principaux pays consommateurs d'antibiotiques.
■ Mieux cibler leur utilisation : les antibiotiques sont inefficaces contre les virus.
■ Bien choisir l'antibiotique adapté, sans recourir systématiquement aux antibiotiques dont l'usage doit être réservé aux cas difficiles.
■ Favoriser la vaccination.
■ Limiter l'utilisation d'antibiotiques dans l'élevage.
■ Éviter la contamination de l'environnement.
■ Favoriser la recherche et la mise en œuvre d'alternatives pour diversifier les traitements (virus bactériophages par exemple).

Activités envisageables

⟩ **Pour comprendre l'origine et les conséquences de la résistance aux antibiotiques :**

● Étudiez le protocole permettant d'établir un antibiogramme et analysez les résultats.

● Élaborez et mettez en œuvre un protocole expérimental démontrant que des bactéries sensibles à un antibiotique peuvent acquérir une résistance. Précisez le rôle joué par un antibiotique dans le développement de cette résistance. Estimez le taux de bactéries mutantes résistantes obtenues.

● Justifiez les préconisations visant à limiter l'antibiorésistance.

Des clés pour réussir

● Établissez la liste des consignes de sécurité à respecter et préparez soigneusement votre plan de travail.

● Raisonnez en utilisant vos connaissances sur la sélection naturelle.

* Lexique ➞ p. 422

Bilan des connaissances

Variation génétique et santé

Podcast
Bilan

1 Le déterminisme génétique de certaines maladies

● Des mutations à l'origine de maladies génétiques

Certaines mutations sont responsables de pathologies car elles peuvent conduire à la synthèse de protéines peu ou non fonctionnelles. On parle de **maladie monogénique** quand ces pathologies sont liées à la mutation d'un seul gène.

L'étude d'arbres généalogiques familiaux a permis de comprendre comment se transmettent ces maladies monogéniques de génération en génération. Une hérédité **autosomique récessive** signifie que l'allèle muté se trouve sur un autosome, chromosome non sexuel (paires 1 à 22), et que seuls les **homozygotes** porteurs de l'allèle muté sont malades.

C'est par exemple le cas de la mucoviscidose, maladie touchant environ un nouveau-né sur 4 500 en France. Cette pathologie se traduit par une production surabondante de mucus dans différents organes (bronches, conduits pancréatiques…), conduisant à des difficultés respiratoires et digestives. La cause de la maladie est une altération du gène CFTR porté par le chromosome 7, codant pour une protéine du même nom. C'est cette absence de protéine CFTR fonctionnelle qui conduit à la production excessive de mucus anormalement visqueux. Les **hétérozygotes** (un allèle muté et un allèle non muté) ne sont pas malades car ils produisent suffisamment de protéine CFTR fonctionnelle. Ils sont qualifiés de **porteurs sains**.

Un conseil génétique permet d'estimer le **risque génétique** d'avoir un enfant malade. Par exemple, si les deux partenaires d'un couple sont hétérozygotes, on peut en déduire qu'à chaque nouvelle naissance il y a un risque sur quatre d'avoir un enfant atteint.

Certains allèles à l'origine d'une maladie génétique sont situés sur le chromosome X : c'est le cas de la myopathie de Duchenne. Les garçons sont plus fréquemment atteints car, n'ayant qu'un seul chromosome X, il suffit qu'ils possèdent un allèle muté pour être malades. On parle alors de maladie **gonosomique** (les gonosomes sont les chromosomes sexuels) ou encore de maladie génétique liée au sexe.

Un **diagnostic génétique** peut être établi afin de rechercher la présence d'une mutation. En cas de risque important pour une pathologie particulièrement grave, le diagnostic prénatal pratiqué en début de grossesse permet au couple de décider ou non de poursuivre la grossesse.

Une maladie génétique peut néanmoins se déclarer sans qu'aucun des parents ne soit porteur de l'allèle muté : la maladie est alors due à une mutation du gène nouvellement produite, par exemple au cours de la formation des gamètes : c'est ce qu'on appelle une **mutation *de novo***.

Le cas des maladies monogéniques permet de bien comprendre le déterminisme génétique de certaines maladies. Cependant, la plupart des maladies d'origine génétique sont dues à l'**interaction de plusieurs gènes**. L'étude des génomes de grands groupes de patients vise à identifier les gènes et les mutations impliqués.

● Dépister la maladie pour en limiter les effets

Aujourd'hui, en France, le dépistage néonatal de cinq maladies génétiques permet de mettre en place le plus tôt possible une prise en charge de la maladie. Il est alors possible de compenser la fonction altérée en proposant des **traitements** ou en adaptant le mode de vie. Par exemple, dans le cas de la phénylcétonurie, un régime alimentaire strictement suivi permet, dans la grande majorité des cas, de mener une vie tout à fait normale.

● La thérapie génique, un espoir de guérison

Développée depuis les années 1990, la **thérapie génique** a été initialement conçue dans le but d'insérer dans une cellule le gène fonctionnel qui lui fait défaut. Pour « transporter » l'allèle fonctionnel dans les cellules concernées il est nécessaire d'avoir un vecteur qui soit à la fois efficace et sans danger. Depuis les années 2000, la thérapie génique est en plein essor et son utilisation a été élargie à d'autres champs que le seul traitement des maladies monogéniques.

2 Patrimoine génétique et santé

● Une prédisposition génétique

Dans certaines pathologies, des **études épidémiologiques** révèlent que des allèles particuliers sont statistiquement associés, sans que l'on sache nécessairement pourquoi, au développement d'une pathologie. Ainsi, on connaît des allèles qui prédisposent fortement au développement plus ou moins précoce du cancer du sein. On sait également que la possession de certains allèles accroît le risque cardiovasculaire pour les individus qui les possèdent. Ceci ne veut pas dire que ces pathologies sont toujours génétiquement déterminées mais signifie que le **fond génétique individuel** intervient plus ou moins dans la santé d'une personne.

● Des maladies multifactorielles

Beaucoup de pathologies, comme les maladies cardiovasculaires ou les diabètes, dépendent à la fois de facteurs génétiques et de facteurs non génétiques, liés à l'environnement ou au mode de vie.

L'**épidémiologie descriptive** permet de connaître la répartition d'une pathologie en fonction du temps, du lieu ou des personnes. Elle quantifie l'**incidence** d'une maladie au sein d'une population (nombre de nouveaux cas par an) ou sa prévalence (nombre de cas à un moment donné). L'**épidémiologie analytique** étudie quant à elle les liens entre un facteur de risque et la survenue d'une maladie. Il est ainsi bien établi que le tabagisme, l'hypertension, la sédentarité, l'obésité sont des facteurs très importants intervenant dans le risque cardiovasculaire.

3 Altération du génome et cancérisation

● Une cellule cancéreuse se forme par mutation d'une cellule somatique

La mutation d'une cellule somatique est le plus souvent sans réelle conséquence, la cellule disparaissant parce qu'elle n'est pas viable ou qu'elle est éliminée par le système immunitaire. Toutefois, dans certains cas, la mutation donne un avantage à cette cellule qui peut alors se multiplier et être à l'origine d'un clone cellulaire porteur de la mutation.

Dans cette population de cellules mutantes, d'autres mutations peuvent intervenir et renforcer l'avantage initial. Ainsi s'opère, au fil des générations cellulaires, une sélection de cellules anormales de plus en plus nombreuses. La **cellule cancéreuse** finale a perdu sa fonction originelle. Elle ne répond plus aux signaux qui régulent le cycle cellulaire et **se multiplie de façon incontrôlée**. Elle devient **immortelle** car elle échappe au système immunitaire qui, en principe, détruit les cellules anormales.

Le clone de cellules cancéreuses forme alors une **tumeur** qui va grossir, et peut aussi essaimer dans l'organisme,

donnant des tumeurs secondaires appelées **métastases**. Une tumeur trop grosse réduit considérablement la fonction de l'organe où elle est située et peut conduire à une perte de fonction responsable du décès du malade.

Certains gènes sont particulièrement impliqués. Le gène p53 est connu comme gouvernant plusieurs processus de suppression de cellules anormales : de fait, des mutations du gène p53 sont retrouvées dans environ la moitié des cellules cancéreuses.

● Une origine plurifactorielle pour les cancers

Les études épidémiologiques ont montré l'importance des facteurs mutagènes dans la genèse des cancers. En effet, bien qu'étant un phénomène spontané, la survenue d'une mutation est facilitée par les **agents mutagènes**. Ainsi, de nombreux facteurs (tabac, UV, pollution chimique…) augmentent le risque de développer un cancer. Limiter l'exposition des individus à ces facteurs diminue donc le risque.

Un lien est aujourd'hui clairement établi entre des infections virales et le développement de certains cancers. C'est le cas du lien entre papillomavirus et cancer du col de l'utérus. Des dépistages de ces infections virales ont donc été menés pour mieux identifier et suivre les sujets infectés. En parallèle, on réalise des campagnes de prévention contre les infections (vaccinations, conseils d'hygiène...). Ces mesures **préventives** ont permis, depuis quelques années, une diminution importante du nombre de décès par cancer du col de l'utérus en France.

4 La résistance aux antibiotiques

Les antibiotiques sont des médicaments très efficaces pour lutter contre les infections bactériennes. Mais, comme tous les êtres vivants, les bactéries subissent des **mutations**. Il arrive parfois que ces mutations leur confèrent une **résistance aux antibiotiques**. Au départ, les formes mutantes sont peu nombreuses, mais si un antibiotique est utilisé massivement, il détruit les souches bactériennes sensibles et **sélectionne** les souches porteuses de la mutation de résistance. Ces **formes résistantes** deviennent donc de **plus en plus nombreuses**.

Dans les dernières décennies, l'utilisation massive des antibiotiques pour soigner les maladies humaines ou pour les animaux d'élevage a favorisé cette sélection de bactéries résistantes. Certaines sont devenues résistantes à la plupart des antibiotiques (**bactéries multirésistantes**) et on commence à voir se développer des bactéries contre lesquelles quasiment aucun antibiotique n'est efficace. Ce phénomène est une grave menace qui pèse sur la santé publique pour les années à venir. Il est donc primordial de développer des pratiques plus responsables concernant l'utilisation des antibiotiques.

Variation génétique et santé

Podcast
L'essentiel

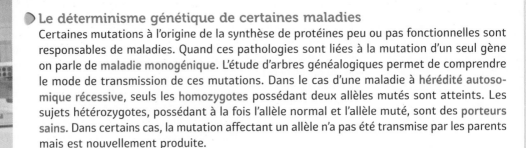

À retenir

Le déterminisme génétique de certaines maladies

Certaines mutations à l'origine de la synthèse de protéines peu ou pas fonctionnelles sont responsables de maladies. Quand ces pathologies sont liées à la mutation d'un seul gène on parle de **maladie monogénique**. L'étude d'arbres généalogiques permet de comprendre le mode de transmission de ces mutations. Dans le cas d'une maladie à **hérédité autoso-mique récessive**, seuls les **homozygotes** possédant deux allèles mutés sont atteints. Les sujets hétérozygotes, possédant à la fois l'allèle normal et l'allèle muté, sont des **porteurs sains**. Dans certains cas, la mutation affectant un allèle n'a pas été transmise par les parents mais est nouvellement produite.

Patrimoine génétique et santé

La plupart des maladies d'origine génétique sont dues à l'interaction de plusieurs gènes. Des **études épidémiologiques** montrent que certains allèles rendent plus probable le déve-loppement d'une pathologie : on parle de **prédisposition génétique**. Ces études statistiques permettent de quantifier les problèmes de santé au sein d'une population et d'établir des liens entre des facteurs de risque génétiques ou environnementaux et le développe-ment d'une pathologie. Elles montrent que beaucoup de maladies sont multifactorielles et dépendent de **facteurs environnementaux** ou du **mode de vie**.

Altération du génome et cancérisation

Le processus de cancérisation débute avec la **mutation d'une cellule somatique**. Ses des-cendantes subissent à leur tour des modifications de leur génome. Finalement, certaines peuvent évoluer en cellules cancéreuses. Les mutations à l'origine des cancers peuvent être spontanées ou provoquées par un **facteur mutagène**. Certaines **infections virales** aug-mentent également le risque de développer un cancer. Une protection contre les facteurs mutagènes et contre certains virus limitera l'incidence de ces cancers.

Variation génétique bactérienne et résistance aux antibiotiques

Des mutations spontanées peuvent faire apparaitre, dans une population, des **bactéries résistantes** à un antibiotique. L'utilisation massive de cet antibiotique dans les traite-ments médicaux va **sélectionner** les bactéries résistantes, et, de ce fait, leur fréquence va augmenter. Comme cette sélection s'opère pour les différents antibiotiques connus, des **souches bactériennes multirésistantes** apparaissent, ce qui pose un problème majeur de santé publique.

Mots-clés

Cancer ● Dépistage ● Étude épidémiologique ● Maladie génétique ● Maladie multifactorielle ●
Prévention ● Résistance aux antibiotiques ● Thérapie génique

Variation génétique et santé

Animation
Schéma bilan

Maladie monogénique

Origine :

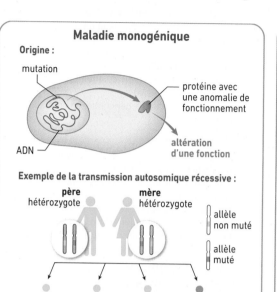

mutation

protéine avec une anomalie de fonctionnement

ADN

altération d'une fonction

Exemple de la transmission autosomique récessive :

père
hétérozygote

mère
hétérozygote

allèle non muté

allèle muté

homozygote non atteint

hétérozygotes porteurs sains

homozygote malade

Maladie multifactorielle

Facteurs de risques liés aux modes de vie

État de santé d'un individu

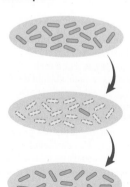

Facteurs protecteurs liés aux modes de vie

Facteurs génétiques

Études épidémiologiques

- Identifier/surveiller les facteurs de risques
- Recenser des données pour la recherche
- Mettre en place et suivre des plans de prévention

Mutation de l'ADN

Prise en charge

- Diagnostiquer, conseiller
- Prévenir / dépister
- Informer sur la responsabilité individuelle et collective
- Traiter

Cancérisation

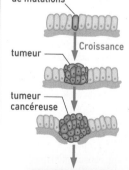

cellule porteuse de mutations

Croissance

tumeur

tumeur cancéreuse

Mutation des gènes de régulation du cycle cellulaire

Multiplication anormale des cellules mutées formant une tumeur

Accumulation des mutations et prolifération de cellules cancéreuses

Transformation Prolifération Immortalité

Résistance aux antibiotiques

Apparition de **mutations spontanées** dans une population bactérienne.

Traitement par un antibiotique : seul le **mutant résistant survit**.

Le **mutant résistant se multiplie**, la population de bactéries devient résistante à cet antibiotique.

1 Retour vers les problématiques

Relisez la page « S'interroger avant d'aborder le chapitre » (p. 301) ; à l'aide de ce que vous savez à présent, répondez aux questions que vous avez formulées.

2 QCM BAC

Pour chaque affirmation, choisissez l'unique bonne réponse.

1. **L'étude d'un arbre généalogique d'une famille permet :**
   a. de déterminer le mode de transmission d'une maladie génétique ;
   b. d'identifier la mutation à l'origine d'une maladie monogénique ;
   c. de comprendre les conséquences d'une mutation sur le fonctionnement cellulaire ;
   d. d'identifier différentes mutations affectant un même gène.

2. **Dans le cas d'une maladie monogénique à transmission autosomique récessive :**
   a. un couple a moins de risque d'avoir un enfant malade si le premier est déjà atteint par la maladie ;
   b. seuls les homozygotes sont atteints ;
   c. le risque pour deux parents hétérozygotes d'avoir un enfant atteint est d'environ 50 % ;
   d. les garçons ont plus de risque d'être atteints car ils n'ont qu'un seul chromosome X.

3. **Une cellule cancéreuse :**
   a. est transmissible d'un individu à un autre ;
   b. échappe au contrôle du cycle cellulaire ;
   c. est toujours la conséquence d'une exposition excessive à des facteurs environnementaux ;
   d. est parfois introduite par un microorganisme.

4. **Les antibiotiques :**
   a. sont efficaces contre tout type de microorganismes ;
   b. sont des agents mutagènes ;
   c. sont des agents cancérogènes ;
   d. peuvent agir comme agents d'une sélection génétique chez les bactéries.

3 Vrai ou faux ?

Repérez les affirmations exactes et corrigez celles qui sont inexactes.
   a. Dans le cas d'une maladie monogénique, la thérapie génique a pour objectif d'éliminer l'allèle muté responsable de la maladie.
   b. Le mécanisme de sélection naturelle permet d'expliquer le phénomène d'antibiorésistance.
   c. Des microorganismes peuvent être à l'origine d'une cancérisation des cellules.
   d. Dans le cas d'une maladie génétique récessive, les hétérozygotes sont moins souvent malades que les homozygotes.
   e. Les maladies cardio-vasculaires n'apparaissent jamais si on adopte un mode de vie adapté (alimentation, sport...).

4 Expliquer les différences entre...

   a. Une prédisposition génétique et un déterminisme génétique.
   b. Une étude épidémiologique et l'analyse d'un arbre généalogique familial.
   c. Un porteur sain et un individu atteint par une maladie monogénique récessive.
   d. Un cancer, une maladie génétique, une maladie infectieuse.

5 Expliquer pourquoi

   a. Deux parents non malades peuvent avoir un enfant atteint d'une maladie génétique.
   b. On dit que beaucoup de maladies sont multifactorielles.
   c. Il faut utiliser les antibiotiques de façon raisonnée.
   d. Une mutation peut conduire à un cancer.
   e. La thérapie génique permet d'envisager de guérir d'une maladie génétique.

6 Établir une chronologie

Mettez ces quatre schémas dans un ordre chronologique et faites une phrase explicative pour chacun d'entre eux. Proposez un cinquième schéma possible pour l'étape suivante.

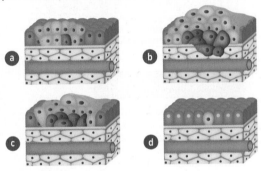

7 Apprendre en s'interrogeant

1. Cachez l'une des colonnes du tableau suivant et retrouvez ce que contient l'autre (à faire seul ou à plusieurs).
2. Vérifiez vos réponses et revoyez si besoin les notions concernées.

Questions	Réponses
À quoi sert une étude épidémiologique ?	À déterminer des facteurs de risques grâce à une analyse statistique.
Pourquoi une cellule cancéreuse prolifère-t-elle ?	Parce que cette cellule échappe au contrôle du cycle cellulaire.
Pourquoi une cellule cancéreuse est-elle immortelle ?	Parce que cette cellule ne répond plus aux signaux d'autodestruction.
Qu'est-ce que le conseil génétique ?	C'est une consultation qui permet d'informer et de conseiller les familles présentant un risque de maladie héréditaire.
Comment peut-on tuer des bactéries ?	Grâce à des antibiotiques.

8 Maîtriser ses connaissances `BAC`

★ En vous appuyant sur un exemple, expliquez ce qu'est une maladie monogénique récessive et présentez son mode de transmission en l'illustrant par un schéma.

9 Maîtriser ses connaissances `BAC`

★★ Expliquez comment l'utilisation d'antibiotiques peut conduire au développement du phénomène de résistance à ces médicaments. L'exposé sera illustré par un schéma.

10 Interpréter des résultats et en tirer des conclusions

★ Mme X est victime d'une infection urinaire due à la bactérie *E. Coli*. Avant de prescrire un antibiotique, le médecin réalise l'antibiogramme schématisé ci-dessous.

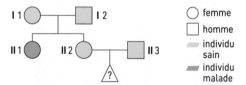

pastilles d'antibiotiques
A : Fosfomycine
B : Nitrofurantoïne
C : Fluoroquinolones
D : Amoxicilline

boîte de Petri

bactéries

Analysez ces résultats et tirez-en la conclusion utile.

11 Exprimer mathématiquement

★★★ La drépanocytose est une des maladies monogéniques les plus répandues dans le monde. En France, son incidence est d'environ une naissance sur 3 000 et on estime qu'une personne sur 27 en moyenne est hétérozygote.

Le document ci-dessous présente l'arbre généalogique d'une famille concernée par cette maladie. Le couple II-2/II-3 souhaite avoir un enfant.

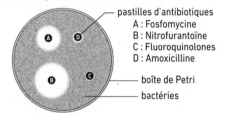

○ femme
□ homme
▭ individu sain
▬ individu malade

Montrez que l'incidence de la maladie est conforme à la fréquence de l'allèle et estimez le risque encouru par ce couple d'avoir un enfant malade.

12 S'exprimer oralement `Oral`

★★ Présentez à l'oral le lien entre la variation génétique bactérienne et l'antibiorésistance en vous appuyant sur le schéma ci-contre.

Vous pouvez vous enregistrer, vous réécouter, vous corriger.

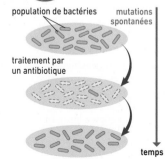

population de bactéries
mutations spontanées
traitement par un antibiotique
temps

13 Élaborer une stratégie de résolution et faire preuve d'esprit critique

★★ La famille Z. a une fille atteinte de mucoviscidose. Le couple souhaite avoir un deuxième enfant et le médecin a conseillé un diagnostic génétique permettant d'établir la séquence des allèles du gène concerné chez les membres de cette famille.

On dispose alors des séquences suivantes :

CFTR-Adn	Séquence nucléotidique de l'allèle normal
CFTR.Pro	Séquence d'acides aminés de la protéine CFTR fonctionnelle
CFTR-ΔF508.Adn	Séquence nucléotidique de l'allèle le plus fréquent à l'origine de mucoviscidose
CFTR-R553X.Adn	Séquence nucléotidique d'un autre allèle à l'origine de mucoviscidose
Père allèle 1-Adn	Séquence nucléotidique de l'allèle 1 du père
Père allèle 2-Adn	Séquence nucléotidique de l'allèle 2 du père
Mère allèle 1-Adn	Séquence nucléotidique de l'allèle 1 de la mère
Mère allèle 2-Adn	Séquence nucléotidique de l'allèle 2 de la mère
Fille allèle 1-Adn	Séquence nucléotidique de l'allèle 1 de la fille
Fille allèle 2-Adn	Séquence nucléotidique de l'allèle 2 de la fille

Proposez une stratégie qui permettrait, à partir de l'utilisation d'un logiciel de comparaison de séquences et des données du diagnostic génétique, de déterminer le risque encouru par le couple et dites quel conseil pourra alors leur être donné.

14 Faire des choix responsables vis à vis de la santé

★ Les papillomavirus (HPV) sont à l'origine d'un peu plus de 5 % des cancers dans le monde, en particulier près de 100 % des cancers du col de l'utérus.

Ces virus sont fréquemment transmis par contact sexuel, le plus souvent lors des premiers rapports. La plupart du temps, l'organisme va éliminer le virus en quelques mois, mais parfois l'infection persiste et pourra être à l'origine de lésions précancéreuses.

Il existe un vaccin efficace : en France, la vaccination est recommandée pour toutes les jeunes filles de 11 à 14 ans. Certains pays ont fait le choix de vacciner tous les adolescents, quel que soit le sexe.

Expliquez quels sont les arguments fondant ces décisions.

15 Les maladies cardiovasculaires : estimer les risques pour améliorer la prévention **BAC**

On peut estimer un « risque cardiovasculaire » en établissant la probabilité de développer une pathologie affectant le système circulatoire. Ce risque peut être évalué grâce aux études épidémiologiques. Connaître ce risque et les facteurs associés est primordial pour élaborer une politique de santé basée sur la prévention.

■ Faites une analyse orale ou écrite des documents proposés. En vous basant sur les informations ainsi mises en évidence, précisez comment on peut alors mettre en place des mesures de prévention.

DOC 1 Extraits des résultats de l'enquête INTERHEART
(basée sur l'étude du cas de 15 152 personnes ayant eu un infarctus et 14 820 personnes témoins)

Antécédents de la personne	Risque évalué
Fumeur (actuel ou ancien)	36,4 %
Diabète	12,3 %
Hypertension artérielle	23,4 %
Obésité abdominale	33,7 %

DOC 2 Étude du risque relatif d'infarctus du myocarde en fonction du nombre de cigarettes consommées par jour

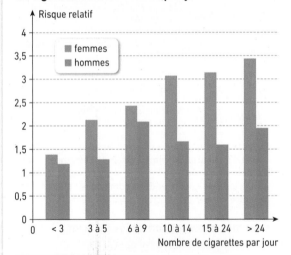

DOC 3 Risque de pathologie coronarienne

Les maladies coronaires sont caractérisées par des anomalies des artères qui vascularisent le muscle cardiaque. Ces artères sont très petites (3 à 5 mm de diamètre) : la diminution de leur calibre fonctionnel se traduit par un apport en dioxygène insuffisant au muscle cardiaque.

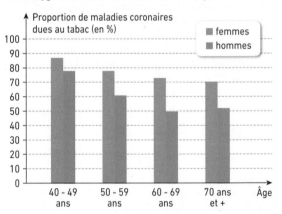

Proportion (en %) des maladies coronaires dont la cause principale est le tabagisme, en fonction de l'âge et du sexe.

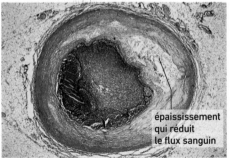

Coupe transversale d'une artère coronaire montrant le développement d'une pathologie.

★ facile ★★ intermédiaire ★★★ confirmé

16 L'ataxie de Friedreich, une maladie neurologique d'origine génétique
★
★

L'ataxie de Friedreich est une maladie neurologique dont l'évolution progressive est variable d'un individu à l'autre. Cette pathologie se traduit par des troubles de l'équilibre et de la coordination des mouvements. Des troubles cardiaques et ostéoarticulaires peuvent également y être associés, ainsi qu'un diabète dans un plus petit nombre de cas. Elle reste encore sans traitement.

Les premiers symptômes débutent le plus souvent à l'adolescence mais parfois plus tôt ou plus tard. Cette maladie génétique est rare, car elle se transmet selon un mode autosomique récessif et a une prévalence de 1 pour 40 000 personnes en Europe, soit un porteur sain pour cent personnes. En France, cette maladie touche environ 1 500 personnes.

Pour en savoir plus, vous pouvez consulter le site de l'Association Française Ataxie de Friedreich.

DOC 1 Origine de la maladie

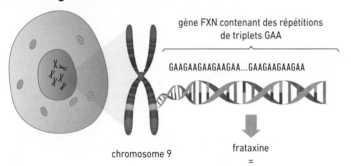

gène FXN contenant des répétitions de triplets GAA

GAAGAAGAAGAAGAA...GAAGAAGAAGAA

chromosome 9

frataxine
=
protéine intervenant dans le fonctionnement des mitochondries

Le gène de la frataxine (FXN) a la particularité d'avoir un intron composé de nombreuses répétitions de triplets (GAA). La présence d'un grand nombre de répétitions dans cet intron entraîne une déformation de l'ADN qui perturbe la transcription et donc la synthèse de frataxine.

Alors qu'on retrouve moins de 40 répétitions chez les personnes non atteintes, on dénombre chez les personnes malades de 100 à 2 000 répétitions. Environ 95 % des personnes souffrant de cette maladie rare sont homozygotes pour des allèles ayant un grand nombre de répétitions.

DOC 2 Une étude épidémiologique

Une étude menée en 2018 auprès de 199 personnes a permis d'établir le graphique ci-contre.

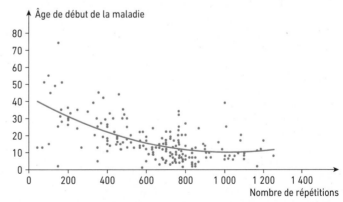

Âge de début de la maladie

Nombre de répétitions

DOC 3 Des cas de figure différents

Le schéma ci-dessous présente les différents cas de figure pour un couple.

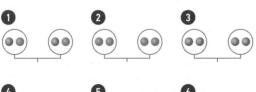

Individu sain non porteur

Individu porteur sain

Individu malade

1. **Déterminez quels couples présentés par le doc 3 ont un risque élevé d'avoir un enfant atteint d'ataxie de Friedreich et précisez la probabilité de ce risque.**

2. **Discutez de la possibilité de prévoir l'âge d'apparition des premiers symptômes.**

BAC

17 La maladie de Crohn, une pathologie fréquente encore mal comprise

★
★

La maladie de Crohn fait partie des maladies chroniques inflammatoires intestinales. Elle se manifeste par des douleurs abdominales et des diarrhées. C'est une maladie chronique apparaissant souvent chez le jeune adulte et évoluant par poussées, espacées par des phases sans symptômes, dites de rémission. En France, on dénombre 120 000 patients atteints de la maladie de Crohn. Ses causes sont encore très mal connues.

■ À partir des ressources à votre disposition, montrez que les études épidémiologiques et de laboratoire permettent d'envisager différentes pistes concernant les causes et les facteurs intervenant dans cette maladie, sans toutefois dégager un déterminisme absolu.

1 Une étude chez des jumeaux

Une étude suédoise a porté sur 44 paires de jumeaux dont un membre au moins était atteint de la maladie de Crohn. L'échantillon comportait 18 paires de jumeaux monozygotes et 26 de jumeaux dizygotes.

Les jumeaux monozygotes, souvent appelés « vrais jumeaux », sont issus d'une même cellule œuf, le jeune embryon se divisant en deux futurs individus.

Les jumeaux dizygotes, aussi nommés « faux jumeaux », sont issus de deux cellules-œufs distinctes formant des embryons se développant au cours de la même grossesse.

Échantillon	Effectif	Paires dont les 2 jumeaux sont atteints	Paires dont un seul jumeau est atteint
Jumeaux monozygotes	18 x 2	8	10
Jumeaux dizygotes	26 x 2	1	25

Remarque : la prévalence de la maladie de Crohn en Suède est estimée à 54 malades pour 100 000 habitants.

2 Le gène CARD15 et la maladie de Crohn

En 2001, l'implication d'un gène, baptisé CARD15, a été mise en évidence simultanément par deux équipes de chercheurs. On a identifié de nombreuses mutations du gène CARD 15 : trois sont très représentées et une trentaine plus rares.

Ces recherches ont montré que le gène CARD15 est particulièrement exprimé dans les cellules de l'immunité innée (macrophages notamment).

Une étude a permis de comparer la prévalence de ces allèles mutés chez les individus atteints de la maladie de Crohn et chez des individus non atteints.

De nombreuses autres études génétiques ont suivi : en 2011, l'Inserm estimait à 70 le nombre de gènes différents pouvant avoir un effet direct ou indirect sur le développement de la maladie de Crohn.

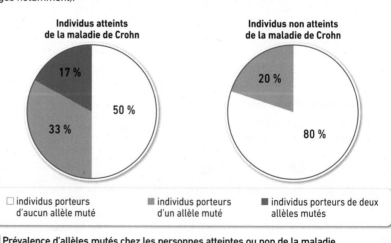

Prévalence d'allèles mutés chez les personnes atteintes ou non de la maladie de Crohn.

Cet exercice se présente sous la forme d'une **tâche complexe** :
construisez votre propre démarche pour résoudre le problème posé.

Exercices

---

3 **Microbiote intestinal et maladie de Crohn**

Différents indices suggèrent qu'un déséquilibre du microbiote intestinal pourrait être en cause dans le développement de la maladie de Crohn. En effet, le microbiote intestinal des malades a une composition différente de celui des sujets sains.

Des études expérimentales ont été menées chez la souris.

● **Expérience 1**

Trois lots de souris sont constitués, dont deux ont reçu des champignons microscopiques du microbiote intestinal : *Saccharomyces cerevisiae* (lot 2) ou *Rhodotorula auraurantiaca* (lot 3).

On mesure alors le degré de l'inflammation (A) et la production d'acide urique (B) dans l'intestin des souris.

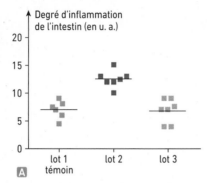

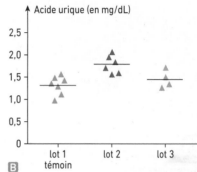

● **Expérience 2**

Dans cette expérience, les souris du lot 2 ont reçu *Saccharomyces cerevisiae* seul, tandis que celles du lot 3 ont reçu *Saccharomyces cerevisiae* et de l'allopurinol, un médicament qui bloque la synthèse d'acide urique (C).

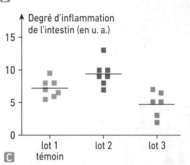

---

4 **Une campagne de prévention**

Au moment du diagnostic, plus d'un patient sur deux atteint de la maladie de Crohn, âgé de 25 à 40 ans, est un fumeur actif. Fumer multiplie par deux le risque de développer une maladie de Crohn et aggrave considérablement l'évolution de la maladie : le risque de poussée est augmenté de plus de 50 %, sur un an.

En 2012, l'Association François-Aupetit (AFA), qui lutte contre les maladies inflammatoires chroniques intestinales (MICI), a mené une campagne de mobilisation : « Ensemble, montrons nos ventres ». Afin de sensibiliser aux MICI et développer la prévention, 1 000 personnes (malades, médecins et grand public) ont donné une photo de leur ventre.

MALADIE DE CROHN ET TABAC
ne font pas bon ménage

L'immunité innée

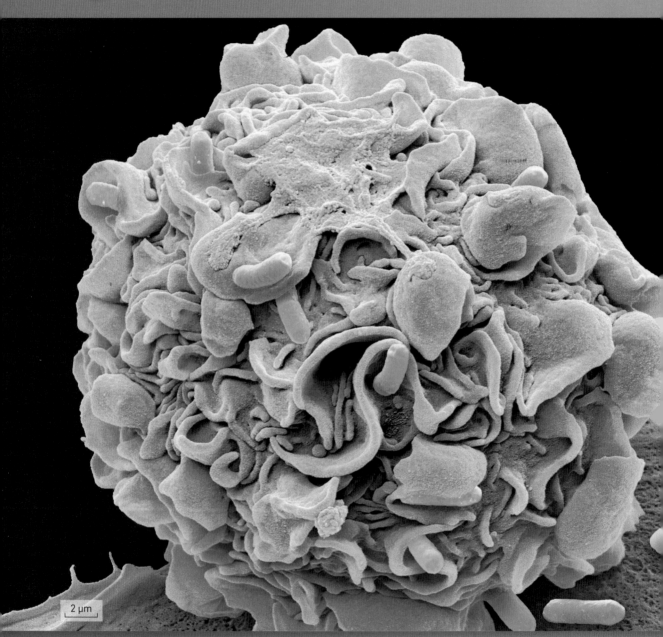

Macrophage engloutissant par phagocytose des bactéries *Escherichia coli* (MEB).

◗ Une consultation médicale

Le médecin palpe le cou de sa patiente pour détecter un éventuel gonflement des ganglions lymphatiques*. Si tel est le cas, il en déduira deux informations :
– la patiente a probablement une infection due à un microbe, bactérie ou virus ;
– son système immunitaire a réagi à cette infection, ce qui est sa fonction.

◗ Soulager les symptômes

La réaction rapide de l'organisme à une agression (infection microbienne par exemple) s'accompagne souvent de symptômes désagréables. Beaucoup de médicaments ont essentiellement pour but d'atténuer ces désagréments.

Formuler les problèmes à résoudre

◗ En vous appuyant sur des exemples précis et sur ces documents, interrogez-vous sur la signification des symptômes ressentis lorsque l'organisme réagit à une agression.

◗ Explicitez les questions que vous vous posez concernant les médicaments couramment utilisés dans de telles situations.

1 L'immunité innée, première ligne de défense

Le système immunitaire réagit aux agressions des tissus de l'organisme, qu'elles soient d'origine externe (virus, bactéries…) ou interne (lésions, cancers). La première ligne de défense, présente dès la naissance, constitue ce que l'on appelle l'immunité innée.

> Quelles sont les caractéristiques générales et les manifestations essentielles de cette immunité innée ?

Animation
La réaction inflammatoire

1 Une réponse immédiate, universelle et stéréotypée

A Une immunité opérationnelle à tout instant, dès la naissance.

Alors que l'**immunité adaptative*** (voir chapitre 3) nécessite un temps d'apprentissage et une reconnaissance spécifique, l'**immunité innée*** est une première ligne de défense mise en œuvre très rapidement dans l'organisme lors d'une infection virale ou bactérienne, ainsi que lors des atteintes des tissus (lésion bénigne ou cancéreuse).

Elle est déterminée génétiquement et active dès la naissance.

L'immunité innée existe chez tous les animaux.

La **réaction inflammatoire*** est la manifestation caractéristique de l'immunité innée. Elle se produit localement au niveau du foyer de l'infection ou de la lésion.

La réaction inflammatoire aiguë se manifeste par des symptômes caractéristiques : rougeur, chaleur, gonflement des tissus (œdème), douleur.

Elle peut concerner tout type de tissu ou d'organe (affection souvent désignée en ajoutant le suffixe -ite au nom de l'organe).

Lors d'une infection par des agents pathogènes, ceux-ci sont détectés grâce à des **récepteurs de surface***, molécules situées sur la membrane des cellules de l'immunité innée (voir unité 2).

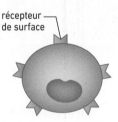

B La pharyngite, une inflammation des muqueuses de la gorge.

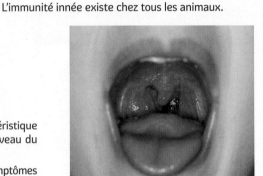

récepteur de surface

marqueur de surface (molécule commune à de nombreuses espèces de bactéries)

cellule de l'immunité innée — bactérie

C La détection des agents pathogènes par les cellules de l'immunité innée.

Activité pratique

À l'aide d'un logiciel de comparaison de séquences, comparer les séquences protéiques de ces récepteurs chez différentes espèces.

Comparaison avec alignement

	150	155	160	165	170	175	180	185
Homme	IleGlyHisLeuLys	ThrLeuLysGluLeu	AsnValAlaHisAsn	LeuIleGlnSerPhe	LysLeuProGluTyr	PheSerAsnLeuThr	AsnLeuGluHisLeu	AspLeu
Chimpanzé	- - - - -	- - - - -	- - - - -	- - - - -	- - - - -	- - - - -	- - - - -	- -
Chien	- - - - -	- - - - -	- - - - -	His- - - -	- - Ala- -	- - MetPro-	- AsnVal- -	- -
Souris	- - Gln- Ile-	- - Lys- -	- - - - Phe-	His- Cys- -	- Ala- - -	- - - Val-	Val- - - -	- -
Poule	- - - Asn-	- Gln- - -	LeuGly- - -	Asn- Ala- Leu	- - - Lys-	- Ala- - -	Ser- Arg- -	SerPhe
Poisson zèbre	- AsnAsn-	ThrLys- Gln-	- - - GlyThr-	Tyr- - - Met	Thr- - ProPheMet	- ThrPheLysAspPheSerLeu	- - -	

D Comparaison des séquences d'acides aminés des récepteurs de surface de l'immunité innée chez différentes espèces (un tiret indique que l'acide aminé est identique).

2 L'inflammation : des modifications au niveau des tissus

Se ronger les ongles, se couper ou se piquer le doigt peut être à l'origine d'une infection* relativement courante et bénigne dans un premier temps : le panaris (B). En général causée par une bactérie, le staphylocoque doré, celle-ci survient quelques jours après une plaie cutanée même minime, à laquelle l'organisme réagit par une inflammation.

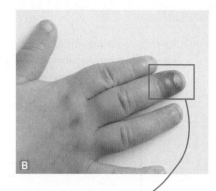

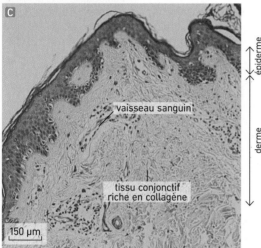

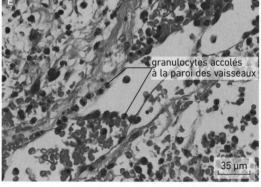

Les images en microscopie optique présentées ici sont des coupes colorées de peau. L'image **C** est celle d'une coupe de peau en l'absence de réaction inflammatoire. Les images **D** et **E** correspondent à une coupe de peau pendant la réaction inflammatoire : on peut observer des **leucocytes***, identifiables par leur noyau coloré en violet.

* Lexique ➡ p. 422

Activités envisageables

Pour mettre en évidence les caractéristiques et les manifestations de l'immunité innée :

- Identifiez les caractéristiques de la réaction inflammatoire. Présentez votre réponse sous forme d'un schéma de type « cause à effet ».
- Expliquez pourquoi on dit que l'immunité innée repose sur des mécanismes de reconnaissance non spécifiques, conservés au cours de l'évolution des espèces.

Des clés pour réussir

- Étudiez les différents documents et relevez les caractéristiques décrites ou observables. Tenez compte des différents niveaux d'organisation du vivant.
- Utilisez les informations apportées par l'activité pratique du document **1 D**.

② Les acteurs de la réaction inflammatoire

La mise en place et le déroulement d'une réaction inflammatoire nécessite l'intervention en nombre important de différentes sortes de cellules. Celles-ci interagissent entre elles et exercent leur action grâce à différentes molécules.

> *Quelles sont ces cellules et ces molécules, et comment interviennent-elles dans la réaction inflammatoire ?*

① Le recrutement et l'activation de différents leucocytes

Différentes catégories de cellules participent à la réaction immunitaire. Elles appartiennent à la famille des leucocytes (globules blancs). Leur fonctionnement coordonné est assuré par des médiateurs chimiques produits par des leucocytes et agissant sur d'autres leucocytes.

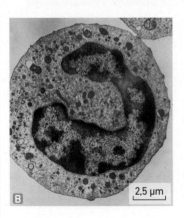

Les mastocytes* (A) sont des cellules dispersées dans les tissus* et dont le cytoplasme contient de nombreux granules* (colorés ici en bleu). Ceux-ci renferment notamment de l'histamine*.

A   4 µm

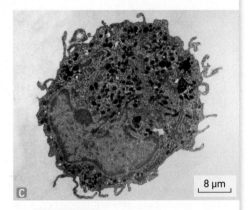

C   8 µm

Les **granulocytes*** sont des cellules circulantes (B). On les retrouve dans le sang mais aussi dans la lymphe*. Elles sont capables d'effectuer la **phagocytose*** (voir p. 334).

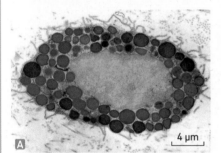

B   2,5 µm

Les **macrophages*** sont de grosses cellules (C), elles aussi capables de phagocytose. Les macrophages sont présents dans les tissus, mais peuvent aussi résulter de la transformation sur place de cellules circulantes, les monocytes*.

Ces différentes cellules, dispersées dans l'organisme, sont toutes équipées de récepteurs de surface : après détection d'un agresseur, elles émettent des médiateurs chimiques appelés **interleukines***.

Il existe une centaine d'interleukines différentes : certaines exercent une attraction sur d'autres leucocytes qui sont ainsi recrutés et participent à leur tour à l'attraction d'autres cellules immunitaires.

D'autres interleukines ont la capacité d'activer les cellules immunitaires qui les reçoivent.

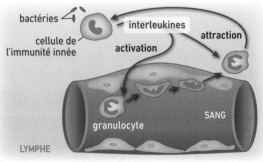

D Le rôle des interleukines dans la mise en place de la réaction inflammatoire.

② Origine et conséquences de la vasodilatation

Certains médiateurs chimiques libérés lors de la réaction inflammatoire entraînent localement une dilatation des vaisseaux sanguins. Cette **vasodilatation*** se traduit par un afflux sanguin qui est responsable de la rougeur d'un tissu en état d'inflammation. Elle s'accompagne d'une augmentation de la perméabilité de la paroi des vaisseaux, responsable d'une sortie de plasma* vers le tissu, provoquant ainsi un **œdème***.

Cette irrigation importante engendre également une augmentation locale de la température car le sang qui circule compense plus vite les pertes de chaleur que dans les parties moins irriguées (A). Cette augmentation de chaleur rend les réactions de défense plus efficaces.

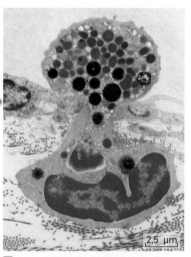

A Thermographie des doigts permettant de mettre en évidence une zone plus chaude localisée au niveau d'un panaris du majeur.

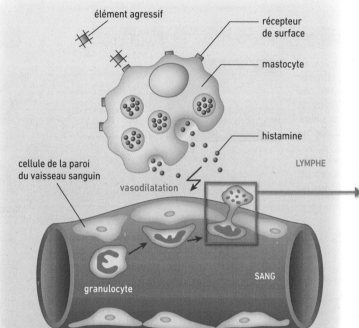

B Le rôle vasodilatateur de l'histamine.

C La diapédèse, un exemple d'activation d'un type de cellule de l'immunité.

Les mastocytes dispersés dans les tissus jouent un rôle de sentinelle. Dès la détection d'un élément agressif, un mastocyte libère massivement l'histamine stockée dans son cytoplasme. L'histamine est un puissant vasodilatateur : elle provoque un écartement des cellules de la paroi de vaisseaux sanguins (B). Les leucocytes, attirés par les interleukines, se déforment et parviennent ainsi à s'insérer entre les cellules de la paroi du vaisseau pour gagner la zone tissulaire œdémateuse : c'est la **diapédèse*** (C).

Pour comprendre comment se met en place la réaction inflammatoire :

- Montrez que, malgré leur diversité, les cellules participant à la réaction inflammatoire possèdent des points communs.
- Expliquez les mécanismes à l'origine des symptômes de la réaction inflammatoire et de l'afflux de cellules immunitaires sur le lieu d'une infection.

Des clés pour réussir

- Prenez en compte ce qui a été vu dans l'unité 1.
- Expliquez notamment l'aspect d'un tissu en état d'inflammation tel qu'il apparaît en microscopie optique.

L'élimination des pathogènes et la préparation de la réponse adaptative

La réaction inflammatoire mobilise de nombreuses cellules sur le lieu de l'infection.
La phagocytose permet d'éliminer des éléments indésirables, et de préparer la réponse immunitaire adaptative, complément le plus souvent indispensable de la réponse immunitaire innée.

> *Comment la réaction inflammatoire permet-elle d'éliminer les agents agresseurs tout en préparant la réponse immunitaire adaptative ?*

Animation
► La phagocytose

1 La phagocytose, premier rempart contre le développement d'une infection

L'inflammation crée un environnement propice au recrutement de cellules immunitaires, en particulier des granulocytes et des macrophages. Toutes ces cellules sont des **phagocytes*** : elles sont douées de phagocytose, c'est-à-dire de la capacité de reconnaître un agent infectieux, de l'englober dans leur cytoplasme puis de le digérer.

Lorsque l'infection est importante, les granulocytes impliqués sont très nombreux : il se crée alors un mélange de bactéries et de granulocytes qui constitue le pus* (**A**).

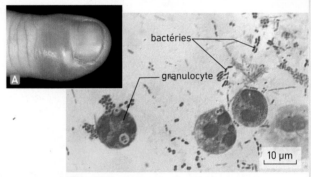
bactéries
granulocyte
10 µm

A

B Observation d'une goutte de pus (microscope optique).

C
bactérie
1 µm

Les granulocytes peuvent facilement phagocyter des bactéries, beaucoup plus petites (**B**). Du fait de leur grande taille, les macrophages (**C** et **D**) peuvent phagocyter des éléments de toutes dimensions, y compris des cellules entières (ce sont les macrophages qui éliminent les cellules mortes).

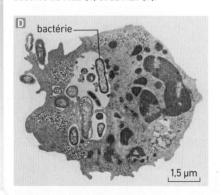

■ Macrophage effectuant la phagocytose, observé au MEB (**C**) et au MET (**D**).

D
bactérie
1,5 µm

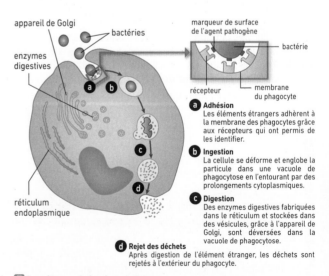

appareil de Golgi
bactéries
enzymes digestives
marqueur de surface de l'agent pathogène
bactérie
récepteur
membrane du phagocyte
réticulum endoplasmique

a **b** **c** **d**

a Adhésion
Les éléments étrangers adhèrent à la membrane des phagocytes grâce aux récepteurs qui ont permis de les identifier.

b Ingestion
La cellule se déforme et englobe la particule dans une vacuole de phagocytose en l'entourant par des prolongements cytoplasmiques.

c Digestion
Des enzymes digestives fabriquées dans le réticulum et stockées dans des vésicules, grâce à l'appareil de Golgi, sont déversées dans la vacuole de phagocytose.

d Rejet des déchets
Après digestion de l'élément étranger, les déchets sont rejetés à l'extérieur du phagocyte.

E Les étapes de la phagocytose.

② L'initiation de la réponse immunitaire adaptative

Dans de nombreux cas, la réaction inflammatoire ne suffit pas à juguler une infection : une réponse immunitaire spécifiquement adaptée à l'élément agresseur va se développer, en complément de l'immunité innée (voir chapitre 3). Cette immunité adaptative est assurée par d'autres cellules immunitaires, les **lymphocytes***.

Cependant, pour passer à l'action, les lymphocytes doivent être sélectionnés et activés. C'est dans les **ganglions lymphatiques*** (voir p. 299), véritables réservoirs de lymphocytes, que s'effectue cette étape d'initiation des lymphocytes adaptés à l'élément agresseur.

lymphocyte T

cellule dendritique

A Cellule dendritique établissant un contact avec un lymphocyte (MEB).

Les **cellules dendritiques*** et, dans une moindre mesure les macrophages, sont les principaux acteurs de ce recrutement des lymphocytes. Après avoir effectué une phagocytose, ces cellules migrent vers les ganglions lymphatiques les plus proches.

Les cellules dendritiques sont des leucocytes caractérisés par de longs prolongements cytoplasmiques, et capables elles aussi d'effectuer la phagocytose. Elles possèdent des molécules de surface, appelées **molécules du CMH*** (complexe majeur d'histocompatibilité) qui peuvent exposer de petits fragments issus de l'élément phagocyté. Les cellules dendritiques vont alors établir un contact avec certains lymphocytes capables de reconnaître l'élément exposé (A).

La molécule ainsi présentée, spécifique de l'élément agresseur, est qualifiée d'**antigène*** (ce qui signifie qu'elle peut générer une réaction spécifiquement dirigée contre elle). On dit alors que les cellules dendritiques sont des **cellules présentatrice de l'antigène (CPA)***. Seuls les lymphocytes susceptibles de reconnaître cette présentation de l'antigène (des lymphocytes de la catégorie T) seront ainsi sélectionnés (voir p. 359).

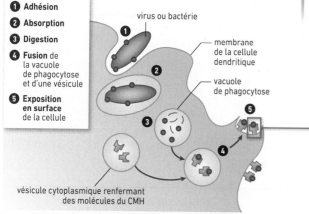

❶ **Adhésion**
❷ **Absorption**
❸ **Digestion**
❹ **Fusion** de la vacuole de phagocytose et d'une vésicule
❺ **Exposition en surface** de la cellule

virus ou bactérie

membrane de la cellule dendritique

vacuole de phagocytose

vésicule cytoplasmique renfermant des molécules du CMH

B La présentation d'un antigène caractéristique de l'élément phagocyté.

Activité pratique

Avec un logiciel de modélisation moléculaire, comparer des molécules du CMH exposant des antigènes.

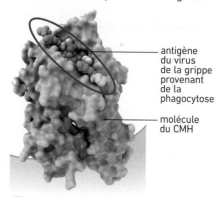

antigène du virus de la grippe provenant de la phagocytose

molécule du CMH

C Modèle d'une molécule du CMH présentant un antigène du virus de la grippe.

Activités envisageables

Pour comprendre en quoi la réponse immunitaire innée est essentielle :

● Observez des cellules immunitaires effectuant la phagocytose : en vous appuyant sur le schéma du document **1**, présentez ce que vous identifiez.

● En utilisant ce que vous avez vu précédemment, réalisez un schéma bilan de la réponse immunitaire innée, dans lequel vous situerez notamment les deux fonctions essentielles de la phagocytose.

Des clés pour réussir

● Faites l'inventaire des différents acteurs de la réponse innée et de leurs rôles respectifs.

● Montrez que ces acteurs communiquent entre eux et interagissent.

***Lexique** ➡ p. 422*

4 Limiter la douleur et contrôler l'inflammation

La réaction inflammatoire est nécessaire, mais elle peut entraîner des douleurs persistantes, parfois difficiles à supporter. Différents médicaments aident l'organisme à limiter les symptômes du processus inflammatoire.

> *Quelle est l'origine de la douleur ?*
> *Comment les médicaments qui contrôlent l'inflammation agissent-ils ?*

1 La douleur, un signal d'alarme lié à l'inflammation

Le message nerveux à l'origine de la douleur prend naissance au niveau de récepteurs sensoriels spécifiques, les nocicepteurs*, dispersés dans les tissus cutanés, musculaires et articulaires, ainsi que dans la paroi des viscères*.

Les cellules lésées ou agressées produisent une prostaglandine*, médiateur chimique qui stimule les nocicepteurs. Le message nerveux est ensuite acheminé par la moelle épinière vers le cortex cérébral où la sensation douloureuse est élaborée.

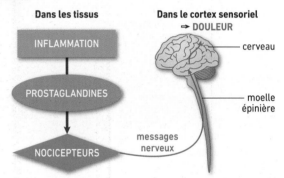

Le circuit du message nerveux à l'origine de la douleur.

2 Une panoplie de médicaments

De nombreux médicaments permettent de limiter les effets de la réaction inflammatoire. Certains ont uniquement un effet **antalgique*** : ils diminuent la sensation de douleur.

D'autres ont également un effet **anti-inflammatoire*** : ils limitent l'ensemble des processus de la réaction inflammatoire.

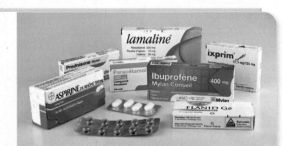

Médicaments				
Effet antalgique			**Effet antalgique et anti-inflammatoire** (l'effet anti-inflammatoire dépend des dosages)	
Opioïdes	**Paracétamol**	**Aspirine**	**AINS anti-inflammatoires non stéroïdiens (ibuprofène)**	**AIS anti-inflammatoires stéroïdiens (corticoïdes)**
Mode d'action agissent sur les régions du cerveau impliquées dans la douleur	réduisent la production des prostaglandines, médiateurs chimiques de la réaction inflammatoire			réduisent la production de nombreux médiateurs en agissant sur l'expression de gènes
Préconisation douleurs de forte intensité	douleurs modérées et fièvre		réaction inflammatoire* aigüe ou chronique douloureuse	
Effets indésirables nausées somnolence risque de dépendance	risque pour le foie en cas de surdosage	troubles digestifs (nausées, douleurs à l'estomac) effet anticoagulant sur le sang		nombreux pour des traitements longs

Remarque : ces substances ne sont pas équivalentes. Il appartient au médecin de prescrire ce qui est adapté à chaque patient.

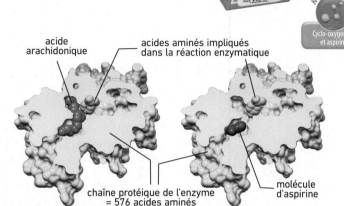

③ Le mode d'action d'un antalgique

On sait depuis l'Antiquité que l'écorce du saule permet de calmer la douleur. Aujourd'hui, l'aspirine (acide acétylsalicylique) est obtenue par synthèse chimique : on en produit 40 000 tonnes chaque année dans le monde.

Le mode d'action de l'aspirine est connu : elle interagit avec la voie métabolique de synthèse des prostaglandines. Celle-ci s'effectue en plusieurs étapes, chaque réaction étant catalysée par une enzyme (A).

Molécule 3D
Cyclo-oxygénase et aspirine

Activité pratique

Avec un logiciel de modélisation moléculaire, mettre en évidence l'interaction de la cyclo-oxygénase avec l'aspirine.

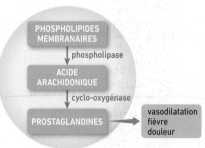

cellule inflammatoire

PHOSPHOLIPIDES MEMBRANAIRES
phospholipase
ACIDE ARACHIDONIQUE
cyclo-oxygénase
PROSTAGLANDINES → vasodilatation / fièvre / douleur

acide arachidonique

acides aminés impliqués dans la réaction enzymatique

chaîne protéique de l'enzyme = 576 acides aminés

molécule d'aspirine

Ⓐ **Voie métabolique de synthèse des prostaglandines.**

Ⓑ **Modèle moléculaire de la cyclo-oxygénase : à gauche avec son substrat, l'acide arachidonique, à droite en présence d'aspirine.**

④ Un test clinique pour apprécier l'efficacité d'un anti-inflammatoire

Chez des patients atteints d'une inflammation chronique des voies respiratoires, on teste l'efficacité de deux anti-inflammatoires stéroïdiens (dérivés de la cortisone*) : le fluticasone et la prednisone.

On dose chez ces patients la concentration d'une protéine sanguine, la CRP (*C-reactive protein*) dont le taux sanguin est proportionnel au degré d'inflammation. Un lot de sujets témoins suit un traitement avec une substance inactive (placebo*).

	Placebo	Fluticasone 1 mg/jour	Prednisone 30 mg/jour
Variation en % de la concentration sanguine de CRP au bout de 14 jours de traitement	– 8 %	– 50 %	– 63 %

Activités envisageables

Pour étudier le mode d'action des médicaments antalgiques et anti-inflammatoires :

● À partir des documents, expliquez avec précision l'effet antalgique de l'aspirine.

● Comparez l'action des différents médicaments présentés ici.

● Discutez de l'efficacité des deux corticoïdes testés.

Des clés pour réussir

● Pour étudier l'action d'un médicament, établissez des relations de cause à effet à différents niveaux (moléculaire, cellulaire, organisme).

● Vous pouvez rechercher des informations complémentaires concernant les cibles des différentes substances, leurs indications et contre-indications.

L'immunité innée

Podcast
Bilan

Les organismes pluricellulaires sont confrontés à divers types de dangers : infection par des microorganismes (bactéries, virus, champignons), attaque de parasites, atteintes de tissus par des lésions traumatiques, multiplication cellulaire anarchique (cancérisation). Le système immunitaire contribue à faire face à ces dangers et à maintenir l'intégrité de l'organisme.

1 Immunité innée et immunité adaptative

◗ Deux réponses complémentaires

Chez les vertébrés, deux types de réponses immunitaires sont distinguées.

La **réponse immunitaire innée**, génétiquement héritée, est opérationnelle dès la naissance et ne nécessite aucun apprentissage. Elle peut être déclenchée très rapidement à n'importe quel endroit de l'organisme. Ses modes d'action sont stéréotypés, sans adaptation spécifique au type d'agression (agents infectieux, lésions, cancérisation).

La **réponse immunitaire adaptative** est au contraire très spécifiquement dirigée contre l'agent pathogène. Elle se construit et évolue au cours de la vie (voir chapitre 3).

◗ Des cellules spécialisées

La réponse immunitaire innée fait intervenir plusieurs types de cellules. Toutes sont des **leucocytes** (globules blancs).

Une partie des cellules impliquées résident dans les tissus : ce sont les **macrophages**, les **cellules dendritiques** et les **mastocytes**. Leur dispersion dans tous les tissus fait qu'il y a une forte probabilité pour qu'elles détectent l'intrusion d'agents pathogènes.

D'autres leucocytes, circulant dans le sang, sont également recrutés lors de la réponse innée : ce sont les **granulocytes** et les **monocytes**.

Les leucocytes intervenant dans la réponse immunitaire adaptative sont les **lymphocytes**. Ils coopèrent avec les cellules de l'immunité innée dont l'action se prolonge au cours de la réponse adaptative (voir chapitre 3).

◗ Une longue histoire évolutive

L'immunité innée est apparue il y a environ 800 millions d'années. Chez la plupart des espèces pluricellulaires animales, c'est la seule présente. Seuls les vertébrés possèdent une immunité adaptative. Les plantes possèdent également des mécanismes de défense apparentés à ceux des animaux.

2 La réaction inflammatoire, première ligne de défense

◗ Des symptômes bien identifiables

Suite à une blessure, une infection ou un traumatisme, on observe le développement d'une **réaction inflammatoire**. Lorsqu'elle est aigüe, elle s'accompagne d'une **rougeur**, de **douleur** et d'une sensation de **chaleur** avec **gonflement** des tissus.

Ces symptômes traduisent une dilatation locale des vaisseaux (**vasodilatation**) avec un afflux de sang (rougeur et chaleur) et une sortie de plasma sanguin dans les tissus avoisinants, à l'origine du gonflement (œdème).

La douleur est la conséquence de la stimulation de récepteurs sensoriels spécifiques, les **nocicepteurs**, localisés dans la peau, les muscles, les articulations et la paroi des viscères. C'est une substance libérée par les tissus atteints, appartenant au groupe des **prostaglandines**, qui déclenche l'émission par ces récepteurs de messages nerveux acheminés jusqu'au cerveau et responsables de la sensation douloureuse.

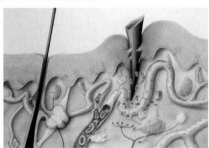

Une lésion (épine) à l'origine d'une réaction inflammatoire.

◗ La reconnaissance des agents pathogènes

La réponse innée est fondée sur le fait que les cellules immunitaires présentent des **récepteurs de surface** capables de déceler des **motifs moléculaires communs** à de nombreux agents pathogènes : composants de la paroi cellulaire pour les bactéries ou les champignons, motifs du génome pour les virus par exemple. La comparaison des séquences moléculaires de ces récepteurs montre que ceux-ci ont été très conservés au cours de l'évolution.

◗ Une réponse coordonnée

La reconnaissance de la présence d'un agent pathogène déclenche, de la part des cellules de l'immunité résidentes des tissus, la libération de diverses substances constituant les **médiateurs chimiques de l'inflammation**.

L'**histamine**, libérée massivement par les mastocytes, provoque une vasodilatation locale qui favorise l'afflux des cellules immunitaires à proximité du lieu d'infection ou de lésion.

D'autres substances très diverses, les **interleukines**, permettent une communication entre les cellules immunitaires. Certaines interleukines exercent un **rôle attractif** sur les leucocytes circulant dans le sang. D'autres modifient l'activité des cellules qui les reçoivent.

Ainsi, des cellules sanguines comme les granulocytes ou les monocytes vont passer du sang vers le tissu en s'insérant entre les cellules de la paroi des vaisseaux dilatés : c'est le phénomène de **diapédèse**. Toujours sous l'effet d'interleukines, les monocytes se transforment en **macrophages**.

Très rapidement, de nombreux leucocytes sont ainsi recrutés et entrent en action sur le lieu même de l'infection ou de la lésion.

◗ La phagocytose : une limite à la multiplication de l'agent infectieux

Les granulocytes et les macrophages recrutés et activés ont la capacité de neutraliser les agents infectieux et de faire disparaître les débris des cellules d'un tissu lésé par le mécanisme de **phagocytose** (raison pour laquelle ces cellules sont aussi qualifiées de phagocytes).

La phagocytose s'effectue en plusieurs étapes.

• L'adhésion de la cellule immunitaire à la paroi de l'élément à éliminer, après reconnaissance grâce aux récepteurs membranaires.

• L'ingestion de l'élément par déformation du cytoplasme qui vient l'entourer et l'englober dans une vacuole de phagocytose.

• La digestion intracellulaire grâce à des enzymes qui provoquent la lyse des constituants de l'élément phagocyté.

• Le rejet des déchets issus de la digestion à l'extérieur de la cellule immunitaire.

3 La préparation de la réaction adaptative

◗ La présentation de l'antigène par les cellules dendritiques

Parmi les cellules de l'immunité innée, les **cellules dendritiques** ont un rôle particulier. Ces cellules sont présentes dans tous les tissus de l'organisme à l'exception du cerveau. Leur forme étoilée résulte de la présence de nombreux prolongements cytoplasmiques qui leur permettent d'établir des contacts. Elles sont capables de phagocytose et possèdent des molécules de surface, appelées **molécules du CMH** (complexe majeur d'histocompatibilité), sur lesquelles elles peuvent exposer de petits fragments issus de la digestion de l'élément phagocyté. La molécule spécifique de l'élément agresseur ainsi exposée est qualifiée d'**antigène** (ce qui signifie qu'elle peut générer une réaction spécifiquement dirigée contre elle).

Les macrophages sont également susceptibles de présenter l'antigène de la même façon. On dit alors que ces cellules sont des **cellules présentatrice de l'antigène, ou CPA**.

◗ Le recrutement des cellules de l'immunité adaptative

Ces cellules présentatrices de l'antigène migrent à l'intérieur de l'organisme vers les **ganglions lymphatiques**, organes répartis dans tout l'organisme et qui jouent le rôle de réservoirs de lymphocytes. Là, les CPA entrent en contact avec des **lymphocytes** de la catégorie T (voir chapitre 3). Seuls les lymphocytes T capables de reconnaître cet antigène ainsi présenté sont alors sélectionnés et activés par les CPA, ce qui marque le déclenchement de la réaction immunitaire adaptative.

4 Aider l'organisme à contrôler l'inflammation

La réaction inflammatoire est essentielle et traduit la réponse de l'organisme à une agression. Cependant, ses symptômes, les douleurs et la fièvre, sont désagréables. Si la cause persiste, l'inflammation peut prendre un caractère chronique avec des lésions possibles au niveau des organes. Pour des raisons de confort et pour en limiter les conséquences, il peut être nécessaire d'aider l'organisme à contrôler l'inflammation et la douleur. On utilise alors des médicaments aux effets **antalgiques** (qui limitent la douleur) et **anti-inflammatoires** (qui diminuent l'inflammation).

◗ Antalgiques et anti-inflammatoires non stéroïdiens

La plus célèbre des substances à effet antalgique est l'acide acétylsalicylique, mieux connu sous le nom pharmaceutique d'**aspirine**. Utilisée depuis l'Antiquité, cette molécule permet de limiter la douleur, l'inflammation et de lutter contre la fièvre.

D'autres molécules aux effets comparables ont été découvertes par la suite : **paracétamol, ibuprofène**… Certaines d'entre elles empêchent la synthèse des prostaglandines, médiateurs de l'inflammation intervenant dans la vasodilatation, la douleur et la fièvre. Très utilisés, ces médicaments ne sont cependant pas anodins et leurs effets secondaires (brûlures d'estomac, fluidification du sang, action sur le foie, les reins…) doivent être pris en compte.

◗ Les anti-inflammatoires stéroïdiens

Vers 1850, on a découvert le pouvoir anti-inflammatoire des hormones produites par les glandes surrénales (cortisol). On utilise aujourd'hui divers **corticoïdes** de synthèse pour leur puissant effet anti-inflammatoire. Ces molécules, en plus de bloquer la synthèse des prostaglandines, agissent sur plusieurs autres médiateurs de l'inflammation. Ces substances présentent cependant de nombreux effets secondaires et leur utilisation implique un suivi médical strict.

L'immunité innée

À retenir

Immunité innée et immunité adaptative

Tous les animaux pluricellulaires possèdent une **immunité innée**, génétiquement héritée, **peu spécifique**, qui intervient très rapidement en tout point de l'organisme en réponse à une infection ou une lésion.

Les vertébrés disposent en outre d'une **immunité adaptative**, spécifiquement dirigée contre l'agent pathogène.

La réponse innée est une première ligne de défense indispensable, qui se maintient tout au long de la réaction immunitaire.

L'immunité innée repose sur la reconnaissance peu spécifique de motifs moléculaires présents sur les agents pathogènes grâce à des **récepteurs de surface**. Ces mécanismes de reconnaissance et d'action présentent une conservation remarquable au cours de l'évolution des êtres vivants.

La réaction inflammatoire, première ligne de défense

Le premier signe d'une infection ou d'une lésion des tissus est une **réaction inflammatoire** locale : rougeur, chaleur, gonflement et douleur. Au niveau du tissu concerné, cette réaction se traduit par l'accumulation de cellules immunitaires comme les **granulocytes** et les **macrophages**.

Après avoir décelé la présence de l'agent pathogène grâce à leurs récepteurs de surface, les cellules immunitaires résidentes des tissus produisent divers **médiateurs chimiques de l'inflammation**. Parmi ces molécules, les **interleukines** assurent la communication entre cellules : elles permettent de recruter et d'activer de nombreuses cellules immunitaires sur le lieu de l'infection ou de la lésion.

La **phagocytose**, mécanisme par lequel les cellules immunitaires englobent et digèrent un élément pathogène, limite la **multiplication** de l'agent infectieux.

La préparation de la réaction adaptative

Certaines cellules immunitaires, les **cellules dendritiques**, migrent vers les **organes lymphoïdes**. Dans ces ganglions, elles présentent à la surface de leur membrane des fragments moléculaires des éléments phagocytés appelés **antigènes**. Les **lymphocytes** qui reconnaissent l'antigène ainsi présenté sont sélectionnés et activés, ce qui initie la réponse adaptative.

Aider l'organisme à contrôler l'inflammation

La réaction inflammatoire est à l'origine de symptômes inconfortables (douleur et fièvre) que l'on peut contrôler à l'aide de médicaments aux effets **antalgiques** et **anti-inflammatoires**. Les effets secondaires indésirables de ces médicaments peuvent nécessiter une vigilance médicale.

Mots-clés

Ganglions lymphatiques ● **Interleukines** ● **Macrophage** ● **Médicaments anti-inflammatoires** ● **Phagocytose** ● **Présentation de l'antigène** ● **Réaction inflammatoire** ● **Récepteurs de surface**

L'immunité innée

Le déroulement de la réaction inflammatoire

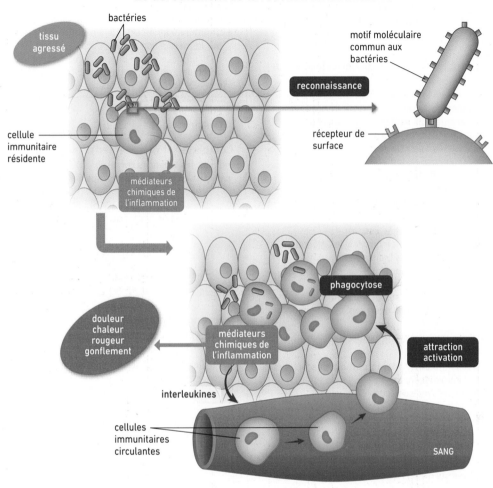

bactéries

tissu
agressé

motif moléculaire
commun aux
bactéries

reconnaissance

cellule
immunitaire
résidente

récepteur de
surface

médiateurs
chimiques de
l'inflammation

phagocytose

douleur
chaleur
rougeur
gonflement

médiateurs
chimiques de
l'inflammation

attraction
activation

interleukines

cellules
immunitaires
circulantes

SANG

Les rôles de la phagocytose

neutralisation de l'agent pathogène

induction de la réponse adaptative

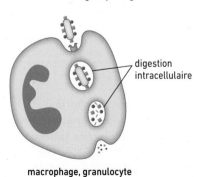

digestion
intracellulaire

macrophage, granulocyte

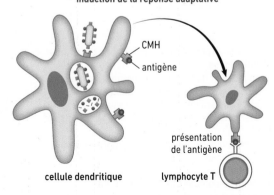

CMH

antigène

présentation
de l'antigène

cellule dendritique

lymphocyte T

1 Retour vers les problématiques

Relisez la page « S'interroger avant d'aborder le chapitre » (p. 329) ; à l'aide de ce que vous savez à présent, répondez aux questions que vous avez formulées.

2 QCM BAC

Choisissez l'unique bonne réponse parmi les quatre propositions.

1. **Les symptômes de la réaction inflammatoire (rougeur, chaleur, gonflement) sont dus :**
   a. à un déplacement de liquide cellulaire qui quitte les tissus pour aller dans le sang ;
   b. à un déplacement de plasma sanguin des tissus vers la circulation sanguine ;
   c. à un déplacement de plasma sanguin vers les tissus agressés ;
   d. à une entrée de liquide dans les cellules des tissus agressés.

2. **La réponse immunitaire innée est :**
   a. une réaction lente faisant intervenir les globules rouges, puis les globules blancs ;
   b. une réponse rapide faisant intervenir de nombreuses cellules immunitaires ;
   c. une réponse spécifique se déclenchant différemment en fonction des agents pathogènes identifiés ;
   d. une réponse immunitaire présente uniquement chez les vertébrés.

3. **La reconnaissance des agents pathogènes par les cellules de l'immunité innée :**
   a. est due à la présence de récepteurs peu spécifiques à la surface de certains leucocytes ;
   b. est due aux interleukines produites par les leucocytes ;
   c. nécessite d'abord la phagocytose ;
   d. n'existe pas dans la réponse immunitaire innée.

4. **Les leucocytes qui n'interviennent pas dans l'immunité innée sont :**
   a. les granulocytes ;
   b. les lymphocytes ;
   c. les cellules dendritiques ;
   d. les macrophages.

3 Mettre dans l'ordre

Replacer dans un ordre logique ces étapes de la réponse immunitaire innée :
a. Déclenchement de la réponse immunitaire adaptative par les cellules présentatrices d'antigène (CPA).
b. Lésion de la peau ou atteinte des tissus.
c. Recrutement de cellules immunitaires vers le tissu atteint.
d. Ingestion et digestion des éléments agresseurs par phagocytose.
e. Vasodilatation.
f. Sensation de douleur due à la stimulation de nocicepteurs.

4 Vrai ou faux ?

Repérez les affirmations exactes et corrigez celles qui sont inexactes.
a. L'immunité innée est génétiquement déterminée.
b. L'immunité innée est due aux anticorps transmis par la mère à son fœtus.
c. La diapédèse est un processus par lequel les cellules immunitaires résidant dans la circulation sanguine peuvent sortir des vaisseaux sanguins pour se rendre dans des tissus lésés.
d. L'histamine est une substance nocive car elle favorise l'inflammation des tissus.

5 Compléter et commenter un schéma

Indiquez les légendes correspondant aux lettres ⓐ à ⓔ et expliquez en quelques phrases ce que présente ce schéma.

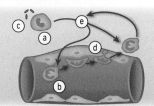

6 Apprendre en s'interrogeant

1. Cachez l'une des colonnes du tableau suivant et retrouvez ce que contient l'autre (à faire seul ou à plusieurs).
2. Vérifiez vos réponses et reprenez si besoin les notions concernées.

Questions	Réponses
Quelles sont les symptômes d'une réaction inflammatoire ?	Chaleur, rougeur, gonflement, douleur.
Quel est le rôle de l'histamine ?	Elle provoque la vasodilatation, ce qui permet la sortie des leucocytes vers le lieu de l'infection.
D'où proviennent les interleukines et quel est leur rôle ?	Ces substances chimiques sont produites par les leucocytes et permettent la communication entre les cellules immunitaires.
Quels sont les deux rôles de la phagocytose ?	Limiter la prolifération de l'agent pathogène d'une part, induire la réponse immunitaire adaptative d'autre part.

7 Questions à réponses courtes

1. Quelles sont les principales étapes de la phagocytose ?
2. Quelles sont les catégories de leucocytes intervenant dans la réponse immunitaire innée ?
3. Quel est le rôle d'une cellule présentatrice d'antigène ?
4. Pourquoi l'inflammation peut-elle être considérée comme un mal nécessaire ?

8 Maîtriser ses connaissances **BAC**

★ Expliquez comment certains leucocytes permettent de limiter, grâce à la phagocytose, la prolifération de l'élément pathogène au cours de la réaction inflammatoire. L'exposé sera illustré par un schéma.

9 Maîtriser ses connaissances **BAC**

★★ La réponse immunitaire innée ne suffit en général pas à contrer une agression microbienne. Elle doit être complétée par la réponse immunitaire adaptative qui fait intervenir des cellules spécialisées, les lymphocytes.

Expliquez comment la réponse immunitaire innée permet de préparer le déclenchement de la réponse immunitaire adaptative. L'exposé sera illustré par un schéma.

10 Interpréter des résultats et en tirer des conclusions

★ Les macrophages sont de grosses cellules qui se déplacent peu. Ils se forment sur le lieu de l'infection par activation de monocytes qui sont, eux, des leucocytes circulants.

On mesure *in vitro* le taux d'activation des monocytes (unité arbitraire) en fonction d'un médiateur chimique libéré par les cellules dendritiques et les macrophages, l'interleukine IL15.

Dose d'IL15 (ng/mL)	0	25	50
% d'activation des monocytes	4	22	46

À partir de l'exploitation de ces résultats, identifiez le rôle de l'interleukine IL15 et montrez que ce processus contribue à un accroissement rapide de la phagocytose.

11 Interpréter des résultats et exercer un esprit critique

★★ Un patient souffre depuis plusieurs jours d'un panaris au pied avec une légère fièvre. Son médecin lui prescrit une numération sanguine (dénombrement des cellules sanguines) dont les résultats sont présentés ci-dessous.

	Valeurs du patient (cellules/mm³)	Valeurs normales (cellules/mm³)
Hémogramme		
Hématies	5 380 000	4 200 000 à 5 700 000
Leucocytes	12 300	4 000 à 10 000
Formule leucocytaire (globules blancs)		
Granulocytes	9 300	< 8 000
Lymphocytes	3 500	1 000 à 4 000
Monocytes	1 700	80 à 1 000

Selon vous, les résultats d'analyse de ce patient sont-ils inquiétants ?

12 Distinguer une croyance ou une opinion d'un savoir scientifique

★★ Selon Hippocrate, médecin de la Grèce antique (Vᵉ siècle avant J.-C.), le pus résulterait de la putréfaction des chairs au niveau d'une blessure (pourrissement des tissus).

À partir de vos connaissances, expliquez en quoi cette croyance est erronée.

13 Comprendre qu'un effet peut avoir plusieurs causes

★★★ Les mastocytes, cellules de l'immunité innée, libèrent après activation de nombreux médiateurs chimiques dont l'histamine. Celle-ci agit sur les cellules de la paroi

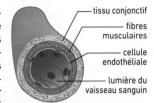

- tissu conjonctif
- fibres musculaires
- cellule endothéliale
- lumière du vaisseau sanguin

des vaisseaux sanguins (cellules endothéliales) en se fixant sur des récepteurs dits « H1 », ce qui provoque l'écartement des cellules endothéliales. La prostaglandine PGI2 est quant à elle produite par les cellules endothéliales ; elle agit sur les fibres musculaires des vaisseaux en entraînant leur relâchement, ce qui favorise la vasodilatation.

À partir du texte ci-dessus, montrez que la vasodilatation qui se produit lors de la réaction inflammatoire peut avoir plusieurs causes ; représentez ces relations de cause à effet par un schéma fonctionnel.

Aides à la résolution

- Relevez les cellules et molécules impliquées dans la vasodilatation.
- Identifiez le mode d'action des molécules impliquées dans la vasodilatation. Distinguez les cellules qui produisent ces molécules et les cellules qui y sont sensibles.
- Représentez tous ces éléments sur un schéma en les reliant par des flèches traduisant les relations de cause à effet.

14 Concevoir un protocole expérimental

★★ Les huitres possèdent un liquide circulant appelé hémolymphe contenant des cellules, les hémocytes. On cherche à montrer que ces hémocytes participent à l'immunité innée en étant capables de phagocytose.

Proposez un protocole expérimental permettant de tester cette hypothèse.
Vous disposez :
• d'hémolymphe prélevée sur une huitre ;
• de levures (champignons unicellulaires microscopiques) colorées au bleu de méthylène ;
• du matériel habituellement disponible lors des travaux pratiques de SVT.

15 Des marqueurs et des récepteurs à faible spécificité BAC

Au cours de la réaction inflammatoire, les cellules immunitaires développent une réponse contre les éléments agresseurs mais épargnent les cellules fonctionnelles de l'organisme. Ceci suppose un système de reconnaissance.

■ **À partir des documents et de vos connaissances, expliquez comment s'effectue cette reconnaissance et montrez que celle-ci est relativement peu spécifique.**

DOC 1 Les récepteurs de surface des cellules immunitaires

Chez les mammifères, une famille de dix récepteurs de surface, dont sont équipées les cellules immunitaires, suffit à reconnaître des marqueurs partagés par les principaux groupes d'agents pathogènes (molécules constitutives de la paroi bactérienne par exemple).

Une partie de ces récepteurs, constituée de 150 acides aminés environ, est également présente dans des protéines de résistance à l'infection chez d'autres groupes animaux et même chez les plantes.

	255	260	265	270	275	280	285	290
Rat	D A F Y S	L G S L E	H L D L S	N N H L S	S L S S S	W F R P L	S S L K Y	L N L
Hommme	D S F S S	L G S L E	H L D L S	Y N Y L S	N L S S S	W F K P L	S S L T F	L N L
Chimpanze	D S F S S	L G S L E	H L D L S	Y N Y L S	N L S S S	W F K P L	S S L T F	L N L
Chien	E S F L S	L W S L E	H L D L S	Y N L L S	N L S S S	W F R P L	S S L K F	L N L
Taureau	D S F F H	L R N L E	Y L D L S	Y N R L S	N L S S S	W F R S L	Y V L K F	L N L
Poule	D S F G S	Q G K L E	L L D L S	N N S L A	H L S P V	W F G P L	F S L Q H	L R I
Poisson_zebre	D A F K S	Q H N L E	V L D L S	L N N L N	N L S P S	W F H K L	K S L Q Q	L N L
Drosophile	R A F E G	L L S L R	V V D L S	A N R L T	S L P P E	L F A E T	K Q L Q E	I Y L
Moustique	R A F E G	L V S L S	R L E L S	L N R L T	N L P P E	L F S E A	K H I K E	I Y L

A Comparaison des séquences d'acides aminés de récepteurs chez divers organismes, effectuée avec le logiciel *Phylogène*. Chaque lettre correspond à un acide aminé.

DOC 2 L'identification de virus

L'information génétique de certains virus est constituée d'ARN. Chez ces virus, le brin d'ARN est replié sur lui-même en une double hélice à la manière de l'ADN, ce qui permet son identification par le récepteur.

Le récepteur de surface TLR3 est présent à la surface des cellules de l'immunité.

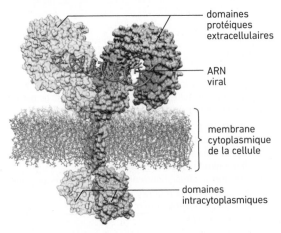

domaines protéiques extracellulaires

ARN viral

membrane cytoplasmique de la cellule

domaines intracytoplasmiques

B Modèle moléculaire du récepteur TLR3 reconnaissant un fragment d'ARN de virus.

DOC 3 L'élimination de cellules de l'organisme

La réaction inflammatoire ne répond pas toujours à une infection microbienne. En effet, les récepteurs de surface des cellules immunitaires reconnaissent aussi des signaux de danger émis par les cellules de l'organisme elles-mêmes. De tels signaux moléculaires sont émis par les cellules endommagées ou en fin de vie, les cellules mécaniquement lésées ou irritées par des polluants, ou encore les cellules cancéreuses.

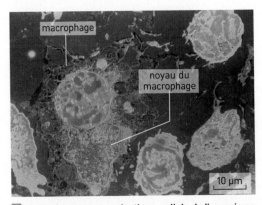

macrophage

noyau du macrophage

10 µm

C Macrophage ayant englouti une cellule de l'organisme (similaire aux trois autres, encore libres).

★ facile   ★★ intermédiaire   ★★★ confirmé

16 Immunité innée et pollution

★
★
★

Les maladies respiratoires comme la bronchite chronique et l'asthme touchent plus de 300 millions de personnes dans le monde. La pollution est l'un des facteurs évoqués pour expliquer ces maladies, notamment les particules en suspension dans l'air (comme les particules carbonées provenant des moteurs, des installations de chauffage, de l'industrie).

Deux hypothèses ont été testées par les chercheurs :
– les particules carbonées peuvent déclencher une réaction inflammatoire ;
– cette exposition aux particules carbonées entraîne une diminution de la réponse immunitaire innée vis-à-vis d'agents infectieux.

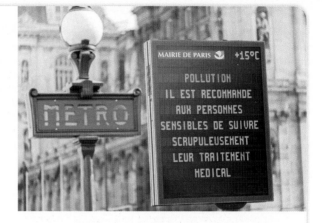

DOC 1 Effets des particules carbonées sur la sécrétion d'IL1 par des macrophages en culture

Des macrophages humains en culture *in vitro* ont été mis en présence de particules carbonées (diamètre inférieur à 10 μm). Au bout de 24 heures, on mesure la concentration du milieu de culture en une molécule inflammatoire, l'interleukine 1 (ou IL1).

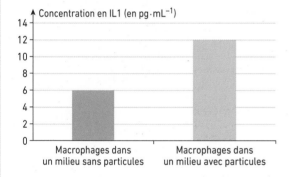

DOC 2 Effets des liposaccharides bactériens sur la production d'IL1 par des macrophages en culture

Ces mêmes macrophages sont transférés dans un nouveau milieu dépourvu de particules carbonées mais contenant des liposaccharides (molécules constitutives de la paroi des bactéries pathogènes et reconnus par les récepteurs de surface). Au bout de 24 heures, on mesure à nouveau la concentration du milieu de culture en interleukine 1.

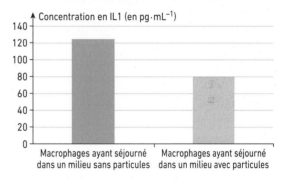

Pour chaque affirmation, choisissez l'unique bonne réponse.

1. **Dans ces expériences, la production d'interleukine IL1 est :**
   a. un indicateur de la présence de particules carbonées dans le milieu de culture ;
   b. un indicateur de la présence de liposaccharides dans le milieu de culture ;
   c. l'indicateur d'une réaction entre particules carbonées et liposaccharides ;
   d. le témoin de l'activité des macrophages.

2. **La présence de particules carbonées dans le milieu de culture :**
   a. déclenche une production d'interleukine IL1 par les macrophages ;
   b. double la production d'interleukine IL1 par les macrophages ;
   c. tue les macrophages ;
   d. n'a aucun effet sur la production d'interleukine IL1.

3. **Le transfert des macrophages d'un milieu renfermant des particules carbonées à un milieu contenant des liposaccharides bactériens :**
   a. ne modifie pas la production d'interleukine IL1 ;
   b. restreint cette production d'interleukine ;
   c. accroît considérablement cette production ;
   d. bloque cette production.

4. **L'exposition aux particules carbonées :**
   a. ne peut pas déclencher une réaction inflammatoire ;
   b. n'a aucune incidence sur une éventuelle réponse immunitaire vis-à-vis des agents microbiens pathogènes ;
   c. limite la capacité des macrophages à répondre à d'éventuels agents microbiens pathogènes ;
   d. empêche toute réponse immunitaire en tuant les macrophages.

BAC

17 Les corticoïdes : des anti-inflammatoires à utiliser à bon escient

★
★

Les corticoïdes (souvent appelés plus simplement cortisone) sont des médicaments anti-inflammatoires puissants. Ils sont couramment utilisés sur de courtes durées pour traiter des inflammations aigües (infiltration pour soulager une douleur articulaire par exemple) ou en traitement de fond sur de longues durées pour traiter des inflammations chroniques (asthme, rhumatismes). En revanche, les corticoïdes sont fortement déconseillés en cas de maladies infectieuses, virales en particulier (varicelle par exemple). Ces médicaments ne sont délivrés que sur prescription médicale.

■ À partir de l'étude des documents et en utilisant vos connaissances, justifiez ces indications de l'utilisation des corticoïdes, montrez l'intérêt et les limites du recours à ces médicaments.

---

1 Des médicaments basés sur le mode d'action d'une hormone naturelle

Les corticoïdes utilisés comme médicaments sont des molécules de synthèse proches d'une hormone naturelle, le cortisol. Cette hormone, de la famille des stéroïdes*, pénètre dans de nombreuses cellules. Associée à un récepteur spécifique intracellulaire, elle agit dans le noyau sur l'ADN, en régulant l'expression de plusieurs gènes : certains sont activés, d'autres réprimés*. On considère que l'expression d'environ 600 protéines différentes est ainsi contrôlée par le cortisol naturellement produit par les glandes surrénales.

Parmi ces protéines se trouvent de nombreux médiateurs de l'immunité innée : ainsi, le cortisol inhibe la production de prostaglandines, réduit la perméabilité des vaisseaux sanguins, inhibe la synthèse de plusieurs interleukines jouant un rôle dans l'inflammation.

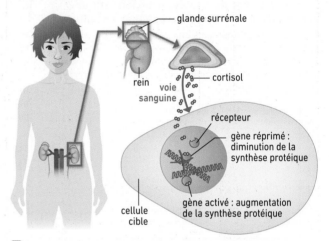

A Origine et mécanisme d'action du cortisol.

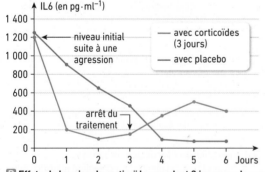

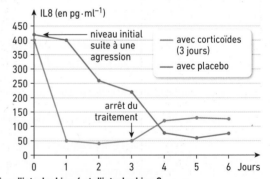

B Effets de la prise de corticoïdes pendant 3 jours sur la production d'interleukine 6 et d'interleukine 8 (traitement arrêté au jour 3).

L'interleukine 6 est une des premières molécules produites en cas de lésion des tissus. Elle joue un rôle essentiel dans le déclenchement de l'inflammation aigüe.

L'interleukine 8 est une molécule produite par les cellules immunitaires résidentes dans les tissus à la suite d'une agression : elle assure le recrutement des cellules immunitaires par la création d'un gradient de concentration qui guide les cellules phagocytaires (chimiotactisme).

*Cet exercice se présente sous la forme d'une **tâche complexe** :*
construisez votre propre démarche pour résoudre le problème posé.

Exercices

2   Un effet immunosupresseur

Au-delà de 20 mg par jour, les corticoïdes diminuent l'ensemble de la réponse immunitaire de l'organisme face à une agression. La photographie **A** montre un macrophage en contact avec des lymphocytes. Ces cellules, impliquées dans la réponse immunitaire adaptative, contribuent très efficacement à la destruction des cellules de l'organisme infectées par les virus.

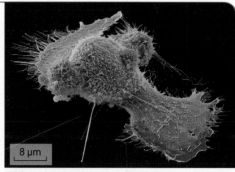

A Macrophage présentant un antigène à deux lymphocytes T.

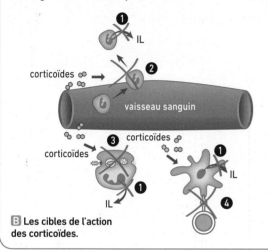

B Les cibles de l'action des corticoïdes.

Le schéma **B** indique les différentes cibles des corticoïdes dans les processus de la réponse immunitaire innée :
– diminution de la libération d'interleukines inflammatoires ❶ ;
– inhibition du recrutement et de l'activation des granulocytes ❷ ;
– maintien des monocytes et des macrophages dans un état inactif ❸ ;
– inhibition de la capacité des CPA à présenter l'antigène aux lymphocytes ❹.

3   Des effets secondaires à prendre en compte

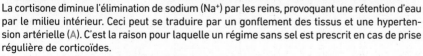

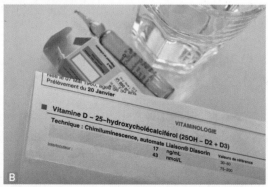

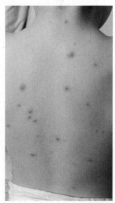

C Enfant atteint de la varicelle.

La cortisone diminue l'élimination de sodium (Na^+) par les reins, provoquant une rétention d'eau par le milieu intérieur. Ceci peut se traduire par un gonflement des tissus et une hypertension artérielle (**A**). C'est la raison pour laquelle un régime sans sel est prescrit en cas de prise régulière de corticoïdes.

La prise de corticoïdes peut engendrer à terme une fragilité osseuse (ostéoporose*, tassement vertébral, risque de fracture). C'est pourquoi le médecin peut prescrire une supplémentation en calcium et en vitamine D (**B**).

Les corticoïdes ne doivent pas être utilisés en cas d'infection virale (varicelle, herpès, hépatite...) (**C**). De même, il ne faut jamais prendre ces médicaments en cas de vaccination avec des virus atténués (rougeole, fièvre jaune...).

CHAPITRE 3

L'immunité adaptative

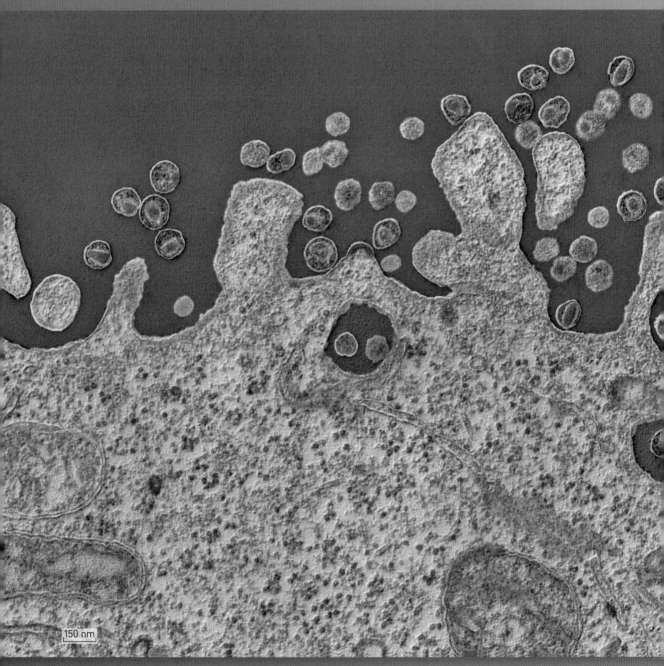

150 nm

Virus de l'immunodéficience humaine (VIH), bourgeonnant à la surface d'un lymphocyte T CD4, une des principales catégories de cellules impliquées dans l'immunité adaptative (MET colorisé : virus en vert, lymphocyte en gris).

La grippe, une épidémie saisonnière

Les épidémies de grippe surviennent chaque année au cours de l'automne et de l'hiver. Après une incubation d'un à trois jours, une forte fièvre – dépassant parfois les 39 °C – apparaît brusquement. Elle est accompagnée d'une toux sèche, de maux de tête, de douleurs musculaires et articulaires, et d'une fatigue générale. La plupart des malades guérissent sans avoir besoin de traitement médical (si ce n'est pour soulager les symptômes) en une à deux semaines, signe que l'organisme a développé des mécanismes de défense efficaces. Mais ils peuvent contracter de nouveau la grippe l'année suivante.

Des lymphocytes qui détruisent les cellules anormales ou infectées

Chez les vertébrés, l'immunité adaptative complète l'immunité innée. Les lymphocytes sont les acteurs principaux des réponses immunitaires adaptatives. Différentes catégories de lymphocytes, aux rôles distincts, coopèrent pour neutraliser et éliminer les pathogènes et les cellules anormales.

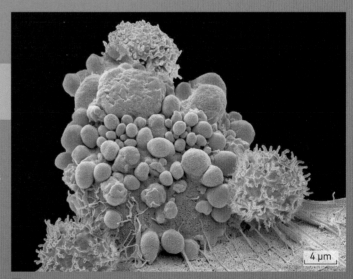

Trois lymphocytes T attaquant une cellule cancéreuse du cerveau (MEB).

Formuler les problèmes à résoudre

● Faites le point sur ce que vous savez des virus, de l'infection virale et des lymphocytes.

● À partir des documents présentés, formulez quelques questions concernant ces « acteurs de deuxième ligne » que sont les lymphocytes et leur efficacité.

1

La grippe saisonnière, conséquence d'une infection virale

La grippe est une maladie virale très courante, responsable d'une épidémie chaque hiver. Souvent bénigne, elle peut entraîner, chez les personnes fragiles, des complications graves, voire mortelles.

Comment le système immunitaire réagit-il face à cette infection virale ?

1 La grippe et son pathogène

La grippe est une infection virale saisonnière, associée à une réaction inflammatoire au niveau de la muqueuse nasale, de la gorge et éventuellement des poumons. L'infection dure une semaine environ et se caractérise par l'apparition brutale d'une forte fièvre, des douleurs musculaires, des maux de tête, un mauvais état général. Le virus se transmet facilement d'une personne à l'autre par l'intermédiaire des microgouttelettes expulsées par les sujets infectés lorsqu'ils toussent ou éternuent.

Le virus de la grippe ou *Influenzavirus* est une particule d'un diamètre moyen de 100 nm, délimité par une enveloppe comportant des protéines, impliquées pour certaines dans sa fixation aux cellules cibles (A). Il s'agit de l'hémagglutinine (H) et de la neuraminidase (N). Reconnues par le système immunitaire lors de la réponse adaptative, ces protéines constituent des **antigènes***. Le matériel génétique du virus est constitué de 8 molécules d'ARN associées à des protéines, lui permettant de se reproduire dans les cellules qu'il infecte (B).

Trois genres d'*Influenzavirus*, appelés A, B et C, sont connus pour infecter l'espèce humaine. Seuls les virus du genre A sont responsables de graves pandémies*. Ils sont classés en sous-types selon les variantes de H (de 1 à 18) et de N (de 1 à 11) présentes à leur surface.

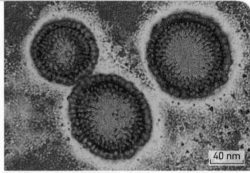

A *Influenzavirus* (MET).

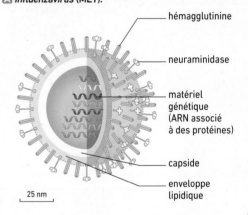

- hémagglutinine
- neuraminidase
- matériel génétique (ARN associé à des protéines)
- capside
- enveloppe lipidique

25 nm

B Structure du virus *Influenza*. ▶

2 Des réponses immunitaires variées

Nombre ou quantité (unités arbitraires)

molécules de l'immunité innée

cellules de l'immunité innée

charge virale

lymphocytes

anticorps

0 1 2 3 4 5 6 7 8 9 10 11 12
Jours après l'infection virale

Le graphique ci-contre présente d'une part l'évolution de la charge virale, et d'autre part les quantités de molécules et de cellules immunitaires après contamination par le virus de la grippe au jour *j* = 0.

La charge virale est l'expression utilisée pour décrire la quantité de virus dans le sang. Elle est généralement mesurée par le nombre de copies d'ARN viral par millilitre de sang.

◀ **Évolution des principaux acteurs après une infection grippale.**

3 Les lymphocytes, cellules de l'immunité adaptative

Forme : plus ou moins sphérique, avec un gros noyau.

Diamètre : 8 à 12 µm, à peine plus gros que les hématies.

Nombre : 1 000 à 4 000 par mm³ de sang, soit à 20 à 40 % de la totalité des leucocytes*.

Deux catégories principales de lymphocytes, les **lymphocytes B*** (ou LB) et les **lymphocytes T*** (ou LT), très semblables au microscope, qui se distinguent par la nature de leurs récepteurs membranaires (récepteurs B, aussi appelés **anticorps*** membranaires, et récepteurs T), qui déterminent leurs fonctions.

Les LT sont divisés en deux sous-types : les **LT CD4*** et les **LT CD8***, caractérisés par des marqueurs* membranaires appelés CD4 et CD8.

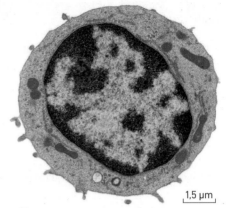

1,5 µm

B Lymphocyte (MET).

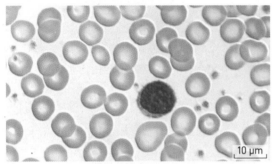

10 µm

A Un lymphocyte au milieu d'hématies (sang, microscope optique).

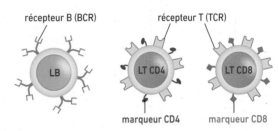

récepteur B (BCR)   récepteur T (TCR)

LB   LT CD4   LT CD8

marqueur CD4   marqueur CD8

C Récepteurs et marqueurs des lymphocytes.

4 Les lymphocytes, des cellules qui coopèrent pour lutter contre le virus grippal

Des souris ont été réparties en différents lots : pour les lots 2 à 6, on a, par des techniques appropriées, supprimé certaines catégories de lymphocytes. Après infection des souris par le virus de la grippe, on mesure le pourcentage de survivants et le temps qu'il faut aux souris pour éliminer le virus.

+ signifie « présent »,
– signifie « absent ».

	Lymphocytes T CD8	Lymphocytes T CD4	Lymphocytes B	Taux de survie (en %)	Temps requis pour éliminer le virus (jours)
Lot 1	+	+	+	100	7 à 10
Lot 2	-	+	+	100	10 à 14
Lot 3	-	+	-	0	/
Lot 4	-	-	+	0	/
Lot 5	+	+	-	50	10 à 14
Lot 6	-	-	-	0	/

 Activités envisageables

Pour comprendre comment le système immunitaire réagit face à une infection virale :

- Déterminez quels sont les acteurs moléculaires et cellulaires de la réponse immunitaire à l'infection grippale.
- Identifiez des caractéristiques de la réponse adaptative.

Des clés pour réussir

- Distinguez les acteurs de la réponse innée et de la réponse adaptative en repérant la chronologie des événements dans le document 2.

* Lexique ➡ p. 422

2 La neutralisation des antigènes par les anticorps

Quelques jours après une infection grippale, des anticorps spécifiques du virus *Influenza* sont détectables dans les liquides circulants (sang et lymphe). Il en est de même pour tout autre agent pathogène (toxine ou microorganisme) qualifié lui aussi d'antigène.

Quelles sont les propriétés des anticorps ?
Quel est leur rôle dans la réponse adaptative ?

1 Visualiser la réaction antigène-anticorps par immunodiffusion sur gel

Activité pratique

On cherche à mettre en évidence l'action des anticorps produits après une infection par un antigène et à savoir si ces mêmes anticorps agissent aussi sur d'autres antigènes.

■ **Test d'immunodiffusion sur gel ou test d'Ouchterlony**

– Couler un gel d'agarose* chaud dans le fond d'une petite boîte de Petri.

– Après solidification, creuser un puits au centre de la boîte à l'aide d'un emporte-pièce (A).

– Creuser à égales distances autour du puits central autant de puits que de solutions contenant les antigènes à tester.

– Remplir le puits central d'une solution d'anticorps à tester et les puits périphériques des solutions contenant les antigènes, en utilisant des micropipettes différentes pour chaque solution (B).

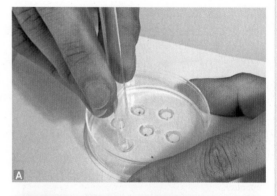

– Fermer la boîte de Petri et conserver en atmosphère humide, à température ambiante pendant le temps nécessaire à la migration des produits dans le gel (C).

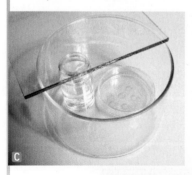

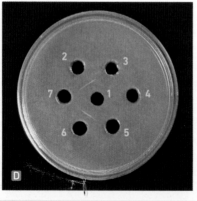

1 : solution d'anticorps

2 à 7 : solutions d'antigènes

■ **Résultat du test**

Les molécules placées dans les puits diffusent de façon radiale* dans le gel. Quand les antigènes et les anticorps arrivés en contact ne réagissent pas entre eux, ils restent dissociés dans la gélose et sont invisibles. S'ils réagissent entre eux, ils forment un arc de précipitation* blanchâtre, visible à l'œil nu (D). Cet arc est constitué des produits de la réaction antigène-anticorps, appelés **complexes immuns***.

2 Mettre en évidence des complexes immuns par sérodiagnostic

La brucellose est une infection bactérienne commune à certains animaux et à l'Homme. C'est une maladie très contagieuse causée par une bactérie du genre *Brucella*. Elle est transmissible des animaux à l'Homme, au contact d'animaux infectés (bovins, ovins, caprins) ou à l'occasion de l'ingestion d'aliments d'origine animale contaminés (lait, fromages). L'infection par la bactérie provoque la formation d'anticorps anti-*Brucella*.

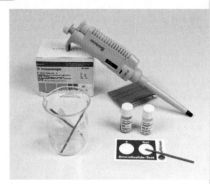

A Matériel nécessaire.

Activité pratique

Le sérodiagnostic de la Brucellose est la recherche de la présence ou de l'absence d'anticorps anti-*Brucella* dans le sérum* d'un individu ou d'un animal. La présence de nombreux anticorps dans un sérum à tester entraîne la formation de complexes immuns visibles à l'œil nu (agglutination = petits « grumeaux »). Le sujet est alors qualifié de **séropositif*** pour la bactérie *Brucella*. Dans le cas contraire, il est séronégatif pour ce pathogène.

■ Mélanger successivement 30 µL de la suspension de *Brucella* avec la même quantité de chacun des sérums, pendant 2 à 3 minutes. Placer les embouts de pipettes et les agitateurs utilisés dans l'eau de Javel.

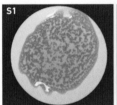

B Exemple de résultats.

Suspension nécessaire :

– suspension de *Brucella* inactivée (dont les antigènes sont conservés) et colorée par le rose de Bengale.

Sérums testés :

– S1 = Sérum d'un animal guéri de la Brucellose (témoin positif).

– S2 = Sérum d'un animal non contaminé (témoin négatif).

– S3 = Sérum d'un animal dont on veut établir le statut sérologique.

3 Observer des complexes immuns au MET

Les complexes immuns sont des composés insolubles, résultant de liaisons chimiques entre deux types de molécules, les antigènes et les anticorps.

La photographie A montre un complexe immun observé au MET. La photographie B est celle d'un antigène.

La photographie C, à plus fort grossissement, présente une molécule d'anticorps. Celui-ci a la forme d'un Y et c'est par les extrémités de ses « bras » qu'il se fixe à l'antigène. Les antigènes sont alors immobilisés et neutralisés : ils ne peuvent plus exercer leur action pathogène. Les complexes immuns sont ensuite très facilement éliminés par les phagocytes.

25 nm

complexe immun

antigène
(en bleu : régions reconnues par l'anticorps)

anticorps
(en rouge : sites de fixation sur l'antigène)

Activités envisageables

Pour comprendre comment les anticorps agissent dans la réponse immunitaire adaptative :

● **Expliquez les résultats obtenus dans les deux tests proposés.**

● **Formulez les propriétés fondamentales des anticorps mises en évidence par ces expériences.**

Des clés pour réussir

● Le gel d'agarose se comporte comme une éponge à l'échelle microscopique.

● Les précipités sont visibles à l'œil nu quand ils contiennent un très grand nombre de molécules associées les unes aux autres.

* Lexique ➡ p. 422

3 La structure des anticorps explique leurs propriétés

Un pathogène pénétrant dans l'organisme comporte des antigènes qui déclenchent la production d'anticorps spécifiques, capables de le neutraliser en formant des complexes immuns.

Comment l'anticorps se lie-t-il à l'antigène ?
Comment expliquer la spécificité et la diversité des anticorps ?

1 Les anticorps, des molécules complexes

Les anticorps sont des protéines présentes dans les liquides circulants (plasma sanguin, lymphe...). Ils sont encore appelés **immunoglobulines***, en raison de leur rôle dans la réponse immunitaire adaptative. La forme en Y, observée au microscope électronique (voir p. 353) résulte de l'assemblage de quatre chaînes polypeptidiques* identiques deux à deux : deux chaînes lourdes (ou H, de l'anglais *heavy*) comportant de 440 à 455 acides aminés et deux chaînes légères (ou L, de l'anglais *light*) constituées de 210 à 220 acides aminés.

Les chaînes polypeptidiques lourdes et légères présentent des régions constantes (acides aminés identiques) et des régions variables d'un anticorps à l'autre (acides aminés différents).

La région constante porte à son extrémité un site de liaison non spécifique lui permettant de s'ancrer sur différentes cellules participant à la réponse immunitaire (lymphocytes B, macrophages).

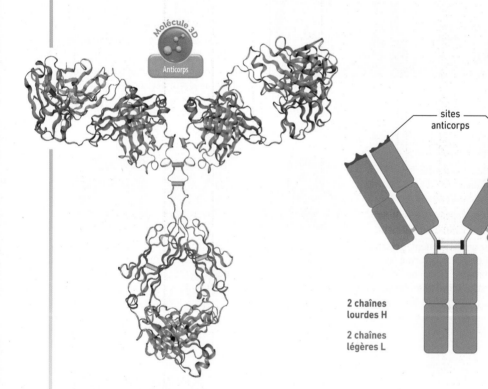

sites anticorps

régions variables

régions constantes

2 chaînes lourdes H

2 chaînes légères L

A Modèle moléculaire d'un anticorps visualisé avec un logiciel.

Cette représentation en rubans permet d'observer la forme des quatre chaînes polypeptidiques dans l'espace. Les ponts disulfures* qui relient les chaînes entre elles sont colorés en jaune.

B Un anticorps.

Les ponts disulfures de la zone charnière (en jaune) confèrent aux « bras » de l'anticorps une certaine flexibilité permettant de faire varier la distance entre ses **sites anticorps***.

2 Variabilité et spécificité des anticorps

Activité pratique

À l'aide d'un logiciel de visualisation moléculaire en 3D, tel que *LibMol*, il est possible d'explorer la structure d'un anticorps et de comparer plusieurs anticorps liés à des antigènes.

■ Comparaison entre l'un des bras de deux anticorps différents liés à des molécules antigéniques.

Les atomes sont représentés en sphères (A et B).

vert : antigène
violet : chaîne H
rouge : chaîne L

■ Comparaison entre l'un des bras des deux anticorps sans les molécules antigéniques.

Les chaînes sont représentées en rubans, sauf au niveau des sites anticorps où les acides aminés sont figurés en sphères.

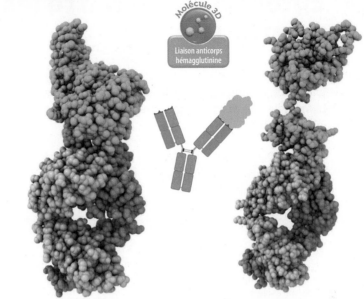

Molécule 3D
Liaison anticorps
hémagglutinine

A Liaison à l'hémagglutinine de l'enveloppe du virus de la grippe.

B Liaison à la protéine p24 de l'enveloppe du VIH.

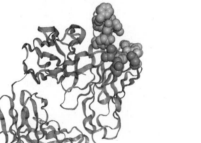

C Mise en évidence du site anticorps de l'anticorps **A**.

D Mise en évidence du site anticorps de l'anticorps **B**.

Acides aminés des sites anticorps (en code 3 lettres) et leur position dans les séquences :

Chaîne H : Ile30, Ala53, Gly54, Asn56, Tyr102, Asp103, Phe105, Tyr107
Chaîne L : Asn96

Chaîne H : Ser31, Thr33, Tyr50, Asn52, Tyr57, Val101, Tyr105
Chaîne L : Trp90, Asn91

Activités envisageables

Pour comprendre l'action des anticorps sur les antigènes dont ils sont spécifiques :

● Expliquez comment s'effectue la reconnaissance d'un antigène par un anticorps et la formation des complexes immuns observés dans l'unité 2. Schématisez un complexe immun en choisissant l'un des exemples proposés de l'unité 2.

● Expliquez sur quoi repose la spécificité d'un anticorps pour son antigène.

Des clés pour réussir

● Repérez les différentes parties d'un anticorps et les particularités de celles qui interagissent avec l'antigène.

● Rappelez-vous ce qui détermine la structure d'une protéine (partie 1).

4 L'action des lymphocytes T cytotoxiques contre les cellules anormales

Une infection virale déclenche la fabrication d'anticorps capables de neutraliser les virus circulant dans le plasma ou la lymphe. Mais elle active aussi certains lymphocytes capables de détruire spécifiquement les cellules de l'organisme infectées par le virus. Il s'agit de lymphocytes T cytotoxiques, ou LTc.

> *Comment les lymphocytes T cytotoxiques reconnaissent-ils et détruisent-ils les cellules infectées ?*

1 Mise en évidence du rôle de certains LT dans la destruction de cellules infectées

On infecte des souris de même souche A par un virus pathogène, mais non mortel, le virus de la chorioméningite lymphocytaire ou LCMV. Ce virus parasite les cellules nerveuses (cellules cibles). Quelques jours plus tard, on isole, à partir des cellules de la rate* des souris, des lymphocytes T spécifiques de ce virus. Ils sont incubés avec des cellules nerveuses de souris de souches différentes A et B infectées soit par le LCMV, soit par un autre virus (*Influenza*).

Les cellules cibles sont, au préalable, cultivées dans un milieu contenant du chrome 51 (^{51}Cr) de telle sorte qu'il s'accumule dans les cellules et y reste emprisonné. Si celles-ci sont détruites, le chrome est libéré dans le milieu de culture et la quantité libérée est directement liée au nombre de cellules détruites.

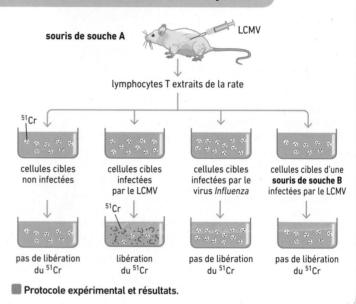

■ Protocole expérimental et résultats.

2 Le CMH expose l'état de santé de nos cellules

Les cellules de l'organisme possèdent sur leur membrane des protéines du CMH qui sont associées à des peptides de quelques acides aminés issus de l'activité interne de la cellule.

Les cellules « normales » exposent ainsi sur leur CMH des peptides issus des protéines qu'elles synthétisent habituellement et qui ne sont pas antigéniques.

Les cellules infectées par un virus, mais aussi les cellules vieillissantes ou cancéreuses, exposent quant à elles des peptides viraux ou anormaux, aux propriétés antigéniques.

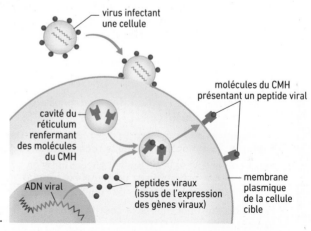

■ Cellule infectée exposant un antigène viral.

3 La reconnaissance et la destruction des cellules anormales

■ Une reconnaissance par interaction moléculaire

Les **LT cytotoxiques*** sont des LT CD8 capables de détecter les cellules infectées ou anormales grâce à leurs récepteurs T. Il s'agit de protéines ancrées dans leur membrane, formées de deux chaînes polypeptidiques présentant chacune une partie constante et une partie variable. L'extrémité variable des deux chaînes constitue (comme pour chaque « bras » d'une molécule d'anticorps) le site de reconnaissance. Chaque récepteur T effectue une double reconnaissance puisqu'il ne reconnaît l'antigène que s'il lui est présenté en association avec une molécule du CMH. Un lymphocyte T donné ne possède qu'un seul type de récepteur T. Un LTc ne peut donc reconnaître qu'un seul type d'antigène, associé à une molécule du CMH.

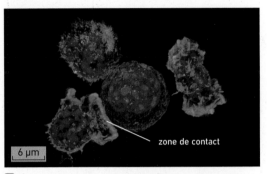

6 µm

zone de contact

A Trois LT cytotoxiques (contenant des granules colorés en rouge) entourant une cellule cancéreuse (microscopie optique en fluorescence).

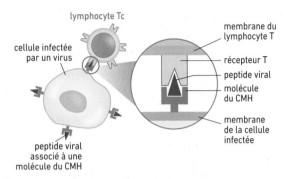

lymphocyte Tc

cellule infectée par un virus

membrane du lymphocyte T

récepteur T

peptide viral

molécule du CMH

membrane de la cellule infectée

peptide viral associé à une molécule du CMH

B Fixation d'un LTc à une cellule infectée.

■ Après le contact, la mort par apoptose

La fixation d'un LTc à une cellule infectée est suivie d'une série d'événements conduisant à la destruction de la cellule cible.

Les LTc, après s'être accolés à la cellule cible (**C**), libèrent des protéines (perforines, granzymes) qui provoquent la formation de pores dans la membrane plasmique de la cellule cible, permettant ainsi l'entrée d'autres molécules qui déclenchent l'apoptose* de la cellule (**E**), c'est-à-dire sa mort par fragmentation de l'ADN, du noyau et du cytoplasme. Il se forme alors de petites vésicules (**D**) qui seront éliminées par des phagocytes.

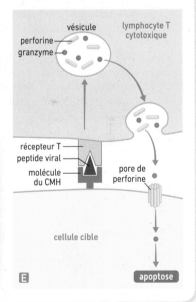

vésicule

lymphocyte T cytotoxique

perforine
granzyme

récepteur T
peptide viral
molécule du CMH

pore de perforine

cellule cible

apoptose

E

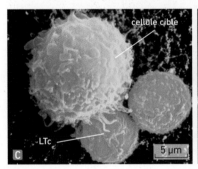

cellule cible

LTc

5 µm

C

cellule en apoptose

6 µm

D

Pour comprendre et établir le mode d'action des lymphocytes T cytotoxiques :

- **Expliquez comment les lymphocytes cytotoxiques reconnaissent et détruisent les cellules infectées par un antigène et les différencient des cellules en bonne santé.**
- **Montrez que l'action des LTc nécessite une double reconnaissance et que cette reconnaissance est spécifique.**

Des clés pour réussir

- Exploitez les résultats de l'expérience proposée au document **1**.
- Utilisez les données des documents **2** et **3** pour expliquer la notion de double reconnaissance.

* Lexique ➝ p. 422

5 L'origine des anticorps et des lymphocytes T cytotoxiques

L'entrée d'un antigène dans l'organisme, comme le virus de la grippe, déclenche la production d'anticorps et de LT cytotoxiques spécifiques de celui-ci.

Comment ces effecteurs de la réponse immunitaire adaptative sont-ils produits ?

1 Les plasmocytes, cellules spécialisées dans la sécrétion d'anticorps

Les anticorps sont sécrétés dans les liquides circulants de l'organisme par des cellules spécialisées, les **plasmocytes*** (B). Ce sont des leucocytes de grande taille, provenant de la transformation des LB (A) et qui présentent un développement remarquable des organites permettant la sécrétion des protéines. Les plasmocytes actifs peuvent sécréter jusqu'à 5 000 molécules d'anticorps par seconde.

Un plasmocyte synthétise et sécrète des anticorps identiques entre eux et semblables aux anticorps fixés sur la membrane du LB dont il dérive. Il a généralement une durée de vie de 10 à 30 jours.

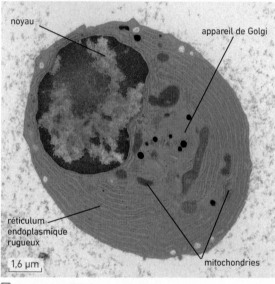

B Plasmocyte (MET).

noyau
appareil de Golgi
réticulum endoplasmique rugueux
mitochondries
1,6 μm

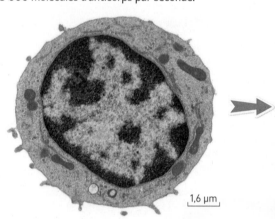

A Lymphocyte B (MET).

1,6 μm

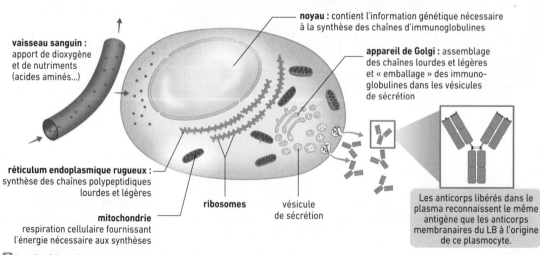

vaisseau sanguin : apport de dioxygène et de nutriments (acides aminés…)

noyau : contient l'information génétique nécessaire à la synthèse des chaînes d'immunoglobulines

appareil de Golgi : assemblage des chaînes lourdes et légères et « emballage » des immuno-globulines dans les vésicules de sécrétion

réticulum endoplasmique rugueux : synthèse des chaînes polypeptidiques lourdes et légères

ribosomes

vésicule de sécrétion

mitochondrie respiration cellulaire fournissant l'énergie nécessaire aux synthèses

Les anticorps libérés dans le plasma reconnaissent le même antigène que les anticorps membranaires du LB à l'origine de ce plasmocyte.

C La sécrétion d'anticorps par un plasmocyte.

2 La sélection des lymphocytes immunocompétents

Il préexiste dans l'organisme des centaines de millions de LB et de LT CD8, à l'état dormant, se distinguant par leurs récepteurs membranaires (anticorps pour les LB et récepteurs T pour les LT). Un lymphocyte porte à sa surface un grand nombre de récepteurs tous identiques et spécifiques d'un antigène donné. Chaque type de lymphocyte constitue un clone de quelques milliers d'exemplaires.

Un antigène pénétrant dans l'organisme est reconnu par un (ou des) clone(s) de lymphocytes spécifiques.

La reconnaissance et la fixation de l'antigène au récepteur déclenche l'activation des lymphocytes sélectionnés. On parle de **sélection clonale***. Les LB reconnaissent directement l'antigène circulant, alors que les LT ne le reconnaissent que s'il est présenté par une cellule de l'immunité innée (cellule dendritique ou macrophage), appelée **cellule présentatrice de l'antigène*** ou CPA (voir p. 335). Cette reconnaissance est à l'origine d'événements qui n'affecteront que ces lymphocytes.

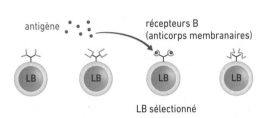

antigène — récepteurs B (anticorps membranaires)

LB sélectionné

Remarque : sur ces schémas, les sites anticorps ont été agrandis pour montrer la diversité de leurs formes.

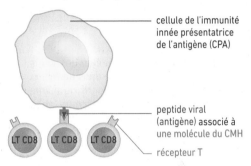

cellule de l'immunité innée présentatrice de l'antigène (CPA)

peptide viral (antigène) associé à une molécule du CMH

récepteur T

3 De la sélection clonale à la production massive de cellules effectrices

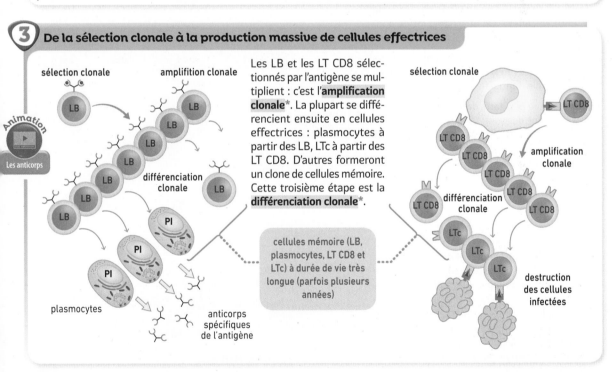

sélection clonale — amplifition clonale

Les LB et les LT CD8 sélectionnés par l'antigène se multiplient : c'est l'**amplification clonale***. La plupart se différencient ensuite en cellules effectrices : plasmocytes à partir des LB, LTc à partir des LT CD8. D'autres formeront un clone de cellules mémoire. Cette troisième étape est la **différenciation clonale***.

différenciation clonale

plasmocytes

anticorps spécifiques de l'antigène

cellules mémoire (LB, plasmocytes, LT CD8 et LTc) à durée de vie très longue (parfois plusieurs années)

sélection clonale — amplification clonale

différenciation clonale

destruction des cellules infectées

Animation ▶ Les anticorps

Activités envisageables

Pour établir comment les anticorps et les LT cytotoxiques sont produits :

● Repérez les transformations aboutissant à la formation des plasmocytes qui en font des cellules à l'activité sécrétoire intense.

● Expliquez comment les différentes étapes aboutissant à la production de cellules effectrices permettent d'assurer une réponse immunitaire spécifique et efficace.

Des clés pour réussir

● Mobilisez vos connaissances sur la synthèse des protéines.

● Comparez la formation des deux types de cellules effectrices.

* Lexique ➡ p. 422   **PAGE** Flashable   359

Les lymphocytes T CD4, pivots de l'immunité adaptative

Lors d'une infection virale, l'élimination du virus suppose la coopération entre diverses catégories de lymphocytes, les LB à l'origine des anticorps circulants, les LT CD8 à l'origine des LT cytotoxiques. Les LT CD4 constituent une autre catégorie de LT.

Quel est le rôle des LT CD4 dans les réponses adaptatives ?

1 Des expériences historiques explorant les interactions entre lymphocytes B et T

■ Expérience de Claman (1966)

Des lymphocytes sont prélevés chez des souris normales et placés en culture dans un milieu permettant leur survie. Des souris de même souche sont soumises à des traitements (ablation du thymus et irradiation) qui détruisent tous leurs lymphocytes et les rendent immunodéficientes*.

Ces souris sont réparties en trois lots et reçoivent des injections de lymphocytes issus de la mise en culture. Un quatrième lot de souris non traitées sert de témoin.

Les souris de tous les lots reçoivent une injection de globules rouges de mouton (GRM) qui jouent le rôle d'antigène.

Une semaine plus tard, du sérum* est prélevé chez chacune des souris et mis en présence de GRM afin de rechercher la présence d'anticorps anti-GRM (A).

	SOURIS			
	Lot 1	Lot 2	Lot 3	Lot 4
Traitement initial	irradiation + ablation du thymus			aucune
Injection 1	lymphocytes B	lymphocytes T	lymphocytes B + T	aucune
Injection 2	GRM	GRM	GRM	GRM

	SÉRUM DES SOURIS			
	Lot 1	Lot 2	Lot 3	Lot 4
Mise en présence de GRM	pas d'agglutination		agglutination	

A Expérience de Claman.

■ Expérience de Marbrook (1967)

Pour déterminer les modalités de la coopération entre les LB et les LT, J. Marbrook mit au point un dispositif expérimental comportant deux chambres de culture séparées par une membrane perméable aux molécules mais imperméable aux cellules (B).

Des lymphocytes B et T sont prélevés dans la rate* d'une souris préalablement infectée par un antigène Z soluble. LB et LT sont séparés les uns des autres puis placés dans une chambre de culture de Marbrook selon les conditions rapportées dans le tableau (C).

On évalue, au bout de quelques jours, le nombre de cellules sécrétrices d'anticorps anti-Z.

Les résultats sont les mêmes si on remplace les LT par des LT CD4 seuls.

L'analyse du milieu de culture après quelques jours révèle la présence de diverses substances appelées **interleukines***.

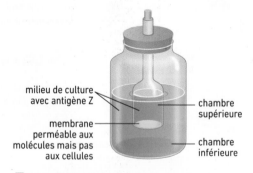

milieu de culture avec antigène Z — chambre supérieure

membrane perméable aux molécules mais pas aux cellules — chambre inférieure

B Dispositif de Marbrook.

Nature des lymphocytes placés dans la chambre...		Cellules sécrétrices d'anticorps anti-Z (pour 1 000 cellules de rate)
supérieure	inférieure	
–	LB et LT	960
–	LB	72
LT	LB	1011

C Résultats de l'expérience.

2 Des LT CD4 aux LT auxiliaires, sécréteurs de messagers chimiques

Les LT CD4 sont sélectionnés par une CPA de la même façon que les LT CD8. Les LT CD4 ainsi activés se multiplient et se différencient en **LT auxiliaires*** (LTa), sécréteurs de messagers chimiques, les interleukines (IL).

Les interleukines, vont, d'une part, « rétroagir » sur les LTa qui les ont sécrétées et induire leur amplification clonale (jusqu'à un million de cellules produites), et d'autre part, elles vont contrôler les deux types de réponses immunitaires adaptatives.

Les diverses interleukines sécrétées par les LTa stimulent la multiplication des LT CD4, CD8 et LB préalablement sélectionnés (①: amplification clonale), puis la différenciation des LB en plasmocytes, des LT CD8 en LTc et des LT CD4 en LTa (②). En l'absence d'une telle stimulation, les réponses adaptatives sont très faibles voire inexistantes.

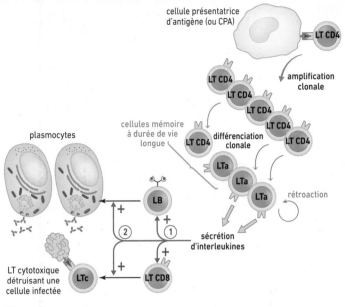

■ **Le rôle pivot des LT CD4.**

3 LT CD4, cibles principales du VIH

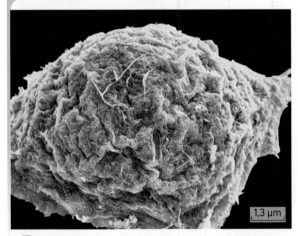

1,3 µm

A LT CD4 libérant de nombreuses particules du VIH (MEB, fausses couleurs).

Le VIH (virus de l'immunodéficience humaine) parasite les cellules immunitaires portant à leur surface le marqueur CD4 (macrophages, monocytes* et LT CD4). Les cellules infectées produisent de grandes quantités de particules virales, ce qui entraîne rapidement leur mort. La demi-vie* d'un LT CD4 infecté est d'environ 36 heures. Il est possible de dénombrer précisément les populations de lymphocytes T CD4 et CD8. Le suivi du rapport LT CD4 / LT CD8 est un très bon indicateur de l'évolution de l'infection.

Sujet A	Sujet B	Sujet C
2,02	0,48	0,13

B Rapport LT CD4 / LT CD8 chez trois personnes.

A : sujet non infecté.
B : sujet infecté par le VIH (troubles mineurs – état de « pré-SIDA »).
C : sujet infecté par le VIH (troubles majeurs – état de SIDA déclaré).

Activités envisageables

Pour établir le rôle central des LT CD4 dans l'immunité adaptative :

● **Analysez les expériences proposées et montrez les connaissances qu'elles permettent d'établir.**

● **Expliquez l'évolution du rapport LT CD4 / LT CD8 au cours de l'infection par le VIH. Expliquez pourquoi les patients infectés, en l'absence de traitement, souffrent d'immunodéficience généralisée.**

Des clés pour réussir

● Comparez de façon judicieuse les résultats expérimentaux.

● Faites le lien entre les cellules impliquées et les fonctions qu'elles assurent.

* Lexique ➡ p. 422

7 Des effecteurs variés pour combattre une grande diversité de pathogènes

Les réponses adaptatives permettent de lutter de façon spécifique contre des millions de microorganismes pathogènes. Chacun de nous possède donc un répertoire immunitaire prêt à agir contre pratiquement n'importe quel antigène.

Comment un répertoire immunitaire aussi diversifié peut-il être engendré ?

1 Des organes lymphoïdes, producteurs de lymphocytes immunocompétents

Animation
Les organes du système immunitaire

maturation des lymphocytes T

thymus

migration des lymphocytes T immunocompétents

thymus

migration des lymphocytes pré-T

migration des lymphocytes B immunocompétents

moelle rouge des os

ganglions

A Quelques organes lymphoïdes.

sang, lymphe, ganglions lymphatiques

formation des lymphocytes pré-T

formation et maturation des lymphocytes B

moelle osseuse rouge

B Formation et maturation des lymphocytes.

Toutes les cellules du système immunitaire se forment par multiplication de cellules souches dans la moelle rouge des os. Les LB, après maturation, quittent la moelle osseuse pour gagner des organes lymphoïdes périphériques (ganglions lymphatiques, rate), lieux de rencontre probable avec les antigènes.

D'autres cellules, destinées à devenir des LT, quittent la moelle et entrent dans le thymus* où ils subissent une maturation. À l'issue de ce processus, les LT gagnent les organes lymphoïdes périphériques. LB et LT peuvent circuler d'un organe périphérique à un autre.
Moelle osseuse et thymus, lieux de maturation des lymphocytes, sont appelés organes lymphoïdes primaires.
Ils constituent, avec les organes lymphoïdes périphériques, un système diffus permettant de répondre à la contamination par les pathogènes quelle qu'en soit la porte d'entrée (voir p. 299).

2 Des mécanismes génétiques à l'origine de la diversité des récepteurs

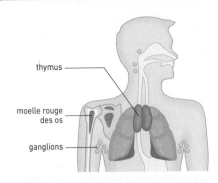

plusieurs gènes à nombreux « segments » dans les cellules souches

1 2 3 4 5 6 7 8 9 etc.
stock de fragments géniques

maturation des lymphocytes (réarrangements aléatoires des segments de gènes)

transcription et traduction des gènes

■ Formation du répertoire immunitaire.

Il existe une multitude de clones de LB et de LT, qui diffèrent par leurs récepteurs membranaires spécifiques d'un antigène donné. La diversité de ces protéines est énorme, très largement supérieure au nombre de gènes dont dispose un individu. Elle est assurée grâce à des mécanismes génétiques complexes. L'ADN des différents gènes « codant » pour les chaînes H et L des anticorps subit un découpage et une réassociation aléatoire de certains fragments au sein du noyau (ADN réarrangé). De plus, la synthèse des chaînes constituant les récepteurs fait intervenir un phénomène d'épissage* alternatif lors de la transcription qui multiplie cette diversification (voir p. 95). Les chaînes des récepteurs T sont issues de mécanismes semblables. Le **répertoire immunitaire*** des LB et des LT est ainsi constitué par des milliards de clones formés chacun de quelques centaines ou milliers de cellules seulement, capables de reconnaître des antigènes extrêmement variés.

3 Sélection des lymphocytes dans les organes lymphoïdes primaires

Les récepteurs formés lors des réarrangements géniques peuvent reconnaître un grand nombre de molécules, y compris celles fabriquées par l'organisme lui-même. Des réactions immunitaires pourraient donc être dirigées contre nos propres cellules ! Un système de contrôle des récepteurs est donc nécessaire pour éliminer les lymphocytes auto-réactifs*.

Dans la moelle osseuse, tout LB capable de se lier aux molécules du soi* (portées par les cellules de la moelle) est éliminé et meurt par apoptose. Ne sortent de la moelle que les LB incapables d'auto-réaction, donc capables de reconnaître les molécules étrangères seulement (antigènes) : ils sont devenus immunocompétents* et peuvent quitter la moelle osseuse. Lors de leur passage dans le thymus, les lymphocytes pré-T sont sélectionnés de façon similaire.

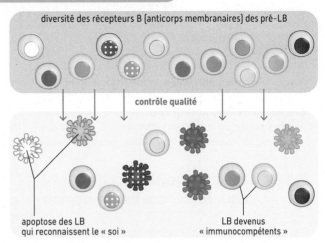

diversité des récepteurs B (anticorps membranaires) des pré-LB

contrôle qualité

apoptose des LB qui reconnaissent le « soi »

LB devenus « immunocompétents »

■ Les lymphocytes B immunocompétents, produits d'une sélection initiale dans la moelle osseuse.

4 Les maladies auto-immunes, dysfonctionnements de l'immunocompétence

Le diabète de type 1 correspond à une élévation durable de la concentration en glucose dans le sang (on parle d'hyperglycémie) due au déficit d'une hormone, l'insuline. L'insuline est normalement fabriquée par des cellules spécialisées (cellules β) situées dans des « îlots » disséminés dans le tissu pancréatique (A). Cette production insuffisante (voire nulle) d'insuline est la conséquence de la destruction progressive des cellules β.

Des lymphocytes T identifient les cellules β comme étrangères à l'organisme et s'infiltrent dans les îlots pour les détruire (B). L'organisme produit également des auto-anticorps dirigés contre des molécules présentes à la surface des cellules β. Dans un tel cas, on parle de maladie auto-immune*.

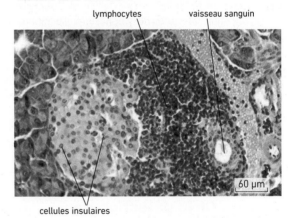

lymphocytes   vaisseau sanguin

cellules insulaires

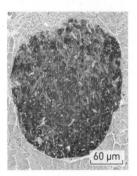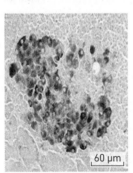

60 μm   60 μm

Ⓐ Îlots pancréatiques d'une souris normale (à gauche) et débutant un diabète (à droite). Les cellules β sont colorées en brun (microscope optique).

60 μm

Ⓑ Recherche des lymphocytes au niveau d'un îlot pancréatique d'une souris débutant un diabète (microscope optique).

Activités envisageables

Pour établir comment le système immunitaire peut faire face à des agents pathogènes extrêmement variés et en constante évolution :

● **Expliquez comment se forme le répertoire immunitaire.**

● **Relevez les « qualités » que doit posséder un lymphocyte B ou T pour devenir immunocompétent.**

Des clés pour réussir

● Mobilisez vos connaissances sur l'expression des gènes.

● Pensez à identifier les processus en œuvre et à les localiser.

* Lexique ➡ p. 422

L'immunité adaptative

Podcast
Bilan

En plus de l'**immunité innée**, immédiatement efficace contre de nombreux agresseurs, les vertébrés développent une **immunité adaptative** dirigée contre des motifs moléculaires portés par des agents infectieux ou des cellules anormales (cellules mutées, vieillissantes ou cancéreuses).

1 Une immunité spécifique assurée par des lymphocytes

Un virus comme celui de la grippe saisonnière se développe aux dépens de cellules qu'il parasite. Il déclenche :

– une **réponse innée**, qui assure la défense immédiate contre l'infection, se traduisant par la fabrication de médiateurs chimiques et l'intervention de **phagocytes**. Elle est insuffisante à elle seule pour réduire la charge virale et éliminer l'agent infectieux ;

– une **réponse adaptative** qui nécessite plus de temps (plusieurs jours) et qui est assurée par les **lymphocytes** et leurs produits (notamment les anticorps), spécifiques d'un **antigène** donné. Les antigènes sont des molécules (isolées ou portées par des cellules, des virus…) reconnues par les récepteurs membranaires des lymphocytes.

On distingue deux types de lymphocytes, différant par la nature de leurs récepteurs membranaires : les **lymphocytes B** (ou LB) portent de nombreux récepteurs B, plus couramment appelés **anticorps** ou **immunoglobulines** et les **lymphocytes T** (ou LT), qui portent des **récepteurs T**. En outre, les lymphocytes T sont divisés en deux sous-types, les **LT CD4** et les **LT CD8**, caractérisés par d'autres marqueurs membranaires appelés respectivement CD4 et CD8.

Ces différentes catégories de lymphocytes coopèrent pour éliminer l'agent infectieux, qu'il soit présent dans les liquides circulants ou à l'intérieur de cellules infectées.

2 De la détection de l'antigène à la production de cellules effectrices

L'entrée d'un antigène dans l'organisme déclenche une réaction immunitaire adaptative qui se déroule en trois étapes : **sélection, amplification et différenciation clonales**.

● Une sélection clonale réalisée par l'antigène

Le système immunitaire génère et entretient des millions de **clones** de **lymphocytes B et T naïfs** (n'ayant jamais été activés par un antigène). Chaque clone est constitué de quelques milliers de cellules qui portent toutes le même type de récepteur membranaire, ce qui les rend spécifiques d'un antigène particulier. Ces lymphocytes circulent en passant par les ganglions lymphatiques et la rate, où ils peuvent séjourner de façon temporaire. Si un antigène est présent dans la lymphe ou dans le sang, sa rencontre avec le ou les clones de lymphocytes qui lui sont spécifiques provoque leur activation. C'est la sélection clonale.

Les **lymphocytes B** sont spécialisés dans la reconnaissance des antigènes circulant dans le sang et la lymphe (toxines, bactéries, spores de champignons…). Leurs récepteurs membranaires, les anticorps, sont des protéines en forme de Y, qui résultent de l'assemblage de quatre chaînes polypeptidiques, identiques deux à deux : **deux chaînes lourdes** (ou **H**) et **deux chaînes légères** (ou **L**) reliées entre elles.

Pour chaque chaîne lourde et légère, il y a une partie constante (identique pour toutes les molécules d'anticorps) et une partie variable (séquences d'acides aminés différentes selon les clones de LB). Au niveau de l'extrémité des parties variables des chaînes, se situent deux sites de reconnaissance et de fixation de l'antigène appelés **sites anticorps**, spécifiques d'un antigène donné.

Les **lymphocytes T** sont spécialisés dans la surveillance des membranes des cellules de l'organisme, grâce à leurs récepteurs T. Chaque **récepteur T** est formé d'une **partie constante** et d'une partie variable, à l'extrémité de laquelle se trouve le **site de reconnaissance d'un antigène**. Un LT possède de nombreux exemplaires d'un seul type de récepteur T. Ces récepteurs permettent la reconnaissance de l'antigène présenté en association avec une molécule du **CMH** portée par une cellule issue de la réponse innée (cellule dendritique ou macrophage) devenue **Cellule Présentatrice de l'Antigène** (ou **CPA**).

● L'amplification clonale

Les lymphocytes B et T ayant été sélectionnés par le contact avec l'antigène sont activés et se multiplient intensément, par mitoses successives. C'est l'**amplification clonale**. À l'issue de cette étape, chacun des clones sélectionnés est formé de cellules beaucoup plus nombreuses et de même spécificité que les cellules initiales.

● La différenciation en cellules effectrices

• La différenciation des LB

Certains **LB** se différencient en **plasmocytes**, qui sont de grosses cellules spécialisées dans la production massive d'anticorps. Un plasmocyte actif peut sécréter chaque seconde jusqu'à 5 000 molécules d'anticorps circulants, tous identiques.

• La différenciation des LT

Les **LT CD8** se différencient en **LT cytotoxiques** (ou **LTc**) capables de détecter, parmi les cellules de l'organisme, celles qui sont infectées par un pathogène ou encore celles qui sont devenues anormales. Après les avoir détectées, les LTc peuvent détruire ces cellules de l'organisme devenues nuisibles.

Les **LT CD4** se transforment en **LT auxiliaires** (ou **LTa**) sécréteurs de messagers chimiques comme les **interleukines**. Ces molécules stimulent l'amplification clonale des LB, des LT CD4 et des LT CD8 activés par le contact avec un antigène, puis leur différenciation respectivement en plasmocytes, en LTa et en LTc.

Les LT CD4 sont la cible du **VIH** (virus de l'immunodéficience humaine) qui provoque leur destruction. Chez les malades atteints du SIDA, le nombre très faible de LT CD4 provoque un effondrement des défenses immunitaires et l'apparition de maladies opportunistes. Cela montre le rôle essentiel de ces lymphocytes dans la défense immunitaire.

Lors de cette différenciation cellulaire, il se forme parallèlement des cellules mémoire (LB, plasmocytes, LT) à durée de vie longue, qui persistent dans l'organisme lorsque l'antigène a été éliminé. Ces cellules sont beaucoup plus nombreuses et réactives que les lymphocytes naïfs spécifiques de cet antigène et pourront agir de façon efficace, si celui-ci se présente à l'organisme de nouveau.

3 La phase effectrice de la réponse adaptative : l'élimination de l'antigène

● Le rôle des anticorps dans la neutralisation de l'antigène

Les anticorps, **immunoglobulines solubles** libérées par les plasmocytes, circulent dans le sang et la lymphe et sont capables de se lier, grâce à leurs sites anticorps, à deux antigènes semblables : il se forme ainsi des **complexes immuns** capables de faire précipiter des antigènes solubles (toxines microbiennes par exemple), de recouvrir d'anticorps ou d'agglutiner des cellules portant cet antigène sur leur membrane. Les pathogènes sont ainsi rendus biologiquement inoffensifs.

D'autre part, la phagocytose est plus efficace sur les complexes immuns ou sur les pathogènes recouverts d'anticorps, grâce à la présence sur la membrane des phagocytes de récepteurs leur permettant de se lier aux parties constantes des anticorps. Cette liaison déclenche une phagocytose rapide.

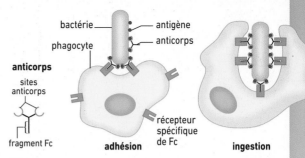

■ Un phagocyte ingère une bactérie marquée par des anticorps.

● La destruction par les LTc de cellules anormales ou de cellules infectées par des virus

Les **LT cytotoxiques (LTc)** porteurs de récepteurs T spécifiques de l'antigène migrent par voie sanguine vers le tissu infecté ou vers les cellules anormales. Grâce à leurs **récepteurs T**, ils se lient de façon transitoire à toute cellule présentant sur son CMH l'antigène qui leur est spécifique. Puis ils libèrent des molécules conduisant à l'apoptose, la mort programmée de la cellule. Ce coup létal est porté en quelques minutes. Ce sont donc des effecteurs très efficaces de la réponse adaptative.

D'autres mécanismes, comme la phagocytose, interviennent ensuite pour faire disparaître les débris de l'apoptose.

4 L'origine de la diversité des récepteurs des lymphocytes

Face à la très grande diversité et variabilité des microorganismes pathogènes, notre système immunitaire doit disposer d'un répertoire immunitaire tout aussi varié.

Le répertoire immunitaire est constitué de l'ensemble des récepteurs membranaires, portés par les clones de LB et de LT **immunocompétents**. Il préexiste à tout contact avec un antigène, et se met en place grâce à des **mécanismes génétiques complexes et aléatoires**, de telle sorte que tous les antigènes possibles sont en principe reconnaissables.

Tous les lymphocytes (comme toutes les cellules du système immunitaire) se forment dans la **moelle osseuse** à partir de cellules souches qui se multiplient sans cesse par mitoses. Parmi les milliards de clones différents ainsi produits, beaucoup sont éliminés, car il s'agit de clones **auto-réactifs**, potentiellement dangereux (leurs récepteurs étant capables de reconnaître des molécules du « soi »). D'autres deviennent immunocompétents (dans la **moelle osseuse** pour les LB, dans le **thymus** pour les LT), et gagnent, via la circulation sanguine, les organes lymphoïdes périphériques (ganglions, rate…) où ces cellules en veille sont susceptibles de rencontrer l'antigène qui leur correspond et d'être sélectionnés.

L'immunité adaptative

À retenir

L'immunité adaptative est une immunité acquise au cours de la vie.
Elle est assurée de façon spécifique par des lymphocytes.

De la détection de l'antigène à la production de cellules effectrices

Les lymphocytes B détectent les antigènes dans les liquides circulants de l'organisme, grâce aux anticorps fixés sur leur membrane. Un anticorps est une protéine en forme de Y, présentant deux zones variables appelées sites anticorps. Ce sont eux qui assurent la reconnaissance spécifique d'un antigène donné.

Les lymphocytes T détectent les antigènes sur les membranes des cellules de l'organisme (infectées ou anormales) grâce à leurs récepteurs T membranaires possédant un unique site de reconnaissance d'un antigène donné. Ce dernier est présenté aux LT par une cellule présentatrice de l'antigène (CPA).

Les lymphocytes B ou T ayant été sélectionnés par contact avec l'antigène, lors de la sélection clonale, se multiplient activement : c'est l'amplification clonale.

Les nombreux lymphocytes ainsi produits subissent une différenciation clonale. Certains se transforment en cellules effectrices, à durée de vie courte :

– les LB se différencient en plasmocytes, cellules sécrétrices d'anticorps (ou immunoglobulines) circulants ;
– les LT CD8 se différencient en LT cytotoxiques, capables de détruire toute cellule de l'organisme infectée ou anormale ;
– les LT CD4 se transforment en LT auxiliaires sécréteurs de messagers chimiques comme les interleukines, qui stimulent tous les lymphocytes sélectionnés.

D'autres lymphocytes issus de l'amplification se différencient en cellules mémoire, à longue durée de vie. Ils préparent ainsi le corps à un éventuel nouveau contact avec le même antigène.

L'élimination de l'antigène

Les anticorps neutralisent les antigènes en formant avec eux des complexes immuns. Les LTc provoquent la mort de toute cellule anormale de l'organisme s'ils reconnaissent sur sa membrane l'antigène qui les a activés. Complexes immuns et débris cellulaires sont ensuite éliminés par phagocytose.

L'origine de la diversité des récepteurs des lymphocytes

La très grande diversité des récepteurs B et T, qui permettent à notre organisme de reconnaître des milliards d'antigènes différents, constitue le répertoire immunitaire.

Dans la moelle osseuse et le thymus, des milliards de clones de lymphocytes différents sont produits aléatoirement, par des mécanismes génétiques complexes. Seuls survivent et deviennent immunocompétents ceux qui ne présentent pas de danger pour l'organisme, c'est-à-dire ceux qui reconnaissent, grâce à leurs récepteurs, les antigènes et non les molécules normalement présentes à la surface de nos cellules.

Mots-clés

Amplification et différenciation clonales ● Anticorps (immunoglobulines) ● Antigène ● Cellule présentatrice de l'antigène (CPA) ● Complexe immun ● Lymphocytes B, T CD8, T CD4 ● Lymphocytes T auxiliaires ● Lymphocytes T cytotoxiques ● Plasmocytes ● Récepteur T ● Répertoire immunitaire ● Sélection

L'immunité adaptative, prolongement de l'immunité innée

Reconnaissance des antigènes par...

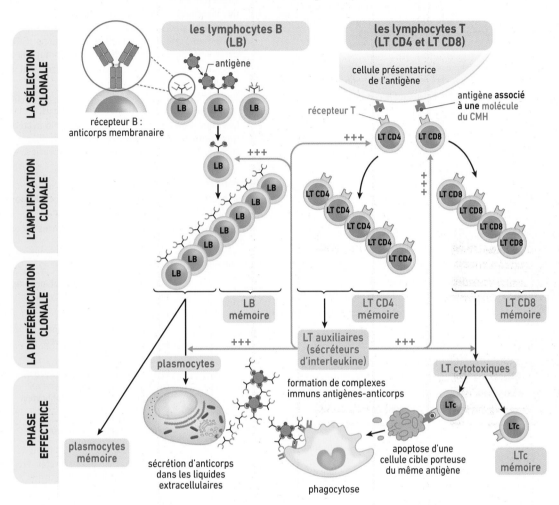

LA SÉLECTION CLONALE

les lymphocytes B (LB)

antigène

récepteur B : anticorps membranaire

LB LB LB

les lymphocytes T (LT CD4 et LT CD8)

cellule présentatrice de l'antigène

récepteur T

antigène associé à une molécule du CMH

LT CD4   LT CD8

L'AMPLIFICATION CLONALE

+++   +++

LB

LB LB LB LB LB LB LB LB

LT CD4 LT CD4 LT CD4 LT CD4 LT CD4

+++

LT CD8 LT CD8 LT CD8 LT CD8

LA DIFFÉRENCIATION CLONALE

LB mémoire   LT CD4 mémoire   LT CD8 mémoire

+++   +++

LT auxiliaires (sécréteurs d'interleukine)

LT cytotoxiques

PHASE EFFECTRICE

plasmocytes

formation de complexes immuns antigènes-anticorps

plasmocytes mémoire

sécrétion d'anticorps dans les liquides extracellulaires

phagocytose

apoptose d'une cellule cible porteuse du même antigène

LTc

LTc

LTc mémoire

L'acquisition du répertoire immunitaire

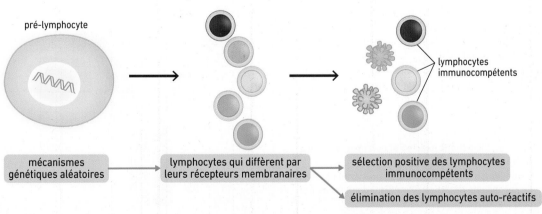

pré-lymphocyte

lymphocytes immunocompétents

mécanismes génétiques aléatoires

lymphocytes qui diffèrent par leurs récepteurs membranaires

sélection positive des lymphocytes immunocompétents

élimination des lymphocytes auto-réactifs

1 Retour vers les problématiques

Relisez la page « S'interroger avant d'aborder le chapitre » (p. 349). À l'aide de ce que vous savez à présent, répondez aux questions que vous avez formulées.

2 QCM BAC

Pour chaque affirmation, choisissez l'unique bonne réponse.

1. **Les lymphocytes B et T se distinguent l'un de l'autre par :**
   a. leur taille ;
   b. la forme de leur noyau ;
   c. la nature de leurs molécules membranaires qui déterminent leurs fonctions ;
   d. les granules de leur cytoplasme.

2. **Les pré-lymphocytes T se différencient en lymphocytes T immunocompétents dans :**
   a. la moelle osseuse ;
   b. les ganglions lymphatiques ;
   c. la rate ;
   d. le thymus.

3. **Les récepteurs des lymphocytes B correspondant à un antigène :**
   a. sont produits après contact avec cet antigène ;
   b. sont synthétisés après réarrangement génique dans le thymus ;
   c. reconnaissent l'antigène présenté par une molécule du CMH ;
   d. ont la même structure que les anticorps sécrétés après stimulation des lymphocytes B par cet antigène.

4. **Les lymphocytes T CD8 :**
   a. sont, comme les LT CD4, des cellules de l'immunité innée ;
   b. coopèrent avec les lymphocytes B à la production d'anticorps ;
   c. ne reconnaissent un antigène que s'il est en association avec une molécule du CMH ;
   d. se transforment en lymphocytes T auxiliaires après stimulation antigénique.

5. **Les lymphocytes T auxiliaires :**
   a. se différencient en LT CD4 ;
   b. libèrent des interleukines ;
   c. sont directement responsables de l'apoptose de cellules infectées ou anormales ;
   d. sont issus de la différenciation des LB.

3 Vrai ou faux ?

Repérez les affirmations exactes et corrigez celles qui sont inexactes.

a. La détection d'un antigène par un lymphocyte B déclenche une sécrétion immédiate d'anticorps par ce lymphocyte.

b. La réponse du système immunitaire à une infection virale met en jeu des lymphocytes T cytotoxiques et des plasmocytes producteurs d'anticorps.

c. L'infection par le VIH provoque, en l'absence de traitement, une immunodéficience acquise (SIDA) car le virus parasite toutes les cellules immunitaires.

d. Les anticorps sont des molécules qui détruisent les antigènes.

e. Les lymphocytes T cytotoxiques détruisent par apoptose les cellules infectées par un virus.

f. Les clones de LB et de LT fabriqués par le système immunitaire sont potentiellement capables de reconnaître des antigènes extrêmement variés.

4 Apprendre en s'interrogeant

1. Cachez une des deux colonnes du tableau ci-dessous et retrouvez ce que contient l'autre colonne.
2. Vérifiez vos réponses et revoyez si nécessaire les notions concernées.

Questions	Réponses
Antigène	Molécule produite par un pathogène, reconnue par des lymphocytes.
Récepteur T	Molécule permettant la reconnaissance d'un antigène présenté en association avec une molécule du CMH.
Sélection clonale	Phase de la réponse adaptative au cours de laquelle un antigène est reconnu par certains lymphocytes.
Cellules mémoire	Cellules à durée de vie longue, formées à l'issue de la phase d'amplification clonale.
Interleukines	Messagers chimiques sécrétés par les LT auxiliaires, qui activent d'autres cellules.

5 Annoter un schéma

Légendez et donnez un titre à ce schéma.

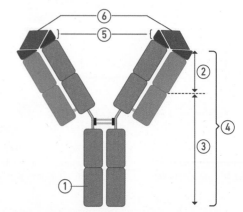

6 Maîtriser ses connaissances (BAC)

★★ Lors d'une angine due à un streptocoque, des anticorps sont produits puis sécrétés dans les liquides de l'organisme (le sang et la lymphe).

Présentez les cellules et les mécanismes impliqués dans la production puis la sécrétion d'anticorps dirigés contre cette bactérie.

Votre réponse, structurée, sera accompagnée d'un ou plusieurs schémas illustrant votre propos.

7 Maîtriser ses connaissances (BAC)

★★ Le VIH est un virus qui infecte les lymphocytes T CD4, provoquant leur destruction. En absence de traitement, les individus infectés par ce virus meurent des suites de maladies opportunistes.

Expliquez pourquoi la destruction des lymphocytes T CD4 par le VIH entraîne une déficience de l'ensemble du système immunitaire.

Illustrez éventuellement votre réponse par un ou plusieurs schémas.

8 S'exprimer à l'oral (Oral)

★★ **Présentez les caractéristiques des deux types de réponse immunitaire illustrés par le schéma.**

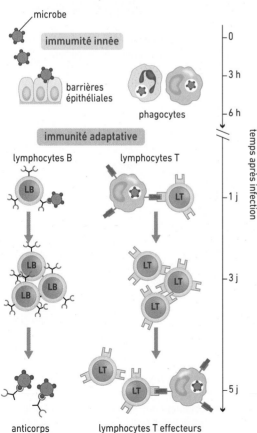

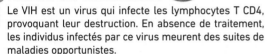

9 Observer et exploiter des informations

★★ Cette cellule, observée au MET, résulte de la différenciation d'un lymphocyte B.

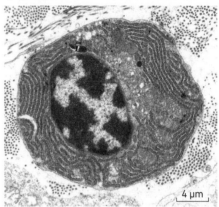

4 μm

Après l'avoir décrite, expliquez en quoi sa structure lui permet de fabriquer de grandes quantités d'anticorps.

10 Formulez une hypothèse

★★ La maladie de Bruton se manifeste dès la première année chez l'enfant, sous forme d'infections à répétitions. Il s'agit d'infections des voies respiratoires, mais aussi digestives et cutanées, d'origine surtout bactérienne. Elle concerne des microorganismes très différents les uns des autres, et correspond à un déficit immunitaire.

Émettez une ou des hypothèses quant à la cause possible de cette immunodéficience.

11 Raisonner à partir d'une observation

★★ Voici les résultats de deux tests de diagnostic utilisant des microbilles de latex bleues sur lesquelles sont fixés des antigènes de tréponème pâle, bactérie responsable de la syphilis. Ces billes sont mises en présence de sérums de deux patients sur deux zones d'une carte test.

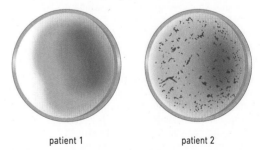

patient 1   patient 2

Expliquez les résultats obtenus pour déterminer si les patients sont porteurs ou non de l'agent pathogène.

12 Expliquer par un schéma

★★ **Réalisez des schémas d'interprétation des résultats obtenus dans l'exercice 11.**

13 Une immunité anti-cancéreuse

Les cellules cancéreuses sont des cellules devenues anormales dont la multiplication rapide et incontrôlée finit par entraîner la mort de l'individu. Elles présentent à leur surface des marqueurs anormaux appelés antigènes de tumeur dont la détection induit une réponse immunitaire dite anti-tumorale.

On a réalisé trois manipulations selon le protocole schématisé dans le document ci-contre.

Dans toutes les manipulations (①, ②, ③), des cellules cancéreuses, prélevées chez une souris malade, ont été injectées sous la peau à une souris saine. Ce transfert de cellules est l'équivalent d'une greffe (« greffe tumorale ») ; les souris saines et les souris malades sont de mêmes lignées de façon à empêcher tout phénomène de rejet.

Dans les manipulations ② et ③, on injecte, en même temps que les cellules cancéreuses, des anticorps anti-CD4 ou anti-CD8 qui se lient spécifiquement aux récepteurs des lymphocytes T CD4 et T CD8 et les neutralisent.

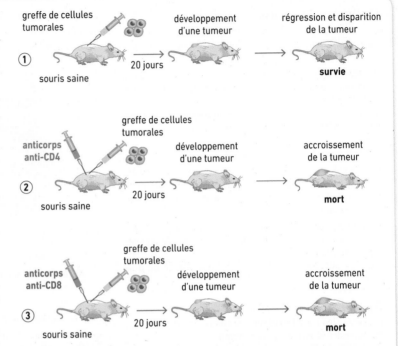

1. **Exploitez les résultats expérimentaux pour déterminer les cellules intervenant dans la réponse anti-tumorale.**
2. **Utilisez vos connaissances pour présenter les mécanismes permettant la destruction des cellules tumorales chez la souris de l'expérience ①.**

14 Doser un antigène

Deux patients ont été en contact avec des antigènes connus et on souhaite savoir si ces antigènes sont présents chez eux dans les mêmes proportions. Pour ce faire, on va tester la formation de complexes immuns (complexe spécifique antigène-anticorps) en utilisant un milieu gélosé, permettant une migration rapide des molécules antigéniques, ce qui facilite ainsi la formation et l'observation de tels complexes.

La technique de Mancini consiste à couler de la gélose d'épaisseur constante au fond d'une boîte de Petri ou sur une plaque. À cette gélose est mélangé un sérum (= liquide sans cellule) contenant des anticorps dirigés contre un antigène Ag1. Des solutions de concentrations croissantes et connues d'Ag1 (C1, C2, C3 et C4) sont placées dans les puits creusés dans la gélose selon le schéma ci-contre. Les antigènes diffusent dans la gélose contenant les anticorps anti-Ag1.

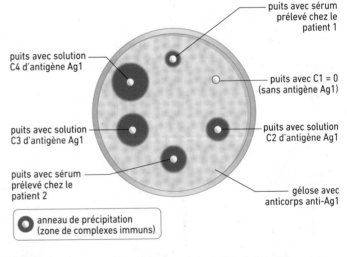

■ **Résultat du dosage d'un antigène par la technique de Mancini.**

■ **Exploitez les résultats obtenus pour en extraire des arguments permettant d'indiquer si ces patients possèdent dans leur organisme l'antigène Ag1 et, si c'est le cas, d'en évaluer la concentration.**

★ facile   ★★ intermédiaire   ★★★ confirmé

15 La diversité des récepteurs lymphocytaires

★
★
★

La diversité du répertoire des récepteurs B et des récepteurs T est le produit de réarrangements de segments de plusieurs gènes dans les cellules lymphoïdes souches de la moelle osseuse.

Les gènes permettant la synthèse des immunoglobulines sont situés sur trois paires de chromosomes différentes (2, 14 et 22), dont on connait le nombre de segments. Chaque gène

à l'origine de la synthèse d'une chaîne L ou d'une chaîne H comporte des segments codant pour la partie variable (V) et des segments codant pour les zones (D et J) de la chaîne qui raccordent les parties variables à la partie constante.

De même, les récepteurs T sont formés de deux chaines α et β (codées par deux gènes distincts), avec chacune une partie variable et une partie constante.

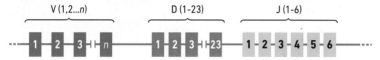

A Portion du gène codant pour la partie variable d'une chaîne lourde (ADN de la cellule souche à l'origine d'un LB).

B Récepteur T.

	Immunoglobulines (anticorps)		Récepteurs des LT	
	Chaînes lourdes (H)	Chaînes légères (L) de deux types, κ et λ	Chaîne α	Chaîne β
Nombre de segments V	~ 45	35	30	45	48
Nombre de segments D	23	0	0	0	2
Nombre de segments J	6	5	4	50	12

D Nombre de segments de gènes fonctionnels dans les gènes des récepteurs B et T.

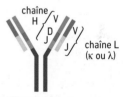

C Récepteur B.

1. Sachant que les gènes des LB (comme ceux des LT) comportent un segment de chaque sorte (V, D et J), calculez le nombre de chaînes lourdes et légères des immunoglobulines qui peuvent être fabriquées par la recombinaison aléatoire des segments de gènes.

2. Sachant que les lymphocytes B humains fabriquent indifféremment des immunoglobulines avec des chaînes de type κ ou λ, calculez le nombre de récepteurs B (et donc de LB différents) qui peuvent être fabriqués.

3. Refaire les calculs pour les chaînes des récepteurs T des LT formés dans le thymus.

16 Principe d'un test de détection rapide (TDR)

★
★
★

Un test de dépistage rapide (TDR) permet de détecter la présence d'un pathogène comme le streptocoque A, bactérie responsable de 15 % à 25 % des angines aiguës chez l'adulte et l'enfant. Les médecins l'utilisent pour déterminer si le

patient souffre d'une angine d'origine virale (75 % à 85 % des angines) ou d'origine bactérienne. Si le test est négatif, toute prescription d'antibiotique est alors inutile.

Protocole de test

Descriptif de la languette de test

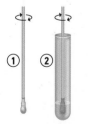

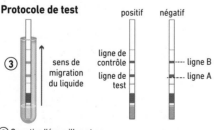

On gratte le fond de la gorge avec un écouvillon ① mis en contact avec un liquide de dilution ② pendant 1 min.

③ On retire l'écouvillon et on met l'extrémité de la languette en contact avec le réactif pendant 5 min.

résultats possibles

ligne B (anticorps **B** fixés, immobiles, incolores, spécifiques du colorant M)

ligne A (anticorps **A** fixés, immobiles, incolores, spécifiques de l'antigène **S** du streptocoque)

zone contenant des anticorps **M** mobiles, colorés et spécifiques de l'antigène **R** du streptocoque

antigène **R** et
S du streptocoque

■ Expliquez, par des schémas commentés, les résultats obtenus pour un test positif et un test négatif. Précisez l'intérêt de la ligne de contrôle B.

BAC

17 La mononucléose infectieuse aigüe

Alice, une adolescente de 15 ans, en bonne santé, a contracté une forte angine avec fièvre et malaise général. Ses symptômes aigus ont persisté pendant plus de 10 jours et elle est restée affaiblie pendant plusieurs semaines. Son jeune frère, âgé d'un an, est tombé malade en même temps qu'elle, mais n'a pas été aussi affecté et s'est remis en quelques jours. Des examens médicaux ont révélé qu'elle développait une mononucléose infectieuse aigüe. On lui a dit que cette maladie, appelée aussi « maladie du baiser », touchait plus fortement les adolescents et les jeunes adultes.

■ Expliquez comment le système immunitaire d'Alice lui a permis de lutter contre ce virus et pourquoi malgré tout ce dernier persiste dans son organisme.

---

1 Le virus Epstein-Barr et son cycle de réplication

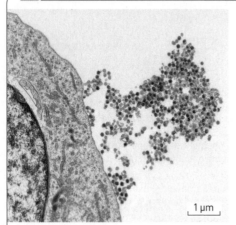

A Virus EBV (en rouge) à la surface d'une cellule cible.

Le virus d'Epstein-Barr (aussi appelé EBV) fait partie de la famille des virus de l'herpès. C'est un des virus humains les plus communs. Il infecte 90 % de la population mondiale, mais de façon bénigne. Son réservoir est strictement humain. Il se transmet par la salive, d'où son surnom de « maladie du baiser ». En général, la contamination se produit dans l'enfance, au moment de l'adolescence ou chez les jeunes adultes (**A**). Il est responsable de la mononucléose infectieuse et peut être associé à des formes relativement rares de cancer.

C'est un virus à ADN qui se multiplie dans les cellules épithéliales du pharynx et les amygdales*, où il a pour cible principale les lymphocytes B, en se fixant sur un de leurs récepteurs membranaires, la molécule CD21. Les lymphocytes B infectés déclenchent secondairement une réponse cytotoxique des lymphocytes T, expliquant l'inflammation des amygdales et le gonflement des ganglions. L'EBV reste surtout latent dans les lymphocytes B mémoire, mais occasionnellement, au cours de la vie de l'individu, le virus se réactive : les nouveaux virus produits sont libérés dans le sang et infectent d'autres LB (**B**).

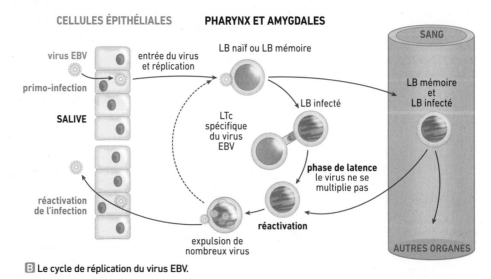

B Le cycle de réplication du virus EBV.

*Cet exercice se présente sous la forme d'une **tâche complexe** :
construisez votre propre démarche pour résoudre le problème posé.*

Exercices

2 L'activité du virus EBV dans les lymphocytes B (LB)

	LB	LB mémoire
État du virus EBV	actif	latent*
Exposition de peptides viraux sur la membrane du lymphocyte	oui	non
Production de nouveaux virus libérés et susceptibles d'infecter d'autres LB	oui	non

3 L'action des LT cytotoxiques

La réponse immunitaire de la personne infectée (en particulier celle impliquant les lymphocytes T CD8 et donc les LTc), permet de contrôler l'infection à presque tous ses stades, hormis lors de la phase de latence.

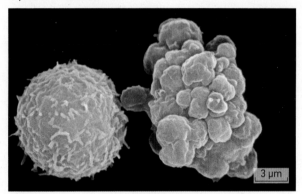

■ LTc provoquant l'apoptose d'un LB (observé au MEB).

4 Dosage des anticorps et de la charge virale dans le sang, à la suite d'une infection par le virus EBV

Lors d'une mononucléose infectieuse aigüe, des examens sanguins permettent de confirmer le diagnostic. Des anticorps anti-VCA, dirigés contre les antigènes de la capside du virus EBV (VCA ou *Virus Capsid Antigen*) sont détectés rapidement dans le sang et sont le signe d'une primo-infection. Les anticorps dirigés contre les antigènes nucléaires EBNA (*Epstein Barr Nuclear Antigen*) sont produits plus tardivement. Ces anticorps persistent dans le sang des personnes ayant été infectées.

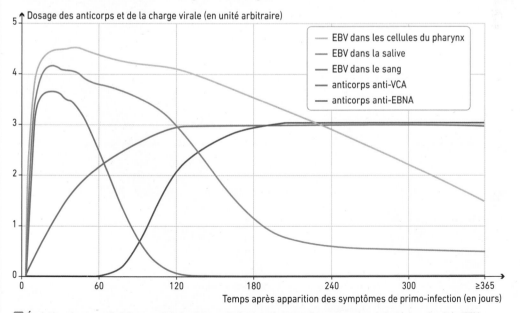

■ Évolution des taux d'anticorps et de la charge virale dans le sang d'une personne infectée par le virus EBV.

Vaccination et immunothérapie

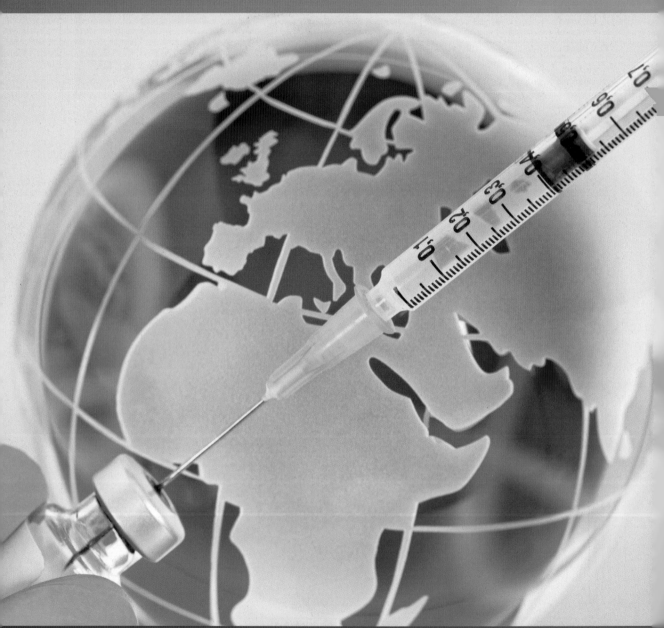

La vaccination est une méthode préventive qui protège efficacement les individus et empêche la circulation de microbes très contagieux.

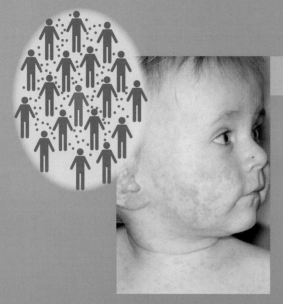

La rougeole, une maladie à fort potentiel épidémique

Selon l'OMS (Organisation mondiale de la santé), les cas de rougeole ont augmenté de 300 % dans le monde au premier trimestre 2019, par rapport à la même période en 2018. La rougeole est l'une des maladies les plus contagieuses : dans une population non immunisée, un malade ayant la rougeole peut contaminer 15 à 20 personnes. Il n'existe pas de traitement curatif. La rougeole resurgit un peu partout dans le monde, à cause d'une défiance envers les vaccins dans les pays riches, ou d'un mauvais accès aux soins dans les pays pauvres.

L'immunothérapie récompensée par le prix Nobel de médecine 2018

Le prix Nobel de physiologie et de médecine 2018 a été décerné à deux chercheurs en immunologie, un américain, James Allison et un japonais, Tasuku Honjo, pour leurs travaux visant à combattre l'action inhibitrice des cellules cancéreuses sur les lymphocytes. En rendant plus performantes les cellules immunitaires des patients atteints de certains cancers, leurs recherches ouvrent de nouvelles perspectives de traitements.

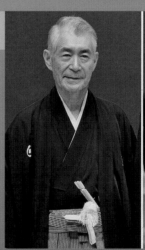

Formuler les problèmes à résoudre

Le système immunitaire permet de lutter contre les agressions externes des microorganismes pathogènes et contre les menaces que constituent les cellules cancéreuses.
À partir des documents présentés et de ce que vous savez du système immunitaire, formulez des questions concernant les possibles applications de ces connaissances dans le domaine de la santé humaine.

Le système immunitaire est doué de mémoire

Certaines maladies infectieuses, comme la rougeole, ne se contractent qu'une seule fois au cours de la vie, même si nous sommes au contact à plusieurs reprises avec le même agent pathogène. Le système immunitaire semble donc avoir gardé une mémoire de la réponse contre cet antigène.

Quels sont les supports et les caractéristiques de la mémoire immunitaire ?

1 Évolution du taux plasmatique d'anticorps après divers contacts antigéniques

On injecte à une souris un antigène A, puis on mesure le taux plasmatique d'anticorps spécifiques anti-A.

Lorsque ce taux est redevenu presque nul (au bout de 50 jours), on procède simultanément à une deuxième injection du même antigène A et à l'injection d'un antigène B, différent.

On mesure dans le plasma l'évolution des taux d'anticorps spécifiques de chacun des antigènes A et B.

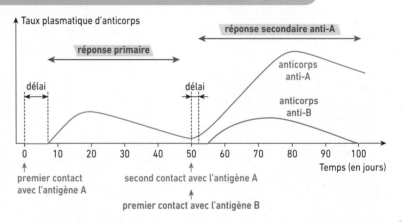

2 Des rejets de greffe de peau plus ou moins rapides

Le rejet d'un organe greffé est le résultat d'une réponse immunitaire qui détruit les cellules du greffon, identifiées comme n'appartenant pas à l'organisme receveur.

On réalise des expériences de greffe de peau entre des souris de souches* différentes (A, B et C).

Les souris donneuses (A et B) ont des pelages gris ou beige ; les souris receveuses C1 et C2 sont blanches.

	À t = 0	Au bout de plusieurs jours
Première greffe	greffe d'un fragment de peau — souris grise donneuse **A** → souris blanche receveuse C_1	**Rejet du greffon au bout de 14 jours** — souris blanche receveuse C_1
Deuxième greffe	greffe d'un fragment de peau — souris grise donneuse **A** → souris blanche receveuse C_1	**Rejet du greffon au bout de 6 jours** — souris blanche receveuse C_1
Troisième greffe	greffe d'un fragment de peau — souris beige donneuse **B** → souris blanche receveuse C_1	**Rejet du greffon au bout de 14 jours** — souris blanche receveuse C_1
Quatrième greffe	souris blanche C_1 ayant reçu une 1re greffe de peau de **A** — lymphocytes T prélevés dans la rate → greffe d'un fragment de peau de A — souris naïve receveuse C_2	**Rejet du greffon au bout de 6 jours** — souris blanche receveuse C_2

3 Le support cellulaire de la mémoire immunitaire

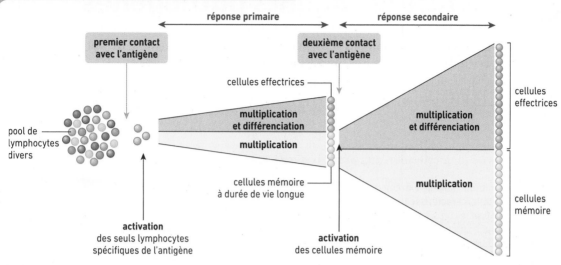

L'activation des clones des lymphocytes B (LB) et/ou des lymphocytes T (LT) par un antigène donné se traduit par une prolifération, puis par une différenciation clonale qui conduisent à la formation d'un très grand nombre de cellules effectrices : plasmocytes, lymphocytes T cytotoxiques et lymphocytes T auxiliaires. Plus de 90 % de ces cellules meurent après quelques jours ou quelques semaines. En effet, après avoir détruit les antigènes contre lesquels elles étaient dirigées, ces cellules sont devenues inutiles.

La prolifération clonale engendre également des cellules appelées **cellules mémoire***, qui peuvent persister très longtemps dans l'organisme (jusqu'à des dizaines d'années) comme en atteste le fait que certaines maladies infectieuses ne se déclarent qu'une seule fois au cours de la vie.

Certains plasmocytes, lymphocytes T cytotoxiques et lymphocytes T auxiliaires peuvent acquérir le statut de cellules mémoire à longue durée de vie et persister dans la moelle osseuse et la rate.

4 Quelques caractéristiques des cellules mémoire

Les lymphocytes mémoire présentent des différences avec les lymphocytes naïfs concernant aussi bien leurs fonctions que les molécules qu'ils fabriquent. Les cellules mémoire, plus nombreuses, sont dotées de propriétés absentes chez les lymphocytes naïfs qui sont des cellules peu actives, « dormantes ».

Lymphocytes naïfs	Lymphocytes B mémoire	LymphocytesT mémoire
• Cellules dormantes ne sécrétant pas de molécules effectrices. • Prolifèrent 4 à 7 jours après un contact avec l'antigène qui leur est spécifique. • Durée de vie courte (en jours ou en semaines).	• Cellules au repos, mais réactives. • Prolifération rapide (1 à 3 jours) en cas de contact avec l'antigène dont ils sont spécifiques. • Durée de vie longue et auto-régénération (jusqu'à la mort de la personne).	• Capacité (pour certains) à sécréter perforines* et granzymes*. • Forte capacité de prolifération. • Durée de vie longue et auto-régénération (en dizaines d'années).

Activités envisageables

Pour mettre en évidence l'existence d'une mémoire immunitaire et déterminer son support cellulaire :

● Comparez les caractéristiques des réponses primaire et secondaire pour chacune des expériences proposées.

● Déterminez la nature et les caractéristiques des cellules impliquées.

Des clés pour réussir

● Comparez les conditions expérimentales (documents 1 et 2).

● Comparez les caractères des lymphocytes naïfs et mémoire.

* Lexique ➡ p. 422

2 La vaccination préventive contre les agents pathogènes

En France, certaines vaccinations sont obligatoires. Elles permettent de se protéger contre des maladies infectieuses, principalement bactériennes ou virales.

Quels sont les principaux vaccins ? Comment agissent-ils ?

1 Des débuts de la vaccination aux pratiques actuelles

- La variole était une maladie extrêmement contagieuse et souvent mortelle, caractérisée par l'apparition de grosses pustules* sur tout le corps. Les épidémies* de cette maladie firent des ravages dans le monde entier, jusqu'au milieu du XXe siècle. En Europe, la variole provoquait chaque année la mort de 400 000 personnes à la fin du XVIIIe siècle.
- Dans la Chine médiévale, pour protéger les enfants contre cette terrible maladie, on pratiquait l'inoculation de pus* provenant de pustules de malades. Cette pratique, appelée « variolisation » a été introduite en Europe au XVIIIe siècle. Efficace, mais dangereuse, elle entraînait alors 2 % de décès, et les personnes variolisées étaient contagieuses.

- Edward Jenner, un médecin anglais, constata que les fermiers contaminés par la vaccine (du latin *vacca*, vache), une forme bovine et sans gravité de la variole, ne contractent pas la variole.
- En 1796, il inocula le liquide d'une pustule de vaccine à un garçon de huit ans. Trois mois plus tard, il inocula à cet enfant du pus de varioleux : l'enfant ne tomba pas malade.

C Pustules de vaccine sur les pis d'une vache. Lors de la traite, les fermiers pouvaient « attraper » la vaccine.

Cette pratique protectrice et sans risque se répandit en Angleterre, puis en France, où elle prit le nom de **vaccination***.

- Dans la deuxième moitié du XIXe siècle, à la suite des travaux de Louis Pasteur, on comprend que les microbes (des virus) responsables des deux maladies sont voisins et que les défenses immunitaires acquises contre le premier protègent aussi contre le second.
- Rendue obligatoire en France en 1902, la vaccination contre la variole se répand dans le monde dans les années 1950. La maladie régresse, jusqu'à disparaître totalement en 1977. Depuis 1980, on ne vaccine plus contre la variole. Cette maladie a été éradiquée* grâce à la vaccination.

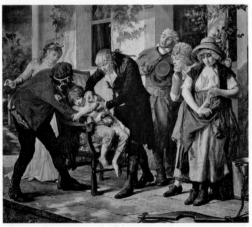

A Edward Jenner effectuant la première vaccination contre la variole, vu par le peintre Gaston Mélingue (1879).

Année	Médecin	Vaccin
1796	Edward Jenner	1e vaccination contre la variole
1885	Louis Pasteur	Vaccin contre la rage (1er vaccin humain)
1921	Albert Calmette et Louis Guérin	Vaccin BCG contre la tuberculose
1923 1927	Gaston Ramon	Vaccins contre la diphtérie et le tétanos
1944	Jonas Salk	Vaccin contre la grippe
1955	Jonas Salk	Vaccin contre la poliomyélite
1961	John F. Enders	Vaccin contre la rougeole
1970	Emil C. Gotschlich	Vaccin contre les méningocoques (méningite)
1976	Philippe Maupas	Vaccin contre l'hépatite B
2006	Laboratoire Merck & Co	Vaccin contre les papillomavirus

B Quelques dates importantes de l'histoire de la vaccination.

Diphtérie Tétanos Coqueluche poliomyélite Rougeole ☑11 Vaccins Obligatoires Oreillons Rubéole Pneumocoque Hépatite B Méningocoque C Haemophilus influenzae B

D En France en 2019, onze vaccinations sont obligatoires pour les nourrissons.

2 Les différents types de vaccins

La vaccination consiste à injecter (à une ou plusieurs reprises) chez un individu sain, une préparation vaccinale afin de déclencher une réaction immunitaire qui le protégera spécifiquement et durablement contre une maladie infectieuse. Le **principe actif*** du vaccin doit bien entendu avoir perdu son effet pathogène, tout en ayant conservé son pouvoir antigénique.

Contenu du vaccin	Maladies concernées
Microbes (virus ou bactéries) vivants et atténués	Oreillons, rougeole, rubéole, varicelle, zona, tuberculose (Vaccin BCG), fièvre jaune
Microbes (virus ou bactéries) morts et inactivés	Poliomyélite, choléra, rage
Anatoxine (toxine neutralisée)	Tétanos, diphtérie
Molécules microbiennes (antigènes) ou fragments de microbes	Hépatite B, coqueluche, grippe, infections à HIB (Haemophilus influenza B), à HPV (Papillomavirus), à méningocoques, à pneumocoques C

Immunogénicité

Sécurité

Les vaccins vivants atténués possèdent tous les antigènes de l'agent pathogène. Ils sont très efficaces mais le risque qu'ils deviennent infectieux n'est jamais totalement exclu. Pour rendre les vaccins plus sûrs, on utilise des microorganismes tués ou des fragments moléculaires de ceux-ci, ce qui les rend cependant moins efficaces. C'est pourquoi on ajoute des **adjuvants*** à la préparation vaccinale. Les plus utilisés sont les sels d'aluminium, le squalène* et des extraits bactériens. Ces molécules sont reconnues par les récepteurs des cellules de l'immunité innée, comme les cellules dendritiques, et phagocytées par celles-ci. Ce phénomène déclenche une réaction inflammatoire à l'origine d'une activation précoce et de plus grande ampleur de la réponse immunitaire adaptative.

3 Le mode d'action des vaccins

La vaccination reproduit la réponse primaire et les réponses secondaires décrites p. 376.

Dans le cas de la vaccination antitétanique (graphe ci-contre), il faut réaliser plusieurs injections pour obtenir une protection efficace. Des **rappels*** sont également nécessaires au bout de quelques années, pour que les cellules mémoire soient en nombre suffisant pour protéger l'organisme en cas de rencontre avec l'agent pathogène.

Cette mise en mémoire permet de maintenir une protection permanente. À chaque rappel ou lors d'une vraie contamination, l'organisme développe une réponse secondaire rapide et de grande ampleur.

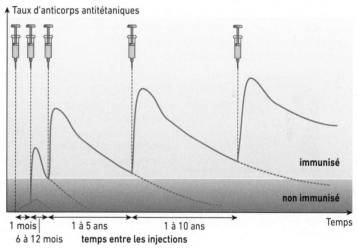

Taux d'anticorps antitétaniques

immunisé

non immunisé

Temps

1 mois
6 à 12 mois
1 à 5 ans   temps entre les injections
1 à 10 ans

Évolution du taux d'anticorps plasmatiques dans le cas de la vaccination contre le tétanos.

Pour comprendre comment les vaccins agissent de façon préventive :

● **Expliquez l'efficacité de la première vaccination contre la variole réalisée par Edward Jenner.**

● **Rappelez sur quelle(s) propriété(s) de la réponse adaptative repose l'efficacité de la vaccination.**

● **Expliquez l'utilité des adjuvants et des rappels de vaccination.**

Des clés pour réussir

● Mobilisez vos connaissances sur les réponses immunitaires primaire et secondaire.

● Repérez les rôles de chaque constituant d'un vaccin.

* Lexique ➡ p. 422

La vaccination, une protection des individus et des populations

Au cours du xxᵉ siècle, les vaccins ont visé des maladies très graves (variole, diphtérie, tétanos, poliomyélite, rubéole...) ou très contagieuses (rougeole, coqueluche, grippe). Ils ont permis la régression de ces maladies et augmenté l'espérance de vie des individus.

Pourquoi les politiques de santé publique incitent-elles encore aujourd'hui à la vaccination ?

1 Rougeole et couverture vaccinale

Avant la diffusion de la vaccination, la rougeole tuait certaines années entre 2 et 3 millions de personnes dans le monde, surtout des enfants. Cette maladie aurait dû disparaître comme la variole, car le vaccin est peu coûteux et efficace, et le réservoir du virus seulement humain. Pourtant, elle est encore très fréquente dans certains pays d'Afrique et d'Asie. En 2019, le monde est confronté à une recrudescence de la rougeole, avec des foyers épidémiques* sur tous les continents, notamment en Europe.

La seule façon d'éviter la rougeole est la vaccination. En France, le vaccin utilisé est généralement associé à une protection contre les oreillons et la rubéole (vaccin ROR).

Maladie due à un virus à réservoir uniquement humain.

Le virus se transmet par les gouttelettes de salive dans l'air, après un éternuement ou par contact direct avec les sécrétions du nez ou de la gorge.

Période d'incubation de 10 à 12 jours.

Le sujet est contagieux 5 jours avant et 5 jours après l'éruption des boutons.

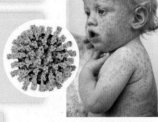

A

Transmission :
15 à 20 personnes

De 2008 à 2017 : 20 décès en France (dont au moins 8 personnes qui ne pouvaient pas être vaccinées pour des raisons de santé).

Les premiers jours : fièvre > 38 °C, conjonctivite, nez qui coule, toux sèche, grande fatigue.

3 à 5 jours après : boutons rouges sur le visage, puis sur le corps, qui disparaissent en une semaine. Grande fatigue pendant plusieurs semaines.

Complications possibles :
– convulsions,
– pneumonies,
– encéphalites pouvant nécessiter une hospitalisation.

B

Première injection : à l'âge de 1 an.

Deuxième injection avant 24 mois : permet d'obtenir une protection de l'ordre de 97 à 100 %. Cependant si ces deux vaccins n'ont pas été effectués, une vaccination de rattrapage est recommandée (notamment pour les personnes nées depuis 1980). La vaccination est obligatoire en France pour les nourrissons depuis le 1ᵉʳ janvier 2018. La durée de l'immunité induite par ce vaccin est de plusieurs décennies.

La **couverture vaccinale*** est la proportion de personnes vaccinées dans une population à un moment donné. Elle doit être de 95 % (avec 2 doses de vaccin) dans le cas de la rougeole (virus très contagieux) pour atteindre l'**immunité de groupe*** empêchant la circulation de l'agent pathogène dans la population. Elle était d'environ 80 % en 2017.

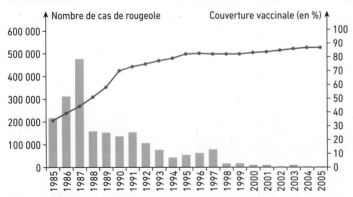

C Nombre de cas de rougeole par an et couverture vaccinale à 2 ans (1 seule dose de vaccin), en France de 1985 à 2005.

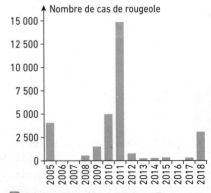

D Nombre de cas de rougeole en France de 2005 à 2018.

2 La vaccination, pour se protéger et protéger les autres

- ● individu non vacciné en bonne santé
- ○ individu vacciné en bonne santé
- ● individu non vacciné malade

Cas n° 1 : groupe d'individus où personne n'est vacciné

Tout le monde risque d'attraper la maladie

Cas n° 2 : groupe d'individus où la couverture vaccinale est trop faible

Les personnes vaccinées ne protègent qu'elles-mêmes

Cas n° 3 : groupe d'individus où la couverture vaccinale est suffisante

Les personnes vaccinées protègent aussi les personnes non vaccinées

A Couverture vaccinale et immunité de groupe.

La couverture vaccinale doit être forte pour que certaines catégories de personnes qui ne peuvent être vaccinées soient protégées. Ce sont principalement :
- les nourrissons de moins de 1 an ;
- les personnes souffrant d'une affection contre-indiquant la vaccination (immunodéprimées, en traitement de certains cancers...) ;
- les personnes âgées dont le système immunitaire est moins performant ;
- les femmes enceintes (par mesure de précaution).

Comme tous les médicaments, les vaccins ne sont pas sans risques. Des allergies à l'un des composants peuvent survenir. Dans les pays développés, les maladies infectieuses ont tellement reculé (entre autres grâce aux vaccins) que le sentiment de danger infectieux a quasiment disparu. De plus, les vaccins sont des médicaments singuliers qui sont administrés à des personnes saines (essentiellement des nourrissons). La survenue d'effets néfastes est donc difficilement tolérée. C'est pourquoi le discours anti-vaccinal a gagné du terrain, provoquant une baisse de la couverture vaccinale, notamment en France.

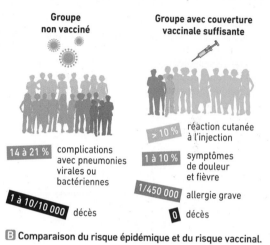

Groupe non vacciné	Groupe avec couverture vaccinale suffisante

	> 10 %	réaction cutanée à l'injection
14 à 21 %	complications avec pneumonies virales ou bactériennes	1 à 10 %	symptômes de douleur et fièvre
	1/450 000	allergie grave
1 à 10/10 000	décès	0	décès

B Comparaison du risque épidémique et du risque vaccinal.

3 Des vaccins peuvent prévenir certains cancers

Les virus HPV (Human papillomavirus) se transmettent par voie cutanée et sexuelle. Si certains sont sans danger, on retrouve l'ADN de certains HPV dans 90 % des tumeurs du col utérin, des tumeurs anales et génitales (voir p. 315).

La vaccination est donc recommandée avant les premières relations sexuelles pour toutes les jeunes filles de 11 à 14 ans et en rattrapage pour les jeunes femmes entre 15 et 19 ans, jusqu'à 26 ans pour les hommes ayant des relations homosexuelles, et pour les patients immunodéprimés.

Pour réduire la circulation des virus HPV et parce que les garçons peuvent être touchés, certains pays (comme l'Australie) proposent de vacciner aussi les jeunes adolescents. C'est à l'étude en France.

Activités envisageables

Pour comprendre pourquoi la vaccination est un enjeu de société :

- ● Exploitez les différents documents pour extraire les arguments établissant l'importance de l'immunité de groupe.
- ● Expliquez pourquoi le bénéfice collectif de la vaccination est largement supérieur au risque vaccinal individuel.

Des clés pour réussir

● Mettez en relation courbes, histogrammes et informations apportées par les différents documents.

✱ Lexique ➡ p. 422

L'immunothérapie, de nouvelles armes pour lutter contre les cancers

Quand ils sont administrés à des personnes en bonne santé à des fins protectrices, les vaccins sont préventifs. D'autres procédés, regroupés sous le nom d'immunothérapie (dont les vaccins thérapeutiques), ont été développés pour lutter contre certaines maladies, dont des cancers.

En quoi consiste l'immunothérapie ? Dans quelles circonstances est-elle utilisée ?

1 Les tumeurs, des cellules anormales qui échappent au système immunitaire

Les cellules cancéreuses présentent à leur surface des molécules anormales (antigènes tumoraux) associées à des molécules du complexe majeur d'histocompatibilité (CMH) qui devraient déclencher une réponse immunitaire de la part des lymphocytes T. Or, *in vivo*, on constate que ces cellules peuvent échapper à la destruction, d'où leur immortalité.

Dans un premier temps, les cellules présentatrices d'antigènes (CPA), en présentant un antigène tumoral, sélectionnent et activent la multiplication clonale des lymphocytes T spécifiques. Dans un second temps, elles ont la capacité de limiter cette activation des lymphocytes T cytotoxiques. Cette inhibition des lymphocytes T s'effectue par reconnaissance de molécules membranaires (PD-1, CTLA-4...) grâce à des récepteurs (A). Or, les cellules cancéreuses expriment ces mêmes récepteurs et sont donc capables d'empêcher l'action des lymphocytes T (B).

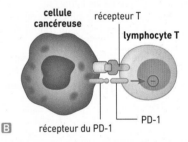

cellule présentatrice d'antigène (cellule dendritique) — CMH + antigène tumoral — **lymphocyte T** — PD-1 — récepteur du PD-1 — A

cellule cancéreuse — récepteur T — **lymphocyte T** — PD-1 — récepteur du PD-1 — B

2 Vaccins thérapeutiques, des résultats prometteurs

La **vaccination thérapeutique*** a pour objectif de soigner une maladie (un cancer en général) en stimulant la réponse immunitaire du patient lorsque celle-ci fait défaut. Il peut s'agir :

– d'**antigènes microbiens** ou **tumoraux** (récupérés à partir de la tumeur et injectés avec un adjuvant pour en augmenter l'efficacité) ;
– de **cellules immunitaires modifiées** (cellules dendritiques mises en culture avec des antigènes de la tumeur ou lymphocytes T spécifiques, modifiés génétiquement ou pas) ;
– de **molécules facilitant la tâche du système immunitaire** (anticorps, interleukines...).

■ Principe des vaccins avec transfert de cellules immunitaires. (Approche thérapeutique en plein développement, utilisation en clinique et nombreux essais en cours).

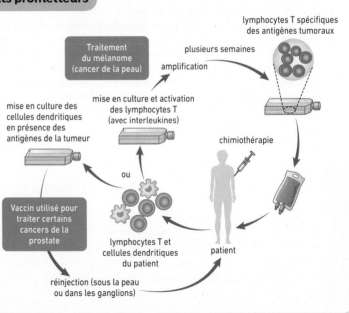

Traitement du mélanome (cancer de la peau) — amplification — plusieurs semaines — lymphocytes T spécifiques des antigènes tumoraux

mise en culture des cellules dendritiques en présence des antigènes de la tumeur

mise en culture et activation des lymphocytes T (avec interleukines)

chimiothérapie

ou

Vaccin utilisé pour traiter certains cancers de la prostate

lymphocytes T et cellules dendritiques du patient — patient

réinjection (sous la peau ou dans les ganglions)

3 La production d'anticorps monoclonaux

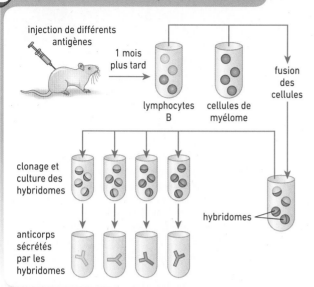

injection de différents antigènes

1 mois plus tard

lymphocytes B

cellules de myélome

fusion des cellules

clonage et culture des hybridomes

hybridomes

anticorps sécrétés par les hybridomes

Des lymphocytes B provenant d'un rat immunisé contre différents antigènes sont mis en culture avec des cellules de myélome (cellules cancéreuses).

On introduit un agent provoquant la fusion des deux types cellulaires, afin d'obtenir des hybridomes*. Ces cellules cumulent les propriétés des deux cellules de départ : production spécifique d'anticorps pour le lymphocyte, prolifération et immortalité pour la cellule cancéreuse. Les hybridomes sont ensuite « triés » et mis en culture individuellement, chaque clone produisant un seul et unique type d'anticorps, que l'on peut récupérer dans le surnageant de la culture : on parle d'**anticorps monoclonaux***.

Les hybridomes servent à produire en grande quantité des anticorps monoclonaux utilisés comme réactifs dans les tests immunologiques ou plus récemment comme médicaments en cancérologie ou dans le traitement de maladies impliquant le système immunitaire (polyarthrite rhumatoïde, maladie de Crohn).

4 L'utilisation d'anticorps monoclonaux pour faire régresser ou soigner des cancers

Le nombre (plus de 500) et la spécificité des anticorps monoclonaux permettent de proposer aux patients atteints de cancer une **immunothérapie*** personnalisée, adaptée aux caractéristiques de leurs cellules devenues cancéreuses, tout en épargnant les cellules saines.

Principe actif (nom commercial®)	Rôle	Agissant sur
Anticorps qui agissent sur la croissance des cellules		
Trastuzumab (Herceptin®) **Pertuzumab** (Perjeta®) Administrés seuls ou couplés avec des molécules toxiques pour les cellules tumorales (chimiothérapie)	Anticorps anti-HER2* (empêche la molécule HER2 d'envoyer des signaux dans la cellule)	• Certains cancers du sein (avec surexpression de la molécule HER2 ; 20-30 % des cancers les plus agressifs et à risque élevé de dissémination) • Cancers de l'estomac
Anticorps qui agissent sur l'activation des lymphocytes		
Ipilimumab (Yervoy®)	Anticorps anti-CTLA-4 des lymphocytes T	Traitement des mélanomes métastasés
Pembrolizumab (Keytruda®) et **Nivolumab**	Anticorps anti-PD1 des lymphocytes T	Traitement des mélanomes et certains cancers du poumon, ORL, de la vessie, du rein et de l'ovaire

■ Quelques exemples d'utilisation des anticorps monoclonaux en immunothérapie.

Ces traitements innovants améliorent la survie des patients et leur état de santé. Ils sont porteurs de grands espoirs, mais suscitent également des interrogations. En France, une immunothérapie coûte actuellement au moins 80 000 € par an et par patient, soit un surcoût annuel à prévoir pour le système de santé d'au moins 1 milliard d'euros. Pourra-t-on garantir l'accès aux traitements innovants pour tous ?

* **Remarque :** HER2 est une molécule membranaire capable d'activer la division cellulaire. Présente en quantité excessive à la surface de certaines cellules cancéreuses, elle provoque leur prolifération anarchique.

Activités envisageables

Pour comprendre l'espoir que suscitent les différentes stratégies de l'immunothérapie :

● Expliquez, à partir d'un exemple précis, comment chaque procédé thérapeutique aide le système immunitaire à éliminer les cellules cancéreuses.

● Comparez vaccins préventifs et thérapeutiques (objectifs, mode d'action, implications sociétales).

Des clés pour réussir

● Remobilisez vos connaissances sur le mode d'action et les propriétés des anticorps et des lymphocytes T cytotoxiques.

* Lexique ➡ p. 422

Vaccination et immunothérapie

Podcast
Bilan

Si La réponse immunitaire adaptative permet en général une lutte efficace, elle s'avère parfois insuffisante face à certains agents pathogènes très dangereux et face aux cancers. Des techniques préventives et thérapeutiques sont utilisées afin d'améliorer la santé humaine.

1 La mémoire immunitaire

● La mise en mémoire des agressions subies

Lors d'une infection virale ou bactérienne, la guérison survient en quelques jours, et souvent le sujet est immunisé à la suite de ce premier contact. Cela montre que le système immunitaire garde en mémoire cette agression. Cette **mémoire immunitaire** est mise en évidence également lors d'expériences de greffes. Si un greffon provenant d'un donneur est généralement rejeté par un receveur (car identifié comme étranger), un deuxième greffon est rejeté plus rapidement : le système immunitaire est donc plus réactif lors de la deuxième tentative.

● Le rôle des cellules mémoire

Le premier contact antigénique provoque une **réponse immunitaire primaire** comportant une **sélection** et une **prolifération** de certains clones de lymphocytes, puis leur **différenciation** en **cellules effectrices** spécifiques de l'antigène capables d'éliminer l'agent pathogène. Des **cellules mémoire** à durée de vie longue sont également produites, augmentant les effectifs des clones de **lymphocytes B**, de **lymphocytes T CD4**, de **lymphocytes T CD8**… Des cellules effectrices, comme les lymphocytes T cytotoxiques et les plasmocytes persistent dans l'organisme. Les lymphocytes T cytotoxiques se concentrent surtout dans les tissus qui ont subi la première agression et sont prêts à détruire à nouveau spécifiquement les cellules anormales. Les plasmocytes sécrètent des anticorps qui assurent une protection permanente contre les formes circulantes de l'agent pathogène (virus, bactérie...). Le **phénotype immunitaire** (ensemble des cellules et molécules intervenant dans les réponses adaptatives) est donc enrichi après chaque contact antigénique.

Lors d'un contact ultérieur avec l'agent pathogène, les **cellules mémoire à durée de vie longue,** plus nombreuses et plus réactives que ne l'étaient les lymphocytes « naïfs », déclenchent une **réponse immunitaire secondaire, plus rapide** et **plus efficace**, ce qui permet d'atténuer, voire d'annuler les effets occasionnés par l'agent pathogène.

2 Vaccins et vaccination préventive

● La composition des vaccins

Le **principe actif** d'un vaccin doit avoir perdu son effet pathogène, tout en ayant conservé son pouvoir immunogène. Il peut s'agir :
– de **microorganismes vivants** ou de toxines qu'ils fabriquent, mais dont la virulence est atténuée ;
– de **microorganismes tués** ;
– de **protéines** de l'agent pathogène purifiées ou produites par génie génétique à partir du gène correspondant isolé.

Les vaccins dont le principe actif n'est pas vivant contiennent des **adjuvants**. Ce sont des molécules reconnues par des **cellules de l'immunité innée** (cellules dendritiques, macrophages), ce qui déclenche une **réaction inflammatoire** locale plus efficace. Cela active la réponse adaptative, augmentant l'efficacité du vaccin. Pour être administrés, notamment aux bébés, plus fragiles que les adultes, les vaccins doivent être sûrs (effets secondaires minimisés) et protéger efficacement contre l'agent pathogène sur une longue durée (plus de 10 ans).

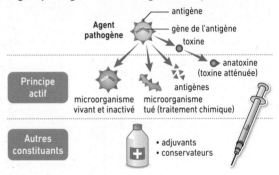

Composition d'un vaccin.

● La vaccination préventive

La **vaccination préventive** consiste à injecter chez un individu sain, une **préparation vaccinale** afin d'induire une réponse primaire avec **production d'anticorps et/ou de lymphocytes T** et formation de **cellules mémoire**, spécifiques de l'agent pathogène. En cas de contact ultérieur avec celui-ci, les cellules mémoire induisent une réponse de type secondaire, rapide et de grande ampleur, évitant la maladie. La vaccination améliore donc les capacités de défense des individus face à des antigènes naturels, en modifiant leur **phénotype immunitaire**.

Certains vaccins nécessitent des rappels au cours de la vie de l'individu vacciné, pour que le réservoir de cellules mémoire soit suffisant et durable pour protéger l'organisme en cas de rencontre avec le microorganisme pathogène.

3 La vaccination, une protection individuelle et collective

● La vaccination permet d'établir une immunité de groupe

Face à des agents pathogènes dangereux ou très contagieux, la vaccination permet d'éviter les épidémies. En effet, les personnes malades ou infectées, mais asymptomatiques (**porteurs sains**) peuvent transmettre la maladie. Si le réservoir de l'agent pathogène est uniquement humain, plus les individus d'une population sont vaccinés, moins l'agent pathogène a la possibilité de circuler. La propagation de l'agent infectieux se trouve bloquée. C'est l'**immunité de groupe.**

On appelle **couverture vaccinale**, la proportion de personnes vaccinées dans une population à un moment donné. C'est le rapport entre le nombre de personnes correctement vaccinées, c'est-à-dire ayant reçu à un âge donné le nombre de doses requises, et le nombre total de personnes qui auraient dû l'être dans la même population. Sa mesure est nécessaire pour savoir si le programme de vaccination est correctement appliqué. En fonction du mode de transmission de l'agent pathogène et de son pouvoir infectieux, une couverture vaccinale suffisante (95 % dans le cas de la rougeole) permet d'éviter les épidémies les plus graves. Elle évite également aux personnes les plus fragiles (nourrissons, personnes au système immunitaire déficient, personnes âgées…) de contracter une maladie qui pourrait leur être fatale.

● Vaccination et politiques de santé publique

La stratégie vaccinale mise en place par l'OMS (Organisation mondiale de la santé) a permis d'éradiquer la variole en 1977 et de réduire considérablement (à plus de 99 %) les cas de poliomyélite dans le monde. Mais la couverture vaccinale est insuffisante dans de nombreux pays : pour des raisons économiques dans les pays pauvres et par méconnaissance du danger infectieux comparé au risque vaccinal dans les autres. Ainsi, certaines maladies potentiellement mortelles, comme la rougeole ou la diphtérie, sont en augmentation.

Les politiques de santé publique visent à informer de l'importance de la vaccination et à rendre obligatoires certains vaccins. En France, depuis janvier 2018, onze vaccinations sont obligatoires pour les nourrissons, ce qui devrait permettre d'augmenter la couverture vaccinale.

Certains agents infectieux, comme les papillomavirus (virus HPV) ou le virus de l'hépatite B (HBV) peuvent être à l'origine de cancers (cancers du col de l'utérus, des voies génitales, de l'anus ou du foie). L'enjeu de la vaccination contre ces virus est une prévention de ces cancers.

4 Aider le système immunitaire face à une maladie déclarée

● L'immunothérapie

Les connaissances acquises sur les acteurs et les phénomènes responsables des réponses immunitaires ont permis de mettre au point des **vaccins préventifs**, et plus récemment des procédés d'**immunothérapie**, qui permettent d'agir sur le système immunitaire d'un patient (en le stimulant ou en l'inhibant) pour contrer la maladie dont il est atteint.

L'immunothérapie est un ensemble de techniques dont beaucoup sont en cours de développement. Elle trouve son champ d'application principal dans le traitement des **cancers** en complément ou en remplacement de traitements plus conventionnels (chirurgie, radiothérapie, chimiothérapie) qui éliminent les cellules cancéreuses, mais aussi les cellules saines.

L'immunothérapie vise à détruire les cellules devenues anormales qui prolifèrent de façon incontrôlée et échappent à l'action du système immunitaire.

● Applications et enjeux actuels des immunothérapies

Différentes stratégies d'immunothérapie sont déjà utilisées contre des cancers :
- Les **vaccins thérapeutiques** peuvent être constitués soit d'antigènes extraits de la tumeur à traiter, soit de cellules tumorales rendues inoffensives, soit encore de cellules dendritiques ou de lymphocytes T stimulés *in vitro* et réintroduits chez le patient afin d'activer son système immunitaire et de détruire les cellules tumorales. L'immunité conférée est ainsi **active et personnalisée**.
- Les **anticorps monoclonaux** spécifiques d'un antigène donné peuvent être injectés au patient. Certains reconnaissent des molécules à la surface des cellules cancéreuses, s'y fixent, empêchant leur prolifération et favorisant leur destruction. D'autres permettent aux lymphocytes T de redevenir opérationnels face aux cellules tumorales. Dans ce cas, l'immunothérapie est **passive**, puisqu'on apporte des anticorps produits par l'industrie pharmaceutique, grâce à des **techniques élaborées**. Les anticorps monoclonaux sont aussi utilisés dans des cas d'infections microbiennes (contre le VIH), de maladies auto-immunes (sclérose en plaque, maladies inflammatoires de l'intestin…) ou dans le cas de déficit immunitaire (absence de fabrication d'anticorps naturels).

Ces **thérapies innovantes** suscitent beaucoup d'espoir pour les patients malades, auxquels elles accordent une rémission et permettent de diminuer les doses de traitement, améliorant ainsi leur état de santé en réduisant les effets secondaires. Mais elles ne sont pas utilisables pour toutes les formes de cancer et pas toujours efficaces à long terme. Actuellement très coûteuses, elles risquent d'entraîner une explosion des dépenses de santé et peut-être des inégalités dans l'accès à ce type de traitement.

L'essentiel

Vaccination et immunothérapie

Podcast
L'essentiel

À retenir

◗ La mémoire immunitaire

Après un premier contact avec un antigène, des **cellules effectrices** de la réponse adaptative participent à l'élimination de l'agent pathogène. Des **cellules mémoire à durée de vie longue** sont également produites, augmentant les effectifs de certains clones de **lymphocytes B, lymphocytes T CD4, et lymphocytes T CD8**. Cette mémoire inclut des cellules effectrices (lymphocytes T cytotoxiques et plasmocytes) qui persistent en petit nombre dans l'organisme. Tout contact ultérieur avec le même pathogène déclenchera une **réponse immunitaire secondaire, rapide et efficace** grâce à ces **cellules mémoire**, plus nombreuses et plus réactives.

◗ Vaccins et vaccination préventive

Les **vaccins** contiennent un **principe actif** formé d'antigènes rendus inoffensifs mais ayant conservé leur pouvoir immunogène. Ils peuvent aussi contenir des **adjuvants** permettant d'augmenter leur efficacité. Le principe de la **vaccination** est de déclencher chez un individu en bonne santé la fabrication de **cellules mémoire spécifiques de l'antigène injecté**. Ces cellules seront alors capables de reconnaître immédiatement l'agent pathogène. Des **rappels** sont parfois nécessaires pour obtenir et entretenir un stock suffisant de cellules mémoire. Certains vaccins préventifs confèrent une protection contre le déclenchement de cancers.

◗ La vaccination, une protection individuelle et collective

La diffusion d'une maladie contagieuse au sein d'une population est directement liée à la proportion de sujets susceptibles de la contracter et donc de la transmettre : ainsi, plus le nombre de personnes vaccinées augmente, plus le risque de propagation de l'agent pathogène diminue. C'est l'**immunité de groupe** qui protège les sujets vaccinés, mais aussi les non vaccinés parmi lesquels les personnes les plus fragiles. Une **couverture vaccinale** suffisante est nécessaire pour éviter les épidémies les plus graves. Mais elle reste insuffisante dans de nombreux pays pour des raisons socio-économiques.

◗ Aider le système immunitaire face à une maladie déclarée

L'**immunothérapie** des cancers regroupe des stratégies variées. Les **vaccins thérapeutiques** activent le système immunitaire afin qu'il élimine les cellules cancéreuses. Ils sont **personnalisés**, adaptés aux caractéristiques moléculaires de la tumeur du patient. Les **anticorps monoclonaux** permettent de cibler des molécules portées par les cellules tumorales ou des composantes de leur environnement. Ces thérapies innovantes sont porteuses d'espoir, mais elles suscitent de nombreuses interrogations. En constante évolution, elles sont aussi utilisées pour soigner d'autres maladies.

Mots-clés

Adjuvant ● **Anticorps monoclonal** ● **Couverture vaccinale** ● **Immunothérapie** ● **Mémoire immunitaire** ● **Principe actif** ● **Vaccination** ● **Vaccin préventif** ● **Vaccin thérapeutique**

Vaccination et immunothérapie

Animations
Schéma bilan

Mémoire immunitaire et vaccination

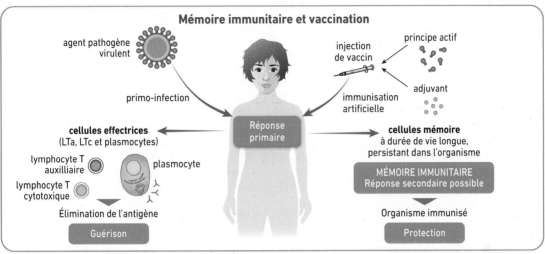

agent pathogène virulent

principe actif

injection de vaccin

adjuvant

primo-infection

immunisation artificielle

Réponse primaire

cellules effectrices
(LTa, LTc et plasmocytes)

lymphocyte T auxilliaire

lymphocyte T cytotoxique

plasmocyte

Élimination de l'antigène

Guérison

cellules mémoire
à durée de vie longue, persistant dans l'organisme

MÉMOIRE IMMUNITAIRE
Réponse secondaire possible

Organisme immunisé

Protection

La vaccination, une protection individuelle et collective

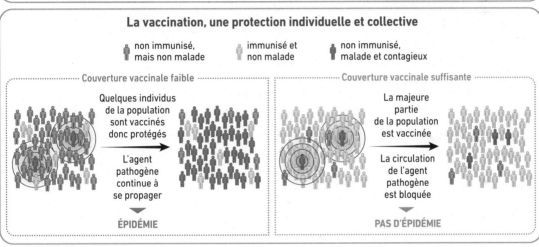

non immunisé, mais non malade

immunisé et non malade

non immunisé, malade et contagieux

Couverture vaccinale faible

Quelques individus de la population sont vaccinés donc protégés

L'agent pathogène continue à se propager

ÉPIDÉMIE

Couverture vaccinale suffisante

La majeure partie de la population est vaccinée

La circulation de l'agent pathogène est bloquée

PAS D'ÉPIDÉMIE

L'immunothérapie

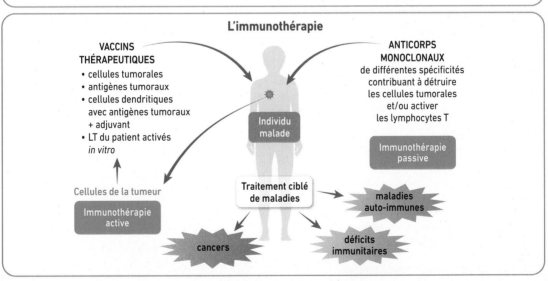

VACCINS THÉRAPEUTIQUES
• cellules tumorales
• antigènes tumoraux
• cellules dendritiques avec antigènes tumoraux + adjuvant
• LT du patient activés *in vitro*

ANTICORPS MONOCLONAUX
de différentes spécificités contribuant à détruire les cellules tumorales et/ou activer les lymphocytes T

Individu malade

Immunothérapie passive

Cellules de la tumeur

Immunothérapie active

Traitement ciblé de maladies

maladies auto-immunes

cancers

déficits immunitaires

1 Retour vers les problématiques

Relisez la page « S'interroger avant d'aborder le chapitre » (p. 375). À l'aide de ce que vous savez à présent, répondez aux questions que vous avez formulées.

2 QCM BAC

Pour chaque affirmation, choisissez l'unique bonne réponse parmi les quatre propositions.

1. La mémoire immunitaire assure :

a. une réponse secondaire plus lente et quantitativement plus importante ;

b. une réponse secondaire plus rapide et quantitativement moins importante ;

c. une réponse secondaire plus lente et quantitativement moins importante ;

d. une réponse secondaire plus rapide et quantitativement plus importante.

2. Les vaccins :

a. sont constitués d'anticorps pour prévenir une infection ;

b. doivent toujours comporter une injection de rappel ;

c. contiennent un principe actif ayant perdu son pouvoir antigénique ;

d. sont constitués d'antigènes pour prévenir une infection.

3. Ne pas se faire vacciner :

a. est une démarche qui relève uniquement d'un choix personnel ;

b. n'aura de conséquences éventuelles que sur sa propre santé ;

c. est une responsabilité vis-à-vis de ses proches et de la population ;

d. se justifie si on compare les risques et les bénéfices de cette pratique.

4. La couverture vaccinale :

a. facilite la propagation d'un agent pathogène très contagieux si elle est forte ;

b. protège aussi les personnes non vaccinées si elle est forte ;

c. empêche la propagation d'un agent pathogène très contagieux si elle est faible ;

d. bloque la circulation d'un agent pathogène et empêche une épidémie si elle est faible.

5. L'immunothérapie :

a. est une méthode préventive pour lutter contre les cancers ;

b. permet de diminuer la réponse anti-tumorale ;

c. permet d'aider le système immunitaire à lutter contre une maladie déclarée ;

d. regroupe des techniques innovantes permettant de lutter contre tous les types de cancers.

3 Vrai ou faux ?

Repérez les affirmations exactes et corrigez celles qui sont inexactes.

a. Une mémoire immunitaire se forme à partir du second contact avec un antigène naturel ou vaccinal.

b. Les adjuvants des vaccins sont reconnus par les lymphocytes et activent les réponses adaptatives.

c. Un vaccin préventif permet de guérir une maladie infectieuse.

d. Certains vaccins permettent de prévenir l'apparition de cancers.

4 Apprendre en s'interrogeant

1. **Cachez une des deux colonnes du tableau ci-dessous et retrouvez ce que contient l'autre colonne (à faire seul ou à plusieurs).**

2. **Vérifiez vos réponses, et reprenez si besoin les notions concernées.**

Notion	Définition
Mémoire immunitaire	Capacité du système immunitaire à conserver, sous forme de cellules mémoire, la trace du contact avec un antigène et à répondre plus efficacement à cet antigène lors d'un second contact.
Anticorps monoclonal	Anticorps issus d'un seul clone de plasmocytes donc tous identiques.
Vaccin thérapeutique	Vaccin permettant de stimuler le système immunitaire pour qu'il redevienne apte à lutter contre une maladie déjà déclarée, cancer le plus souvent.
Couverture vaccinale	Proportion de personnes vaccinées dans une population à un moment donné.

5 Légender un schéma

Retrouvez les étapes qui constituent cette technique d'immunothérapie. Titrez ce schéma.

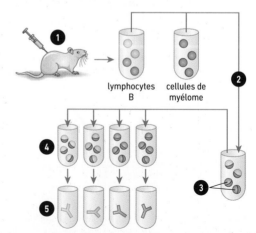

lymphocytes B   cellules de myélome

6 Maîtriser ses connaissances BAC
★★

La vaccination constitue un enjeu majeur de santé publique.

Décrivez la réponse immunitaire d'un individu après vaccination contre un virus, puis celle développée après un contact avec ce même virus.

Votre réponse, structurée, sera accompagnée d'un ou plusieurs schémas illustrant votre propos.

7 Maîtriser ses connaissances BAC
★★★

La connaissance de plus en plus fine des mécanismes immunitaires associés au développement des tumeurs a permis d'envisager d'utiliser le système immunitaire pour les détruire.

Présentez quelques procédés d'immunothérapie utilisés dans le traitement des cancers.

8 S'exprimer à l'écrit ou à l'oral Oral
★★

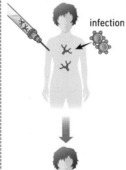

A

antigène microbien (vaccin ou antigène naturel)

jours ou semaines

réponse à l'infection

Réponse spécifique Constitution d'une mémoire

GUÉRISON

B

sérum contenant des anticorps provenant d'un individu immunisé

administration du sérum à un individu non immunisé

infection

Réponse spécifique Pas de mémoire

GUÉRISON

Présentez les caractéristiques des deux types de réponses immunitaires A et B, illustrées par le schéma.

9 Observer et exploiter des informations
★

Couverture vaccinale de la rougeole (2 doses de vaccin) des enfants de 2 ans, en %, en 2015

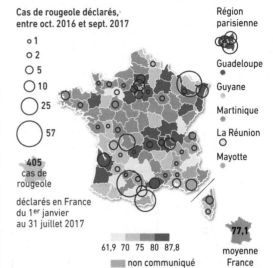

Cas de rougeole déclarés, entre oct. 2016 et sept. 2017

○ 1
○ 2
○ 5
○ 10
○ 25
○ 57

405 cas de rougeole

déclarés en France du 1er janvier au 31 juillet 2017

Région parisienne

Guadeloupe

Guyane

Martinique

La Réunion ○

Mayotte

61,9 70 75 80 87,8

■ non communiqué

77,1 moyenne France

Mettez en relation les informations apportées par le document pour expliquer les nombreux cas de rougeole dans certains départements français en 2017.

10 Exploiter un graphique et établir une relation de cause à effet
★★

Le pneumocoque est une bactérie très contagieuse, responsable d'infections fréquentes telles que des otites, des sinusites, des pneumonies ou des méningites (infections de l'enveloppe du cerveau). Ces infections touchent le plus souvent les jeunes enfants, les personnes âgées et les personnes atteintes de maladies chroniques. Ces deux derniers groupes ne sont pas ou ne peuvent pas être vaccinés.

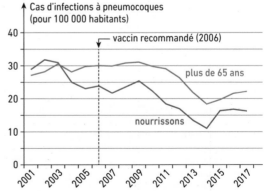

Cas d'infections à pneumocoques (pour 100 000 habitants)

vaccin recommandé (2006)

plus de 65 ans

nourrissons

Évolution du nombre de cas d'infections à pneumocoques pour 100 000 personnes, de 2001 à 2017

Décrivez les variations constatées et expliquez pourquoi ce vaccin contre les infections à pneumocoques, conseillé en 2006, est devenu obligatoire en janvier 2018.

11 **La maladie hémolytique du fœtus et du nouveau-né**

★
★

Les globules rouges, ou hématies, présentent à leur surface une série de molécules (ou marqueurs) qui définissent le groupe sanguin, dont les marqueurs A et B et le facteur rhésus.

Les individus qui possèdent ce dernier à la surface de leurs globules rouges sont qualifiés de rhésus positif (Rh+), ceux qui ne le possèdent pas sont rhésus négatif (Rh-). La synthèse de ce facteur rhésus est sous le contrôle d'un gène à deux allèles : Rh-, récessif et Rh+, dominant.

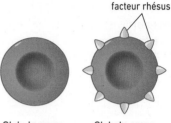

facteur rhésus

Globule rouge d'un individu rhésus négatif

Globule rouge d'un individu rhésus positif

Dans la population française, 85 % des individus sont Rh+. Une femme Rh- a donc une probabilité très élevée d'avoir un enfant Rh+.

On s'intéresse au cas suivant : une femme, mère d'un garçon bien portant et enceinte pour la deuxième fois, présente des

anticorps anti-rhésus dans son sang, et d'autres analyses révèlent une destruction des hématies chez le fœtus. Ce dernier souffre d'anémie hémolytique (état de faiblesse résultant de la destruction des globules rouges).

DOC 1 La maladie hémolytique, conséquence d'une réponse immunitaire maternelle

Père Rh+

Mère Rh– portant un fœtus Rh+

Lors de l'accouchement, des hématies du fœtus rentrent dans la circulation maternelle.

La mère produit des anticorps anti-rhésus...

... qui peuvent traverser le placenta lors d'une grossesse suivante.

⊖ globules rouges (ou hématies) rhésus négatif
⊕ globules rouges (ou hématies) rhésus positif

DOC 2 Un traitement pour prévenir la maladie

L'immunisation maternelle due à une incompatibilité rhésus, peut être prévenue en injectant à la mère des immunoglobulines anti-rhésus. La dose standard comporte 200 ou 300 μg d'anticorps anti-rhésus, obtenus à partir du sang de donneurs humains et injectés en intraveineuse ou intramusculaire à la mère rhésus négatif.

L'injection doit être effectuée :
– à 28 semaines de gestation,
– 72 heures après l'accouchement si le nouveau-né est confirmé être rhésus positif,
– dans les 72 h qui suivent une interruption de grossesse.

Les anticorps anti-rhésus persistent plus de trois mois après injection d'une dose.

1. Expliquez comment la réaction immunitaire développée par la mère aboutit à l'anémie de son deuxième enfant.

2. Justifiez le traitement permettant à une mère rhésus négatif de ne pas développer de réaction immunitaire après sa première grossesse, qu'elle arrive ou non à terme.

★ facile ★★ intermédiaire ★★★ confirmé

12 Un vaccin thérapeutique encore à l'essai, la technologie Kinoïde®

★
★
★

Le lupus est une maladie auto-immune, chronique et invalidante qui touche essentiellement les jeunes femmes (9 femmes atteintes pour 1 homme). Elle se manifeste par des signes cliniques, conséquences des atteintes occasionnées aux organes (peau – dont un masque rouge au niveau du visage –, reins, articulations, poumons, système nerveux...), du fait de l'inflammation chronique dont ils sont le siège. Cette inflammation résulte d'une fabrication d'auto-anticorps dirigés contre des molécules du noyau cellulaire.

Il n'existe pas de traitement curatif, seulement des médicaments anti-inflammatoires (corticoïdes) pour réduire l'inflammation et la douleur.

Des travaux récents ont mis en évidence que chez des malades atteints de lupus les taux plasmatiques d'interféron alpha (IFNα) étaient élevés (document 1).

Cet interféron, à rôle pro-inflammatoire, est fabriqué par des cellules de l'immunité innée après une infection virale.

Son taux constamment élevé chez les malades est responsable de l'inflammation chronique et d'un dysfonctionnement de l'immunité. L'une des solutions proposée aux malades est l'injection d'anticorps monoclonaux dirigés contre les molécules d'interféron, qui ne sont pas naturellement immunogéniques. Mais sur le long terme, cette solution est responsable d'effets indésirables (document 2).

DOC 1 Dosage d'IFNα chez deux groupes de sujets

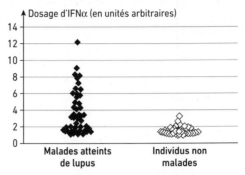

DOC 2 Effets accompagnant le traitement du lupus par administration d'anticorps monoclonal

Injections répétées d'un anticorps monoclonal (Benlysta®, seul autorisé) d'abord en milieu hospitalier puis doses journalières avec un stylo-piqueur
Utilisation d'anti-inflammatoires, en particulier lors des « poussées » de la maladie
Développement d'anticorps dirigés contre l'anticorps « médicament » administré

Une société de biotechnologie (émanant de l'université Pierre et Marie Curie à Paris), spécialiste de l'immunothérapie active, a mis au point un procédé utilisant un kinoïde® (document 3). Il s'agit d'un produit en phase de développement faisant l'objet d'essais cliniques.

Il est formé d'une protéine appelée KLH, extraite de la lymphe d'un mollusque californien (*Megathura crenulata*), protéine qui peut fixer en grand nombre d'autres molécules plus petites (dans ce cas, l'IFNα). Après injection, le kinoïde® peut déclencher une réponse immunitaire importante avec fabrication d'anticorps dirigés contre les peptides fixés à la molécule porteuse.

DOC 3 De la construction du kinoïde-interféron à son effet

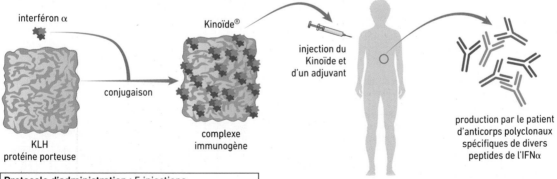

Protocole d'administration : 5 injections intramusculaires pendant 6 mois, sans hospitalisation.
Résultats obtenus : réponse immunitaire anti-IFNα polyclonale importante qui reste quatre ans après la première injection.

1. Rappelez les phénomènes immunitaires provoqués par l'injection du vaccin et expliquez pourquoi il s'agit d'un procédé d'immunothérapie active.

2. Expliquez en quoi ce procédé peut constituer une thérapie efficace et moins contraignante pour les patients concernés par le lupus.

LA FABRICATION D'UN VACCIN ANTI-GRIPPAL, UNE COURSE CONTRE LA MONTRE

La grippe est une épidémie saisonnière très courante, qui débute généralement en décembre et dure de 4 à 12 semaines. Elle touche des millions de personnes chaque année et peut entraîner des complications graves chez les personnes fragiles, dont les plus de 65 ans et les personnes malades ou immunodéprimées (Voir chapitre 3 unité 1).

Très contagieuse, la grippe est une infection causée par des virus respiratoires (*Influenzavirus*) qui se propagent rapidement d'une personne à l'autre. Lorsqu'un sujet tousse ou éternue, le virus se dépose sur les surfaces impactées et peut se propager dans la population. La grippe est donc un problème de santé majeur. L'un des moyens de se protéger contre cette infection est la vaccination.

Les virus responsables de l'épidémie saisonnière appartiennent à deux types A et B qui mutent et évoluent très rapidement, d'où la nécessité de renouveler le vaccin tous les ans.

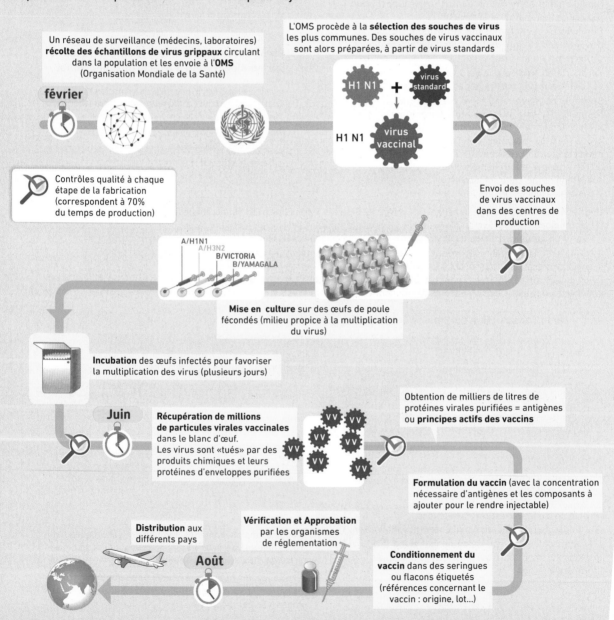

Un réseau de surveillance (médecins, laboratoires) **récolte des échantillons de virus grippaux** circulant dans la population et les envoie à l'**OMS** (Organisation Mondiale de la Santé)

février

L'OMS procède à la **sélection des souches de virus** les plus communes. Des souches de virus vaccinaux sont alors préparées, à partir de virus standards

H1 N1 **+** virus standard

H1 N1 virus vaccinal

Contrôles qualité à chaque étape de la fabrication (correspondent à 70% du temps de production)

Envoi des souches de virus vaccinaux dans des centres de production

A/H1N1
A/H3N2
B/VICTORIA
B/YAMAGALA

Mise en culture sur des œufs de poule fécondés (milieu propice à la multiplication du virus)

Incubation des œufs infectés pour favoriser la multiplication des virus (plusieurs jours)

Obtention de milliers de litres de protéines virales purifiées = antigènes ou **principes actifs des vaccins**

Juin

Récupération de millions de particules virales vaccinales dans le blanc d'œuf. Les virus sont «tués» par des produits chimiques et leurs protéines d'enveloppes purifiées

Formulation du vaccin (avec la concentration nécessaire d'antigènes et les composants à ajouter pour le rendre injectable)

Distribution aux différents pays

Vérification et Approbation par les organismes de réglementation

Août

Conditionnement du vaccin dans des seringues ou flacons étiquetés (références concernant le vaccin : origine, lot...)

DES MÉTIERS DANS LE DOMAINE DE LA SANTÉ

✖ Devenir médecin spécialiste en oncologie

L'oncologue, ou cancérologue, est un médecin spécialisé dans le diagnostic des pathologies tumorales, dans l'établissement du traitement le plus adapté et dans le suivi de la maladie. Il coordonne les différents intervenants qui mettront en pratique le traitement qu'il préconise (chirurgie, radiothérapie, immunothérapie, chimiothérapie, etc.).

Chaque praticien peut aussi se spécialiser dans un type de cancer ou dans un type de traitement. Il peut aussi diversifier son activité dans les domaines de la recherche ou de l'enseignement.

POUR Y PARVENIR Après avoir suivi les spécialités SVT et physique-chimie au lycée, il faut poursuivre des études universitaires en **licence**, comprenant des unités d'enseignement dédiées à la santé puis intégrer, **après sélection**, les **filières MMOP** (Maïeutique, Médecine, Odontologie et Pharmacie). Il s'agit d'**études très longues** (11 ans) mais rémunérées dès que l'étudiant est amené à pratiquer lors de sa formation.

✖ Devenir technicien(ne) d'analyses biomédicales

Le technicien d'analyses biomédicales effectue les analyses qui permettent au médecin d'établir un diagnostic et de préconiser un traitement. Il travaille sur des prélèvements humains (sang, urine, selles, sécrétions génitales, tissus...) pour y rechercher la présence de virus, de bactéries, de mycoses ou de cellules suspectes.

Il peut aussi s'agir de déterminer les taux sanguins de glucose, de cholestérol, d'hormones ou encore la proportion en globules et plaquettes... Une fois les résultats connus, il est chargé de rédiger des conclusions chiffrées.

POUR Y PARVENIR Comme pour les études de médecine, les spécialités SVT et physique-chimie sont conseillées. Divers **BTS** conduisent à ce métier en **deux ans** (BTS Analyses de biologie médicale, Bioanalyses et contrôles, Biotechnologies...) tout comme certains diplômes universitaires technologiques (DUT Génie biologique option analyses biologiques et biochimiques).

▶ ils témoignent pour vous...

Pouvez-vous nous expliquer les qualités à développer au lycée pour réussir dans le supérieur ? En quoi les SVT vous ont-elles été utiles ?

Émilie
technicienne d'analyses biomédicales

Le lycée m'a permis de développer des méthodes pour la mémorisation, pour l'organisation de mon temps de travail personnel et de mes supports de cours. En BTS, j'ai retrouvé un encadrement similaire à celui de la terminale ainsi que des exigences identiques de la part des professeurs ce qui m'a aidé à réussir.
Les SVT m'ont donné goût aux activités pratiques qui nous permettent de sortir du cadre théorique et de mieux comprendre les notions vues en cours ou de les découvrir. Ces activités pratiques ont été le moteur de mon choix d'orientation et de carrière.

Capucine
étudiante en médecine

Pour bien appréhender les études supérieures, notamment dans le domaine médical, il est important d'acquérir la méthode d'apprentissage la plus efficace pour vous (pour favoriser la mémorisation, cruciale dans ces études). Le lycée permet également de développer une autonomie, une organisation et une rigueur dans le travail et donne les clés pour s'adapter, une qualité importante dans n'importe quelle circonstance. La démarche scientifique, initiée dans les SVT, stimule le raisonnement, l'analyse et la compréhension, compétences indispensables à une poursuite d'études axée sur les sciences.

Se préparer aux épreuves du baccalauréat

L'organisation générale du baccalauréat : épreuves et cœfficients

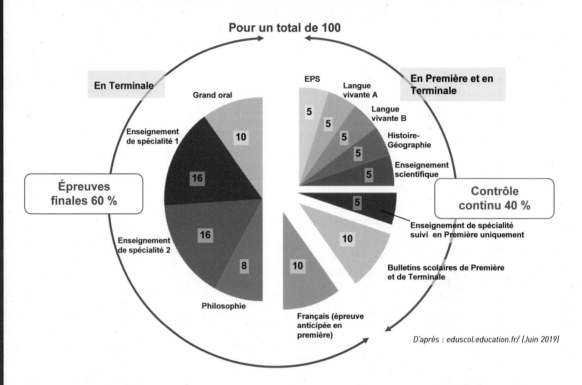

Pour un total de 100

En Terminale

Grand oral

Enseignement de spécialité 1

Épreuves finales 60 %

Enseignement de spécialité 2

Philosophie

EPS 5
Langue vivante A 5
Langue vivante B 5
Histoire-Géographie 5
Enseignement scientifique 5

En Première et en Terminale

Contrôle continu 40 %

5 — Enseignement de spécialité suivi en Première uniquement

10 — Bulletins scolaires de Première et de Terminale

10 — Français (épreuve anticipée en première)

16 · 16 · 10 · 8 · 10

D'après : eduscol.education.fr/ (Juin 2019)

La place des SVT

- Dans les épreuves de contrôle continu de l'Enseignement Scientifique ;
- Dans les évaluations prises en compte dans les bulletins scolaires ;
- Dans l'épreuve de spécialité de Première si la spécialité SVT n'est suivie qu'en Première ;
- Dans l'épreuve finale de spécialité en classe de Terminale si la spécialité SVT est conservée en Terminale ;
- Dans le grand oral si le projet s'appuie sur la spécialité SVT.

Le « grand oral » se prépare dès la classe de Première

- Cette épreuve consiste à **présenter un projet adossé à un ou deux enseignements de spécialité**, préparé dès la classe de Première par l'élève.
  D'une durée de 20 minutes, cet oral se déroule en deux parties : la présentation du projet, suivie d'un échange avec le jury composé de deux professeurs.
  Il s'agit d'évaluer l'aisance à s'exprimer oralement, la capacité à analyser en mobilisant les connaissances acquises au cours de la scolarité, notamment scientifiques et historiques.

- Pour préparer le grand oral :
  – Vous trouverez dans les exercices du manuel des petits exercices d'entraînement à l'oral.
  – Entraînez-vous à présenter oralement un ou des documents (que vous pouvez projeter pour les commenter). N'hésitez pas à vous enregistrer, à vous ré-couter, à travailler à plusieurs.
  – Réfléchissez dès l'année de Première à votre sujet : il peut s'appuyer sur une bibliographie, sur de la documentation mais aussi des études expérimentales.

N'attendez pas le dernier moment !

L'épreuve de contrôle continu de la spécialité en SVT en classe de Première
(pour les élèves qui ne suivront plus cet enseignement en Terminale)

Épreuve écrite
Durée : 2 heures

*Note de service Ministère
de l'éducation nationale (Juin 2019)*

Objectifs
L'épreuve porte sur les notions, contenus et compétences, y compris expérimentales, figurant dans le programme de l'enseignement de spécialité « Sciences de la vie et de la Terre » de la classe de première défini par l'arrêté du 17 janvier 2019 paru au BOEN spécial n°1 du 22 janvier 2019.

Structure
L'épreuve écrite s'appuie sur la totalité du programme en Sciences de la Vie et en Sciences de la Terre. Elle est constituée de deux exercices, qui ne peuvent pas porter sur les mêmes parties du programme.
L'exercice 1 permet d'évaluer la maîtrise des connaissances acquises et la manière dont un candidat les mobilise et les organise pour répondre à une question scientifique. Le questionnement peut se présenter sous forme d'une question scientifique et/ou de QCM, en appui ou non sur un ou plusieurs documents.
L'exercice 2 permet d'évaluer la pratique du raisonnement scientifique du candidat. Il permet de tester sa capacité à pratiquer une démarche scientifique dans le cadre d'un problème scientifique, à partir de l'exploitation d'un document ou d'un ensemble de documents et en mobilisant ses connaissances. Le questionnement amène le candidat à choisir et exposer sa démarche personnelle, à élaborer son argumentation et à proposer une conclusion. L'usage de la calculatrice est interdit.

Notation
L'épreuve est notée sur 20 points, chaque exercice est noté sur 10 points. La note finale est composée de la somme des points obtenus à chacune des parties.

Les QCM en SVT

Ils peuvent porter sur les connaissances acquises, mais aussi sur la pratique d'un raisonnement logique ou encore sur la compréhension d'un document.

Pour chaque phrase, quatre affirmations sont proposées, **une seule est exacte** : le choix est multiple, mais la réponse est unique.

> **Conseils :** les questions ne sont pas des pièges : elles contiennent une logique. Recherchez sur quoi porte très précisément la question. Le meilleur moyen pour choisir la réponse exacte, c'est aussi de vérifier que les 3 autres affirmations sont fausses.

*Tous les chapitres du manuel proposent des QCM de ce type, permettant une **auto-évaluation** (corrections et explications en fin de manuel).*

Exemple :
Un gabbro se forme à partir d'un magma :

1. issu de la fusion complète de la péridotite et qui refroidit lentement. ✗

2. issu de la fusion incomplète de la péridotite et qui refroidit lentement. ✓

3. issu de la fusion complète de la péridotite et qui refroidit rapidement. ✗

4. issu de la fusion incomplète de la péridotite et qui refroidit rapidement. ✗

Cette proposition est fausse car un tel magma redonnerait alors la péridotite initiale.

Effectivement, ceci correspond à ce que je sais du gabbro. C'est une roche de la lithosphère océanique. Il se forme au niveau d'une dorsale : la fusion partielle de la péridotite engendre du magma et le refroidissement lent de ce magma forme une roche magmatique plutonique qui est le gabbro.

Ces deux propositions sont fausses car je sais que le gabbro est une roche à texture grenue, donc issue d'un magma qui refroidit lentement.

Maîtrise des connaissances

Une telle question peut éventuellement s'appuyer sur un document, mais ce n'est pas obligatoire.

Critères de réussite :

- L'exposé doit être structuré, avec une introduction posant la problématique et une conclusion y répondant. Les paragraphes s'enchaînent de façon logique.

- Le contenu doit être suffisamment riche, et démontrer que les connaissances essentielles sont acquises. Les connaissances restituées doivent être pertinentes, c'est-à-dire en rapport direct avec le sujet.

- Il est souvent demandé de s'appuyer sur un ou des schémas : ils sont alors indispensables et doivent être clairs et soignés, avec légendes et titre.

*Tous les chapitres du manuel proposent des **exercices d'entraînement** permettant de travailler les compétences associées à ce type d'exercice.*

Pratique du raisonnement scientifique

Ce type d'exercice expose un problème qu'il s'agit de résoudre. Il suppose une **démarche** qui fera appel :

- à des informations tirées de **documents** ;
- à des **connaissances** ;

C'est la mise en relation de ces éléments permettant par raisonnement d'apporter la réponse au problème posé qui constitue la démarche.

Plusieurs démarches sont possibles. Il faut adopter celle qui vous paraît la plus logique.

*La plupart des chapitres du manuel proposent un exercice « **Construire sa démarche** » correspondant à ce type d'exercice.*

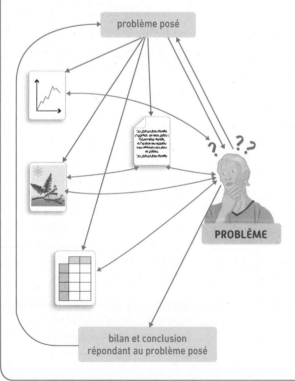

1. Je lis l'ensemble du sujet : la consigne et ses annexes (remarques, limites, précisions…), les documents (y compris les titres, légendes, échelles…).

2. Je relis attentivement le problème posé et je le reformule par écrit.

3. Je mobilise mes connaissances en rapport avec le sujet.

4. J'étudie attentivement chacun des documents de façon à en extraire les informations utiles à la résolution du problème.

5. Je construis une démarche en mettant en relation les informations extraites des documents. J'intègre à ma démarche les connaissances qui permettent de compléter mon raisonnement.

6. Je fais un bilan récapitulatif clair, et je conclus en répondant au problème posé.

Guide pratique

Visualisation de modèles moléculaires en 3D

Observer les atomes qui composent une molécule, c'est impossible à réaliser directement. Les chercheurs utilisent des informations indirectes comme la diffraction des rayons X pour reconstituer des modèles moléculaires. Les modèles sont ensuite analysés avec des logiciels adaptés pour déterminer les propriétés des molécules.

De la protéine au modèle moléculaire

1. Purification, Cristallisation
La protéine étudiée est purifiée, puis placée dans des conditions favorables à la formation de cristaux.

2. Diffraction des rayons X
Un cristal de protéine diffracte des rayons X sur un capteur en formant des motifs qui dépendent de la position des atomes.

3. Carte des densités électroniques
Les motifs sont analysés pour reconstituer la position probable des électrons de la molécule.

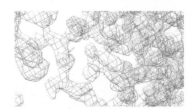

4. Construction du modèle
Les cristallographes positionnent les acides aminés de la protéine dans la carte et contrôlent la validité du modèle.

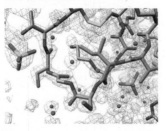

5. Publication des coordonnées du modèle
L'équipe de recherche dépose dans une banque de données un fichier contenant les coordonnées des atomes du modèle, accompagné des données expérimentales et de validation. En principe, le modèle fait partie d'une publication scientifique.

Extrait d'un fichier de coordonnées (format PDB)

```
ATOM      1  N   ALA A   1     -14.093  60.494   -9.249  1.00 42.10           N
ATOM      2  CA  ALA A   1     -14.989  61.651   -8.981  1.00 41.80           C
ATOM      3  C   ALA A   1     -14.809  62.769  -10.006  1.00 41.60           C
ATOM      4  O   ALA A   1     -15.790  63.397  -10.384  1.00 41.20           O
ATOM      5  CB  ALA A   1     -14.760  62.190   -7.570  1.00 42.30           C
ATOM      6  N   SER A   2     -13.573  62.992  -10.472  1.00 41.10           N
ATOM      7  CA  SER A   2     -13.364  63.821  -11.651  1.00 40.30           C
ATOM      8  C   SER A   2     -12.245  63.347  -12.591  1.00 39.80           C
ATOM      9  O   SER A   2     -11.264  62.734  -12.155  1.00 39.50           O
ATOM     10  CB  SER A   2     -13.236  65.292  -11.216  1.00 39.90           C
ATOM     11  OG  SER A   2     -12.004  65.880  -11.497  1.00 39.90           O
ATOM     12  N   LYS A   3     -12.516  63.462  -13.894  1.00 38.90           N
```

N° d'atome   Acide Aminé   N° d'acide aminé   Coordonnées spatiales (x, y, z)   Éléments chimiques

Nomenclature d'atome   Identifiant de chaîne

Remarque : La résolution des données est généralement insuffisante pour déterminer la position des atomes d'hydrogène.

Rechercher un modèle moléculaire avec libmol.org

Pour rechercher des modèles moléculaires dans la librairie de molécules ou dans la **Protein Data Bank**, taper les mots clés dans le champ de recherche.

Une fois le modèle chargé, cliquer sur le code du modèle dans la barre de titre permet d'accéder aux informations scientifiques associées (auteurs, résumé de la publication scientifique...).

Analyser la structure d'un acide aminé

Un **affichage en boules et bâtonnets** et une **coloration par type d'atomes** montrent quels atomes forment une molécule et comment ces atomes sont organisés. Ici, la structure de la valine, un acide aminé.

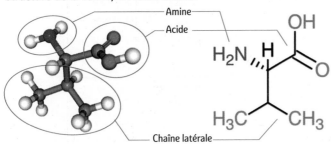

Amine
Acide
Chaîne latérale

$$H_2N \quad \overset{H}{\underset{}{\text{—}}} \quad OH$$
$$O$$
$$H_3C \quad CH_3$$

Les acides aminés ont tous la même organisation : une partie amine et une partie acide reliées à un même atome de carbone. Enfin, une chaîne latérale différente d'un acide aminé à l'autre.

Comprendre l'enchaînement des acides aminés dans un peptide

Colorer		
Atomes	Chaînes	Résidus
Structure	Nature	Palette

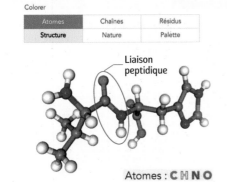

Liaison peptidique

Atomes : **C H N O**

Colorer		
Atomes	Chaînes	Résidus
Structure	Nature	Palette

Valine   Histidine

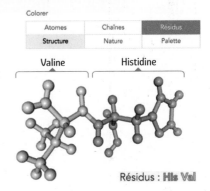

Résidus : **His Val**

Un peptide se forme lorsque les parties amines et acides d'acides aminés réagissent ensemble et donnent des liaisons peptidiques.

Une **coloration par type de résidu** révèle la succession des acides aminés d'un peptide ou celle des nucléotides A, C, G, T, U pour l'ADN et l'ARN.

Visualiser l'enchaînement des acides aminés dans une protéine

L'**affichage en squelette carboné** représente les acides aminés de façon simplifiée : les chaînes latérales sont effacées, il ne reste que la succession des liaisons peptidiques.

Dans l'onglet **Séquence**, le survol d'un résidu montre son nom et sa position dans la protéine (silhouette verte).

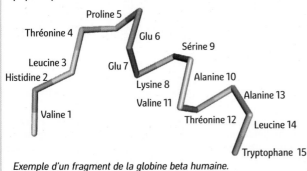

Proline 5
Thréonine 4
Glu 6
Leucine 3
Glu 7
Sérine 9
Histidine 2
Lysine 8
Alanine 10
Valine 1
Valine 11
Alanine 13
Thréonine 12
Leucine 14
Tryptophane 15

Exemple d'un fragment de la globine beta humaine.

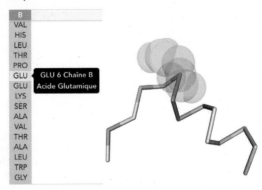

B
VAL
HIS
LEU
THR
PRO
GLU
GLU
LYS
SER
ALA
VAL
THR
ALA
LEU
TRP
GLY

GLU 6 Chaîne B
Acide Glutamique

Visualisation de modèles moléculaires en 3D

Visualiser la forme d'une protéine

L'**affichage en sphères** montre le volume occupé par chaque atome et révèle la forme globale de la molécule (globulaire, fibrillaire, en Y, etc...).

Pour visualiser les poches (comme les **sites actifs**), **sélectionner les protéines** et définir une **surface** (onglet Surface).

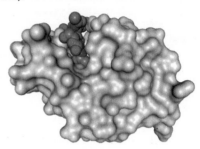

Exemple du lysozyme en complexe avec un inhibiteur.

Déterminer les chaînes qui composent le modèle

La **coloration par chaîne** attribue une même couleur à tous les atomes reliés par des liaisons covalentes.

Elle montre si un modèle est constitué de plusieurs molécules. Deux chaînes enroulées en hélice sont le signe de la présence d'ADN.

Le **survol de la légende** indique les noms des chaînes.

Exemple de protéines p53 associées à un fragment d'ADN.

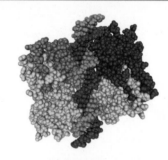

Cellular tumor antigen p53

Chaînes : **A B C D K L**

Les entêtes des colonnes de l'**onglet Séquence** correspondent aux chaînes du modèle.

A	B	C	D	K	L
SER	SER	SER	SER	DA	DC
SER	SER	SER	SER	DG	DT
SER	SER	SER	SER	DG	DC
VAL	VAL	VAL	VAL	DA	DA
PRO	PRO	PRO	PRO	DA	DA
SER	SER	SER	SER	DC	DC
GLN	GLN	GLN	GLN	DA	DA
LYS	LYS	LYS	LYS	DT	DT

Chaîne L
CDKN1A(p21) anti-sense strand

Identifier les structures présentes

Visualiser le squelette de la molécule :

Les **affichages en rubans ou en squelette** donnent une représentation simplifiée de la molécule : seules les liaisons principales sont affichées tandis que les atomes sont masqués. Cette visualisation fait apparaître l'architecture de la molécule et permet de différencier les protéines des molécules d'ADN ou d'ARN.

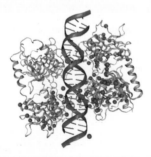

Nature : **Protéine** Eau Autre **Adn** Ion

La **coloration par nature** distingue les composants du modèle selon leur nature chimique : protéine, glucide, ADN, etc.

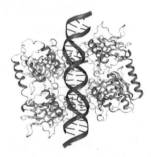

Structure : Non définie Feuillet **Hélice** 3-10 Coude Hélice

La **coloration par structure** souligne les repliements caractéristiques dans les protéines (hélices, feuillets, etc.).

Mettre en évidence une partie du modèle

Pour appliquer des commandes à une partie seulement d'une molécule, il faut au préalable la sélectionner.

Exemple de sélection des valines 6 dans un dimère d'hémoglobine drépanocytaire.

Méthode A – Utiliser l'onglet Séquences

❶ Supprimer la sélection actuelle en cliquant sur « **Aucun** ».

❷ **Cliquer sur les résidus** VAL en position 6.

❸ Choisir une couleur et un mode de représentation.

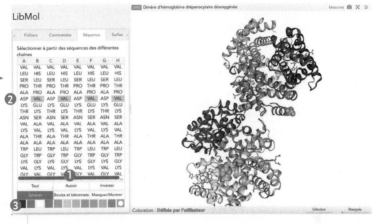

Méthode B – Commandes de sélection

❶ Cliquer sur la **loupe** dans l'onglet Commandes.

❷ Taper « **VAL and 6** », vérifier et valider la sélection.

❸ Choisir une couleur et un mode de représentation.

Analyser les contacts entre molécules

Les protéines agissent sur d'autres molécules en réalisant des contacts qui mettent en jeu des interactions chimiques.

Le repérage des interactions au niveau d'un résidu ou bien d'une chaîne permet de trouver les acides aminés impliqués et de comprendre leur rôle.

Visualiser les interactions avec un résidu

Exemple : contact avec la valine 6 dans l'hémoglobine drépanocytaire.

❶ Cliquer avec le bouton droit sur la valine 6 dans la fenêtre de visualisation ou dans la séquence.

❷ Sélectionner « Interactions » dans le menu déroulant.

❸ Visualiser les interactions et modifier leur représentation.

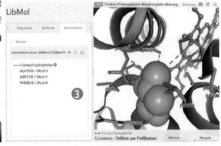

Visualiser les interactions avec une chaîne

Exemple : contact entre P24 du VIH et un anticorps.

❶ Afficher les protéines en rubans.

❷ Dans l'onglet Interactions choisir « Entre chaînes », sélectionner la chaîne P, limiter aux chaînes H et L. Créer une nouvelle représentation.

❸ Cliquer sur le nom de la représentation pour plus de détails.

❹ Dans les réglages, afficher l'entourage en sphères et colorer par résidus.

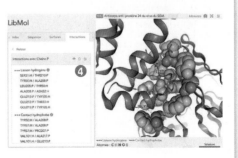

Le séquençage des protéines et des gènes a permis de constituer des banques de données contenant des suites d'informations (les séquences) que l'on peut comparer entre elles, traduire à l'aide du code génétique, etc. Plusieurs logiciels, « Anagène » et « GenieGen » par exemple, permettent d'effectuer divers traitements sur de telles données.

Guide pratique

Afficher et convertir des séquences

En général, seul le brin d'ADN non transcrit est fourni par les banques de données.

Une séquence d'ADN « codant » correspond à la succession des exons d'un gène.

La règle indique l'ordre de succession des nucléotides.

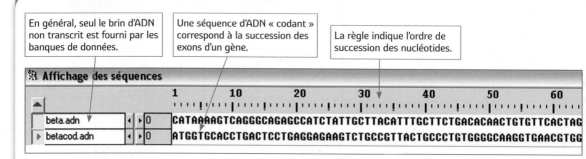

La **conversion d'une séquence** permet d'afficher la correspondance entre 4 séquences :
– les deux brins de l'ADN, non transcrit et transcrit ;
– l'ARN messager, complémentaire du brin transcrit, semblable au brin non transcrit ;
– la séquence d'acides aminés obtenue par traduction (en appliquant le code génétique).

🔁 Conversion								
			1	10	20	30	40	50	60
▶	Traitement	◀ ▶ 0	Conversion de betacod.adn					
	betacod.adn	◀ ▶ 0	ATGGTGCACCTGACTCCTGAGGAGAAGTCTGCCGTTACTGCCCTGTGGGGCAAGGTGAACGTGG					
	BrT-betacod.adn	◀ ▶ 0	TACCACGTGGACTGAGGACTCCTCTTCAGACGGCAATGACGGGACACCCCGTTCCACTTGCACC					
	Arn-betacod.adn	◀ ▶ 0	AUGGUGCACCUGACUCCUGAGGAGAAGUCUGCCGUUACUGCCCUGUGGGGCAAGGUGAACGUGG					
	Pro-betacod.adn	◀ ▶ 0	MetValHisLeuThrProGluGluLysSerAlaValThrAlaLeuTrpGlyLysValAsnValA					

Exemples obtenus avec « Anagène 2 ».

Comparer des séquences

Une **comparaison simple** consiste à comparer les nucléotides ou les acides aminés successifs deux à deux. Cette comparaison ne tient pas compte d'éventuelles délétions ou additions.

Une **comparaison avec alignement (ou avec discontinuité)** consiste à déterminer par le calcul le minimum de différences entre deux séquences, en tenant compte d'éventuelles délétions ou additions.

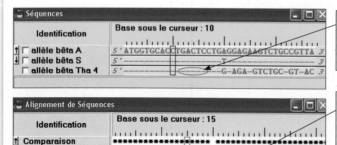

Le signe – indique une similitude.
Cette comparaison simple révèle ici de nombreuses différences pour la dernière séquence à partir du nucléotide 20.

Le signe _ indique que l'on considère une délétion du nucléotide A, en décalant la 3e séquence à partir du nucléotide 20.
Cette comparaison avec alignement montre qu'il y a en réalité une grande similitude entre les trois séquences.

Comparer des séquences graphiquement

Un « **dotplot** » est obtenu en plaçant en abscisse et en ordonnée deux séquences à comparer. Chaque nucléotide d'une séquence est comparé avec tous ceux de l'autre séquence. Les zones identiques sont repérées par des points de couleur intense. Si deux séquences se ressemblent, leur dotplot se traduit par une diagonale.

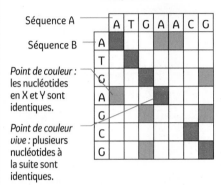

Séquence A

Séquence B

Point de couleur : les nucléotides en X et Y sont identiques.

Point de couleur vive : plusieurs nucléotides à la suite sont identiques.

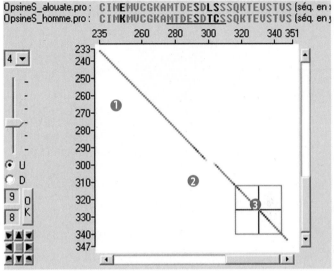

Exemple : comparaison des séquences de l'opsine bleue de l'Homme et de l'alouate. Une diagonale (❶) s'interprète comme une parenté. Des décalages (❷) peuvent montrer des insertions ou des délétions. Une rupture dans la coloration de la diagonale (❸) est le témoin de mutations.

Exemple obtenu avec le logiciel « Anagène2 ».

Des documents de référence

• Le code génétique

Cette présentation circulaire s'utilise en lisant les trois nucléotides d'un codon, du centre vers l'extérieur (1er nucléotide en jaune, 2e nucléotide en orange, 3e en rose) :

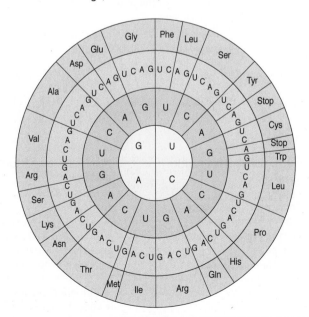

• Les 20 acides aminés

Leur nom est souvent remplacé par leur symbole à trois lettres ou à une lettre.

Alanine	Ala	A
Arginine	Arg	R
Ac. aspartique	Asp	D
Asparagine	Asn	N
Cystéine	Cys	C
Ac. glutamique	Glu	E
Glutamine	Gln	Q
Glycine	Gly	G
Histidine	His	H
Isoleucine	Ile	I
Leucine	Leu	L
Lysine	Lys	K
Méthionine	Met	M
Phénylalanine	Phe	F
Proline	Pro	P
Sérine	Ser	S
Thréonine	Thr	T
Tryptophane	Trp	W
Tyrosine	Tyr	Y
Valine	Val	V

Quelques techniques de laboratoire

Guide pratique

Des conditions à connaitre et à respecter

Pour :
– se protéger
– protéger l'environnement
– ne pas contaminer le milieu expérimental

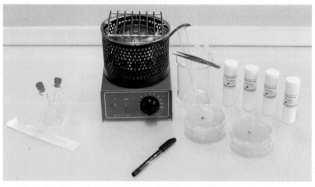

Le plan de travail doit être propre et bien organisé.

	Porter une blouse
	Utiliser des gants
	Mettre des lunettes de protection
	Porter une charlotte
	Risque biologique : travailler dans des conditions d'asepsie, détruire et évacuer les déchets

Utiliser une micropipette

Une micropipette est un outil qui permet de prélever et de délivrer avec précision de très faibles volumes. Pour une bonne utilisation, il faut bien comprendre son fonctionnement.

molette permettant le réglage du volume (certaines micropipettes sont équipées d'un bouton de blocage de la molette)

poussoir permettant d'aspirer ou de refouler le liquide

bouton permettant d'éjecter le cône jetable sans y toucher

Le bouton poussoir comporte trois positions :
❶ position relâchée
❷ pression légère : première butée (correspond au volume réglé)
❸ pression plus forte : deuxième butée

affichage du volume prélevé : attention à l'emplacement de la virgule

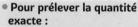

cône jetable à changer pour chaque prélèvement d'un liquide différent

● **Pour prélever la quantité exacte :**
– régler le volume
– placer un cône propre
– pousser en position 2
– introduire dans le liquide à pipeter
– relâcher doucement en position 1

● **Pour délivrer la quantité prélevée :**
– introduire dans le récipient de destination
– pousser le bouton en position 2, puis en position 3 pour chasser complètement la petite quantité de liquide retenue par capillarité
– retirer la micropipette, éjecter le cône dans un récipient

Travailler avec de petites quantités, faire et tenir compte d'une dilution

Unités courantes : 1 mL = 1 cm³   1 µL = 10^{-3} mL   10 µL   100 µL

1 cm
1 cm
1 cm

Après avoir effectué une dilution, pour déterminer la concentration initiale il faut multiplier par le facteur de dilution.

Dilution et concentration :

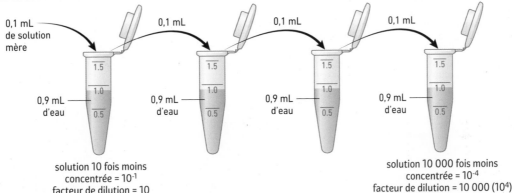

0,1 mL de solution mère   0,1 mL   0,1 mL   0,1 mL

0,9 mL d'eau   0,9 mL d'eau   0,9 mL d'eau   0,9 mL d'eau

solution 10 fois moins concentrée = 10^{-1} facteur de dilution = 10

solution 10 000 fois moins concentrée = 10^{-4} facteur de dilution = 10 000 (10^4)

Utiliser un milieu gélosé

L'agarose est un produit gélifiant qui se présente sous forme d'une poudre que l'on peut diluer à chaud (température supérieure à 90 °C pendant plusieurs minutes).
Il peut alors être coulé dans une boite de Petri par exemple : après refroidissement, il se forme un gel qui peut servir de support pour diverses études expérimentales.

● Culture de microorganismes
Pour cultiver des bactéries, on ajoute à l'agarose différentes substances nutritives (glucides, acides aminés, éléments minéraux). Un milieu carencé est un milieu volontairement dépourvu d'un élément dont on veut étudier la nécessité. On peut ajouter différentes substances dont on veut étudier l'effet (antibiotique par exemple).
Si le milieu est favorable, chaque bactérie déposée pourra être à l'origine d'un clone bactérien formant une colonie, visible à l'œil nu. Il est indispensable de travailler en conditions stériles.

● Diffusion en gel
Pour tester l'effet de la rencontre de différentes substances (par exemple antigènes et anticorps), on creuse des « puits » dans la gélose : le gel étant poreux, il se comporte comme un buvard et chaque produit diffuse progressivement à partir du puits où il a été déposé. Il faut dans ce cas veiller à déposer ni trop ni trop peu de produit dans chaque puits.

emporte-pièce
trous équidistants
perçage d'un puits

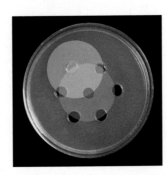
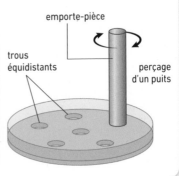

Utiliser un microscope polarisant

L'observation des cristaux avec un microscope permet de les décrire, de les nommer, d'en étudier les propriétés. On utilise pour cela un microscope optique équipé de deux filtres capables de polariser la lumière.

Guide pratique

L'observation en lumière polarisée

La polarisation de la lumière

Les deux filtres polariseurs présents dans un microscope polarisant ne laissent passer que les ondes lumineuses vibrant dans un plan donné. Le premier est appelé « polariseur » ; le second est appelé « analyseur ».
– Si les deux plans de polarisation sont parallèles (A) la lumière peut les traverser.
– Si, au contraire, les deux plans de polarisation sont perpendiculaires (on dit alors que les deux filtres sont croisés), la lumière polarisée par un des deux filtres est arrêtée par l'autre : plus aucune lumière ne passe (B).

Les propriétés des minéraux cristallisés

Si on intercale une lame mince de roche ou de petits cristaux entre les deux polariseurs croisés (C), la lumière passe à nouveau, car la plupart des minéraux cristallisés ont la propriété de modifier la direction du plan de polarisation de la lumière. On voit alors souvent apparaître des couleurs vives, les teintes de polarisation. Elles n'ont rien à voir avec la couleur naturelle des minéraux.

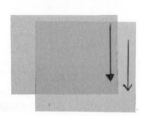

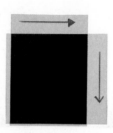

A Deux polariseurs parallèles entre eux, posés sur un fond blanc.

B Les deux polariseurs, toujours posés sur un fond blanc, sont « croisés ».

C Lame mince de péridotite placée entre deux polariseurs croisés.

Le schéma de principe d'un microscope polarisant

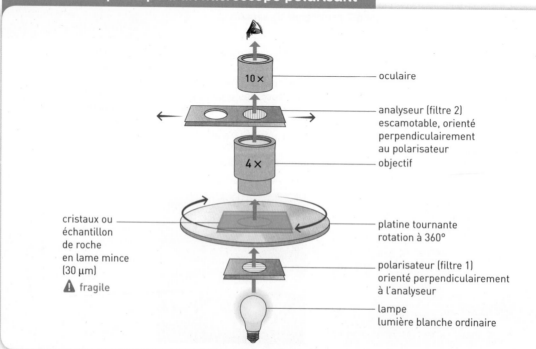

- 10 × — oculaire
- analyseur (filtre 2) escamotable, orienté perpendiculairement au polarisateur
- 4 × — objectif
- platine tournante rotation à 360°
- cristaux ou échantillon de roche en lame mince (30 µm) ⚠ fragile
- polarisateur (filtre 1) orienté perpendiculairement à l'analyseur
- lampe lumière blanche ordinaire

Deux modes d'observation complémentaires (LPNA et LPA)

Observation en lumière polarisée non analysée (LPNA)

En LPNA, l'analyseur est escamoté (il n'est pas dans le trajet de la lumière). L'image observée est alors celle des cristaux éclairés par la lumière polarisée lors de son passage à travers le polariseur (filtre 1).

Dans ces conditions, on observe le plus souvent :
– des couleurs ternes (gris, brun, vert pâle par exemple) ;
– les formes de certains cristaux aux contours bien contrastés (minéraux « à fort relief ») ;
– des fractures à l'intérieur de certains cristaux ;
– des clivages (plans formant des stries parallèles dans les cristaux).

Observation en lumière polarisée analysée (LPA)

En LPA, l'analyseur est en position. Avant d'arriver jusqu'à l'œil, la lumière a successivement traversé le polariseur, les cristaux, puis l'analyseur (plans de polarisation perpendiculaires). Dans ces conditions, on observe le plus souvent :
– des couleurs vives (bleu, vert, jaune, rouge…) ;
– des cristaux noirs (on dit qu'ils sont « éteints », comme sur la photographie (H) ;
– des macles (cristaux identiques accolés selon des surfaces planes, mais orientés différemment dans l'espace. Ils présentent donc, en LPA, des éclairements différents selon les zones (voir les photographies F et G).

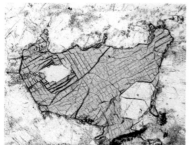

D La couleur verte, le fort relief, les deux clivages orthogonaux sont des caractéristiques de l'omphacite observée en LPNA.

E En LPA, l'omphacite perd totalement sa teinte verte, au profit de teintes variables allant du blanc à l'orangé.

L'intérêt de la platine tournante

Que l'observation se fasse en LPA ou en LPNA, faire tourner lentement la platine et les cristaux qui sont posés dessus permet souvent de constater sur un même cristal des changements de luminosité (F et G), parfois accompagnés de changements de couleur (H, I et J). Au contraire, d'autres cristaux ne changent pas d'aspect selon l'angle de rotation de la platine tournante. Ces comportements contribuent à l'identification des différents minéraux.

■ Cristaux de feldspath observés sous deux angles différents (rotation de 35°).

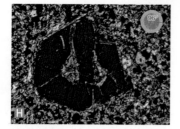
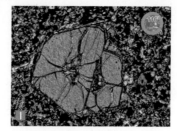
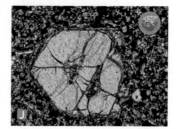

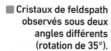 Un cristal de péridot (rotation de 10° entre les photos H, I et J).

L'identification des minéraux au microscope

Relief en LPNA	Teintes en LPA	Autres critères	Minéraux	
Faible Dans une lame, si le minéral se confond avec ses voisins et le milieu de montage, on dit que son relief est faible. Le relief est **fort** dans le cas contraire : **voir p. 410**. Remarque : le relief s'évalue par observation en LPNA.	**Noir – gris – blanc**	Aspect craquelé, Contour mal défini, Extinction roulante. 	**Quartz** 	
		Cristal à une macle*, chaque « demi-cristal » a une teinte différente. 	**Feldspaths**	**Orthose/ Sanidine**
		Nombreuses macles*, formant une alternance de rayures noires, blanches, grises. Souvent altéré. 		**Plagioclases**
	Teintes très vives	Changement de couleur si on tourne la lame. Cristaux en lamelles. Traces de clivage* parallèles aux grands côtés des lamelles. Présence possible de zircons auréolés dans les cristaux. 	**Micas**	**Muscovite**
	Teintes vives			**Biotite**
	Teintes faibles			**Chlorite**

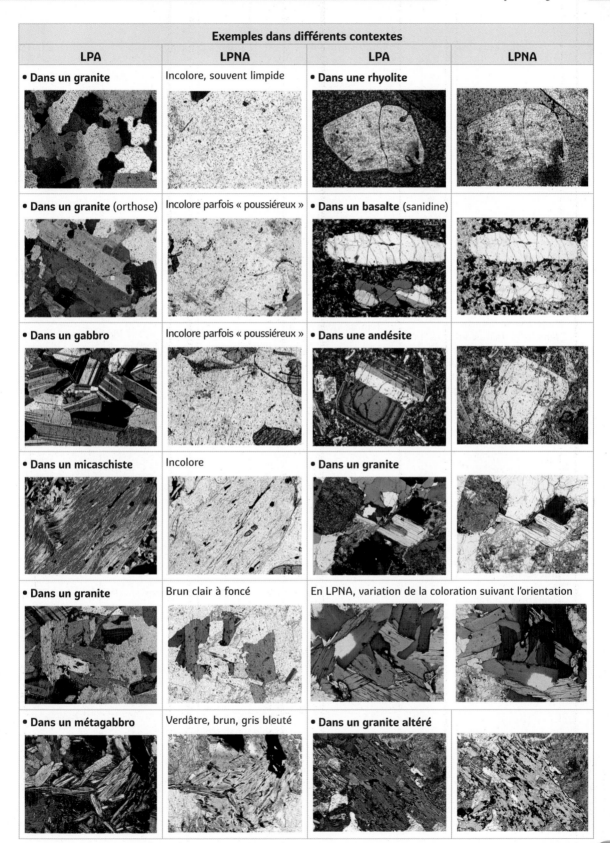

Exemples dans différents contextes			
LPA	**LPNA**	**LPA**	**LPNA**
• **Dans un granite**	Incolore, souvent limpide	• **Dans une rhyolite**	
• **Dans un granite** (orthose)	Incolore parfois « poussiéreux »	• **Dans un basalte** (sanidine)	
• **Dans un gabbro**	Incolore parfois « poussiéreux »	• **Dans une andésite**	
• **Dans un micaschiste**	Incolore	• **Dans un granite**	
• **Dans un granite**	Brun clair à foncé	En LPNA, variation de la coloration suivant l'orientation	
• **Dans un métagabbro**	Verdâtre, brun, gris bleuté	• **Dans un granite altéré**	

Relief en LPNA	Teintes en LPA	Autres critères	Minéraux	
Fort Dans une lame, si le minéral « se détache », semble au dessus du reste de la lame, on dit que son relief est fort. En faisant varier la mise au point, ce minéral semble se déplacer légèrement. Le relief est **faible** dans le cas contraire : **voir page précédente**. **Remarque :** le relief s'évalue par observation en LPNA.	**Teintes vives**	Forme hexagonale ou en losange. Nombreuses traces de clivage*, selon un seul plan ou deux plans faisant un angle de 120°. 	**Amphiboles**	Hornblende
				Glaucophane
		Forme octogonale ou allongée. Traces de clivage* : une série ou deux séries de clivage à 90°. 	**Pyroxènes**	Augite (par exemple)
	Teintes variables, du blanc à l'orangé	Parfois une macle* en croix.		Omphacite Jadéite
	Teintes très vives	Nombreuses fracturations sinueuses. 	**Péridots**	Olivine
	Noir (quelle que soit l'orientation)	Formes souvent polygonales plus ou moins arrondies. Présence fréquente d'inclusions. 	**Grenat** 	

Guide pratique

Exemples dans différents contextes

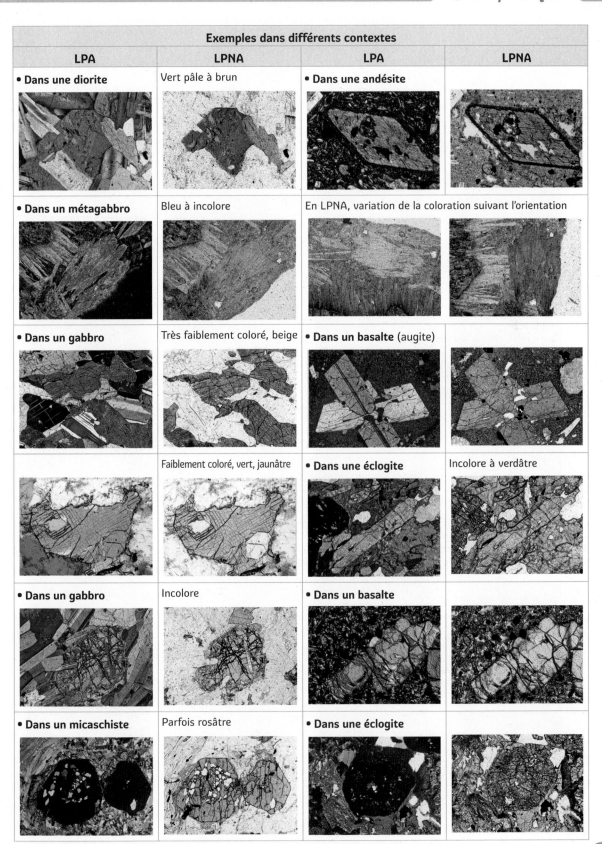

LPA	LPNA	LPA	LPNA
• **Dans une diorite**	Vert pâle à brun	• **Dans une andésite**	
• **Dans un métagabbro**	Bleu à incolore	En LPNA, variation de la coloration suivant l'orientation	
• **Dans un gabbro**	Très faiblement coloré, beige	• **Dans un basalte** (augite)	
	Faiblement coloré, vert, jaunâtre	• **Dans une éclogite**	Incolore à verdâtre
• **Dans un gabbro**	Incolore	• **Dans un basalte**	
• **Dans un micaschiste**	Parfois rosâtre	• **Dans une éclogite**	

411

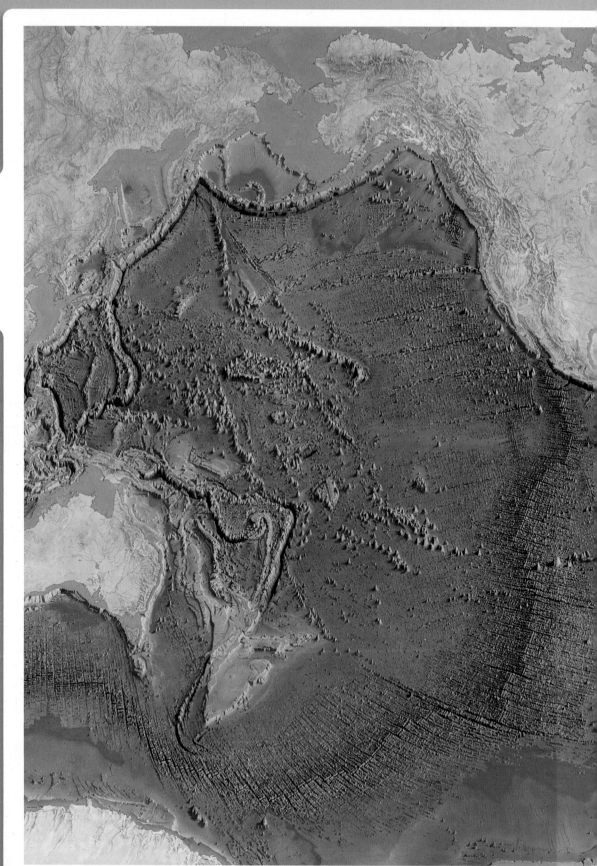

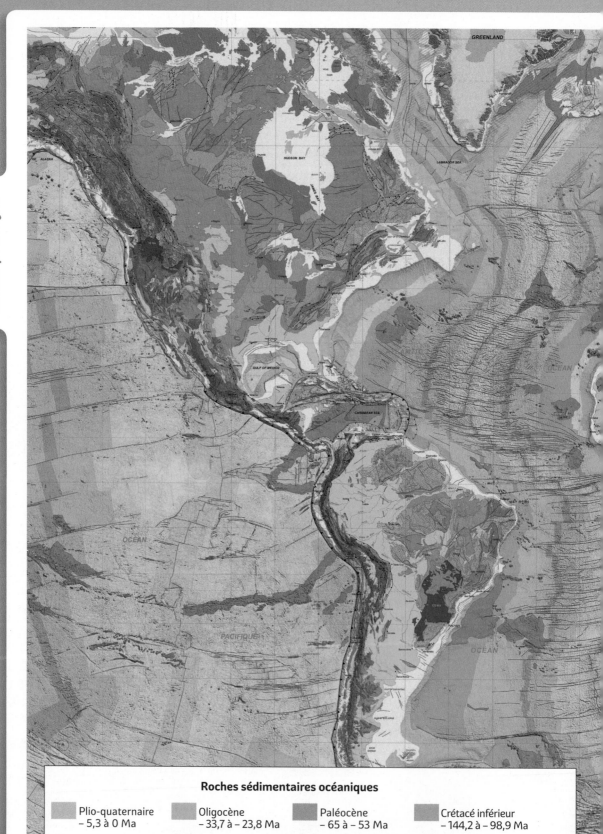

Roches sédimentaires océaniques

Plio-quaternaire
– 5,3 à 0 Ma

Miocène
– 23,8 à – 5,3 Ma

Oligocène
– 33,7 à – 23,8 Ma

Éocène
– 53 à – 33,7 Ma

Paléocène
– 65 à – 53 Ma

Crétacé supérieur
– 98,9 à – 65 Ma

Crétacé inférieur
– 144,2 à – 98,9 Ma

Jurassique
– 175 à – 144,2 Ma

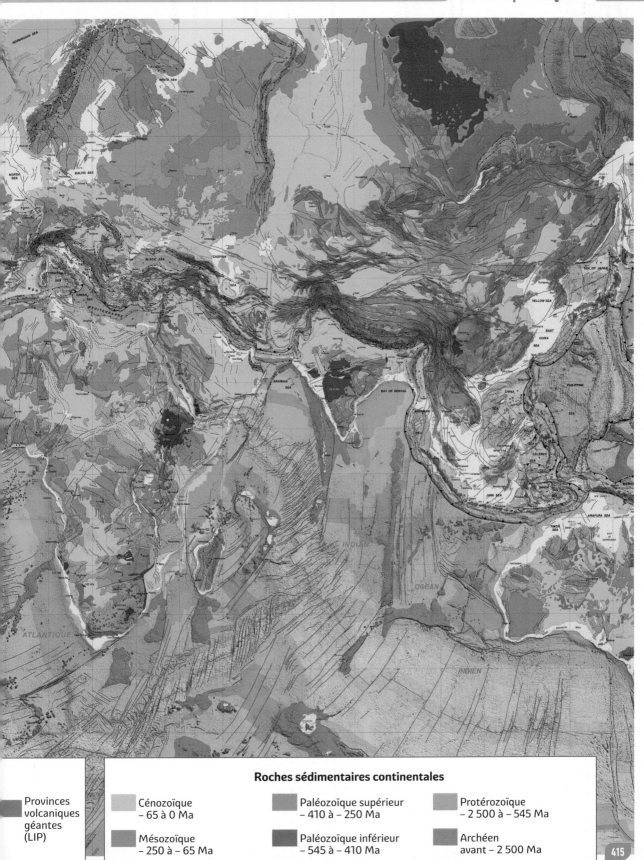

Roches sédimentaires continentales

Provinces volcaniques géantes (LIP)

Cénozoïque
– 65 à 0 Ma

Mésozoïque
– 250 à – 65 Ma

Paléozoïque supérieur
– 410 à – 250 Ma

Paléozoïque inférieur
– 545 à – 410 Ma

Protérozoïque
– 2 500 à – 545 Ma

Archéen
avant – 2 500 Ma

PARTIE 1

Chapitre 1

1 Retour vers les problématiques

• Les questions posées : on peut se demander comment sont constitués les chromosomes et comment ils se répartissent équitablement au cours de la mitose. Les gamètes ont deux fois moins de chromosomes que la cellule dont ils proviennent : comment les divisions cellulaires à l'origine des gamètes se déroulent-elles ?

On constate parfois l'existence d'anomalies chromosomiques : y a-t-il un lien entre de telles anomalies et les divisions cellulaires à l'origine des gamètes ?

• Les réponses apportées : voir « l'essentiel » p. 32.

2 QCM

Les bonnes réponses sont : **1c ; 2c ; 3a ; 4c.**
1. Voir le schéma bilan et chercher pourquoi les autres réponses sont fausses.
2. Voir le document 4 de l'unité 5.
3. Voir le document 3 de l'unité 5.
4. Voir le document 3 de l'unité 5.

3 Vrai ou Faux ?

a. Faux. L'interphase est la période du cycle cellulaire pendant laquelle la cellule ne se divise pas, située entre deux mitoses.

b. Faux. Il n'y a pas de réplication de l'ADN entre les deux divisions de la méiose, car à la fin de la 1re division, les chromosomes sont restés dans un état dupliqué (à deux chromatides).

c. Vrai.

d. Faux, car la cellule-œuf résulte de l'union de deux gamètes qui contiennent chacun *n* chromosomes. Une cellule-œuf contient donc 2*n* chromosomes.

e. Vrai.

4 Mettre dans l'ordre chronologique

B. Les chromosomes commencent à s'individualiser et deviennent visibles au microscope optique. On distingue un seul ensemble de chromosomes occupant l'espace du noyau cellulaire : c'est la prophase d'une mitose.

D. Les chromosomes sont alignés dans le plan médian de la cellule (plan équatorial) : c'est la métaphase.

C. On distingue deux ensembles de chromatides s'orientant vers les deux pôles opposés de la cellule : c'est l'anaphase.

A. Aux deux pôles opposés de la cellule, on observe deux ensembles formés par les chromosomes qui deviennent mal discernables : c'est la télophase.

6 Expliquez les différences entre...

a. Au cours de la prophase de la méiose chaque chromosome s'associe étroitement avec son chromosome homologue, alors qu'en prophase de mitose tous les chromosomes restent indépendants les uns des autres.

b. En métaphase, les chromosomes sont regroupés dans le plan équatorial de la cellule, alors qu'en anaphase, les chromatides ou les chromosomes migrent vers les pôles opposés de la cellule.

c. La mitose conserve le nombre de chromosomes de la cellule, chaque cellule fille hérite de l'intégralité de l'information génétique. La méiose divise par deux le nombre de chromosomes des cellules filles, chaque cellule héritant de l'un ou l'autre des deux chromosomes de chaque paire d'homologues.

Chapitre 2

1 Retour vers les problématiques

• Les questions posées : comment l'ADN peut former deux nouvelles molécules identiques ? Quel(s) mécanisme(s) peut-on envisager et comment l'a-t-on vérifié ? Ce mécanisme est-il toujours fiable ? En quoi consiste une mutation ? Comment certains facteurs peuvent-ils provoquer des mutations ?

• Les réponses apportées : voir « l'essentiel » p. 56.

2 QCM

Les bonnes réponses sont : **1c ; 2d ; 3c ; 4b ; 5a.**
1. Voir l'unité 2, le bilan et le schéma bilan.
2. Voir l'unité 1, document 3C : il faut multiplier le nombre de paires de nucléotides des molécules d'ADN de l'ensemble des chromosomes par la distance entre deux nucléotides successifs. Si la cellule est diploïde et si le nombre de nucléotides est celui du génome haploïde (un seul chromosome de chaque paire pris en compte), il faut multiplier par deux le résultat pour avoir le total.
3. Voir les unités 5 et 6.
4. Voir les documents 2 et 3 de l'unité 4, le bilan des connaissances.
5. Voir l'unité 3.

3 Vrai ou faux ?

a. Faux. Un agent mutagène est une substance chimique ou un phénomène physique qui augmente la fréquence des mutations en lésant l'ADN ou en perturbant sa réplication.

b. Faux. Il est beaucoup plus faible : de l'ordre d'une erreur pour un milliard de nucléotides répliqués.

c. Vrai.

d. Faux. C'est l'inverse ; les mutations sont la cause du polymorphisme des gènes, car c'est grâce aux mutations que se forment plusieurs allèles différents d'un même gène.

4 Savoir expliquer

a. Car chacune des deux molécules d'ADN formées est constituée d'un brin de la molécule d'ADN initiale (donc conservé) et d'un brin nouvellement formé.

b. Une mutation est peu fréquente (une erreur de réplication pour 1 milliard de nucléotides répliqués), mais comme une cellule comporte plusieurs milliards de paires de nucléotides, il se produit statistiquement plusieurs mutations à chaque cycle cellulaire.

c. Car les mutations sont à l'origine de la diversité allélique : ainsi, il apparaît de nouveaux allèles qui pourront éventuellement provoquer un avantage sélectif.

d. Car en s'enroulant en plusieurs niveaux successifs, une molécule d'ADN subit une compaction très importante : un chromosome condensé est plus épais mais beaucoup plus court que la molécule d'ADN qui le constitue.

6 Annoter un schéma

a : Molécule d'ADN mère (molécule initiale)
b : ADN-polymérase
c : Nucléotides libres (précurseurs)
d : Brin nouvellement formé (brin néoformé)
e : Brin de l'ADN initial (brin conservé)
f : Molécule d'ADN fille

7 Expliquer les différences entre...

a. Une substitution est le remplacement d'un nucléotide par un autre tandis qu'une délétion est la perte d'un nucléotide.

b. L'ADN-polymérase est un complexe enzymatique qui incorpore des nucléotides pour répliquer une molécule d'ADN, tandis qu'une enzyme de réparation de l'ADN intervient après la réplication, pour contrôler l'ADN et corriger d'éventuelles erreurs ou lésions de l'ADN.

c. En interphase, l'ADN des chromosomes est très peu condensé et forme des amas de filaments enchevêtrés. Au cours de la mitose, chaque molécule d'ADN est très condensée et forme un chromosome compact, bien individualisé, observable au microscope optique sous la forme d'un bâtonnet.

d. Une lésion de l'ADN est une modification de la structure de l'ADN (formation de liaisons anormales entre nucléotides par exemple), tandis qu'une erreur d'appariement est une erreur intervenant au cours de la réplication de l'ADN (substitution, addition ou délétion d'un nucléotide).

Chapitre 3

1 Retour vers les problématiques

• Les questions posées : comment analyse-t-on l'ADN et quelles informations peuvent nous donner l'analyse et la comparaison de l'ADN des êtres humains ? En quoi les ADN de différents individus diffèrent-ils ? Quelles informations cela nous donne-t-il concernant l'histoire individuelle et collective ? Quelles informations apporte l'ADN extrait de fossiles ?

• Les réponses apportées : voir « l'essentiel » p. 78.

2 QCM

Les bonnes réponses sont : **1c ; 2a ; 3c ; 4d ; 5c.**
1. Voir le document 2 de l'unité 1.
2. Voir le document 1 de l'unité 2 et le bilan des connaissances.
3. Voir le document 2 de l'unité 3.
4. Voir l'unité 5 et le bilan des connaissances.
5. Voir l'unité 4 et le bilan des connaissances.

3 Expliquer les différences entre...

a. Une empreinte génétique analyse un nombre réduit de marqueurs génétiques. Elle permet de différencier facilement l'ADN de deux individus mais ne fournit pas d'indication sur l'identité génétique d'un individu. L'identité génétique recense quant à elle les allèles que possède un individu et qui sont responsables de telle ou telle caractéristique phénotypique.

b. Une mutation somatique concerne une cellule non sexuelle, elle peut être transmise à d'autres cellules issues de la cellule mutée, mais pas à la descendance de l'individu. Une mutation germinale touche au contraire des cellules reproductrices et peut donc être transmise à la descendance.

c. Les mutations s'accumulent au cours du temps, ce qui constitue une « horloge moléculaire ». Une population à faible diversité génétique signifie que tous les individus ont un ancêtre commun récent. Si la diversité génétique est grande, cela signifie que plus de temps s'est écoulé depuis l'origine commune des individus de la population.

4 Savoir expliquer

a. Une mutation somatique concerne une cellule non reproductrice : elle ne peut donc pas être transmise aux enfants et aux générations suivantes. Elle ne concernera donc que l'individu chez qui elle s'est produite.

b. Lorsqu'une petite population se sépare d'une population ancestrale et migre, elle n'emporte et ne transmet qu'une fraction des allèles qui étaient présents initialement : c'est l'effet fondateur. Sa diversité génétique est donc plus faible que celle de la population dont elle est issue.

c. Les mutations se produisent spontanément et régulièrement. Plus le temps passe, plus les cellules accumulent des mutations. Le nombre de mutations qui différencie deux cellules ou deux individus est donc un indicateur du temps écoulé depuis leur origine commune.

d. L'origine de l'humanité a pu être localisée en Afrique, car c'est en Afrique que la diversité génétique des humains est la plus forte. Ceci est confirmé par la comparaison d'associations de mutations et est cohérent avec les découvertes de fossiles.

6 Vrai ou Faux ?

a. Faux. L'analyse et la comparaison de leur ADN révèle que certains humains partagent des mutations avec des néandertaliens. Des événements d'hybridation se sont donc produits entre les populations d'« Hommes modernes » et des néandertaliens.

b. Faux. Les mutations sont spontanées et se produisent régulièrement. Tout individu possède des cellules qui subissent des mutations.

c. Vrai.

d. Vrai.

e. Faux, c'est l'inverse.

f. Vrai.

Chapitre 4

1 Retour vers les problématiques

• **Les questions posées :** quelle est la signification précise de l'information portée par un gène ? Comment le message génétique est-il codé ? Comment les gènes situés dans le noyau s'expriment-ils dans le cytoplasme ? Quels facteurs déterminent ou interviennent dans l'expression des gènes ?

• **Les réponses apportées :** voir « l'essentiel » p. 104.

2 QCM

Les bonnes réponses sont : **1b** ; **2d** ; **3b** ; **4c** ; **5b**.

1. Voir l'unité 2.

2. Voir le document 2 de l'unité 4, bien distinguer ARN pré-messager et ARN messager.

3. Voir l'unité 3.

4. Voir le document 1 de l'unité 1 (qu'est-ce qu'une protéine) et le document 2 de l'unité 3 (où sont synthétisées les protéines).

5. Voir l'unité 3 et le bilan des connaissances.

3 Question à réponses courtes

a. Une mutation allélique peut être à l'origine de la production d'une protéine déficiente ou de l'absence de production d'une protéine. Une telle modification du phénotype moléculaire peut se répercuter à l'échelle cellulaire et à l'échelle macroscopique et être responsable, par exemple, d'une maladie génétique. Mais une mutation peut aussi produire une nouvelle protéine efficace et être à alors à l'origine d'un nouveau caractère phénotypique.

b. Dans un même organisme, il existe des types cellulaires différents car toutes les cellules n'expriment pas les mêmes gènes et ne contiennent donc pas les mêmes protéines.

c. Un facteur externe ou interne peut exercer une influence sur l'expression d'un gène en activant ou en empêchant la transcription du gène.

d. Une maladie génétique est une maladie causée au moins en partie par une anomalie d'un gène (ou plusieurs gènes) entraînant la production d'une protéine déficiente ou l'absence de production d'une protéine.

5 Expliquer pourquoi on dit que :

a. Parce que l'ordre des acides aminés d'une protéine détermine sa structure tridimensionnelle, qui détermine sa fonction.

b. Parce que tous les êtres vivants (sauf quelques très rares exceptions) utilisent le même système de correspondance entre codons et acides aminés.

c. Parce que l'épissage alternatif permet à un même gène de produire des protéines différentes selon les exons retenus pour la constitution de l'ARN messager.

6 Vrai ou faux ?

a. Vrai.

b. Vrai.

c. Faux. Le code génétique est univoque. Chaque codon ne code que pour un seul acide aminé, toujours le même.

d. Faux. Il existe trois codons qui n'ont pas d'acide aminé correspondant (ce sont les codons-stop).

e. Faux. Le code génétique est universel : tous les êtres vivants utilisent le même code génétique, à de très rares exceptions près.

f. Vrai.

7 Retrouver un ordre chronologique

L'ordre chronologique est : c, d, a, b, e.

8 Expliquez les différences entre...

a. Une molécule d'ADN est formée de deux brins complémentaires de nucléotides alors qu'une molécule d'ARN n'est formée que d'un seul brin. Par ailleurs, dans l'ARN, le nucléotide T est remplacé par un nucléotide U et le glucide constitutif des nucléotides est le ribose (désoxyribose dans l'ADN).

b. La transcription est la copie d'une séquence d'un brin d'ADN (brin transcrit) en une séquence complémentaire d'ARN, tandis que la traduction correspond à l'assemblage par le ribosome des acides aminés en une protéine, suivant le message génétique porté par l'ARN messager.

c. L'ARN pré-messager est l'ARN résultant directement de la transcription de l'ADN alors que l'ARN messager résulte de la maturation d'un ARN pré-messager. L'ARN pré-messager est formé des exons et des introns du gène et l'ARN messager n'est constitué que des exons.

d. Le phénotype moléculaire est l'ensemble des protéines et des ARNm se trouvant dans une cellule, résultant de l'expression de gènes en interaction avec les facteurs environnementaux tandis que le génotype est l'ensemble des allèles de ces gènes.

e. Un exon est une portion codante de l'ARN pré-messager qui peut être conservée au cours de l'épissage alors qu'un intron est une portion non codante éliminée au cours de l'épissage.

Chapitre 5

1 Retour vers les problématiques

• **Les questions posées :** pourquoi est-il nécessaire de produire autant d'enzymes différentes ? Qu'est-ce qu'une enzyme ? Comment agit-elle ? Pourquoi dit-on que les enzymes sont des biocatalyseurs ? Quels rôles jouent les enzymes dans la réalisation du phénotype ?

• **Les réponses apportées :** voir « l'essentiel » p. 128.

2 QCM

Les bonnes réponses sont : **1b** ; **2d** ; **3a** ; **4b** ; **5c** ; **6c**.

1. Voir le document 3 de l'unité 1 et le schéma bilan.

2. Voir le document 2 de l'unité 3 et le schéma bilan.

3. Voir le document 2 de l'unité 2.

4. Voir l'unité 2 et tenir compte de la signification du suffixe « -ase » (voir document 3 de l'unité 1).

5. Voir le document 2 de l'unité 4.

6. Voir l'unité 3 et le schéma bilan.

3 Légender un schéma

1 : Enzyme

2 : Substrat

3 : Site actif de l'enzyme

4 : Complexe enzyme-substrat

5 : Produits

5 Vrai ou faux ?

a. Faux. L'équipement enzymatique d'une cellule résulte de l'expression de certains gènes qui diffèrent suivant le type cellulaire.

b. Vrai.

c. Faux. C'est l'inverse : plus il y a de substrat, plus il y aura d'enzymes en action simultanément (jusqu'à une certaine limite).

d. Faux. Deux enzymes peuvent former un complexe avec un même substrat, mais différer par certains acides aminés de leur site actif intervenant dans l'action catalytique. Elles catalyseront alors une transformation différente du substrat fixé.

6 Expliquer pourquoi

a. Parce que tous les gènes ne s'expriment pas dans toutes les cellules : l'expression de certains gènes détermine l'équipement enzymatique d'une cellule et diffère suivant les types cellulaires.

b. Les quantités d'enzyme et de substrat mises en jeu déterminent le nombre de complexes enzyme-substrat en activité simultanément et par conséquent la quantité de produit formé au cours du temps.

c. Dans une enzyme, les acides aminés les plus impliqués dans la détermination de la structure tridimensionnelle de l'enzyme (notamment ceux du site actif) conditionnent l'activité de l'enzyme.

d. Une mutation peut suffire à modifier la forme tridimensionnelle d'une enzyme, son site actif notamment, et par conséquent sa capacité à transformer un substrat.

PARTIE 2

Chapitre 1

1 Retour vers les problématiques

• **Les questions posées :** la confrontation des documents pose le problème de la structure interne de la Terre. Quelles sont les différentes couches la constituant ? De quoi sont-elles formées ? Les matériaux qui constituent l'intérieur du globe sont-ils solides (roches) ou liquides (magma) ? Comment connaître la structure interne de la Terre sachant que les forages les plus profonds ne permettent d'atteindre qu'une profondeur ridiculement faible par rapport au rayon du globe ?

• **Les réponses apportées :** voir « l'essentiel » p. 160.

2 QCM

Les bonnes réponses sont : **1d ; 2b ; 3a ; 4a.**

1. Voir l'unité 1 et le document 3 de l'unité 2. La croûte océanique a une épaisseur moyenne de 7 km, contre 35 km pour la croûte continentale. Elle ne comporte pas de roches de la famille du granite.

2. Voir l'unité 1, le document 3 de l'unité 2 et le document 3 de l'unité 6. La croûte continentale, bien que présentant en surface une grande variété de roches, est constituée en profondeur principalement de granite. Elle n'est pas au-dessus de la lithosphère : elle en fait partie.

3. Voir l'unité 6. La lithosphère est définie par le comportement rigide et cassant des roches la constituant, elle regroupe la croûte et une partie du manteau supérieur.

4. Voir l'unité 7. La lithosphère étant rigide, la chaleur ne peut s'évacuer que par conduction (sans déplacement de matière).

3 Annoter un schéma

A : Croûte océanique

B : Croûte continentale

C : Manteau lithosphérique

D : Manteau sous lithosphérique ou asthénosphère

E : Noyau externe

F : Noyau interne ou graine

4 À vous de corriger

a. Les ondes P précèdent les ondes S.

b. Les ondes S traversent uniquement les matériaux solides.

c. La zone d'ombre sismique résulte de la réfraction sur la discontinuité manteau-noyau.

d. En tomographie sismique, les zones de vitesse anormalement faible des ondes sismiques correspondent à des zones anormalement chaudes.

5 Mise en relation

1. Les relations correctes sont : **1a ; 1c ; 2a ; 2c ; 3a ; 3d ; 4b.**

2. Basalte : **b, c, f.** Granite : **a, d, e.**

Chapitre 2

1 Retour vers les problématiques

• **Les questions posées :** on peut se demander comment les frontières des plaques peuvent être repérées et caractérisées ? Par quelles méthodes les mouvements des plaques sont-ils mesurés ? Quels types de mouvements relatifs se produisent entre ces plaques ? À quelles vitesses se déroulent ces mouvements ?

• **Les réponses apportées :** voir « l'essentiel » p. 184.

2 QCM

Les bonnes réponses sont : **1c ; 2b ; 3b ; 4d ; 5c ; 6d.**

1. Voir l'unité 2, le bilan et le schéma bilan.

2. Voir les unités 5 et 6, le bilan et le schéma bilan.

3. Voir le bilan et le schéma bilan.

4. L'étude des anomalies magnétiques (voir l'unité 2), des forages sédimentaires (voir l'unité 3) et des volcans de point chaud (voir l'unité 4) ne nécessitent pas l'utilisation de la géodésie spatiale (bien qu'elle puisse venir en appui de ces méthodes).

5. Voir l'unité 4.

6. Voir l'unité 5.

3 Vrai ou faux ?

1. Faux. Les frontières divergentes présentent des séismes superficiels, un flux thermique élevé et sont à l'origine des roches magmatiques foncées de la croûte océanique, basaltes et gabbros.

2. Vrai.

3. Faux. À mesure que l'on s'éloigne de la dorsale, les sédiments au contact du basalte sont de plus en plus épais et âgés.

5 Expliquer comment...

a. Les zones de divergence présentent un flux thermique élevé lié à la remontée de magma à l'origine de la lithosphère océanique. Les zones convergentes en subduction présentent un flux thermique contrasté : il est faible au niveau de la fosse, correspondant au plongement de la plaque lithosphérique froide dans l'asthénosphère, et élevé au niveau de la chaîne volcanique, car il coïncide aux injections de magma au sein de la lithosphère. Les zones convergentes en collision se caractérisent par un flux thermique faible.

b. Dans une zone de divergence l'activité sismique est assez faible et superficielle. La convergence se caractérise par une forte sismicité. De plus, en subduction, les foyers sismiques sont de plus en plus profonds en allant de la fosse vers l'arc volcanique (jusqu'à 670 km de profondeur). Au niveau d'une zone de collision, les foyers sismiques restent superficiels (50 km de profondeur).

c. Les sédiments les plus profonds ont le même âge que les basaltes qu'ils recouvrent. Plus on s'éloigne de la dorsale, plus les couches au contact des basaltes sont anciennes. Connaissant ainsi l'âge des basaltes et leur distance à l'axe de la dorsale, on peut calculer la vitesse de divergence des plaques.

6 Légender un schéma

A : Chaîne volcanique

B : Fosse océanique (frontière en convergence)

C : Dorsale (frontière en divergence)

D : Alignement volcanique d'un point chaud

Chapitre 3

1 Retour vers les problématiques

• **Les questions posées :** d'où viennent les matériaux qui s'ajoutent aux plaques en train de diverger ? A quoi ressemble et comment fonctionne la zone où s'ajoute cette matière ? Pourquoi se forme-t-il des roches différentes (gabbro et basalte) ? Ces matériaux changent-ils après leur mise en place ? Est-ce pareil quelle que soit la vitesse de divergence ? Que devient la plaque une fois qu'elle s'éloigne de la zone de divergence ?

• **Les réponses apportées :** voir « l'essentiel » p. 206.

2 QCM

Les bonnes réponses sont : **1b ; 2b ; 3d ; 4c.**

1. Voir l'unité 1.

2. et 3. Voir l'unité 2.

4. Voir l'unité 5.

3 À vous de corriger

a. La zone d'effondrement au centre des dorsales lentes est due à la tectonique en extension (failles normales et failles de détachement).

b. Le magma des dorsales résulte de la fusion partielle des péridotites.

c. Au niveau des dorsales lentes, la divergence peut faire affleurer le manteau.

d. En s'éloignant de la dorsale, les roches de la lithosphère refroidissent et s'hydratent (elles absorbent de l'eau).

4 Mettre en relation

Les relations correctes sont : **1b** ; **1d** ; **2a** ; **2c** ; **2e**.

5 Replacer dans l'ordre chronologique

L'ordre chronologique est : **f, b, e, d, a, c**.

7 Annoter un schéma

A : Basaltes (en coussins et en filons)

B : Gabbros

C : Péridotites

1 : Fusion partielle des péridotites et remontée du magma vers la chambre magmatique

2 : Accumulation et refroidissement lent du magma dans la chambre magmatique

3 : Remontée du magma vers la surface

4 : Refroidissement rapide du magma en surface, donnant des basaltes en coussins

Chapitre 4

1 Retour vers les problématiques

• **Les questions posées** : les documents proposés nous conduisent à nous interroger sur les deux types de zones convergentes : comment expliquer le volcanisme des zones de subduction ? Quelles sont ses caractéristiques ? Comment la subduction se déclenche-t-elle ? Quel rôle joue-t-elle dans la dynamique de la lithosphère terrestre ? Comment se produit la collision continentale ? Pourquoi et comment des reliefs se forment-ils dans une zone de collision ?

• **Les réponses apportées :** voir « l'essentiel » p. 234.

2 QCM

Les bonnes réponses sont : **1b** ; **2d** ; **3b** ; **4a** ; **5d**.

1. Voir l'unité 4 (la subduction déshydrate les roches de la lithosphère océanique), l'unité 5 (les causes de la subduction) et l'unité 1 (la subduction est une des conséquences de la convergence des plaques).

2. Voir le document 3 de l'unité 7.

3. Voir l'unité 3, et si besoin le lexique aux entrées « roches volcaniques » et « roches plutoniques ».

4. et **5.** Voir le document 1 de l'unité 5.

3 Légender un schéma

1 : Plaque lithosphérique chevauchante

2 : Croûte continentale

3 : Volcan explosif

4 : Pluton (granitoïdes)

5 : Fosse océanique

6 : Croûte océanique

7 : Lithosphère océanique

Titre : Schéma d'une zone de subduction.

5 Vrai ou faux ?

a. Faux. Au cours de la subduction, les roches de la lithosphère océanique passent successivement par les faciès de métamorphisme schiste vert, puis schiste bleu, puis éclogite.

b. Faux. La collision continentale crée des failles, dont la plupart peuvent être qualifiées d'« inverses ».

c. Faux. Le plan de Wadati-Benioff témoigne du plongement dans l'asthénosphère de roches froides et rigides.

d. Vrai.

7 Expliquez pourquoi

a. Les zones de subduction sont le siège de très nombreux séismes qui s'expliquent par le frottement entre la plaque océanique plongeante et la plaque chevauchante, par les forces de compression et d'extension qui s'exercent au sein de la lithosphère plongeante. Les déformations sont surtout cassantes car la plaque subduite est constituée de roches rigides.

b. En surface, les roches sédimentaires sont plissées ou empilées sous l'action de failles inverses, de chevauchements, de nappes de charriage. Les contraintes compressives découpent la croûte continentale sur toute son épaisseur, formant ainsi des écailles de croûtes continentales partiellement superposées à l'origine d'une racine crustale.

c. En s'enfonçant verticalement sous l'arc magmatique, on traverse d'abord la lithosphère continentale, et les températures rencontrées sont de plus en plus élevées. Mais à une profondeur proche de 100 km on atteint la lithosphère océanique en subduction. Sa partie superficielle, notamment la croûte constituée de basaltes et de gabbros, a été en contact de l'eau océanique durant des dizaines de millions d'années. Elle est donc refroidie, ce qui explique la baisse de la température à ce niveau. Par la suite, en continuant la progression vers la profondeur, les températures deviennent à nouveau croissantes. Voir le document 2 p. 220.

d. Ces deux roches sont de composition minéralogique proches, mais de textures différentes : l'andésite est microlitique alors que la diorite est grenue. Cette différence provient de leur vitesse de refroidissement. Le magma andésitique à l'origine des deux roches a refroidi rapidement après avoir été émis par un volcan, sans laisser le temps à tous les éléments chimiques de s'organiser en cristaux, et la roche contient donc du verre et beaucoup de cristaux de petite taille (roche microlitique). Quand ce même magma refroidit lentement en profondeur il cristallise en totalité, et donne une roche formée en totalité de grands cristaux (roche grenue).

PARTIE 3

Chapitre 1

1 Retour vers les problématiques

• **Les questions posées :** comment détermine-t-on la biodiversité d'un écosystème ? Quelles sont les relations entre les divers êtres vivants, entre eux, d'une part, et avec leur milieu d'autre part ? Comment un écosystème évolue-t-il ? Comment réagit-il à certains déséquilibres (incendie par exemple) ?

• **Les réponses apportées :** voir « l'essentiel » p. 262.

2 QCM

Les bonnes réponses sont : **1d** ; **2b** ; **3d** ; **4c**.

1. Voir document 1 de l'unité 1.

2. Voir document 1 de l'unité 1.

3. Voir l'unité 2. Tenir compte de l'importance de limiter les effectifs de certaines espèces.

4. Voir l'unité 6.

3 Questions à réponse courte

1. Parce que dans toute forêt l'assimilation du CO_2 par la photosynthèse est supérieure au rejet de CO_2 par respiration et fermentations. Toute forêt produit de la biomasse, donc stocke du carbone.

2. Grâce à la photosynthèse, les végétaux chlorophylliens produisent de la biomasse à partir du CO_2. C'est cette matière qui constitue le premier maillon de chacune des chaînes alimentaires de l'écosystème.

3. Parce qu'une partie seulement de la matière ingérée par un consommateur contribue à former la biomasse susceptible d'être consommée par un autre consommateur : à chaque niveau la biomasse diminue, le nombre de niveaux est donc nécessairement limité.

4 Expliquer les différences entre...

a. La biomasse est la masse de matière organique (carbonée) produite par un écosystème : elle forme des stocks. Le flux de carbone est la masse de carbone transférée d'un compartiment à un autre par unité de temps.

b. Le biotope est le milieu occupé par des êtres vivants. La communauté d'êtres vivants d'un écosystème constitue la biocénose.

c. Le parasitisme est une relation dans laquelle un organisme vit aux dépens d'un autre sur lequel il se fixe pour en exploiter les ressources.

d. Une perturbation est une modification soudaine de l'état d'un écosystème. La résilience est la capacité d'un écosystème à se restaurer après une perturbation.

e. Une perturbation est réversible si l'écosystème peut retrouver son état initial. Elle est irréversible si l'écosystème ne peut réagir qu'en se transformant vers un nouvel état ou en disparaissant.

6 Vrai ou faux ?

a. Faux. Le cycle du carbone correspond aux différents échanges de matières contenant du carbone entre tous les compartiments d'un écosystème.

b. Vrai.

c. Vrai.

d. Faux. Ils ont un rôle fondamental car ils permettent le recyclage de la matière organique morte.

7 Compléter le schéma

a : producteurs primaires

b : consommateurs primaires

c : consommateurs secondaires

d : consommateurs tertiaires

e : photosynthèse

f : respiration, fermentations

8 Rédiger des phrases

a. Dans le sol, la matière organique est recyclée en matière minérale.

b. Dans un écosystème, les conditions abiotiques influencent la répartition de la biocénose.

c. La biocénose est la communauté des êtres vivants d'un écosystème.

Chapitre 2

1 Retour vers les problématiques

• **Les questions posées :** quels bénéfices les êtres humains peuvent-ils tirer des écosystèmes ? Quels sont les différents moyens de les exploiter ? Y a-t-il des excès ? Comment peut-on durablement profiter des services rendus par les écosystèmes ?

• **Les réponses apportées :** voir « l'essentiel » p. 286.

2 QCM

Les bonnes réponses sont : **1b** ; **2a** ; **3c** ; **4d**.

1. Examiner le graphique du document 1A de l'unité 2, montrant l'évolution des surfaces de diverses forêts dans le monde entre 2000 et 2015.

2. Consulter le lexique (p. 422) afin de reprendre la définition d'un service écosystémique.

3. Voir les diverses catégories de services écosystémiques (unité 3).

4. Voir l'unité 5 : notion de sylviculture, modes d'entretien et d'exploitation rationnelle des forêts.

3 Retrouver des notions importantes

Service de support : photosynthèse.

Service de régulation : absorption de dioxyde de carbone atmosphérique, pollinisation des plantes et purification de l'eau.

Service d'approvisionnement : rien.

Services culturels : observation des êtres vivants, promenade pédestre et sentiment de bien-être.

4 Vrai ou faux ?

a. Faux. La déforestation réduit la biodiversité et amplifie le réchauffement climatique.

b. Vrai.

c. Faux. Une forêt bien gérée nécessite l'intervention humaine.

d. Vrai.

e. Vrai.

5 Expliquer les différences entre...

a. Une coupe rase consiste à couper l'ensemble d'une parcelle forestière sur une brève période de temps alors qu'une coupe d'éclaircie consiste à prélever seulement les arbres à maturité et laisser en place les sujets d'avenir.

b. Une futaie est composée d'arbres de grande taille issus de semis, feuillus ou résineux, alors qu'un taillis est uniquement constitué de feuillus issus de rejets de souches (multiplication végétative).

c. Dans une futaie régulière, tous les arbres ont le même âge ou presque, ce qui n'est pas le cas dans une futaie jardinée.

d. La restauration consiste à « réparer » un écosystème dégradé alors que la réhabilitation rétablit l'intégralité de l'écosystème disparu à l'endroit où il se trouvait.

6 Associer textes et schémas

1d. Futaie irrégulière jardinée : de grands arbres sont présents mais pas uniquement et plusieurs essences forestières existent.

2b. Futaie régulière non gérée : tous les arbres ont la même taille mais on note la présence d'arbres penchés, déracinés, témoignant d'une absence d'entretien.

3c. Coupe rase suivie de semis : la parcelle a été coupée en entier ou presque mais de jeunes arbres issus de semis sont visibles.

4a. Futaie régulière : tous les arbres ont la même taille et sont de la même espèce.

PARTIE 4

Chapitre 1

1 Retour vers les problématiques

• **Les questions posées :** comment détermine-t-on les causes ou les facteurs favorisant l'apparition d'une maladie ? Qu'est-ce qu'une maladie génétique ? Quelle est la différence avec une prédisposition ? Comment détermine-t-on un risque génétique ? D'autres maladies suscitent aussi un questionnement : comment se manifeste un cancer, quelles peuvent en être les causes ? Pourquoi les antibiotiques doivent-ils être utilisés de façon raisonnée ?

• **Les réponses apportées :** voir « l'essentiel » p. 320.

2 QCM

Les bonnes réponses sont : **1a** ; **2b** ; **3b** ; **4d**.

1. Voir les unités 1 et 2 : bien discerner comment on a pu établir les différentes informations et relever ce qui a pu être déduit de l'arbre généalogique (document 1B de l'unité 2).

2. Voir l'unité 2 ; tenir compte du fait que la maladie est récessive et du fait que le gène est situé sur un autosome (voir le lexique p. 422 si besoin).

3. Voir les unités 6 et 7 : attention à bien distinguer l'origine d'un cancer et les facteurs qui le favorisent.

4. Voir l'unité 8, particulièrement le document 2C.

3 Vrai ou faux ?

a. Faux. La thérapie génique actuellement utilisée ajoute un allèle fonctionnel aux cellules mais ne supprime pas l'allèle muté.

b. Vrai.

c. Vrai.

d. Faux. Dans un tel cas, seuls les homozygotes récessifs sont malades. Les hétérozygotes sont des porteurs sains : ils ne sont pas malades mais peuvent transmettre l'allèle muté.

e. Faux. Le mode de vie constitue un facteur important de prévention mais les maladies cardiovasculaires peuvent aussi avoir d'autres déterminismes.

4 Expliquer les différences entre...

a. Une prédisposition génétique correspond à la possession d'allèle(s) muté(s) qui augmente la probabilité de développer une pathologie. On parle de déterminisme génétique quand un allèle muté constitue la cause bien établie d'une maladie.

b. Une étude épidémiologique consiste à faire une étude statistique sur des groupes importants d'individus. Elle permet d'identifier des facteurs de risque, de connaître la prévalence d'une maladie. L'analyse d'un arbre généalogique permet d'établir le mode de transmission d'une maladie génétique, d'estimer un risque, en raisonnant à partir de cas apparus dans une famille.

c. Dans le cas d'une maladie monogénique récessive, un porteur sain est un individu hétérozygote : il n'est pas malade mais peut transmettre l'allèle muté à sa descendance. Un individu malade est un homozygote portant deux allèles récessifs.

d. Un cancer est une maladie due à la prolifération non contrôlée de cellules qui échappent à la destruction par le système immunitaire ; les causes des cancers sont multiples. Une maladie génétique est une maladie dont la cause est une mutation qui se traduit par la production d'une protéine défectueuse, ne remplissant plus sa fonction, ou même par l'absence de production d'une protéine. Une maladie infectieuse est due à la contamination par un microorganisme pathogène.

5 Expliquer pourquoi

a. Parce que s'ils sont tous les deux hétérozygotes, chacun des deux parents peut transmettre un allèle muté à son enfant. Celui-ci portera alors deux allèles mutés et sera atteint de la maladie.

b. Beaucoup de maladies sont dites multifactorielles car elles dépendent de plusieurs facteurs, génétiques et/ou environnementaux.

c. L'utilisation d'antibiotiques favorise la sélection de bactéries portant une mutation leur conférant une résistance à l'antibiotique. Il faut donc utiliser les antibiotiques uniquement lorsqu'ils sont nécessaires.

d. On connaît plusieurs gènes dont la mutation est souvent associée au développement de cellules cancéreuses (p53 par exemple). Lorsque ces gènes sont mutés, la cellule peut échapper au contrôle de la division cellulaire ou à la surveillance par le système immunitaire.

e. Parce que la thérapie génique vise à supprimer la cause même d'une maladie génétique, en suppléant l'allèle défectueux.

6 Établir une chronologie

d : Mutation d'un gène de régulation du cycle cellulaire ;

a : Formation d'un clone à partir de la cellule mutée ;

c : Accumulation de mutations et prolifération de cellules cancéreuses ;

b : Développement d'une tumeur cancéreuse.

Un cinquième schéma représenterait la migration de cellules cancéreuses par les vaisseaux sanguins, pouvant être à l'origine de métastases.

Chapitre 2

1 Retour vers les problématiques

• **Les questions posées :** pourquoi la région d'un organisme qui subit une agression est-elle rouge et douloureuse ? Qu'est-ce qu'un ganglion et pourquoi ceux-ci sont-ils gonflés quand on est malade ? Quelle est l'origine de la fièvre ?

Comment agissent-les médicaments qui soulagent ces symptômes ? Sont-ils différents les uns des autres ? Peut-on les prendre sans risque ?

• **Les réponses apportées :** voir « l'essentiel » p. 340.

2 QCM

Les bonnes réponses sont : **1c** ; **2b** ; **3a** ; **4b**.
1. Voir l'unité 2 et le bilan des connaissances.
2. Voir l'unité 1.
3. Voir les documents 1C et 1D de l'unité 1.
4. Voir les unités 2 et 3.

3 Mettre dans l'ordre

L'ordre chronologique est : **b, f, e, c, d, a**.
Voir le bilan et le schéma bilan.

4 Vrai ou faux ?

a. Vrai.

b. Faux. L'immunité innée est une réaction développée par un individu grâce à son propre système immunitaire et ne fait pas intervenir les anticorps.

c. Vrai.

d. Faux. L'histamine est une substance vasodilatatrice, elle favorise le recrutement de cellules immunitaires. L'inflammation est une réaction normale de l'organisme qui est nécessaire à la réponse immunitaire.

5 Compléter et commenter un schéma

ⓐ Cellule de l'immunité innée (leucocyte) résidant dans un tissu
ⓑ Cellule de l'immunité innée (leucocyte) circulant dans le sang
ⓒ Bactéries
ⓓ Diapédèse
ⓔ Interleukines

En cas d'agression d'un tissu (infection bactérienne par exemple), les cellules de l'immunité innée qui résident dans le tissu agressé produisent des substances (interleukines) qui attirent et activent les cellules immunitaires circulant dans le sang. Celles-ci peuvent sortir des vaisseaux sanguins par le phénomène de diapédèse et rejoindre le lieu de l'infection. Elles participent à leur tour au recrutement des cellules immunitaires.

7 Questions à réponse courte

1. La reconnaissance et l'adhésion de l'élément à éliminer par la cellule immunitaire. L'ingestion de l'élément dans une vacuole cytoplasmique par la cellule immunitaire. La digestion intracellulaire de l'élément phagocyté grâce à des enzymes. Le rejet des déchets issus de la digestion à l'extérieur de la cellule.

2. Les granulocytes, les mastocytes, les monocytes et macrophages, les cellules dendritiques.

3. Après avoir phagocyté un élément, une cellule présentatrice de l'antigène expose à sa surface un fragment moléculaire appartenant à l'élément phagocyté (antigène) et entre en contact avec certains lymphocytes. Ceci permet le déclenchement d'une réaction immunitaire adaptative spécifiquement dirigée contre l'antigène présenté.

4. L'inflammation peut être ressentie comme un mal, car les symptômes de l'inflammation sont souvent désagréables et peuvent être difficiles à supporter. C'est pourtant une réaction normale de l'organisme, nécessaire et bénéfique : elle constitue une première défense, prépare le déclenchement de la réponse immunitaire adaptative et se prolonge pendant toute la réaction immunitaire.

Chapitre 3

1 Retour vers les problématiques

• **Les questions posées :** quelles sont les différentes catégories de lymphocytes et leurs rôles ? Comment reconnaissent-ils les agents pathogènes et les cellules infectées ? Comment font-ils pour les détruire ? Pourquoi leurs actions sont-elles plus ou moins durables dans le temps (cas de la grippe qui peut se contracter à plusieurs reprises) ? Les lymphocytes sont eux-mêmes la cible de virus (VIH pour les lymphocytes T CD4) : quelles en sont les conséquences et pourquoi le système immunitaire ne parvient-il pas à l'éliminer ?

• **Les réponses apportées :** voir « l'essentiel » p. 366.

2 QCM

Les bonnes réponses sont : **1c** ; **2d** ; **3d** ; **4c** ; **5b**.
1. Voir le document 3 de l'unité 1.
2. Voir de document 1 de l'unité 7.
3. Voir l'unité 1, le document 1 de l'unité 7, le document 2 de l'unité 5.
4. Voir les documents 2 et 3 de l'unité 5 et l'unité 6.
5. Voir l'unité 6 et le document 1 de l'unité 5.

3 Vrai ou faux ?

a. Faux. La détection d'un antigène par un lymphocyte B déclenche son activation, sa prolifération (nombreuses mitoses), la différenciation de ces cellules en plasmocytes. Seuls les plasmocytes peuvent sécréter des anticorps.

b. Vrai.

c. Faux. L'infection par le VIH provoque, en l'absence de traitement, une immunodéficience acquise (SIDA) car le virus parasite certaines cellules immunitaires, dont les LT CD4, qui jouent un rôle essentiel dans la réponse adaptative.

d. Faux. Les anticorps sont des molécules qui reconnaissent spécifiquement et se fixent par leurs sites anticorps à un antigène donné ce qui a pour effet de le neutraliser (complexe immun) et de le rendre plus facilement repérable par les phagocytes capables de le détruire.

e. Vrai.

f. Vrai.

5 Annoter un schéma

Les molécules schématisées sont un anticorps et deux antigènes associés à cet anticorps.
1 : Chaînes lourdes (H)
2 : Chaînes légères (L)
3 : Parties constantes des chaînes H et L
4 : Parties variables des chaînes H et L
5 : Site anticorps
6 : Antigène

Chapitre 4

1 Retour vers les problématiques

• **Les questions posées :** comment la vaccination assure-t-elle une protection contre certaines maladies ? En quoi consiste-t-elle ? Quels sont les vaccins recommandés ? obligatoires ? Comment expliquer la recrudescence de certaines maladies contagieuses comme la rougeole ? Les cellules cancéreuses étant des cellules devenues anormales, sont-elles repérées par le système immunitaire ? Pourquoi ne sont-elles pas systématiquement éliminées par celui-ci ? Peut-on exploiter les ressources du système immunitaire pour soigner des cancers ?

• **Les réponses apportées :** voir « l'essentiel » p. 386.

2 QCM

Les bonnes réponses sont : **1d** ; **2d** ; **3c** ; **4b** ; **5c**.
1. Voir le document 1 de l'unité 1.
2. Voir l'unité 2 page 379.
3. et 4. Voir l'unité 3.
5. Voir l'unité 4.

3 Vrai ou faux

a. Faux. Une mémoire immunitaire se forme dès le premier contact avec un antigène naturel ou vaccinal.

b. Faux. Les adjuvants des vaccins sont détectés par les cellules sentinelles (dont les cellules dendritiques) de l'immunité innée qui deviennent des CPA et qui activent les lymphocytes T participant à la réponse adaptative.

c. Faux. Un vaccin préventif permet d'éviter à la personne vaccinée d'être atteinte par une maladie infectieuse.

d. Vrai.

5 Légender un schéma

Titre : Les différentes étapes de la production d'anticorps monoclonaux.
❶ Injection à une souris de plusieurs antigènes.
❷ Fusion des lymphocytes B de souris et de cellules immunitaires malignes (myélome).
❸ Formation d'hybridomes.
❹ Tri des hybridomes et séparation des divers clones, mise en culture.
❺ Production de grandes quantités d'anticorps monoclonaux.

Abroutissement : Consommation des broussailles, semis, arbustes par les animaux.

Absorbance : Grandeur sans unité correspondant à la quantité de lumière absorbée par une solution. Dans certaines limites, l'absorbance est proportionnelle à la concentration. Synonyme : densité optique.

Accident vasculaire : Obstruction ou rupture d'un vaisseau sanguin.

Accrétion : Augmentation de volume d'un corps par addition de matière.

Acide aminé : Molécule organique comportant une fonction acide et une fonction amine. Vingt sortes d'acides aminés entrent dans la composition des protéines.

Acide nucléique : Polymères de nucléotides. Ce sont les ADN d'une part, les ARN d'autre part.

Acides fulviques et humiques : Composants essentiels de l'humus, molécules organiques riches en carbone.

Activité catalytique : Augmentation de la vitesse d'une réaction chimique due à l'intervention d'un catalyseur.

Adjuvant : Molécule qui, une fois mélangée et injectée avec un antigène modifié dans un vaccin, stimule directement la réaction immunitaire innée engendrée ou/et facilite la capture de l'antigène par les cellules dendritiques.

ADN fossile : ADN conservé dans divers restes fossiles.

ADN mitochondrial : Petites molécules d'ADN contenues dans la matrice des mitochondries.

ADN-polymérase : Enzyme catalysant la synthèse de nouvelles molécules d'ADN à partir d'une molécule d'ADN initiale.

Aérosol : Particules solides ou liquides, très fines, en suspension dans un gaz.

Affleurement : Roches visibles à la surface de la Terre ou immédiatement sous le sol. Seules les roches à l'affleurement sont repérées sur les cartes géologiques.

Agarose : Polymère d'un sucre (agarobiose) présent dans la paroi de certaines algues, utilisé en biologie afin de réaliser des milieux de culture ou des gels d'électrophorèse d'ADN.

Agent mutagène : Molécule ou rayonnement capable de provoquer des mutations.

Allèles : Différentes versions possibles d'un même gène.

Amplification (expansion) clonale : Multiplication par mitoses successives d'un lymphocyte sélectionné, qui formera ainsi un clone de cellules toutes identiques.

Amygdales : Organes lymphoïdes situés dans la gorge. Elles constituent une barrière contre les microorganismes pathogènes présents à l'entrée des voies respiratoires supérieures et interviennent dans la production d' anticorps.

Amylase : Enzyme qui catalyse l'hydrolyse d'une macromolécule glucidique, l'amidon, en petites molécules glucidiques.

Anaphase : Troisième étape de la mitose au cours de laquelle les chromosomes dupliqués se partagent en deux lots identiques de chromosomes simples.

Anémie : Diminution de la teneur du sang en hémoglobine (liée généralement à une chute du taux d'hématies). L'anémie se traduit par un état de grande fatigue.

Aneuploïdie : Anomalie du nombre de chromosomes dans le caryotype.

Anévrisme : Dilatation anormale d'une artère, plus rarement d'une veine, au niveau du cerveau.

Anhydre : Qualifie un objet dépourvu d'eau.

Anomalie magnétique : Écart entre l'intensité du champ magnétique terrestre mesuré en un lieu donné et la valeur théorique du champ magnétique à cet endroit. L'anomalie peut être positive (intensité renforcée) ou négative (intensité diminuée).

Antalgique : Médicament qui réduit ou supprime la douleur.

Anthère : Partie terminale d'une étamine.

Antibiogramme : Technique permettant de mesurer la sensibilité d'une souche bactérienne à différents antibiotiques.

Antibiotiques : Molécules produites à l'origine par des microorganismes, détruisant des bactéries ou limitant leur prolifération.

Anticorps : Protéine immunitaire en forme de Y, capable de se fixer spécifiquement à deux exemplaires d'un même antigène. Synonyme : immunoglobuline.

Anticorps monoclonal : Anticorps issus d'un seul clone de plasmocytes donc tous identiques.

Antigène : Molécule reconnue comme étrangère par un organisme. Elle peut être liée spécifiquement à un anticorps ou à un récepteur T.

Anti-inflammatoire : Médicament qui réduit l'inflammation notamment en diminuant la production de prostaglandines par l'organisme.

Apex : En biologie, désigne l'extrémité d'un organe.

Apoptose : Processus par lequel des cellules déclenchent leur autodestruction suite à la réception d'un signal. Synonyme : mort cellulaire programmée.

Arc de précipitation : Arc blanchâtre visible à l'œil nu dans un test d'immunoprécipitation (test d'Ouchterlony). Il témoigne de la formation de complexes immuns à l'état solide.

Archipel : Ensemble d'îles proches les unes des autres.

ARN (Acide RiboNucléique) : Molécule formée lors de la transcription constituée de l'enchaînement de quatre sortes de nucléotides (A, U, C, G) associés en un brin unique.

ARN anti-sens : ARN dont la séquence est complémentaire d'un autre ARN, qui peut s'associer à ce dernier et bloquer sa fonction.

ARN messager (ARNm) : Molécule d'ARN issue de la transcription de l'ADN, et dont la séquence de nucléotides est utilisée lors de la traduction pour assembler des acides aminés en une protéine.

ARN pré-messager : Molécule résultant directement de la transcription d'une séquence d'ADN.

ARN-polymérase : Complexe enzymatique catalysant la formation de molécules d'ARN lors de la transcription.

Assimilation : Processus par lequel les êtres vivants transforment les matières qu'ils absorbent en leur propre matière.

Asthénosphère : Zone du manteau où les roches ont un comportement ductile. Elle débute sous la lithosphère par une « zone de faible vitesse » (LVZ) des ondes sismiques et s'étend jusqu'à près de 700 km de profondeur.

Asynchrone : Qui n'a pas lieu en même temps. Contraire de synchrone.

Atrazine : Produit herbicide qui agit en bloquant la photosynthèse (interdit en France depuis 2001).

Autoradiographie : Technique qui consiste à localiser des molécules par incorporation préalable d'atomes radioactifs. La localisation est ensuite révélée par contact avec un film photographique.

Autosomique : Qui se rapporte à n'importe quel chromosome autre que les chromosomes sexuels (autosome).

Autotrophe : Être vivant capable de produire ses matières organiques à partir de matières uniquement minérales et d'une source d'énergie extérieure.

Auxine : Hormone végétale qui stimule l'allongement des cellules.

Avantage sélectif : Caractère qui augmente la probabilité de se reproduire dans un contexte environnemental donné.

AVC : Accident Vasculaire Cérébral. Se produit lorsqu'une partie du cerveau est brusquement privée de sang par un caillot ou une hémorragie.

Avortement spontané : Interruption involontaire de la grossesse.

Basalte : Roche magmatique volcanique, de même composition chimique qu'un gabbro. Les basaltes constituent la partie supérieure de la croûte océanique.

Bathymétrie : Mesure de la profondeur des fonds sous-marins.

Biocénose : Ensemble des êtres vivants d'un écosystème.

Biomasse : Masse totale des êtres vivants (ou d'une catégorie d'êtres vivants) présents sur une surface donnée.

Biopsie : Prélèvement d'un échantillon biologique (tissu, organe) destiné à l'observation microscopique.

Biotope : Ensemble des caractéristiques physiques et chimiques d'un écosystème.

Bombe volcanique : Bloc de lave de quelques décimètres cubes à plusieurs mètres cubes, projeté hors du volcan lors d'une éruption.

Brèche magmatique : Roche composée majoritairement de blocs anguleux provenant de roches volcaniques et unis par un ciment naturel.

Brin transcrit : Brin de l'ADN qui sert de modèle lors de la fabrication de l'ARN messager (transcription).

Cadmium : Métal lourd pouvant être présent dans les sols pollués et capable de modifier l'expression de certains gènes chez les plantes.

Caducifoliée : Se dit d'une forêt dont les arbres perdent leurs feuilles en hiver.

Calcitonine : Hormone thyroïdienne qui abaisse la quantité de calcium dans le sang (hormone hypocalcémiante).

Caldeira : Cratère de forme circulaire produit par effondrement de la partie centrale d'un volcan.

Cancer : Maladie se caractérisant par la multiplication incontrôlée de cellules mutées, formant une tumeur maligne et parfois des métastases.

Cancérogène : Qualifie une molécule ou un agent physique qui peut provoquer un cancer.

Captage : Ouvrage de prélèvement exploitant une ressource en eau.

Carabe : Insecte nocturne, le plus souvent de couleur noire, vivant sur ou dans le sol.

Carotte de sédiments : Echantillon cylindrique de sédiments, prélevé par forage du fond marin afin d'être étudié.

Carrefour métabolique : Molécule appartenant à différentes voies métaboliques. Elle peut être le substrat de plusieurs enzymes.

Caryotype : Photographie de l'ensemble des chromosomes d'une cellule. Ils peuvent être rangés par ordre de taille décroissante et si possible regroupés par paires. Chaque espèce est caractérisée par le nombre et la forme des chromosomes visibles sur le caryotype.

Catalyse : Accélération d'une réaction chimique permise par la présence d'un catalyseur, molécule qui reste inchangée en fin de réaction.

Catalyseur : Substance augmentant la vitesse d'une réaction chimique sans en modifier le bilan.

Cellule dendritique : Cellule immunitaire présente dans les tissus qui, après avoir phagocyté un élément étranger, gagne les ganglions lymphatiques et présente les antigènes aux lymphocytes T. Elle est alors devenue une cellule présentatrice d'antigène (CPA).

Cellule hôte : Cellule qui héberge un virus ou un autre microorganisme.

Cellule mémoire : Désigne tous les lymphocytes et les plasmocytes à durée de vie longue (plusieurs années) qui se forment lors de la réponse adaptative. Ils sont à l'origine d'une réponse immunitaire plus rapide et plus ample lors d'un second contact avec l'antigène pour lequel ils sont spécifiques.

Cellule présentatrice de l'antigène (CPA) : Cellule de l'immunité innée capable de phagocyter les agents pathogènes puis d'en exposer les fragments moléculaires (peptides aux propriétés antigéniques) sur ses molécules du CMH. Les complexes CMH-antigènes permettent le recrutement des lymphocytes T compétents (déclenchement de la réponse adaptative).

Cellule souche : Cellule non différenciée qui peut se diviser un grand nombre de fois puis se différencier pour former une cellule spécialisée d'un type donné.

Cellules épithéliales : Cellules jointives et fortement associées entre elles formant un revêtement à la surface d'un organe.

Cellules somatiques : Cellules de l'organisme qui ne seront pas à l'origine de la formation de gamètes.

Centromère : Zone de jonction entre les deux chromatides d'un chromosome dupliqué.

Chablis : Arbres jonchant le sol après une tempête, un orage.

Chaîne polypeptidique : Molécule formée par la succession d'acides aminés unis entre eux par des liaisons peptidiques.

Champ magnétique terrestre : Ensemble des forces magnétiques générées par le déplacement de fer liquide dans le noyau externe, à l'origine des pôles magnétiques terrestres.

Chênaie : Forêt principalement constituée de chênes.

Chevauchement : Ensemble de roches en recouvrant un autre suite à un mouvement tectonique compressif.

Chiasma : Lors de la prophase I de la méiose, point de contact entre deux chromatides appartenant à deux chromosomes homologues différents.

Chromatide : Chromosome simple comportant une seule molécule d'ADN. Après duplication de l'ADN, le chromosome dupliqué possède deux chromatides.

Chromatine : Ensemble formé de l'ADN enroulé autour des protéines histones, dans le noyau des cellules eucaryotes.

Cinétique : Vitesse d'une réaction chimique.

Circulation hydrothermale : Le long des dorsales, entrée de l'eau de mer froide dans les roches de la croûte et du manteau superficiel, ce qui augmente sa température et provoque sa remontée puis la sortie d'eau très chaude (cheminées hydrothermales).

Climax : Stade de maturité d'un écosystème.

Clivage : Aptitude d'un minéral à se fendre suivant des plans parallèles bien définis.

Clone : Ensemble des cellules issues de la reproduction conforme d'une cellule initiale. Elles possèdent toutes la même information génétique (sauf mutations).

Cloné : Qualifie une structure (par exemple un gène) multipliée à l'identique un grand nombre de fois.

CMH (Complexe Majeur d'Histocompatibilité) : Protéines membranaires qui sont des marqueurs de l'identité des cellules chez les vertébrés. En association avec des peptides antigéniques sur la membrane des CPA, elles permettent le recrutement des lymphocytes T compétents.

Code forestier : Recueil de textes réglementant l'exploitation et la protection des forêts françaises.

Code génétique : Système de correspondance entre l'ARN messager et les protéines associant à chaque triplet de nucléotides de l'ARN un acide aminé donné, ou un ordre d'arrêt de la synthèse protéique.

Codon : Séquence de trois nucléotides consécutifs de l'ARN messager codant pour un acide aminé ou pour la fin de la traduction (codon-stop).

Codon-stop : Séquence de trois nucléotides consécutifs de l'ARN messager codant pour la fin de la traduction (UAA, UAG, UGA).

Coin du manteau : Partie du manteau de la plaque chevauchante située immédiatement au-dessus du plan de Wadati-Bénioff.

Collision : Convergence de deux plaques lithosphériques continentales, donnant naissance à une chaîne de montagnes dîte « de collision ».

Côlon : Première partie du gros intestin des mammifères.

Colorimétrie : Technique permettant de déterminer la concentration d'une substance dissoute, par mesure de la quantité de lumière que la solution absorbe ou laisse passer.

Compaction : Désigne le repliement important d'une molécule sur elle-même.

Compensation : Sommes versées par les entreprises ou les collectivités afin de compenser les dégâts qu'elles ont occasionné dans l'environnement.

Compétition : Concurrence entre des êtres vivants d'un écosystème afin d'accéder aux ressources (alimentaires, sexuelles, lumineuses...) disponibles.

Complexe enzyme-substrat : Association momentanée de l'enzyme et de son substrat.

Complexe immun : Association moléculaire formée par la fixation d'anticorps sur les antigènes contre lesquels ils sont dirigés.

Condensé (ADN) : Qualifie une molécule d'ADN fortement repliée sur elle-même au cours des divisions cellulaires.

Conditions aseptiques : Milieu où les microorganismes sont absents. Synonyme : stérile.

Conduction thermique : Transfert de chaleur de proche en proche à travers un matériau conducteur, sans mouvement de matière.

Cônes sérotineux : Appareils reproducteurs femelles de certains arbres résineux (pin, sapin, épicéa...), fermés par de la résine. Sous l'effet d'une forte chaleur, les cônes sérotineux s'ouvrent et libèrent les graines qu'ils contiennent.

Conservation biologique : Préservation des populations et des espèces menacées. Elle se réalise *in situ* (dans l'écosystème) ou dans des parcs zoologiques, des jardins botaniques (conservation *ex situ*).

Consommateur : Qui se nourrit d'autres êtres vivants.

Convection thermique : Transfert de chaleur entre deux zones se faisant par un déplacement de matière.

Convergence : Rapprochement de deux plaques tectoniques l'une vers l'autre.

Cortisone : Médicament anti-inflammatoire stéroïdien qui reproduit l'action d'une hormone naturellement fabriquée par l'organisme, le cortisol.

Coupe d'éclaircie : Coupe réduisant le nombre d'arbres présents sur une parcelle afin de favoriser les individus les plus prometteurs.

Coupe rase : Abattage de la totalité des arbres d'une parcelle forestière.

Couverture vaccinale : Proportion de personnes vaccinées dans une population à un moment donné. Plus la couverture vaccinale augmente, plus le risque de transmission de la maladie infectieuse diminue.

Cristallisation fractionnée : Cristallisation progressive d'un magma au cours de son refroidissement avec formation de cristaux différents au fil du temps, du fait de l'évolution de la composition chimique du magma.

Croûte : Couche la plus superficielle du globe terrestre, limitée à sa base par le Moho.

Cryodécapage : Technique utilisant la sublimation de la glace afin d'accentuer le relief d'une cellule avant observation microscopique.

Culture in vitro : Culture de tissus ou de cellules réalisée sur un milieu synthétique et stérile dans un récipient en verre (« *in vitro* ») : flacon, tube ou boîte de Petri.

Cycle biogéochimique : À l'échelle de la Terre, processus de transport et de transformation cyclique d'un élément chimique (ou d'un composé) faisant intervenir biosphère, atmosphère, hydrosphère et lithosphère.

Cycle cellulaire : Ensemble des événements qui se produisent dans une cellule, depuis sa formation (à la suite d'une division) jusqu'à ce qu'elle-même se divise par mitose. Chaque cycle cellulaire comprend une interphase suivie d'une mitose.

Cytométrie de flux : Technique permettant de compter les cellules dans un échantillon biologique.

Débourrement : Ouverture des bourgeons d'un arbre.

***De novo* :** Locution latine utilisée en biologie signifiant « nouvellement synthétisé ». Elle indique la synthèse d'une molécule à partir de ses composants *in vitro* ou l'apparition d'une mutation chez un individu alors que ses parents ne la possèdent pas.

Décomposeurs : Organismes qui transforment la matière organique morte en matière minérale.

Décondensé (ADN) : Qualifie une molécule d'ADN déroulée, en dehors d'une division cellulaire.

Défibrillateur : Appareil pouvant relancer le cœur par un choc électrique.

Déficit immunitaire : Défaut de fonctionnement plus ou moins grave du système immunitaire d'un individu.

Défrichement : Coupe de tous les arbres, arbustes et buissons d'un terrain boisé afin de l'affecter à d'autres usages (agricoles, urbains...).

Délétion : Mutation consistant en la perte d'une ou plusieurs paires de nucléotides.

Demi-vie : Période correspondant à la moitié de la durée de vie d'une cellule ou d'une molécule.

Dénisovien : Espèce humaine fossile identifiée par analyse génétique. Connue initialement par une seule phalange trouvée en Sibérie.

Densité : Rapport entre la masse volumique d'une roche et la masse volumique de l'eau.

Dépistage : Recherche chez une personne ou dans une population d'indices de la présence d'une maladie encore non déclarée.

Désoxyribose : Sucre ($C_5H_{10}O_4$) qui entre dans la composition des nucléotides de l'ADN.

Détritivore : Décomposeur qui se nourrit de cadavres et d'excréments (exemple : les vers de terre).

Diagnostic prénatal : Recherche d'anomalies chromosomiques ou géniques chez un fœtus.

Diagramme de phase : En géologie, représentation graphique de l'état physique d'une roche en fonction de la pression et de la température auxquelles elle est soumise.

Diapédèse : Passage de leucocytes entre les cellules formant la paroi d'un vaisseau sanguin, du sang vers la lymphe.

Différenciation clonale : Transformation des clones de lymphocytes activés en cellules effectrices de la réponse immunitaire adaptative : les LB en plasmocytes, les LT CD4 en LT auxiliaires et les LT CD8 en LT cytotoxiques.

Dimère : Assemblage de deux molécules identiques (exemple : dimère de nucléotides T).

Diploïde : Qualifie une cellule où chaque chromosome est présent en deux exemplaires.

Discontinuité : Limite entre deux milieux internes du globe, marquée par de brusques variations de direction et de vitesse des ondes sismiques.

Distance : En génétique des populations, désigne le degré de différence entre deux génomes. Elle dépend du temps écoulé depuis l'ancêtre commun le plus récent de ces deux génomes.

Divergence : Éloignement de deux plaques tectoniques l'une de l'autre.

Diversité allélique : Variation génétique dans une population pour un gène donné. Elle est estimée par le nombre et la fréquence des allèles du gène étudié.

Domaine de stabilité : Ensemble des températures et des pressions où une association minérale est stable. Il est déterminé expérimentalement.

Dorsale : Relief sous-marin dans l'axe duquel se forme la nouvelle lithosphère océanique.

Double spécificité : Une enzyme est spécifique du substrat sur lequel elle agit et de la réaction qu'elle catalyse.

Drainée : Se dit d'une parcelle débarrassée de son excès d'eau par une technique adaptée.

Droite de régression : Droite passant au plus près d'un nuage de points issus de données de terrain (observations ou expérience). Cette droite modélise une relation affine ($y = ax + b$) entre les données présentées en y et les données présentées en x. Synonyme : droite de tendance.

Ductile : Matériau qui peut se déformer sans se rompre. Contraire de cassant.

Dynamique d'un écosystème : Ensemble des changements observés dans un écosystème.

Dystrophine : Protéine présente sous la membrane des fibres musculaires.

Écosystème : Ensemble formé par un milieu de vie (biotope), les organismes qui y vivent (biocénose), caractérisé par les différentes interactions qui s'y produisent (entre les êtres vivants, et entre le milieu et les êtres vivants).

Éditer des nucléotides : Changer la séquence de nucléotides d'une molécule d'ADN.

Effet mutagène : Qui provoque des mutations.

Élagage : Coupe de certaines branches d'un arbre afin de limiter ou d'orienter sa croissance.

Électrophorèse : Technique permettant de séparer des molécules chargées (fragments d'ADN, protéines) selon leur poids et leur taille, en les soumettant à un champ électrique.

Empilement : Accumulation de couches géologiques les unes par dessus les autres.

Empreinte génétique : Technique utilisée afin de définir l'identité judiciaire d'un individu. Elle repose sur la grande variabilité de 13 sites du génome humain.

Endémique : Désigne une espèce d'être vivant présente seulement dans une zone géographique donnée. Contraire : cosmopolite.

Endonucléases : Enzymes capables de corriger des erreurs d'appariement de nucléotides survenues lors de la réplication.

Enzyme : Molécule biologique (généralement une protéine) accélérant la vitesse d'une réaction biochimique sans en modifier le bilan.

Enzyme réparatrice de l'ADN : Enzyme capable de corriger une altération accidentelle de l'ADN.

Épicentre : Point de la surface de la Terre situé à la verticale du foyer d'un séisme.

Épidémie : Augmentation rapide de l'incidence d'une maladie, souvent infectieuse, en un lieu donné sur une période donnée.

Épissage : Suppression des introns de l'ARN pré-messager et liaison des exons conservés, formant l'ARN messager.

Équipement enzymatique : Enzymes présentes chez un individu ou dans une cellule.

Éradiquée : Se dit d'une maladie infectieuse qui a disparu.

Espèces ingénieures : Espèces rendant possible l'installation d'autres espèces dans un écosystème.

Essence : Terme forestier désignant une espèce d'arbre.

Étamine : Organe mâle d'une fleur contenant le pollen.

Étude « cas-témoin » : Étude statistique utilisée en épidémiologie qui permet de comparer un groupe de personnes atteintes d'une maladie (cas) à un groupe de personnes saines (témoin). Cela permet d'identifier un ou des facteurs contribuant à l'apparition d'une maladie.

Étude épidémiologique : Étude statistique de la fréquence d'une maladie, de sa répartition, de ses facteurs de risques ainsi que des décès associés au sein d'une population.

Évolution libre : Désigne une forêt, et par extension tout écosystème, qui n'est ni exploité, ni entretenu.

ExAO (Expérimentation Assistée par Ordinateur) : Système de capteurs reliés à un ordinateur qui permet, grâce à des logiciels appropriés, de visualiser en temps réel l'évolution de différents paramètres.

Exhumation : Désigne la remontée à la surface de la Terre de roches enfouies plus profondément auparavant.

Exons : Parties de l'ARN pré-messager pouvant être conservées lors de l'épissage.

Expansion océanique : Augmentation de la surface d'une plaque lithosphérique suite à la formation de nouvelle lithosphère océanique au niveau d'une dorsale.

Exponentielle : Se dit d'une croissance lorsqu'elle ne cesse de s'accélérer.

Faciès métamorphique : Ensemble des conditions de température et de pression qui permettent à une association de minéraux différents de rester stables (pas de réaction entre les minéraux voisins).

Facteur abiotique : Paramètre physico-chimique d'un écosystème (relief, lumière, humidité...).

Facteur biotique : Paramètre écologique lié aux autres êtres vivants d'un écosystème.

Facteur de transcription : Molécule qui régule (active ou inhibe) la transcription après sa liaison avec l'ADN.

Faille de détachement : Faille normale de grande extension et peu inclinée.

Faille inverse : Cassure dans les roches, provoquée par une compression (forces convergentes), entraînant un déplacement relatif des parties rocheuses séparées. La partie située au-dessus de la faille monte par rapport à la partie située sous la faille.

Faille normale : Cassure dans les roches, provoquée par une extension (forces divergentes), entraînant un déplacement relatif des parties rocheuses séparées. La partie située au-dessus de la faille descend par rapport à la partie située sous la faille.

Feuillus : Arbres dont les feuilles sont fines et larges (par opposition aux résineux qui ont des aiguilles, feuilles épaisses et étroites).

Flottabilité : Capacité d'un objet à rester ou non en surface d'un corps fluide, en fonction des densités de l'un et de l'autre.

Fluorochrome : Molécule devenant fluorescente après absorption de lumière, utilisée afin d'étudier la dynamique ou la localisation d'autres molécules dans les cellules.

Flux de matière : Échanges de matière entre les différents compartiments d'un écosystème.

Flux géothermique : Quantité d'énergie thermique évacuée par la surface de la Terre, par unité de surface et par unité de temps. Sa valeur moyenne est de 87 mW·m^{-2}.

Follicule : Petite structure anatomique en forme de sac, qui fabrique des substances et les accumule dans sa cavité interne.

Fondant : Qui fait fondre un matériau en abaissant son point de fusion. L'eau est le fondant des péridotites dans une zone de subduction.

Fonds de compensation : Organisme collectant les somme versées par les entreprises ou les collectivités afin de compenser les dégâts qu'elles ont occasionnés dans l'environnement.

Fongique : Relatif aux champignons.

Foyer : Lieu à partir duquel est libérée l'énergie à l'origine du séisme. Synonyme : hypocentre.

Foyer épidémique : Zone géographique dans laquelle se déclare un nombre anormalement élevé de cas d'une maladie infectieuse.

Fuseau de division : Réseau de fibres cytoplasmiques permettant le déplacement des chromosomes lors d'une division cellulaire.

Fusion partielle : Processus conduisant à la présence d'une faible quantité de liquide magmatique dans une roche à l'état solide. Le magma est issu des minéraux ayant les températures de fusion les plus faibles.

Futaie : Forêt constituée d'arbres aux troncs droits et dépourvus de branches.

G1, S (synthèse d'ADN), G2 : Les trois étapes successives de l'interphase.

Gabbro : Roche magmatique plutonique, de même composition chimique qu'un basalte. Les gabbros constituent la partie inférieure de la croûte océanique.

Galle : Excroissance produite par un végétal en réaction à la présence d'une larve d'insecte.

Gamètes : Cellules sexuelles susceptibles de participer à la fécondation.

Ganglion rachidien : Renflement présent sur la racine dorsale d'un nerf en relation anatomique avec la moelle épinière.

Ganglions lymphatiques : Renflements présents sur les vaisseaux lymphatiques dans lesquels de nombreuses cellules immunocompétentes sont présentes.

Gel d'agarose : Matière poreuse couramment utilisée lors d'une électrophorèse afin d'y faire migrer les molécules.

Génotype : Description des allèles présents chez un individu, pour un ou quelques-uns de ses gènes.

Géodésie : Science qui étudie la forme et les dimensions de la Terre ainsi que son champ de gravité. Son objectif majeur est d'établir des systèmes de référence terrestres.

Géotherme : Courbe représentant l'évolution de la température des roches en fonction de la profondeur.

GES : Gaz à Effet de Serre. Gaz qui absorbe le rayonnement infrarouge émis par la surface terrestre contribuant ainsi à l'effet de serre. Plus de 40 GES existent dont la vapeur d'eau, le dioxyde de carbone et le méthane.

Gestion durable : Gestion qui préserve aujourd'hui et pour l'avenir le fonctionnement des écosystèmes et les services écosystémiques rendus à l'humanité.

Glucose : Glucide simple (sucre) de formule $C_6H_{12}O_6$.

Gradient géothermique : Augmentation de la température des roches par unité de profondeur (généralement en °C / km).

Granite : Roche magmatique plutonique à texture grenue composée à 80 % de trois minéraux (quartz, plagioclase, feldspath alcalin). Elle constitue l'essentiel de la croûte continentale.

Granule : Structure sphérique présente dans le cytoplasme d'une cellule eucaryote, limitée par une membrane et contenant des molécules spécifiques. À titre d'exemple, les mastocytes possèdent des granules remplis d'histamine.

Granulocyte : Leucocyte possédant de nombreuses granulations cytoplasmiques et un noyau plurilobé. Il exerce une activité phagocytaire précoce dans les tissus infectés.

Granzyme : Molécule qui déclenche l'apoptose de la cellule cible suite à l'activité des LT cytotoxiques.

Grume : Tronc d'arbre abattu et ébranché.

Gypse : Roche sédimentaire, essentiellement constituée d'un minéral, le sulfate de calcium hydraté. Elle se forme dans des lagunes, par évaporation et saturation de l'eau.

Haplogroupes : Groupes de parenté entre les hommes du monde entier définis par les mutations portées par l'ADN du chromosome Y ou des mitochondries.

Haploïde : Qualifie une cellule où chaque chromosome est présent en un seul exemplaire.

Hémoglobine : Protéine contenue dans les globules rouges et spécialisée dans le transport du dioxygène ; elle est constituée de quatre chaînes (globines) associées à un groupement contenant du fer.

Hémoglobinose C : Maladie du sang liée à la présence d'une hémoglobine anormale (HbC) qui entraîne une anémie modérée.

Hétérotrophe : Être vivant produisant sa matière organique à partir d'autres matières organiques prises dans son milieu de vie.

Hétérozygote : Individu possédant deux allèles différents pour un gène donné.

Hêtraie : Forêt principalement constituée de hêtres.

Hexokinase : Enzyme catalysant la phosphorylation du glucose en glucose-6-phosphate.

Histamine : Molécule sécrétée surtout par les mastocytes, qui stimule la dilatation des vaisseaux sanguins lors de la réponse immunitaire innée.

Histones : Protéines associées à l'ADN formant la structure de base de la chromatine.

Hominidés : Groupe de parenté rassemblant l'Homme actuel, les grands singes africains (chimpanzés et gorilles) ainsi que de nombreuses espèces fossiles apparentées, jusqu'au dernier ancêtre commun à ces différentes espèces.

Homo sapiens : Nom scientifique de l'espèce humaine actuelle. Des fossiles attestent de son existence depuis 300 000 ans.

Homozygote : Individu possédant les deux mêmes allèles pour un gène donné.

Hormone : Molécule produite par des cellules spécialisées (cellules endocrines), transportée par le sang et agissant sur d'autres cellules possédant des récepteurs moléculaires spécifiques de cette hormone.

Hôte : Être vivant parasité.

Humus : Composante organique du sol, résultant de la décomposition incomplète des restes de végétaux et d'animaux.

Hybridation *in situ* : Technique utilisant des molécules d'ADN « dénaturées » (simple brin) afin de repérer la localisation des acides nucléiques (ADN, ARN) dans des cellules ou des tissus.

Hybridome : Cellule hybride, résultant de la fusion d'un lymphocyte B activé et d'une cellule issue d'un cancer de la moelle osseuse. Elle produit de grandes quantités d'anticorps monoclonaux utilisés comme outils de diagnostic (test de grossesse) ou dans les traitements anti-cancéreux.

Hydrolyse : Réaction chimique au cours de laquelle des liaisons chimiques sont rompues par l'action de molécules d'eau.

Hydrophobe : Molécule qui repousse et qui est repoussée par les molécules d'eau.

Hydrothermalisme : Ensemble des phénomènes liés à la circulation d'eaux chaudes souterraines.

Hygrométrie : Taux d'humidité de l'atmosphère (%).

Hyménoptère : Groupe d'insectes comportant les abeilles, les guêpes, les fourmis...

Identité génétique : Ensemble de l'information génétique responsable des caractéristiques d'un individu.

IFREMER : Institut Français de Recherche pour l'Exploitation de la Mer. Organisme dont les objectifs sont la connaissance du milieu marin et de ses ressources ainsi que le développement durable des activités maritimes.

Immunité adaptative : Immunité propre aux vertébrés, mise en place après un premier contact avec un antigène, et reposant sur des leucocytes particuliers, les lymphocytes.

Immunité de groupe : Phénomène par lequel la propagation d'une maladie contagieuse peut être enrayée dans une population si un pourcentage suffisant d'individus est immunisé (couverture vaccinale suffisante).

Immunité innée : Immunité présente chez tous les animaux pluricellulaires qui assure une intervention rapide face à toute lésion ou agression microbienne.

Immunocompétent : Se dit d'un lymphocyte lorsqu'il est devenu capable de reconnaître un antigène.

Immunodéficience : Maladie caractérisée par une absence ou un dysfonctionnement des mécanismes immunitaires.

Immunoglobuline : Protéine immunitaire en forme de Y, capable de se fixer spécifiquement à deux exemplaires d'un même antigène. Synonyme : anticorps.

Immunothérapie : Ensemble des procédés s'appuyant sur le système immunitaire afin de lutter contre certains types de cancer (anticorps monoclonaux, vaccins thérapeutiques).

Incidence : Nombre de nouveaux cas d'une maladie observés sur une période donnée dans la population étudiée.

Infarctus du myocarde : Destruction d'une partie du muscle cardiaque suite à l'obstruction d'une artère qui irrigue le cœur (artère coronaire).

Infection : Envahissement d'un ou plusieurs organes par des microorganismes (bactérie, virus, champignon) suivi de leur multiplication.

Inflammation : Résultat des défenses innées mises en place par l'organisme face à une agression. Elle se manifeste localement par une rougeur (due à une vasodilatation locale), un gonflement (œdème), une sensation de chaleur et une douleur qui semble pulser.

Inflorescence : Désigne un ensemble de fleurs groupées au même endroit d'une plante.

Ingénierie écologique : Techniques mises en œuvre afin de restaurer et gérer durablement un écosystème. Le vivant est l'outil majeur de l'ingénierie écologique.

Interleukines : Protéines sécrétées par des leucocytes qui stimulent ensuite la croissance, la multiplication et l'activité d'autres leucocytes. Ce sont des médiateurs chimiques.

Interphase : Période au cours de laquelle une cellule mène ses activités ordinaires et réplique son ADN en préparation d'une division cellulaire.

Interférométrie radar : Technique utilisant la comparaison d'images radar obtenues au cours du temps. Elle permet de mesurer les déformations du sol.

Intrinsèque : Propre à un milieu, à un objet donné.

Introns : Parties de l'ARN pré-messager éliminées lors de l'épissage.

Isotherme : Qualifie un processus qui se déroule à température constante.

Isotope radioactif : Les isotopes sont des éléments chimiques dont le noyau possède un nombre identique de protons mais un nombre différent de neutrons. Ceux qui sont radioactifs ont un noyau instable et se désintègrent en émettant des particules et de l'énergie.

Kératinocyte : Catégorie de cellules constituant majoritairement l'épiderme et à l'origine des phanères (ongles, poils...).

Lacustre : Qui est relatif à un lac.

Latent : Se dit d'un virus ou d'un autre agent pathogène présent chez un hôte, mais qui ne prolifère pas.

Leucémies : Cancers touchant les cellules précurseurs des leucocytes.

Leucocytes : Cellules du système immunitaire. Synonyme : globules blancs.

Liaison covalente : Liaison chimique dans laquelle deux atomes mettent en commun deux électrons.

Lignine : Molécule végétale (polymère glucidique) qui imprègne les vaisseaux du bois et lui confère sa rigidité.

Liposome : Sphère de lipides creuse, contenant des molécules d'ADN thérapeutique, utilisée comme vecteur pour celles-ci.

Lithosphère : Couche terrestre formée des roches rigides de la croûte et du manteau situé sous la croûte. Sa base est définie par l'isotherme 1 300 °C.

Litière : Ensemble des feuilles mortes et des débris en décomposition qui recouvrent le sol.

LPA : Lumière Polarisée Analysée. Lumière obtenue avec un microscope polarisant si on utilise l'analyseur.

LPNA : Lumière Polarisée Non Analysée. Lumière obtenue avec un microscope polarisant si on n'utilise pas l'analyseur.

LT auxiliaire : Lymphocyte T sécrétant un messager chimique principal, l'interleukine 2, qui stimule la prolifération et la croissance des lymphocytes activés.

LT CD4 : Lymphocyte T qui possède un marqueur de surface, la protéine CD4. Une fois activé par un antigène particulier, il se différencie en lymphocyte T auxiliaire.

LT CD8 : Lymphocyte T qui possède un marqueur de surface, la protéine CD8. Une fois activé par un antigène particulier, il se différencie en lymphocyte T cytotoxique.

LT cytotoxique : Lymphocyte T chargé de l'élimination des cellules infectées ou cancéreuses.

Lymphe : Liquide incolore, de même composition que le plasma sanguin, qui baigne les espaces intercellulaires. Elle contient des leucocytes.

Lymphocyte : Catégorie de leucocytes formés dans la moelle osseuse à partir de cellules souches lymphoïdes et impliqués dans la réponse immunitaire adaptative.

Lymphocyte auto-réactif : Qualifie un lymphocyte qui participe à une réaction immunitaire adaptative dirigée contre certains composants de l'organisme lui-même.

Lymphocyte B : Lymphocyte porteur de récepteurs B, qui naît et acquiert son immunocompétence dans la moelle osseuse. Après sélection par un antigène, il se transforme en plasmocyte sécréteur d'anticorps solubles.

Lymphocytes T : Lymphocytes porteurs de récepteurs T, dont la maturation s'effectue dans le thymus et qui se différencient en deux populations jouant des rôles différents dans la réponse immunitaire : les lymphocytes T CD4 et les lymphocytes T CD8.

Ma (million d'années) : Unité de temps employée en géologie (1 Ma = 10^6 années).

Macle : Association de cristaux de même nature selon une géométrie précise.

Macromolécule : Molécule constituée d'un très grand nombre d'atomes. Ce sont souvent des polymères.

Macrophage : Cellule issue de la différenciation des monocytes suite à leur passage dans les tissus. Phagocytose et présentation de l'antigène aux lymphocytes T sont deux de ses fonctions immunitaires.

Magma : Roche en fusion (température supérieure à 600 °C) constituée d'un liquide riche en silice contenant des gaz dissous, éventuellement des cristaux. En refroidissant, il donne par solidification des roches magmatiques.

Magmatisme : Ensemble des phénomènes liés à la genèse, aux déplacements et à la cristallisation d'un magma.

Magnitude : Mesure de l'énergie libérée au foyer d'un séisme. On utilise couramment l'échelle de Richter, sur laquelle un accroissement de magnitude de 1 correspond à une multiplication par 30 de l'énergie libérée.

Maladie auto-immune : Maladie liée à la destruction de certaines cellules de l'organisme par le système immunitaire.

Maladie génétique : Maladie causée au moins en partie par la présence d'un allèle déficient d'un gène.

Maladie multifactorielle : Maladie qui a plusieurs causes.

Maladies cardio-vasculaires : Maladies qui touchent le cœur ou les vaisseaux sanguins. Première cause de mortalité dans le monde.

Maladies neurodégénératives : Maladies progressives qui affectent le système nerveux en détruisant certains neurones (maladie d'Alzheimer, maladie de Parkinson, sclérose en plaques...).

Mammographie : Radiographie du sein ayant pour objectif de détecter d'éventuelles anomalies. Examen de référence pour le dépistage du cancer du sein.

Manteau : Enveloppe terrestre à l'état solide, constituée de péridotites, comprise entre la base de la croûte et le sommet du noyau.

Marqueur : Terme générique désignant des molécules biologiques caractéristiques d'un type cellulaire, d'une maladie, du patrimoine génétique d'un individu.

Massif plutonique : Grand volume de roches plutoniques (donc grenues) formé par cristallisation d'un magma au sein de la croûte continentale.

Mastocyte : Cellule présente dans tous les tissus. Ses nombreuses granulations cytoplasmiques contiennent des molécules comme la sérotonine, l'histamine... notamment impliquées dans les processus immunitaires.

Matrice extra-cellulaire : Ensemble des macromolécules remplissant les espaces entre les cellules d'un même tissu.

MEB : Microscope Électronique à Balayage. Technique utilisant un faisceau d'électrons qui balaie la surface de l'échantillon et permet d'obtenir une image tridimensionnelle.

Méiose : Succession de deux divisions cellulaires qui aboutit à des cellules haploïdes, le plus souvent 4, à partir d'une cellule-mère diploïde.

Mélanine : Terme désignant plusieurs molécules responsables de la coloration de la peau, des cheveux ou des yeux.

Mélanome : Tumeur cancéreuse des mélanocytes de la peau.

Mémoire immunitaire : Capacité du système immunitaire à conserver, sous forme de cellules mémoire, la trace du contact avec un antigène et à répondre plus efficacement à cet antigène lors d'un second contact.

MET : Microscope Électronique à Transmission. Ce type de microscope utilise un faisceau d'électrons qui traverse un échantillon. Il permet d'obtenir une image en coupe de la zone observée avec un grossissement très important.

Métabasalte : Basalte ayant subi des transformations minéralogiques à l'état solide (métamorphisme). Exemple : le métabasalte de faciès schistes bleus contient de la glaucophane.

Métagabbro : Gabbro ayant subi des transformations minéralogiques à l'état solide (métamorphisme). Exemple : le métagabbro de faciès schiste vert contient de la chlorite et de l'actinote.

Métamorphisme : Modification à l'état solide de la structure et de la minéralogie d'une roche soumise à des conditions de pression et de température différentes de celles de sa formation.

Métaphase : Deuxième phase de la mitose au cours de laquelle les chromosomes dupliqués très condensés se placent dans le plan équatorial.

Métastase : Tumeur formée à partir de cellules cancéreuses détachées d'une tumeur initiale, qui ont ensuite migré par les vaisseaux dans une autre partie du corps avant de s'y implanter.

Microlites : Cristaux de taille microscopique. Contraire de phénocristaux.

Microscope polarisant : Appareil destiné à l'observation microscopique d'une lame mince de roche afin de déterminer sa texture et sa composition minéralogique.

Mitochondrie : Organite siège de la respiration cellulaire, présent dans tous les types de cellules eucaryotes.

Mitose : Division cellulaire conservant le nombre de chromosomes de la cellule mère dans les deux cellules filles.

Modélisation : Représentation de l'organisation ou du fonctionnement d'un mécanisme afin de l'étudier.

Moelle osseuse : Tissu présent surtout dans les os longs dans lequel se forment les cellules sanguines (hématies, leucocytes, plaquettes).

Moho : Abréviation de « discontinuité de Mohorovičić ». Discontinuité séparant la croûte du manteau.

Monocyte : Leucocyte qui, après migration dans les tissus, se différencie en macrophage capable de phagocytose.

Monosomie : Anomalie liée à la présence d'un exemplaire unique d'un chromosome dans le caryotype. Exemple : monosomie X.

Monospécifique : Composée d'une seule espèce.

Mucoviscidose : Maladie génétique monogénique qui se manifeste par des troubles ventilatoires et digestifs. Elle est due à une production de mucus épais par les cellules épithéliales qui obstruent les bronches et d'autres canaux de l'organisme.

Mucus : Liquide plus ou moins visqueux sécrété par des cellules tapissant les cavités de l'organisme, et assurant un rôle protecteur.

Multirésistante : Se dit d'une bactérie insensible à de nombreux antibiotiques.

Mutation : Changement de la séquence des nucléotides de l'ADN.

Mutation ponctuelle : Modification aléatoire d'une paire de nucléotides dans une séquence d'ADN.

Mutation germinale : Mutation se produisant uniquement dans les cellules à l'origine des cellules sexuelles pouvant ainsi se transmettre à la descendance.

Mutation somatique : Mutation se produisant dans toutes les cellules, sauf celles à l'origine des cellules sexuelles, ne pouvant donc pas se transmettre à la descendance.

Mycélien : Relatif à l'appareil végétatif filamenteux des champignons, le mycélium.

Mycorhize : Symbiose entre un champignon du sol et les racines d'une plante.

Myopathie de Duchenne : Maladie génétique monogénique caractérisée par une dégénérescence progressive des muscles.

Nappe de charriage : Vaste ensemble rocheux (échelle kilométrique) qui s'est déplacé au cours de la formation d'une chaîne de montagnes et en recouvre un autre dont il était initialement éloigné.

Néandertalien : Espèce humaine fossile notamment caractérisée par un bourrelet osseux sus-orbitaire développé et une absence de menton. Connu de – 430 000 à – 30 000 ans.

Néolithique : Période préhistorique débutant 8 000 ans av. J.-C. marquée par la sédentarisation des populations humaines associée au développement de l'agriculture et de l'élevage. Elle s'achève 4 000 ans av. J.-C. avec l'apparition de l'écriture.

Néonicotinoïdes : Insecticides agissant sur le système nerveux central des insectes. Interdits en France depuis septembre 2018.

Neurotransmetteur : Molécule qui assure la transmission du message nerveux d'un neurone à une autre cellule au niveau d'une synapse.

Nitrate : Ion produit au cours du cycle de l'azote (NO_3^-), soluble dans l'eau.

Niveaux structuraux : Zones de la croûte terrestre situées entre deux profondeurs où les conditions de pression et de température présentes provoquent un type de déformation des roches : faille, pli, schistosité…

Niveau trophique : Ensemble des êtres vivants se nourrissant du même type d'aliment au sein d'un réseau trophique (niveau des herbivores, des carnivores, etc.).

Nocicepteur : Récepteur sensoriel sensible à la douleur.

Non-disjonction (des chromosomes) : Anomalie consistant en une mauvaise répartition des deux chromosomes homologues au cours de la méiose, les deux chromosomes se retrouvant finalement dans la même cellule fille.

Noradrénaline : Un des principaux neurotransmetteurs de l'organisme.

Noyau : Couche la plus interne du globe terrestre, liquide dans sa partie externe et solide dans sa partie interne.

Nucléosome : Unité de base de la chromatine, composée d'un filament d'ADN enroulé autour d'un groupe de protéines histones.

Nuée ardente : Grand volume de gaz, de cendres et de débris rocheux de toutes tailles, dévalant les pentes d'un volcan après une explosion à des vitesses de 200 à 600 km/h, et à des températures de plusieurs centaines de degrés.

Nutriment : Composé organique ou minéral issu de la digestion et servant de nourriture aux cellules.

Œdème : Présence anormalement abondante de liquide dans les tissus d'un organe, provoquant un gonflement de ces tissus.

Olivines : Minéraux de formule $(Fe, Mg)_2 [SiO_4]$ très abondants dans les péridotites (roches du manteau).

Ondes sismiques : Ondes émises et propagées lors d'un séisme. On distingue les ondes de volume (P et S) traversant la Terre et les ondes de surface.

ONF : Office National des Forêts. Organisme chargé de gérer durablement les forêts publiques de l'état (domaniales) et des collectivités territoriales.

Ophiolites : Roches typiques de la lithosphère océanique (péridotites, gabbros et basaltes) soulevées et charriées sur un continent (le plus souvent ces roches sont incorporées dans la stucture des chaînes de collision).

Orcéine acétique : Substance qui colore en violet les chromosomes.

Ostéoporose : Maladie chronique se caractérisant par une fragilisation progressive du squelette. À terme, elle peut conduire à des fractures.

Pancréas : Organe fabriquant des enzymes digestives d'une part, des hormones régulant le taux de glucose dans le sang d'autre part.

Pandémie : Épidémie affectant de nombreuses personnes sur une vaste zone géographique.

Panneau en subduction : Partie de la plaque subduite inclinée et située suivant le plan de Wadati-Bénioff.

Parasite : Être vivant qui vit aux dépens d'une autre espèce d'être vivant, l'hôte.

Parasitisme : Association à bénéfice unilatéral entre deux espèces au cours de laquelle le parasite tire profit de son hôte afin de se nourrir, s'abriter ou se reproduire.

Parenté : Partage d'ancêtres communs entre des espèces différentes (parenté phylogénétiques) ou entre des individus au sein d'une même espèce (parenté généalogique).

Pâte slime : Pâte gluante, visqueuse, obtenue par mélange de diverses substances.

Pathogène : À l'origine d'une maladie.

PCR : Réaction de Polymérisation en Chaîne. Technique amplifiant le nombre de molécules d'ADN initialement présentes dans un échantillon biologique.

PEFC (Label) : « *Program for the Endorsement of Forest Certification schemes* ». Marque apposée sur un produit en bois issu à 70 % au moins de forêts gérées durablement.

Perforines : Molécules produites par les lymphocytes T cytotoxiques, qui se fixent dans la membrane de la cellule cible et forment un canal membranaire après polymérisation.

Peroxydases : Enzymes catalysant la décomposition des peroxydes (comme par exemple l'eau oxygénée ou peroxyde d'hydrogène).

Perturbation (écologique) : Détérioration éloignant l'écosystème de sa situation d'équilibre.

Phagocyte : Cellule douée de phagocytose comme les granulocytes, les macrophages et les cellules dendritiques.

Phagocytose : Processus au cours duquel un microorganisme, des débris cellulaires ou des complexes immuns sont internalisés puis éliminés dans un phagocyte.

Phalange : Os des doigts ou des orteils.

Phénocristaux : Cristaux suffisamment gros pour être observés à l'œil nu. Contraire de microlites.

Phénotype : Ensemble des caractéristiques d'un individu, résultant de l'expression de ses gènes en interaction avec les facteurs environnementaux.

Phlébite : Obstruction d'une veine suite à la formation d'un caillot de sang. Synonyme : thrombose veineuse.

Phosphorylée : Se dit d'une molécule qui a fixé un groupe phosphate (PO_3^{2-}).

Photosynthèse : Synthèse de molécules organiques par les plantes chlorophylliennes à partir de dioxyde de carbone, d'eau et de sels minéraux en exploitant l'énergie lumineuse solaire (photo = lumière).

Pinède : Forêt principalement composée d'une ou plusieurs espèces de pins.

Pistil : Organe d'une fleur contenant les gamètes femelles.

Placebo : Traitement en principe dépourvu d'efficacité utilisé comme témoin dans les protocoles thérapeutiques expérimentaux. Il peut cependant produire un effet thérapeutique par les mécanismes psychologiques qu'il induit (effet placebo).

Placette : Surface bien délimitée et localisée dans laquelle des inventaires de la biodiversité, surtout végétale, sont réalisés au cours du temps.

Plaine abyssale : Vaste étendue très plate des fonds marins, située en moyenne à 4 500 m de profondeur.

Plan équatorial : Plan situé entre les deux pôles d'une cellule, au niveau duquel les chromosomes viennent se placer lors des métaphases.

Planches délignées : Planches sciées dans une pièce de bois préalablement préparée.

Plaque chevauchante : Plaque sous laquelle plonge le panneau en subduction. Elle est le siège d'un magmatisme important.

Plaques tectoniques (lithosphériques) : Vastes régions de la lithosphère animées de mouvements relatifs les unes par rapport aux autres. D'épaisseur variable, pouvant atteindre 150 km, chaque plaque est délimitée horizontalement par une activité sismique importante due aux déformations présentes.

Plasma : Partie liquide du sang, d'aspect clair, qui peut être obtenue par centrifugation de sang non coagulé.

Plasmocyte : Cellule issue de la différenciation d'un lymphocyte B, qui sécrète de grandes quantités d'anticorps de même spécificité que les anticorps membranaires du lymphocyte B initial.

Pli : Déformation souple d'un ensemble de roches résultant de leur compression ou de leur torsion.

Point chaud : Ascension vers la surface d'une colonne de matériau rocheux anormalement chaud, provenant de la base du manteau, et produisant des magmas au sein de la lithosphère. Les points chauds gardent une position très stable au cours des temps géologiques.

Polyallélisme : Fait, pour un gène, de posséder plusieurs allèles.

Polymère : Macromolécule constituée de l'association de nombreuses molécules semblables.

Polymorphe (gène) : Gène pour lequel il existe plusieurs allèles dont la fréquence au sein de l'espèce est supérieure ou égale à 1 %.

Polypeptide : Molécule organique constituée par l'enchaînement de moins de cent acides aminés (au-delà, on parle de protéine).

Ponts disulfures : Liaisons covalentes se formant dans une protéine entre deux atomes de soufre appartenant à deux cystéines (acides aminés). Ces liaisons stabilisent la structure tridimensionnelle de la protéine.

Poussée d'Archimède : Force verticale dirigée vers le haut s'appliquant à tout corps plongé partiellement ou totalement dans un fluide.

ppm : Partie par million. Fraction valant 10^{-6}, c'est-à-dire un millionième ; par exemple une masse d'1 ppm équivaut à 1 gramme par tonne.

Précurseur : Molécule participant à la formation d'une autre molécule, par assemblage ou autre transformation chimique. Les nucléotides A, T, C et G sont des précurseurs de la molécule d'ADN.

Précurseur radioactif : Molécule participant à la formation d'une autre molécule dont certains atomes sont radioactifs afin de suivre son devenir dans les cellules.

Prédation : Consommation d'une plante ou d'un animal par un autre être vivant.

Prévention : Dans le domaine de la santé, ensemble des mesures visant à éviter ou réduire le nombre et la gravité des maladies, des handicaps et des accidents.

Principe actif : Molécule qui, dans un médicament ou dans un vaccin, permet au produit d'agir sur la santé de la personne.

Processus de coalescence : Réunion des arbres généalogiques individuels indiquant que les hommes actuels sont tous cousins.

Producteurs primaires : Organismes chlorophylliens produisant la biomasse par photosynthèse. Ces organismes sont situés à la base de toutes les chaînes alimentaires d'un écosystème d'où le qualificatif de « primaires ».

Produit : Résultat d'une réaction enzymatique après transformation du substrat.

Profil d'expression : Intensité de l'expression d'un gène dans une cellule, un tissu ou un organe.

Profil sismique : Représentation en coupe de la structure du sous-sol grâce aux surfaces sur lesquelles les ondes sismiques se sont réfléchies ou réfractées.

Prophase : Première phase de la mitose au cours de laquelle l'ADN des chromosomes dupliqués se condense.

Prostaglandine : Molécule libérée par des tissus subissant la réaction inflammatoire. Elle stimule la vasodilatation et les nocicepteurs, récepteurs sensoriels à l'origine de la sensation douloureuse.

Protéine : Macromolécule constituée par l'enchaînement dans un ordre précis d'un grand nombre d'acides aminés.

Protéines structurantes : Protéines assurant une fonction de maintien dans l'architecture cellulaire.

Puce à ADN : Support sur lequel des séquences d'ADN « simple brin » de plusieurs gènes sont déposées. Permet de repérer les types cellulaires dans lesquels s'expriment ces gènes.

Puits de carbone : Réservoir naturel qui stocke le carbone atmosphérique. Exemple : les océans et les forêts.

Pus : Liquide de couleur blanc jaunâtre formé de phagocytes morts et de débris cellulaires de microorganismes.

Pustule : Lésion de la peau constituée d'une cloque contenant du pus.

Pyroxènes : Famille de minéraux ferromagnésiens très présents dans les péridotites, les gabbros et les basaltes.

Racine crustale : Enfoncement de la croûte continentale dans le manteau sous une chaîne de montagnes. Cet enfoncement est à l'origine de l'épaississement important de la croûte lors de la formation de la chaîne.

Radiale : Désigne la migration de molécules dans toutes les directions de l'espace depuis leur zone de dépôt, dans un gel par exemple.

Radiochronologie : Technique de datation des roches basée sur l'étude de la désintégration des éléments radioactifs qu'elles contiennent.

Rappel (vaccinal) : Injection d'une dose supplémentaire d'un vaccin afin de maintenir un niveau suffisant de mémoire immunitaire.

Rate : Petit organe lymphoïde, accolé à la face antérieure gauche de l'estomac, dans lequel ont lieu l'activation des lymphocytes par les antigènes présents dans le sang et la destruction des hématies âgées.

Rayons X : Ondes électromagnétiques non visibles pouvant pénétrer dans la matière, utilisées en imagerie médicale et en cristallographie.

Réaction inflammatoire : Réponse immunitaire stéréotypée de l'organisme face à une agression (infection, brûlure, lésion...). L'inflammation se manifeste par une rougeur, un gonflement, une sensation de chaleur et de douleur. Elle peut être aiguë (de forte intensité mais de courte durée) ou chronique (de longue durée, en général de moindre intensité).

Récepteur de surface : Molécule située en surface de la membrane plasmique des cellules (leucocytes par exemple) qui permet de les caractériser.

Récepteur T : Molécule se trouvant sur la membrane des lymphocytes T. Par son unique site de reconnaissance, il reconnaît un antigène associé à une molécule du CMH.

Récessive : Se dit d'une maladie génétique s'exprimant au niveau du phénotype uniquement lorsque le gène concerné est à l'état homozygote.

Redondant : Répétitif. Le code génétique est redondant car plusieurs codons peuvent correspondre au même acide aminé.

Régulation : Désigne l'ensemble des mécanismes qui contrôlent un phénomène biologique comme l'expression d'un gène, le taux de glucose sanguin, la température corporelle, etc.

Réhabilitation : Rétablissement, par des moyens d'ingénierie écologique, de l'intégrité d'un écosystème dégradé.

Rémanents : Branches et troncs d'arbres abandonnés en forêt après une coupe.

Remontée asthénosphérique : Ascension du manteau anormalement chaud et ductile sous l'axe des dorsales.

Répertoire immunitaire : Ensemble des récepteurs exprimés par les lymphocytes B et T d'un individu à un moment donné de sa vie.

Réplication de l'ADN : Formation de deux nouvelles molécules d'ADN en principe identiques à la molécule initiale.

Réplication semi-conservative : Formation de deux nouvelles molécules identiques d'ADN à partir d'une molécule initiale, chacune ayant conservé un des deux brins de la molécule mère.

Réseau trophique : Ensemble des chaînes alimentaires reliant les êtres vivants d'un écosystème (producteurs, consommateurs, décomposeurs).

Résilience : Capacité d'un écosystème à se réparer et à retrouver son état initial suite à une perturbation.

Résineux : Les résineux sont des arbres dont les feuilles sont en forme d'aiguilles. En général, elles ne tombent pas toutes en même temps (feuillage persistant).

Respiration : Au niveau de l'organisme, échanges gazeux (absorption d'O_2 et rejet de CO_2). Au niveau cellulaire, dégradation de glucose grâce au O_2, ce qui produit l'énergie utilisée par la cellule.

Réprimés : Se dit des gènes qui ne s'expriment pas dans une cellule.

Restauration : Rétablissement, par des techniques d'ingénierie écologique, des services écosystémiques les plus utiles à l'Homme dans un écosystème dégradé.

Ribose : Sucre ($C_5H_{10}O_5$) qui entre dans la composition des nucléotides de l'ARN.

Ribosome : Complexe moléculaire permettant la synthèse des protéines à partir d'un ARN messager et d'acides aminés libres.

Ripisylve : Boisement installé sur les rives d'un cours d'eau.

Roche magmatique : Roche résultant de la solidification d'un magma.

Roche métamorphique : Roche formée par transformation d'une autre roche, à l'état solide, sous l'effet d'une augmentation de pression et/ou de température.

Roche sédimentaire : Roche formée par l'accumulation de débris ou/et par précipitation de solutés.

Roche plutonique : Roche magmatique de texture grenue issue de la cristallisation lente d'un magma, en profondeur.

Roche volcanique : Roche magmatique de texture microlitique issue de la cristallisation rapide d'un magma, en surface.

Savane : Formation végétale des régions tropicales à longue saison sèche dominée par la présence de plantes herbacées (graminées).

Scanner : Appareil muni d'un anneau rotatif émettant des rayons X. Il produit des images radiographiques en coupes du corps humain, à des fins de diagnostic. Synonyme : tomodensitométrie.

Schiste : Roche métamorphique présentant une schistosité marquée.

Schistosité : Capacité d'une roche à se débiter en lamelles selon des plans parallèles.

Séisme : Secousse ou série de secousses plus ou moins fortes du sol dues à une fracture des roches en profondeur. Synonyme : tremblement de terre.

Sélection clonale : Activation par un antigène des lymphocytes porteurs d'un récepteur spécifique de cet antigène.

Séquençage : Opération permettant de déterminer la séquence des nucléotides d'un gène ou des acides aminés d'une protéine.

Séquence : Nombre et ordre des composants élémentaires d'un polymère, comme les nucléotides dans l'ADN ou les acides aminés dans une protéine.

Séquencé(e) : Se dit d'un gène (ou d'une protéine) dont on connaît la séquence de nucléotides (ou d'acides aminés).

Séquence régulatrice : Partie d'une molécule d'ADN ne codant pas pour une protéine mais influençant le niveau de transcription des gènes présents.

Séropositif : Se dit d'un individu qui a dans son sérum sanguin des anticorps spécifiques d'un antigène donné. Par exemple, désigne les personnes ayant été contaminées par le virus du SIDA et possédant de ce fait des anticorps anti-VIH.

Sérum : Partie liquide du sang, de couleur jaunâtre, dépourvue des différentes cellules et des protéines de la coagulation.

Services écosystémiques : Bénéfices, matériels ou non, retirés par les humains du fonctionnement des écosystèmes. On distingue quatre catégories de services écosystémiques : soutien, approvisionnement, régulation et culture.

S'hybrider : S'associer par complémentarité (pour deux molécules), sans formation de liaison covalente.

SIG : Système d'Information Géographique. Outil informatique conçu afin d'acquérir, stocker, analyser, présenter tous les types de données spatiales et géographiques.

Sismique réflexion : Technique consistant à émettre des vibrations qui pénètrent dans le sous-sol. Les échos renvoyés par les limites entre couches renseignent sur la structure géologique en profondeur.

Site actif : Région d'une enzyme dont la forme permet la fixation du substrat et sa transformation en produit.

Site anticorps : Zone de la molécule d'anticorps capable se lier spécifiquement à un antigène.

Soi : Ensemble des constituants moléculaires propres à un individu. Contrairement au « non-soi », le système immunitaire ne réagit en principe pas contre les molécules du soi.

Solidus : Courbe séparant un domaine de pressions et températures où une roche est à l'état solide, d'un domaine où elle est en état de fusion partielle (mélange solide et liquide).

Sonar multifaisceau : Appareil de mesure de la profondeur des fonds sous-marins (bathymétrie) capable de l'évaluer sur une bande large de plusieurs kilomètres en un seul passage.

Sonde (moléculaire) : Molécule marquée (par fluorescence, par radioactivité) qui peut se lier de façon spécifique à une cible que l'on recherche.

Souche (de souris) : Groupe de souris possédant une ou des caractéristiques génétiques communes, utilisées dans les laboratoires de recherche.

Souche d'un arbre : Base du tronc d'un arbre et ses racines, restées en place après la mort de l'arbre ou son abattage.

Spécialisation cellulaire : Fonction particulière d'une cellule de l'organisme. Exemple : un neurone est spécialisé dans la transmission de messages nerveux.

Squalène : Lipide utilisé comme adjuvant dans certains vaccins, notamment contre la grippe saisonnière.

Squelette carboné : Enchaînement des atomes de carbone dans une molécule organique.

Steppe : Formation végétale composée d'une vaste étendue d'herbes et d'arbrisseaux, où les arbres sont absents.

Stéroïdes : Catégorie de molécules lipidiques qui possèdent une même structure chimique. Elle comporte le cholestérol, la cortisone, les hormones ovariennes...

Stock de matière : Quantité de matière présente par unité de surface ou de volume dans un écosystème.

Stress oxydatif : Agression des constituants cellulaires par des radicaux libres. Ces molécules surtout produites dans les mitochondries sont très réactives chimiquement.

Subduction : Enfoncement d'une partie d'une plaque lithosphérique dans le manteau asthénosphérique.

Substrat (d'une enzyme) : Molécule dont la transformation peut être catalysée par une enzyme.

Succession écologique : Processus naturel de développement d'un écosystème depuis le stade initial vers un stade de maturité (climax).

Succession végétale : Ensemble des espèces végétales se succédant dans un territoire donné, à cause des changements de conditions écologiques.

Sus-orbitaire : Qualifie la région du crâne située au-dessus de l'orbite et en-dessous du front, c'est-à-dire au niveau des sourcils.

Suture : Bande étroite correspondant au contact de zones initialement éloignées de plusieurs kilomètres dans une chaîne de montagnes.

Symbiose : Association durable et à bénéfices réciproques entre deux êtres vivants d'espèces différentes.

Synthèse protéique : Fabrication d'une protéine à partir de l'ARN messager au niveau des ribosomes. Synonyme : traduction.

Système Rhésus : Système de groupage sanguin. Détermine si un individu est Rhésus positif (marqueur antigène D présent sur les hématies) ou négatif (marqueur absent).

Tangente : La tangente d'une courbe en un point est une droite qui passe par ce point sans traverser la courbe à cet endroit.

Taux de mutation : Probabilité d'apparition d'une nouvelle mutation. Peut concerner un site particulier de l'ADN, ou s'exprimer par gamète, par organe ou par génération.

Télophase : Dernière étape de la mitose au cours de laquelle le cytoplasme se sépare, individualisant ainsi les deux cellules filles.

Teslamètre : Appareil permettant de mesurer l'intensité du champ magnétique grâce à un capteur spécifique (sonde à effet Hall).

Test ADN : Analyse de l'ADN d'un individu afin, par exemple, de rechercher des allèles morbides ou d'établir d'éventuels liens de parenté.

Texture : Agencement des minéraux d'une roche les uns par rapport aux autres. Pour les roches magmatiques, on distingue les textures grenues (typiques des roches plutoniques) et microlitiques (typiques des roches volcaniques).

Thérapie génique : Technique qui consiste à introduire du matériel génétique dans des cellules afin de soigner une maladie (maladie monogénique, cancers...).

Thermocycleur : Appareil réalisant une PCR de manière automatique.

Thymus : Organe lymphoïde central, situé entre les deux poumons, dans lequel les futurs lymphocytes T issus de la moelle osseuse achèvent leur maturation.

Thyroïde : Glande endocrine présente chez les vertébrés et produisant plusieurs types d'hormones.

Tissus : Groupe de cellules différenciées bien localisées dans une région corporelle et qui exercent ensemble une fonction commune.

Tomographie sismique : Technique d'auscultation du globe terrestre utilisant les anomalies de vitesse des ondes sismiques et permettant de révéler l'hétérogénéité thermique du manteau.

Traduction : Assemblage par le ribosome des acides aminés en une protéine, suivant le message génétique porté par l'ARN messager.

Transcription : Copie d'une séquence d'un brin d'ADN (brin transcrit) en une molécule d'ARN simple brin possédant une séquence complémentaire.

Transcriptome : Désigne la diversité et la quantité des différents ARN messagers produits par une cellule ou un tissu à un moment donné.

Transformateur : Décomposeur qui achève la minéralisation de la matière organique morte (bactéries, champignons).

Transgénèse : Technique qui consiste à introduire et faire fonctionner dans un organisme un gène provenant d'un autre individu de la même espèce ou d'une autre espèce.

Trisomie : Anomalie liée à la présence d'un chromosome en triple exemplaire dans le caryotype. Exemple : trisomie 21.

Tubercule : Organe végétal massif, généralement souterrain, formé par l'accumulation de réserves dans une tige et/ou une racine. Certains sont cultivés afin d'être consommés (pomme de terre, betterave...).

Tumeur : Grosseur plus ou moins volumineuse due à la multiplication anarchique de cellules normales (tumeur bénigne) ou anormales (tumeur maligne ou cancéreuse).

Unisexué : Qui n'a qu'un seul sexe, femelle ou mâle.

Univoque : Se dit de ce qui garde le même sens. Le code génétique est univoque (chaque codon ne désigne qu'un seul type d'acide aminé).

Vaccin préventif : Vaccin qui permet de prévenir l'apparition d'une maladie d'origine infectieuse.

Vaccin thérapeutique : Vaccin permettant de stimuler le système immunitaire pour qu'il redevienne apte à lutter contre une maladie déjà déclarée, un cancer le plus souvent.

Vaccination : Injection d'antigènes modifiés, non pathogènes, qui provoquent la formation de cellules mémoire spécifiques. Elle génère une immunité protectrice durable pour l'individu vacciné et pour la population à laquelle il appartient si cette pratique est suffisamment répandue.

Variants : Différentes formes d'un marqueur génétique (gène, RFLP, microsatellites...).

Vasoconstriction : Diminution du diamètre d'un vaisseau sanguin par contraction des fibres musculaires présentes dans sa paroi.

Vasodilatation : Augmentation du diamètre d'un vaisseau sanguin suite au relâchement des fibres musculaires de sa paroi.

Vecteur : 1 / Organisme qui ne provoque pas lui-même une maladie, mais qui propage l'infection en transportant les agents pathogènes d'un hôte à l'autre. 2 / Système permettant d'injecter de l'ADN à visée thérapeutique dans les cellules d'un malade. Il s'agit d'un virus, le plus souvent.

Vésicule biliaire : Organe (poche) stockant la bile fabriquée par le foie.

Viscères : En anatomie humaine, les viscères sont les organes contenus dans les cavités crânienne, thoracique et abdominale. Par exemple, le foie est un viscère abdominal.

Viscosité : État de ce qui est visqueux. Se dit d'un fluide qui résiste à l'écoulement.

Visqueux : Qui résiste à l'écoulement.

Vitesse (enzymatique) : Quantité de substrat transformé (ou de produit formé) par unité de temps lors d'une réaction enzymatique.

Vitesse maximale : Vitesse d'une réaction enzymatique lorsqu'elle débute.

Voie métabolique : Ensemble des réactions biochimiques se déroulant dans un ordre précis et transformant une molécule initiale en une ou plusieurs autres molécules.

Volcanisme effusif : Activité volcanique typique des magmas fluides. Les éruptions produisent surtout des fontaines de lave et des coulées fluides.

Volcanisme explosif : Activité volcanique typique des magmas visqueux. Les éruptions produisent des extrusions rocheuses (dômes et aiguilles de lave), des explosions et des coulées pyroclastiques (nuées ardentes).

Volcanisme intraplaque : Volcanisme se manifestant de façon indépendante vis-à-vis des limites des plaques tectoniques. Synonyme : volcanisme de point chaud.

Zone de subduction : Zone où une partie d'une plaque lithosphérique s'enfonce dans le manteau asthénosphérique.

Crédits photographiques

Édition : Béatrice Le Brun, Sara Maurer, Nicole Rêve, Claire Maillochon, Karine Routier

Assistanat éditorial : Anna Girard

Direction éditoriale : Julien Barret

Direction artistique : Pierre Taillemite

Couverture : Favre et Lhaik

Conception graphique intérieure : Joëlle Parreau

Mise en page : Évelyne Boyard, Marion Clément (Domino), Pierre Florette (Domino), Joëlle Parreau

Schémas : Nathalie et Dominique Guéveneux (Domino), Vincent Landrin

Illustrations : Grégory Michnik

Iconographie : Sophie Léonard, Fabrice Lucas, Clémence Zagorski

Compogravure : Irilys

Fabrication : Françoise Leroy

N° de projet: 10247606 - Dépôt légal: août 2019

Achevé d'imprimer en Italie par Grafica Veneta - Trebaseleghe en août 2019